CW00656078

Economía política argentina

Dirigida por:
Eduardo M. Basualdo

ESTUDIOS DE HISTORIA ECONÓMICA ARGENTINA

Desde mediados del siglo XX a la actualidad

por

Eduardo M. Basualdo

Siglo veintiuno editores Argentina s.a.
TUCUMÁN 1621 7° N (C1050AAG), BUENOS AIRES, REPÚBLICA ARGENTINA

Siglo veintiuno editores, s.a. de c.v.
CERRO DEL AGUA 248, DELEGACIÓN COYOACÁN, 04310, MÉXICO, D. F.

Siglo veintiuno de España editores, s.a.
PRÍNCIPE DE VERGARA 78, 2° (28006) MADRID

Basualdo, Eduardo M.
Estudios de historia económica argentina : Desde mediados del siglo XX a la actualidad - 1a ed. - Buenos Aires : Siglo XXI Editores Argentina, 2006.
496 p. ; 16x23 cm. (Economía política argentina, dirigida por Eduardo M. Basualdo)

ISBN 987-1220-39-1

1. Economía Argentina. I. Título
CDD 330.982

Portada: Peter Tjebbes

ISBN 987-1220-39-1

Impreso en Artes Gráficas Delsur
Alte. Solier 2450, Avellaneda,
en el mes de marzo de 2006

Hecho el depósito que marca la ley 11.723
Impreso en Argentina - Made in Argentina

Índice

Índice de cuadros, diagramas y gráficos

Cuadros

DIAGRAMAS

GRÁFICOS

A nuestros muertos en la lucha por la liberación nacional que ya son parte
de la identidad popular y habitan en nuestro corazón;
a la clase trabajadora argentina que con sus pasos marca nuestra senda;
a los luchadores sociales y políticos que cotidianamente
recrean la solidaridad y la organización social.

A mi compañera, Marjorie Richards, y a nuestros hijos,
Victoria, Eduardo T., Francisco, Federico, Guadalupe y Dolores.

1. Introducción

El propósito de este trabajo es analizar el endeudamiento externo de la Argentina desde los primeros gobiernos peronistas hasta la actualidad. No se trata solamente de describir las alternativas seguidas por la deuda externa durante las últimas décadas sino también de aprehender la naturaleza de este fenómeno económico y, en consecuencia, sus múltiples derivaciones en términos económicos y sociopolíticos.

La deuda externa es una variable que se inscribe en el campo de la circulación del excedente en el plano mundial y no está de manera ineluctable referida a su empleo en la generación de dicho excedente; su función y sus efectos dependen del proceso específico de acumulación de capital en el cual se inserta. Desde esta perspectiva, exhibe diferencias decisivas con los otros componentes de la economía real, ya que éstos, además de incidir en la circulación y la distribución del excedente, sí están directamente relacionados con su generación.

La deuda externa cobra forma a partir de la relación que se establece entre distintos agentes económicos: los acreedores externos (bancos comerciales, organismos internacionales, tenedores de bonos y títulos) y los deudores locales (sector público y privado). Sus efectos en cada uno de los términos de esta relación dependen del régimen de acumulación imperante en los países centrales y en los periféricos, así como de su forma de articulación en el régimen de acumulación dominante a escala internacional.[1]

[1] En repetidas ocasiones a lo largo de estos ensayos se aludirá al concepto de "patrón de acumulación de capital", "régimen social de acumulación" o simplemente "régimen de acumulación". Respecto de su definición, R. Boyer (1989) sostiene: *"Se designará con este término al conjunto de regularidades que aseguran una progresión general y relativamente coherente de la acumulación del capital, es decir que permita reabsorber o posponer las distorsiones y desequilibrios que nacen permanentemente del mismo proceso."* (p. 59). Por otra parte, según E. Arceo (2003): *"Las características del modo de acumulación dependen de la estructura económico-social, de las luchas políticas y sociales que fueron conformando esa estructura y de la composición del bloque de clases que deviene dominante y que impone un sendero de acumulación acorde con sus intereses."* (p. 19). Asimismo, J. Nun (1987) entiende: "... *así como hay un* régimen político de gobierno, *hay también un* régimen social de acumulación, *en cuyo contexto operan los agentes económicos [...] un* régimen social de acumulación *es insanablemente heterogéneo y está recorrido por contradicciones permanen-*

Esto determina que en los distintos regímenes de acumulación de capital se produzcan modificaciones sustanciales en los niveles absoluto y relativo que alcanza el endeudamiento externo, en las características de los acreedores y deudores, y también en el impacto que la deuda tiene sobre las diferentes variables de la economía real. En otras palabras, la deuda externa es una variable económica dependiente, porque su magnitud y sus características están en función de la manera en que se produce y se distribuye el excedente económico a nivel nacional e internacional. No obstante, el énfasis de esa investigación está puesto en la relación entre la deuda externa y el patrón de acumulación de capital interno, incorporando para ello las políticas y las transformaciones del proceso de internacionalización financiera a nivel mundial.

Estos criterios analíticos básicos guían el presente trabajo que, si bien reconoce la deuda externa como su eje, también incorpora un conjunto de elementos que permiten entender las alteraciones en su magnitud, su relación con la conformación de los sectores dominantes[2] y el funcionamiento del patrón de acumulación de capital en las distintas etapas por las que transitó la economía argentina durante los últimos cincuenta años. Al igual que con el concepto de modo de acumulación o patrón de acumulación de capital, y vinculado al mismo, se aludirá a: "bloque de poder" o "bloque social dominante", o lisa y llanamente "sectores dominantes".

El análisis de cada período tiene el mismo hilo conductor, así como preocupaciones y metodologías comunes, pero su tratamiento mantiene una cierta autonomía respecto de los demás. Es decir que cada capítulo, aunque supone los desarrollos anteriores, contiene los elementos suficientes como para ser tratado como una unidad; al menos ésa fue la pretensión del autor. De allí que se los denomine "estudios de historia económica argentina".

Así, estos estudios tienen varias lecturas posibles. Por la extensión, son un tratado sobre de la deuda externa, pero al mismo tiempo intentan abordar la relación de ésta con el capital extranjero, con lo que fue la burguesía nacional

---

tes que se manifiestan en niveles variables de conflictividad y ponen continuamente de relieve el decisivo papel articulador que juegan la política y la ideología [...] Colocado el tema de esta manera, se sigue sin demasiadas dificultades que un régimen social de acumulación *es un proceso histórico pluridimensional de mediano o largo plazo, que define eso que corrientemente se llama una 'etapa' o un 'estadio' capitalista."* (pp. 37-42).

[2] Quizá, quién más precisamente definió este concepto es N. Poulantzas (1970): *"El Estado capitalista presenta también, por su estructura específica, y en sus relaciones con las clases y fracciones dominantes, una particularidad respecto de los otros tipos de Estado... En efecto, si esa coexistencia de varias clases en un carácter general de toda formación social, reviste formas específicas en las formaciones capitalistas. Puede establecerse, en esas formaciones que la* relación *entre,* por una parte, *un juego institucional particular inscripto en la estructura del Estado capitalista, juego que funciona en el sentido de una unidad específicamente política del poder del Estado, y,* por otra parte, *una configuración particular de las relaciones entre las clases dominantes: esas relaciones, en su relación con el Estado, funcionan en el seno de una unidad política específica recubierta por el concepto de bloque de poder."* (pp. 295 y 296).

y, especialmente, con el trascendente papel que asumió la oligarquía pampeana. A partir de allí procuran aportar nuevos elementos para el debate acerca del contenido de la sustitución de importaciones y de la valorización financiera que le sucedió y predominó como comportamiento económico durante los últimos treinta años.

La organización de estos estudios está en función de los patrones de acumulación de capital que se desplegaron durante el último medio siglo en la Argentina. El análisis de cada uno avanza mediante una diferenciación temática que generalmente contempla la confluencia de la evolución macroeconómica y la política económica, las transformaciones que se registran en la economía real, y las características del endeudamiento externo con la alternancia de las diferentes fracciones del capital. La conjunción del enfoque temporal —que organiza estos ensayos— con el temático —que ordena el abordaje de cada uno de los patrones de acumulación de capital—, trae como consecuencia algunas idas y vueltas cronológicas a medida que se tratan las diferentes temáticas en cada una de las etapas. Aunque se intentó reducir al máximo estas superposiciones, resultó imposible eliminarlas, ya que hacen a la idiosincrasia de la metodología adoptada.

Inmediatamente después de esta introducción se aborda, en el capítulo 2, el análisis de la sustitución de importaciones y el papel que adquirió la deuda externa en ella. El análisis de la primera sustitución se limita a algunas notas que operan como antecedentes, tanto en términos de la deuda externa como de la conformación de las fracciones del capital que integraron los bloques sociales enfrentados durante los años posteriores.

El análisis de la segunda etapa de sustitución de importaciones gira alrededor de tres tópicos relevantes. El primero se refiere a los cambios que implicó la presencia de una fracción de la oligarquía agropecuaria que se diversificó hacia la industria durante el modelo agroexportador. El segundo, a la forma en que evolucionó el proceso de concentración del capital industrial bajo el liderazgo de las empresas industriales extranjeras.[3] Y el tercero, a la creciente sustentabilidad que adquirió la industrialización por la modificación del denominado ciclo corto (pare-siga), debido a la expansión que registra-

[3] En estos estudios se entiende "concentración de producción" como la incidencia que tienen las mayores firmas de una actividad económica (cuatro u ocho, según la metodología utilizada) en el valor de producción de esta actividad. En cambio, "centralización económica" alude a los procesos por los que unos pocos capitalistas acrecientan el control sobre la propiedad de los medios de producción con que cuenta una sociedad, mediante la expansión de su presencia en una o múltiples actividades económicas, basándose en una reasignación del capital existente. La centralización del capital no se produce necesariamente en una rama de actividad, sino prioritariamente a través de la compra de empresas, fusiones o asociaciones que aumentan el control por un mismo capital de diversas actividades. En términos más precisos: *"No se trata ya de una simple concentración, idéntica a*

ron las exportaciones industriales y la deuda externa a partir de mediados de los años sesenta.

El capítulo 3 inicia el análisis del patrón de acumulación de capital que eclosionó en 2001 con el tratamiento de los acontecimientos y cambios estructurales producidos durante la última dictadura militar. Se indaga la manera en que la valorización financiera interrumpió el proceso de industrialización anterior, así como el papel fundamental que cumplieron el endeudamiento externo, la redefinición del Estado y la redistribución del ingreso en contra de los asalariados en el nuevo funcionamiento de la economía argentina. Un breve análisis del movimiento peronista como expresión de la crisis política de la época, constituye un paso ineludible para aprehender algunas de las condiciones que hicieron posible el golpe militar de 1976. Otro tópico de importancia crucial es la conformación del nuevo bloque de poder, especialmente de sus integrantes internos. Se intenta demostrar, conceptual y empíricamente, que, a través del control del Estado, la conducción de la oligarquía agropecuaria —la fracción diversificada hacia la industria— logró fracturar e integrar una parte de las restantes fracciones del capital, obteniendo como resultado la emergencia de una oligarquía industrial remozada.

Especial relevancia asume el análisis de la manera en que la tasa de interés interna superó sistemáticamente el costo del endeudamiento externo, y cómo el proceso de valorización financiera que llevaron a cabo las fracciones predominantes del capital culminó con la fuga de capitales locales al exterior.[4] Asimismo, se aborda el papel que cumplió la deuda externa estatal como proveedora de las divisas que hicieron posible la remisión al exterior de los fondos valorizados por los sectores dominantes y, con particular detalle, la manera en

---

la acumulación, de los medios de producción y del poder de mando sobre el trabajo. Se trata de la concentración de los capitales ya existentes, *de la acumulación de su autonomía individual, de la expropiación de unos capitalistas por otros, de la aglutinación de muchos capitales pequeños para formar unos cuantos capitales grandes. Este proceso se distingue del primero en que* sólo presupone una distinta distribución de los capitales ya existentes y en funciones, en que, por tanto, su radio de acción no está limitado por el incremento absoluto de la riqueza social o por las fronteras absolutas de la acumulación. *El capital adquiere, aquí, en una mano, grandes proporciones porque allí se desperdiga en muchas manos. Se trata de una* verdadera centralización, *que no debe confundirse con la* acumulación *y la concentración."* (Carlos Marx, 1971, p. 526).

[4] La fuga de capitales locales se estima en este trabajo sobre la base del "método residual de balanza de pagos", que consiste en sumar los ingresos netos de capitales (bajo la forma de inversión extranjera directa y de endeudamiento externo público y privado), el saldo neto de la cuenta corriente (originado tanto en la balanza comercial como en los servicios) y la variación de las reservas internacionales. Es decir:

FC = De +IED +Scc - Ri

Donde:

FC = Transferencia de capitales locales al exterior (fuga de capitales).

que el sector privado le transfirió su deuda externa al Estado una vez que eclosionó la primera burbuja de la valorización financiera, por la crisis de la deuda externa latinoamericana a comienzos de la década de 1980.

Finalmente, en este mismo capítulo se encara el seguimiento de las transformaciones en la economía real, a través del análisis de los mayores establecimientos industriales y de la composición de las ventas de las grandes empresas de la economía argentina.

El núcleo temático del capítulo 4 es el comportamiento económico durante el primer gobierno constitucional posterior a la dictadura militar. En él se intenta develar los alcances a nivel internacional de la denominada "década de la crisis de la deuda externa" en América Latina y la manera en que ésta se procesó internamente. Para eso se evalúan las diversas políticas económicas que se implementaron, su relación con las restricciones al financiamiento externo y con el Plan Baker. También se indaga en los efectos de los acontecimientos y las políticas en la economía real a través del análisis de las derivaciones de los regímenes de promoción industrial y la evolución de las ventas de las grandes firmas.

El análisis de los fenómenos macroeconómicos se articula con el estudio tanto de las modificaciones en el comportamiento microeconómico de las grandes empresas oligopólicas como de las nuevas relaciones que éstas establecieron con el Estado, a partir de las cuales se moldeó una nueva configuración del sistema político que se consolidó en la década de 1990 y se encuadra en los términos "gramscianos" del transformismo. El capítulo culmina con un análisis de la importancia que asumió la oligarquía agropecuaria en la propiedad de la tierra frente al derrumbe de la inversión productiva y la notable consolidación de la fracción de la oligarquía que constituía el núcleo central de los grupos económicos locales.

De = Flujo de endeudamiento externo neto del período (cambios en el *stock* de deuda externa, en donde un signo positivo significa aumento).

IED = Flujo de inversión extranjera directa (+ significa aumento).

Scc = Saldo de la cuenta corriente del balance de pagos (- significa déficit).

Ri = Variación en las reservas internacionales (+ significa aumento).

El resultado de esta ecuación refleja la salida de capitales locales (cuando es positivo) o, por el contrario, la repatriación de capital local (cuando es negativo). Finalmente, a estas transferencias financieras se le suman las que se originan en el comercio exterior. En otras palabras, todos los ingresos de capitales que no sean aplicados al financiamiento del incremento de las reservas oficiales, del pago neto del intercambio de bienes y servicios o de la variación de la inversión extranjera directa, deben ser considerados capitales fugados. Para un análisis más detallado de esta metodología así como de la evolución de largo plazo de la fuga de capitales en la Argentina, véase E. M. Basualdo y M. Kulfas (2000). Sobre la metodología y evolución de esta variable en la década de 1980: R. Padilla del Bosque (1991); E. Conesa (1986). También C. Rodríguez (1986). Para los diferentes conceptos de fuga de capitales y las respectivas metodologías de análisis, véase R. Cumby y R. Levich (1987); M. Dooley (1986); J. Guzmán y J. Álvarez (1987).

El capítulo 5 está dedicado al estudio de las crisis hiperinflacionarias de 1989 y 1990. De este traumático pasaje entre dos administraciones gubernamentales, se analiza —desde el punto de vista económico— el enfrentamiento entre los integrantes de los sectores dominantes deudores de la deuda externa y aquéllos acreedores, así como sus consecuencias: una nueva situación entre ambos y un desplazamiento, aún más regresivo, en la relación entre el capital y el trabajo.

En el capítulo 6 se estudia el régimen de Convertibilidad y su crítico desenlace en 2001, que señaló el final irreversible del patrón de acumulación sustentado en la valorización financiera del capital. También se aborda la naturaleza del proceso desencadenado por las reformas estructurales —cuyo núcleo central lo constituyeron las privatizaciones y la desregulación, donde se destaca la apertura importadora, el Plan Brady y la tasa de cambio fija— sobre la distribución del ingreso, la desindustrialización, el mercado de trabajo, las finanzas públicas y el endeudamiento externo. Se hace especial hincapié en el curso que siguió la valorización financiera y el papel que cumplieron las "ganancias patrimoniales o de capital" en la exacerbación de la fuga de capitales.

En este contexto, se encara el estudio de las características específicas que adoptó el endeudamiento externo —tanto público como privado— a partir del Plan Brady, culminando de esta manera la política puesta en marcha por el Estado norteamericano durante la década anterior para retirar a los bancos transnacionales como los principales prestamistas de la región. Sin duda, la notable concentración que se registró en la deuda externa privada y su vinculación con la fuga de capitales, constituyen un motivo central de preocupación. Por eso se analizan las condiciones que exhibió la salida de divisas al exterior durante el último año del régimen de la Convertibilidad, cuando se destaca la elevadísima concentración de esos flujos en las fracciones del capital dominante.

El seguimiento de las alteraciones en el liderazgo de la cúpula empresaria constituida por las 200 empresas de mayor facturación inicia el estudio de las transformaciones en la economía real. Al respecto, cabe realizar una aclaración sobre la metodología utilizada para evaluar la situación estructural. Dado el predominio de la concentración económica entre 1958 y 1975, para evaluar cuantitativamente la importancia de las diferentes fracciones del capital se toman en cuenta las 100 empresas industriales de mayores ventas. A partir de 1976, debido a la importancia asumida por el proceso de centralización del capital, se toman en cuenta las 200 empresas de mayor facturación, sean industriales o no industriales (salvo las financieras y agropecuarias). Pero además, en este último período se consideran los siguientes tipos de capital: se denominan conglomerados extranjeros a las transnacionales que controlaban el capital de 6 o más subsidiarias locales y empresas extranjeras a las que controlaban menos de 6 subsidiarias en el país. En términos del capital local, se mantienen las empresas estatales como categoría analítica, al igual que la burguesía nacional, aunque, desde el punto de vista de la centralización del capital, pasan a denominarse empresas locales independientes, en tanto se trata de grandes firmas que actuaban por sí solas en las diversas actividades económicas consideradas, sin estar vinculadas por la propiedad con otras empresas de la misma u otra rama económica. En realidad, dentro de esta última categoría quedan los integrantes de la burguesía nacional que se mantuvieron como tales durante la valorización financiera, porque los que se reconvirtieron de acuerdo con las pautas del nuevo patrón de acumulación pasaron a engrosar la categoría de los grupos económicos locales, donde convergieron con la *oligarquía diversificada* e incluso con algunos capitales de origen extranjero. Esta categoría —los grupos económicos locales— comprende a los capitales locales que detentaban la propiedad de 6 o más firmas en diversas actividades económicas. Finalmente, se agregan las asociaciones como un sexto tipo de empresa, que son los consorcios cuyo capital accionario era compartido por inversores del mismo o diferente origen.

La revisión de los violentos y sucesivos cambios en la situación de las diferentes fracciones del capital a raíz de la modificación de la propiedad de las empresas se complementa con la de las privatizaciones y la evolución de los consorcios privados que se apoderaron de la prestación de los servicios públicos. El capítulo finaliza con un nuevo análisis de la oligarquía agropecuaria, pero esta vez centrado en el papel decisivo que asumió en el valor total de la producción agropecuaria bonaerense, y en la apropiación de la renta del suelo.

En el capítulo 7, que cierra estos estudios, se presenta, a modo de síntesis, una revisión de las tendencias seguidas por la deuda externa y los sectores dominantes durante todo el período analizado, así como de la relación que estas tendencias mantuvieron con el funcionamiento de la sustitución de importaciones y la posterior valorización financiera.

El desarrollo de la totalidad de este trabajo encuentra sus fundamentos en una profusa cantidad de estudios realizados por diversos autores sobre las etapas que transitó el proceso económico argentino durante los últimos cincuenta años. En las notas se reproducen algunas citas de estos textos ya que, además de servir como base para el análisis realizado, permiten captar vívidamente la época y el pensamiento de los respectivos autores.

En términos de la evolución de las variables económicas, además de la información secundaria proveniente de aportes bibliográficos, se ha recurrido asiduamente —como no podía ser de otra manera— a múltiples estadísticas oficiales e internacionales, pero también se elaboró y completó un conjunto de información primaria que dio lugar a series y bases de datos sobre aspectos específicos no sólo de la deuda externa y la fuga de capitales locales al exterior sino también sobre otros aspectos estructurales de la economía argentina. Todos ellos fueron desarrollados en el Área de Economía y Tecnología de la Facultad Latinoamericana de Ciencias Sociales a partir de diversos proyectos de investigación promovidos por el CONICET y por la Secretaría de Ciencia, Tecnología e Innovación Productiva (Agencia Nacional de Promoción Científica y Tecnológica).

2. La segunda etapa de la sustitución de importaciones y el papel del endeudamiento externo (1956-1975)

Todo intento de indagar esta etapa de la economía argentina, que comenzó en 1958 y culminó en 1975, cuenta con un importante acervo de conocimientos acumulados, ya que durante su desarrollo confluyeron e interactuaron procesos que generaron avances significativos en la comprensión de las sociedades latinoamericanas y específicamente del caso argentino.

El auge de las luchas populares que enfrentaron a los regímenes autoritarios en América Latina dio lugar a una profundización del análisis de las condiciones de la dominación, que coincidió con la institucionalización de la economía como disciplina específica y con el comienzo de la ruptura, durante los años sesenta y setenta, de los compartimentos estancos dentro de las Ciencias Sociales. Sin duda, mirado desde el silencio, las ausencias y las complicidades impuestas por la represión a los movimientos populares y con el predominio del neoliberalismo en América Latina, son envidiables los aportes realizados al desarrollo de la teoría económica y de la economía aplicada desde la realidad latinoamericana tanto por la *escuela de la dependencia* como por el *estructuralismo cepalino* y las diferentes *corrientes marxistas,* por mencionar sólo algunos.

Este trabajo intenta dilucidar algunos interrogantes que se juzgan trascendentes. El primero consiste en determinar los factores que explican el cambio del patrón de acumulación a partir de la dictadura militar que comenzó en marzo de 1976. ¿Se trató de un recambio obligado por el agotamiento económico de la segunda etapa de sustitución de importaciones? ¿O, por el contrario, de una nueva alianza social que la interrumpió deliberadamente cuando estaba en vías de autosustentarse? Y, vinculado con lo anterior, ¿cuál fue el papel de las fracciones del capital que llevaron a cabo este giro copernicano en el comportamiento económico y social?

Dado el acervo conceptual y empírico disponible, el abordaje de estas problemáticas será realizado únicamente mediante notas sobre aspectos estructurales específicos y sus repercusiones en términos del comportamiento de esta etapa sustitutiva, teniendo especial cuidado en respetar la verdad histórica, en función de los subsiguientes períodos del desarrollo económico y social argentino.

Asumiendo como realidad ya demostrada que las firmas extranjeras ejercían el liderazgo estructural, interesa examinar las fracciones que integraban el capital local y la trayectoria que siguieron durante estos años.[1] Además, teniendo en cuenta que los trabajos existentes señalan pero no profundizan el papel que cumplieron las variables *estabilizadoras* del ciclo sustitutivo (exportaciones industriales y deuda externa) en términos de la *brecha externa*, se hace necesario incorporar algunas evidencias sobre ellas. Especialmente cuando una de ellas, la deuda externa, es el hilo conductor de este trabajo. Finalmente, se intentará indagar las consecuencias que el comportamiento de estas dos variables (exportaciones y deuda externa) tienen sobre el ciclo típico de la producción durante la etapa (*pare-siga*), así como sobre el comportamiento *pendular* de las diferentes fracciones del capital en las fases ascendente y descendente.

2.1 Antecedentes: la reestructuración de los sectores dominantes y los primeros gobiernos peronistas (1930-1955)

2.1.1 La conformación de las fracciones industriales, antes y durante el peronismo

El análisis de las distintas fracciones empresarias en la etapa previa a los dos primeros gobiernos peronistas ha sido, y sigue siendo, un tema de debate que concita —acertadamente, porque allí se originaron o consolidaron los sectores que serán decisivos en las etapas posteriores— la atención de múltiples analistas económicos y de otras disciplinas. Directa o indirectamente, el contenido central de los distintos aportes no cuestiona la existencia de empresas extranjeras y su incidencia en la producción industrial desde los orígenes de la industrialización en el país. Más bien, implícita o explícitamente, el debate está centrado en la importancia de las empresas nacionales, tanto en términos cuantitativos de la producción sectorial como en su dinamismo o expansión durante la *década infame.* Incluso, en algunos casos, se abre el interrogante de si la escasa cohesión e identidad de estos empresarios no impide considerarlos como una burguesía nacional propiamente dicha.

No menos relevante es el debate acerca de si el espectro empresario se agotaba en la existencia de la fracción nacional y la extranjera o hubo otras que, más allá de sus afinidades o discrepancias con las anteriores, tuvieron incidencia, tanto por su grado de participación en la producción industrial como por el tipo de inserción en la economía y su identidad como fracción

[1] Véase J. V. Sourrouille (1976); A. Dorfman (1983); D. Azpiazu y B. Kosacoff (1985); Azpiazu (1995); E. Basualdo (1984); E. Basualdo, E. Lisfchitz y E. Roca (1988).

social.[2] Se trata de una discusión en la que se pone en juego el análisis sobre la conformación de los sectores dominantes y los subalternos en esa etapa histórica.

Las evidencias empíricas son concluyentes en señalar que la presencia de las empresas extranjeras se remonta a los orígenes mismos de la industrialización argentina. Si bien las firmas industriales extranjeras representaban una porción mínima del capital foráneo en el país,[3] su importancia es indiscutible, ya que controlaban los grandes establecimientos manufactureros en sectores clave del modelo agroexportador. Tal es el caso de la producción frigorífica (Bovril, Swift o Liebigs), la producción de tanino (Quebrachales Fusionados —La Forestal—) o los propios talleres ferroviarios, que constituían las grandes empresas metalúrgicas de la época.

Sin embargo, a partir de las primeras décadas del siglo XX se multiplicaron las empresas extranjeras con un comportamiento distinto al de las anteriores. La nueva modalidad fue la instalación de filiales que replicaban los procesos productivos implementados por las casas matrices en los países de origen, y los bienes producidos estaban destinados al abastecimiento del mercado interno. Durante los años veinte se radicaron firmas extranjeras que se convirtieron en tradicionales del mercado local, algunas de las cuales han sobrevivido al proceso de desindustrialización de las últimas décadas, como Refinerías de Maíz SA y Chiclet's Adams en la producción de alimentos, las subsidiarias de Cyanamid y Roche en la producción de medicamentos, y Ducilo, Duperial y Bayer en la producción química.

En los años treinta, la protección arancelaria y las restricciones en el mercado cambiario impuestas por la situación del sector externo, impulsaron un aceleramiento del proceso de industrialización basado en la sustitución de importaciones, consolidándose un elevado grado de concentración económica, tanto en términos de producción como del empleo sectorial. Las cifras censales disponibles indican que en 1937 los grandes establecimientos (aquellos con 200 o más obreros ocupados) representaban el 1,4% de las plantas fabriles, concentrando el 37% de la ocupación y el 58% del valor de producción industrial. En el otro extremo se encontraba el 70% de los establecimientos totales, que eran las plantas industriales más pequeñas (con 10 o menos de 10 obreros), con el 15% de la ocupación total y solamente el 6% del valor de producción industrial.

[2] Para ahondar esta temática, veáse E. Jorge, "Industria y concentración económica (desde principios de siglo hasta el peronismo), Siglo XXI (1971); Milcíades Peña (1964); J. J. Llach (1972); J. J. Llach (1984); J. Villanueva (1972); M. Murmis y J. C. Portantiero (1971); A. Dorfman (1942); D. Azpiazu, E. M. Basualdo y M. Khavisse (1986); E. Arceo (2003).

[3] Según la CEPAL (1959), las inversiones industriales representaban el 1,3% del capital extranjero radicado en la Argentina en 1909.

También se aceleró la incorporación de subsidiarias extranjeras en la producción industrial. Por un lado, se incrementó la cantidad de empresas (entre ellas y en diferentes ramas industriales: Nestlé, Suchard, Bols, Sudamtex, Glaxo, Ciba, Gillette, Remington, Osram, Union Carbide, etc.). Por el otro, las estimaciones acerca de su incidencia sobre la producción sectorial son variables pero siempre significativas. Así, por ejemplo, A. Dorfman (1942) evalúa que el capital extranjero controlaba, en 1937, algo más del 50% del capital industrial total.

E. Jorge introduce un fructífero debate al analizar este mismo proceso pero ubicando como centro de atención la evolución que asumió el capital local, oponiéndolo al capital extranjero. Sin embargo, tal como lo señala posteriormente J. J. Llach, la participación de las empresas pequeñas y medianas parece estar sobrevaluada en el trabajo de E. Jorge, por el límite superior de la ocupación que adopta para definirlas (hasta 500 obreros ocupados).

Es necesario tener en cuenta algunas características de la estructura económica que determinaron que las firmas extranjeras y las empresas locales no constituyeran fracciones empresarias desvinculadas, tanto dentro de una misma rama de actividad como entre firmas ubicadas en diversas actividades ligadas por relaciones de insumo-producto. En efecto, el desarrollo de la matriz de insumo-producto, según W. Leontieff, derivó en la identificación de los bloques sectoriales, es decir, el conjunto de ramas industriales que mantuvieron una estrecha relación a través de sus compras de insumos y/o ventas de los bienes finales.[4] Asimismo, dentro de cada uno de estos bloques sectoriales, había ramas industriales monopólicas u oligopólicas —los núcleos económicos y tecnológicos de determinados bloques sectoriales— que detentaron tanto la capacidad de modelar las condiciones estructurales como la de determinar el comportamiento económico del resto de las actividades, incluso de otras ramas de la actividad industrial igualmente oligopólicas.

Esta conformación de la producción capitalista fue la que permitió que ya durante la primera etapa de sustitución de importaciones se expresaran dos características relevantes que están interrelacionadas. La primera consistió en que, tal como señaló J. Villanueva en su clásico trabajo (1972) sobre la industrialización argentina, las subsidiarias extranjeras se instalaron en actividades oligopólicas en las que también había empresas locales de menor incidencia que quedaron supeditadas al comportamiento de aquéllas, que ejercían el liderazgo sectorial. La otra característica fue que, en general, las firmas extranjeras controlaron las ramas industriales que eran los núcleos económicos y tecnológicos de los bloques sectoriales; en consecuencia tuvieron la ca-

[4] Véase W. Leontieff (1985); E. Lifschitz (1992).

pacidad de subordinar un conjunto de actividades industriales, aun cuando no tenían relaciones directas de insumo-producto. De allí que en muchos casos las empresas locales quedaron subordinadas a las extranjeras aunque no fueran directamente proveedoras de insumos o bienes intermedios, e incluso siendo empresas oligopólicas en sus respectivas actividades, porque sus producciones integraban un determinado bloque sectorial en el que el capital foráneo controlaba los núcleos centrales.

Estas condiciones son importantes para comprender las vinculaciones entre las firmas extranjeras y las locales, y también para evaluar las consecuencias de la disminución en el grado de extranjerización de la producción que se expresó entre el modelo agroexportador y la sustitución de importaciones, especialmente en su vertiente peronista. En este sentido, la reducción del grado de extranjerización no implicó necesariamente una disminución del control extranjero sobre la producción sino una modificación en la estructura económica y las formas de inversión.

Los resultados de los Censos de 1935 y 1946 indican, en términos de evolución industrial, un considerable crecimiento de la cantidad y la incidencia de las empresas locales. Un primer indicador es la notable expansión de dichas empresas en todas las variables censales (valor de producción, ocupación y número de establecimientos) que supera claramente el aporte de las nuevas subsidiarias extranjeras manufactureras radicadas en el período. Asimismo, el estancamiento de los obreros ocupados por establecimiento es otro indicador de que la incorporación de empresas locales fue significativa, porque expresa una incorporación masiva que logró neutralizar la mayor intensidad de capital de las nuevas subsidiarias extranjeras. Finalmente, la importancia que mantuvo la producción textil, y los cambios que registró (aparición de los tejidos de algodón y lana al tiempo que declinó la elaboración de bolsas de arpillera) son otros indicios en esa dirección, ya que se trata de la actividad típica en la que se insertó la burguesía nacional. Lo mismo ocurrió con algunas de las actividades más dinámicas durante ese período, como curtiembres, materiales para la construcción y papel. Probablemente, la mayor expansión de las empresas locales se situó entre 1943 y 1946, debido a las políticas que se adoptaron a partir del derrocamiento del presidente Castillo por un golpe militar.

Los ejemplos de las empresas nacionales que actuaron en la producción industrial durante los primeros gobiernos peronistas son múltiples, especialmente en la producción textil (Castelar, Gaby Salomón, Ezra, Teubal y Hnos., Sedalana, Establecimientos Textil Oeste, etcétera) y metalúrgica (como José Lombardi e Hijos, Cura Hermanos, Roque Vasalli, Impa, etcétera). Sin embargo, más trascendente aún es que las empresas locales se conformaron como la burguesía nacional propiamente dicha en el momento en que establecieron su propia central empresaria, la Confederación General Económica

(CGE), a partir de la cual enarbolaron sus propias reivindicaciones, habitualmente contrapuestas a las esgrimidas por la tradicional Unión Industrial Argentina (UIA).

Sin embargo, el tratamiento de las fracciones empresarias no se agota en la identificación de las diferencias entre las empresas extranjeras y las firmas locales, ya que dentro de estos dos tipos de firmas quedó subsumida (en mayor o menor medida, dependiendo de los criterios) una fracción empresaria tradicional diferente a ambas, con intereses, condiciones estructurales e identidad propias.

Esta fracción estaba compuesta por capitales de distinto origen y grado de diversificación económica. En primer lugar se encontraba un conjunto de capitales de origen extranjero, con formas de *internacionalización temprana,* instalado en el país a fines del siglo XIX a partir de la radicación de algunos miembros de las familias propietarias. Como tales, se integraron con la clase dominante local en términos sociales y económicos.[5]

Así, estos capitales no se sustentaron sobre una base económica exclusivamente industrial —aunque controlaban múltiples firmas industriales líderes— sino que tuvieron una destacada presencia en la propiedad y producción agropecuaria pampeana y extrapampeana y, formando parte de los grandes terratenientes, participaron en la exportación de productos primarios, en los negocios financieros de la época, e incluso instalaron o adquirieron firmas en otros países del Cono Sur.[6] Entre ellos se encontraban Bunge y Born, Bemberg y Tornquist.

En segundo lugar, formaban parte de esta fracción empresaria otros capitales locales que provenían de integrantes de los sectores dominantes pampeanos y provinciales que adquirieron trascendencia nacional por su pertenencia —en un caso—, o por su integración social —en el otro— con la oligarquía pampeana, así como por la relevancia económica que exhibían sus empresas en la producción local. Tal como los anteriores, estaban presentes en múltiples actividades económicas y detentaban un nítido y significativo predominio en la propiedad y producción agropecuaria pampeana y/o ex-

[5] Milcíades Peña (1964) entiende que hay una estrecha relación entre la burguesía industrial, los terratenientes pampeanos y el capital extranjero. Sobre el tema, también véase J. J. Llach (1972).

[6] J. Sábato (1991), al caracterizar a la clase dominante destaca, entre otros aspectos, que: *"a) Esta clase, si bien poseía buena parte de la tierra, actuaba en una variada gama de actividades y su principal base de poder económico-social residía, sobre todo, en el control del comercio y las finanzas; [...] c) sería precisamente el control del comercio y las finanzas el que, al abrir un conjunto de oportunidades y otorgar una alta flexibilidad, le habría permitido implantarse simultáneamente en una serie de actividades productivas y especulativas (desde la producción agropecuaria hasta la industrial, pasando por la provisión de servicios, la cooperación en la construcción de infraestructura, la especulación urbana y rural, etc."* (pp. 110-112).

trapampeana. Ejemplos de este tipo de capitales son: Braun Menéndez, Ingenio Ledesma, Terrabusi, Fortabat y Corcemar.[7]

En tercer lugar, también formaban parte de esta fracción algunos capitales estrechamente relacionados con capitales extranjeros de carácter financiero y de antigua data en la Argentina, cuyos representantes se ligaban social y económicamente con la oligarquía pampeana. Es el caso de Alpargatas (relacionada al grupo Roberts) y la Cía. General de Combustibles (controlada por la transnacional suiza Brown Boverí).

Esta fracción empresaria (con sus respectivas incorporaciones y bajas en cada etapa, y con las distinciones impuestas por el origen de los capitales) se diferenció claramente tanto de las típicas subsidiarias extranjeras instaladas durante la sustitución de importaciones como de las pequeñas y medianas empresas, e incluso de las grandes firmas locales con las que compartía un poder oligopólico en diversas ramas de actividad. Por su origen, conformación e intereses se la puede considerar como un sector de la oligarquía local con intereses en la industria, el agro y otras actividades económicas. De allí que, de aquí en más, se la denomine: *oligarquía diversificada.*

Ya en los años treinta esta fracción de clase tuvo una significativa influencia dentro de las grandes firmas industriales,[8] y en los cuarenta fue la fracción empresaria que impulsó, ante el agotamiento del modelo agroexportador clásico, la alternativa industrial exportadora del Plan Pinedo. Al mismo tiempo, formaba parte de los grandes terratenientes pampeanos y extrapampeanos, siendo uno de los sectores integrantes del *establishment económico* del país, quizá el más estable y tradicional desde la conformación del Estado liberal hacia fines del siglo XIX.

Teniendo en cuenta estas características, y retomando el análisis del peronismo, es posible avanzar hacia una visión más integral que permita extraer algunas hipótesis y conclusiones acerca de ese período y que, al mismo tiempo, arroje luz acerca de la conformación de los bloques sociales que actua-

[7] Un análisis del grupo Braun Menéndez se encuentra en H. Mendoza y otros (1975). Por otra parte, el grupo económico Corcemar ya pertenecía en esa época a la familia Allende Posse y estaba basado económicamente en la producción de cemento y otros insumos para la construcción. Durante la *década infame* su fundador (Justiniano Allende Posse) tuvo una destacada participación en los gobiernos de la Concordancia (R. Potash, p. 125, 1984) sostiene que: "*... el círculo de asesores íntimos de Justo incluía a dos ingenieros, Pablo Nougés y Justiniano Allende Posse. Nougués era responsable de la administración de las líneas ferroviarias estatales, y Allende Posee dirigía el nuevo programa nacional de construcción de caminos.*"

[8] Al cuantificar la importancia de las fracciones del capital dentro de los establecimientos más grandes en 1935, Llach (1972) señala: "*... los 170 establecimientos mencionados se distribuían así: 114 eran producto de inversiones extranjeras directas (50 de los Estados Unidos, 37 de Europa Continental y 21 de Gran Bretaña) y 56 estaban controlados por conglomerados o grupos financieros como Tornquist (16), Bemberg (15), Leng Roberts (11), Bunge y Born (10) y Braun Menéndez (4).*" (p. 179).

ron en los años posteriores, durante la segunda etapa de sustitución de importaciones.

Es poco discutible que la gestión del primer gobierno peronista llevó a cabo una profunda redistribución del ingreso en detrimento de la oligarquía terrateniente pampeana —a través de una acentuada modificación de los precios relativos— con el objetivo de impulsar el desarrollo industrial del país. Este cambio, junto con las políticas específicas destinadas a solucionar el acuciante problema económico y social de los arrendatarios, derivó en la desconcentración de la propiedad pampeana más significativa de la historia argentina, con el consecuente resentimiento de los terratenientes.

Si bien la información al respecto es escasa, por falta de catastros rurales de esa época, la comparación de las estimaciones realizadas para la provincia de Buenos Aires indican que entre el modelo agroexportador (1923) y el del peronismo (1958), los grandes propietarios bonaerenses (aquellos con 2.500 o más hectáreas) registraron una espectacular reducción en la extensión de sus tierras, al pasar la superficie controlada por ellos de 17,9 millones a 6,8 millones de hectáreas, con una igualmente significativa reducción de las hectáreas por propietario (de 7.786 a 5.292, respectivamente).[9]

En este contexto, sabiendo que el sector empresario industrial era una realidad heterogénea, la cuestión analítica decisiva en este estudio consiste en aprehender lo que ocurrió con las diversas fracciones empresarias que interactuaron en la nueva actividad dinámica impulsada por el peronismo: la producción industrial.

Hay consenso —quizá más implícito que plasmado en análisis específicos— en que el peronismo generó la burguesía nacional. Por cierto, esto no significa que antes no hubiesen surgido las empresas nacionales como un estrato particular dentro de la producción generada internamente, sino que durante estos años dichas empresas registraron un salto cualitativo. Todo parece indicar que la expansión de empresas de origen nacional se acentuó, pero el fenómeno central es que muchas de ellas devinieron en grandes firmas oligopólicas que disputaron con las otras fracciones empresarias el control de producciones industriales claves (alimentos, textiles, cuero, etc.). Es indudable que esta transformación estructural fue impulsada por el gobierno peronista, al igual que la conformación de la Confederación General Económica (CGE) en 1953.

De esta manera, la creación de la CGE como aglutinante de la burguesía nacional dentro del capital fue equivalente a la organización de la CGT como

[9] Al respecto, véase V. Basualdo (2001); O. Barsky, M. Lattuada e I. Llovet (1988) (mimeo); Junta de Planificación Económica de la Provincia de Buenos Aires (1958).

central única de los trabajadores, siempre y cuando se considere a esta última como una expresión de la constitución de la clase trabajadora como sujeto social. Sin embargo, es necesario destacar que esta analogía no se establece entre dos conformaciones sociales distantes, sino entre dos realidades sociales que, con un orden de prelación específico, estaban intensamente imbricadas, constituyendo una alianza social. La alianza fue posible porque la clase trabajadora, como sujeto social y político, enfrentó el poder oligárquico intentando modelar un nuevo tipo de Estado que impulsó la conformación de una burguesía nacional asentada en una dinámica compatible con una mayor participación de los trabajadores en la distribución del ingreso.

En términos económicos, la centralidad de la producción de bienes salario (alimentos y textiles, etcétera) que exhibió la inserción de la burguesía nacional reconoció con especial intensidad —como no ocurrió con ninguna de las otras fracciones empresarias de la industria— el salario como un factor de demanda insustituible para su existencia, al mismo tiempo que la protección arancelaria y paraarancelaria permitió, vía el ajuste de sus precios, aminorar su significación en la estructura de costos. No es que la protección haya eliminado la incidencia del salario como un factor relevante del costo; lo que posibilitó es que ese costo —y la obtención de elevadas ganancias— se transfiriera a otras actividades económicas mediante la instauración de un precio relativo más elevado. Entonces, lo que permitió la protección fue la expansión del mercado interno con altos niveles de salario y de ganancias, al menos mientras se pudo transferir renta agropecuaria. Este funcionamiento fue decisivo para que los asalariados y la burguesía nacional se unieran en un bloque social que se enfrentó reiteradamente con las otras fracciones empresarias durante la segunda sustitución de importaciones (1958-1975).

Respecto de la *oligarquía diversificada*, las falencias analíticas son mayores, ya que tradicionalmente no se la considera como una fracción empresaria sino que, de acuerdo con las concepciones y los casos específicos, se la asimila indistintamente al capital extranjero o a la burguesía nacional. Pese a estas restricciones, es posible esbozar algunas hipótesis.

En tanto su inserción multisectorial reconocía la producción agropecuaria como uno de sus ejes relevantes, no caben dudas de que el peronismo la afectó económicamente, incluso en términos ideológicos y políticos. Sin embargo, no parece ocurrir lo mismo con sus otras actividades, en especial la producción industrial y la actividad comercial. En ese aspecto, por su inserción en la producción de alimentos y bienes intermedios, fue una de las beneficiadas por la industrialización. Paradójicamente, durante el peronismo, algunos de los integrantes de esa burguesía nacional que instalaron algunas de sus empresas más relevantes (Acindar, fundada en 1948) o comenzaron sus actividades en esos años (Pérez Companc y Bridas) terminaron, no muchos años después, formando parte de la *oligarquía diversificada.*

2.1.2 Crecimiento económico, distribución del ingreso y expansión industrial durante los primeros gobiernos peronistas (1946-1955)

Durante el período 1946-1955 se plasmó una divisoria de aguas en el desarrollo económico, social y político del país. El modelo oligárquico agroexportador quedó atrás y se fortaleció la industrialización, conformándose las condiciones estructurales y las alianzas sociales que fueron decisivas en los acontecimientos posteriores al derrocamiento del peronismo en 1955.

Los primeros gobiernos peronistas pusieron en marcha una experiencia inédita al conjugar el crecimiento económico con un importante aumento de la participación de los trabajadores en el ingreso (Gráfico nº 2.1). Los trabajos realizados sobre estos períodos señalan la existencia —en especial durante los primeros años (1946/48)— de una acelerada expansión económica sustentada en la excepcional situación de la Balanza de Pagos —originada en el conflicto mundial—, y en un sensible crecimiento de la inversión bruta fija.[10] Sin embargo, en el contexto de un acelerado crecimiento industrial que dio por terminado el modelo agroexportador, los primeros gobiernos peronistas tuvieron la peculiaridad de incorporar a la clase trabajadora en términos económicos, sociales y políticos.[11]

La constitución de la clase trabajadora como sujeto social de trascendencia se llevó a cabo concretando las reivindicaciones (convenios colectivos por actividad, tribunales laborales, salarios mínimos, seguridad social, aguinaldo, etc.) que habían formulado los sectores populares en las décadas anteriores, a través de sus representaciones sociales y políticas (anarquistas, socialistas, radicales yrigoyenistas, etc.). Muchas ya estaban establecidas legalmente pero no se cumplían, mientras que otras dieron lugar a una profusa legislación que las puso en marcha. Complementariamente, en 1945 se sancionó la mítica Ley de Asociaciones Profesionales que permitió la expansión y el fortalecimiento de los sindicatos en la sociedad argentina.

[10] Sobre este particular, R. Mallon y J. Sourrouille (1973) expresan: *"Entre 1945 y 1948 el volumen de las mercancías importadas se cuadriplicó y el producto interno bruto real aumento el 28%. La disponibilidad real de bienes y servicios —total del producto interno más importaciones menos exportaciones— creció, durante el período de tres años, en una cifra aun más impresionante: el 45%, favorecida por el mejoramiento en los términos de intercambio con el exterior y en los servicios de los préstamos e inversiones extranjeros"* (p. 21).

[11] De allí que A. Horowicz, en su incisivo ensayo sobre el peronismo (1990), señale sobre el 17 de octubre: *"Así y todo, en la historia argentina es algo nunca visto puesto que es una movilización pacífica de masas obreras que violenta el fiel de la balanza donde discurre la política burguesa. Es decir, la clase obrera tomó partido en la disputa y su partido se denominó peronismo"* (p. 133).

Gráfico N° 2.1: Evolución del PBI y de la participación de los asalariados en el ingreso (1946-1955 = 100 y % del ingreso)

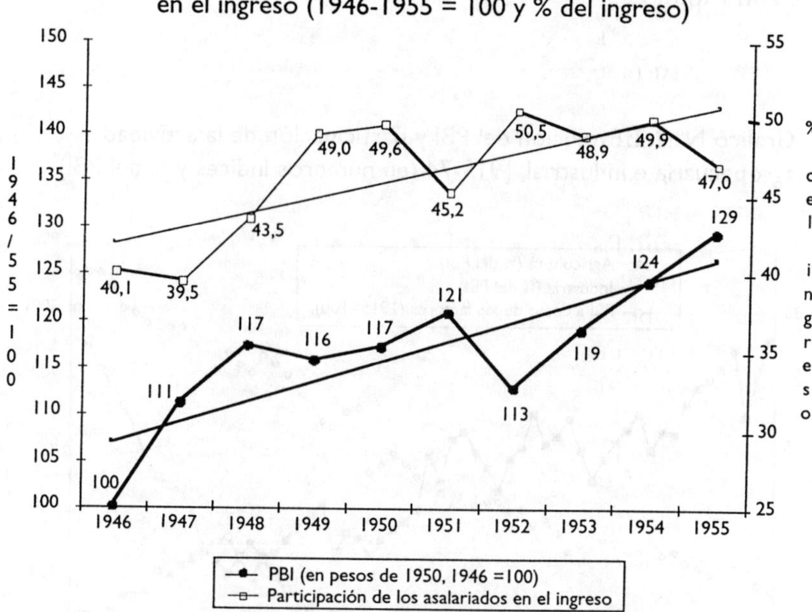

Fuente: Elaboración propia sobre la base de la información del BCRA y CEPAL.

Así, durante ese período se registró una participación creciente de los asalariados en el ingreso nacional, impulsada por un incremento tanto del salario real como de la ocupación de mano de obra. Tal fue su intensidad que varios autores consideran que este factor fue el que impidió un salto cualitativo en la producción industrial y en la modernización de la infraestructura luego de la reducción de la inversión que había sido impuesta por la guerra.[12]

Si bien el crecimiento económico de los primeros años del gobierno peronista no logró mantenerse después de 1948, la tendencia fue positiva aun a pesar de la crisis de 1952. Esta expansión y la creciente participación de los asalariados en el ingreso estuvieron directamente relacionadas con un notable crecimiento de la producción industrial, que pasó a ser el eje central del proceso económico. Tal como se verifica en el Gráfico nº 2.2, en 1945 la incidencia relativa de la industria en el PBI superó por primera

[12] Así por ejemplo, C. F. Díaz Alejandro (1975) afirma: *"Las políticas peronistas dan la impresión de un gobierno interesado no tanto en fomentar la industrialización cuanto en desplegar una política nacionalista y popular de aumento del consumo real, la ocupación y la seguridad económica de las masas —y de los nuevos empresarios—. Persiguió estos objetivos aun a expensas de la formación de capital y de la capacidad de transformación de la economía"* (p. 129).

vez la participación de la producción agropecuaria. De allí en más, en el marco de una sensible expansión del PBI, las diferencias entre ellas se acentuaron con rapidez.

Gráfico N° 2.2: Evolución del PBI y participación de la actividad agropecuaria e industrial, 1915-74 (en números índices y % del PBI)

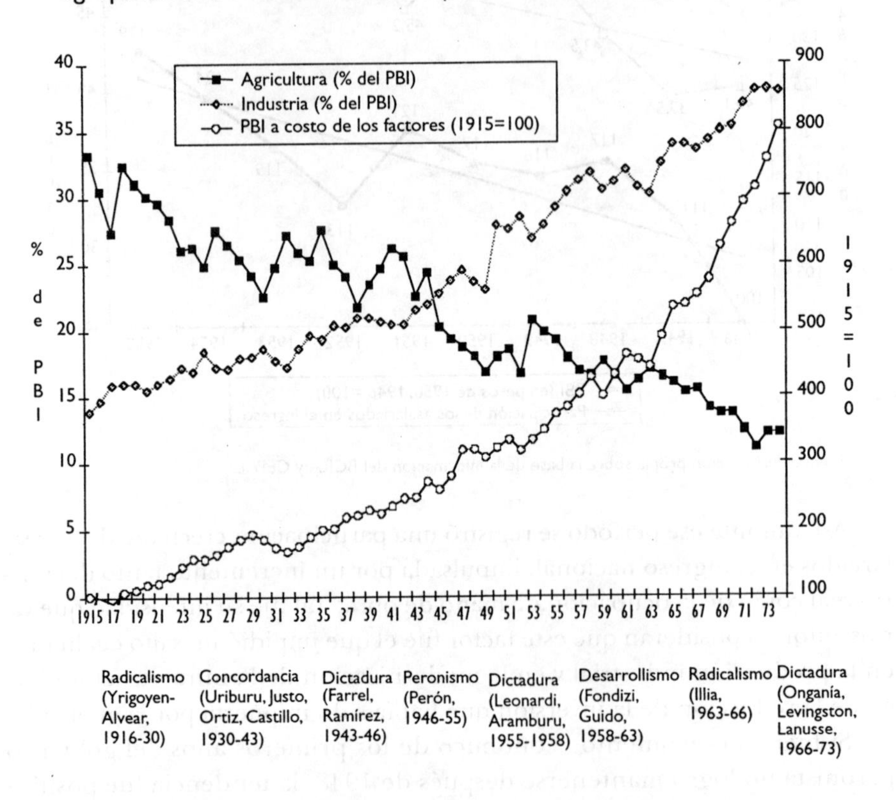

Fuente: Elaboración propia sobre la base de información del BCRA a precios de 1960.

Ya en los primeros años de la gestión del peronismo, la industria en su conjunto ocupaba más de un millón de trabajadores —cifra superior a la que exhibió el último Censo Industrial, realizado en 1994— y, a pesar de la desaceleración posterior a 1948, consolidó su predominio sobre la producción agropecuaria, afianzándose una relación que fue irreversible en las décadas posteriores. En términos de la composición de la producción industrial, la comparación intercensal (1946/1954) permite apreciar un notorio avance de la metalmecánica, de la cual la fabricación de la heladera *Siam* es un hecho simbólico que perdura en el tiempo.[13]

Todos los cambios reseñados se plasmaron mediante una profundización de la intervención estatal en el proceso económico, lo que permitió una significativa redistribución de la renta agropecuaria —antes apropiada por la oligarquía terrateniente y el capital extranjero vinculado al modelo agroexportador— hacia los trabajadores, los empresarios industriales vinculados al abastecimiento del mercado interno y al propio Estado.

En el sector financiero, esta tendencia intervencionista, iniciada a partir de la crisis de 1929, se expresó mediante la nacionalización de los depósitos bancarios por parte del Banco Central, la asignación del crédito mediante redescuentos otorgados por esta entidad, la creación del Banco Hipotecario Nacional, la regulación del mercado de seguros, etcétera. Lo mismo ocurrió en materia del comercio exterior con la creación del IAPI (Instituto Argentino para la Promoción del Intercambio), que regulaba el intercambio comercial del país (importaciones y exportaciones). Incluso algunos años se establecieron cuotas en las importaciones, destinadas a controlar la salida de divisas, y en las exportaciones, destinadas a garantizar el consumo interno.

Asimismo, se extendió la promoción industrial mediante la consolidación del Banco Industrial, creado en 1944,[14] y la implementación de diversos incentivos (arancelarios, impositivos y crediticios) para las actividades industriales, que fueron declaradas de "interés nacional". Sin embargo, la acción estatal no se circunscribió a definir una política industrial sino que durante esta etapa se constituyeron o fortalecieron numerosas empresas estatales, muchas de las cuales actuaron en la producción industrial hasta la ola privatizadora de la década de los años noventa. Entre ellas se cuentan las siguientes: Dirección General de Fabricaciones Militares (DGFM), fundada en 1941 y dedicada a producir materiales de guerra y afines; Dirección Nacional de Fabricaciones e Investigaciones Aeronáuticas (DINFIA), sucesora de la Fábrica Militar de Aviones fundada en 1927 y que producirá aviones y automotores; Astilleros y Fábricas Navales del Estado (AFNE); Dirección Nacional de Industrias del Estado (DINIE), que toma a su cargo las empresas alemanas intervenidas y luego adquiridas por el Estado; Sociedad Mixta Siderúrgica Argentina (SOMISA) creada en 1947 para la producción de acero.[15]

[13] Al respecto véase J. V. Sourrouille y J. Lucángeli (1980), p. 11. Señalan: "*Los datos son ilustrativos del papel peculiar que le cupo a la industria metalmecánica en el desarrollo industrial de la inmediata posguerra. En estos ocho años se vuelve a duplicar el número de establecimientos, la ocupación aumenta en un 60% frente a un 25% del total y supera a la industria alimentaria y a la textil en todos los indicadores, con excepción del valor de producción.*" (p. 11).

[14] Véase N. Girbal-Blancha (2002) y M. Rougier (2001).

[15] Véase O. Altimir, H. Santamaría y J. V. Sourrouille (1966).

2.1.3 Deuda externa, nacionalización de los servicios públicos y proyectos alternativos

Desde el punto de vista del sector externo, hay pleno consenso en que inicialmente se trató de una etapa excepcional en la que luego irrumpieron los problemas de Balanza de Pagos típicos de esa etapa de la industrialización basada en la sustitución de importaciones. Dichos problemas pusieron de manifiesto la ausencia de políticas estatales orientadas a completar el esquema industrial interno.

Con el objetivo de analizar ambos aspectos, en el Cuadro nº 2.1 se expone la evolución de los activos (reservas) y de los pasivos (deuda externa pública) del Banco Central, así como del comercio exterior (exportaciones e importaciones) entre 1943 y 1955.

La excepcionalidad inicial radica en que durante los primeros años del gobierno peronista, la Argentina (a la inversa de lo que acontece en la actualidad), exhibía una holgada posición acreedora neta con el resto del mundo, pero una parte significativa no estaba disponible, por la insolvencia del principal país deudor (Inglaterra) como consecuencia de la Segunda Guerra Mundial. La evolución del saldo acreedor indica su punto culminante en 1946 (1.687 millones de dólares) para reducirse en 1947 (1.163 millones de dólares) y luego caer abruptamente en 1948 (674 millones de dólares). Esta acentuada reducción se relacionó directamente con la disminución de las reservas —y no con un incremento de la deuda externa— provocada por la amplia política de nacionalización de los servicios públicos,[16] de la cual el hecho más oneroso, resonante, y denostado, fue la nacionalización de los ferrocarriles ingleses en 1947.[17]

Sin abordar un análisis pormenorizado, parece poco discutible que la nacionalización de los ferrocarriles estuvo encaminada a solucionar el diferendo económico entre la Argentina e Inglaterra en función del afianzamiento de la sustitución de importaciones como nuevo patrón de acumulación de capital.[18]

La problemática central eran los 112 millones de libras que a fines de 1945 tenía la Argentina en el Banco de Inglaterra, que estaban bloqueados a raíz de la insolvencia inglesa. Éstos, junto con la determinación del precio de venta,

[16] Véase M. Rapoport y otros, (2000, pp. 386 y ss.).

[17] La evolución histórica de los ferrocarriles en encuentra en el trabajo clásico de R. Scalabrini Ortiz (1975). Sobre la estatización, véase P. Skupch (1972).

[18] La relación entre Argentina, Inglaterra y EE.UU. hasta mediados del siglo XX se puede consultar en J. Fodor y A. O'Connell (1973).

constituyeron los principales temas de la agenda en las negociaciones posteriores al incumplimiento inglés del tratado Miranda-Eady de 1946, desvirtuado por la nueva declaración de inconvertibilidad de la libra esterlina. A juzgar por los elementos disponibles, dicho tratado implicaba una buena negociación para el país, ya que fijaba en 150 millones de libras el precio de la transferencia de estos activos.

Cuadro nº 2.1
Evolución de los activos y pasivos externos y el comercio exterior, 1943-1955 (en millones de dólares y porcentajes)

	Activos externos (reservas)			Pasivos externos BCRA	Saldo (Activos -Pasivos)	Comercio Exterior			Deuda/ Exportaciones (%)
	Total	Oro	Divisas			Exportaciones	Importaciones	Saldo	
1943	995	824	171	23	972	601	239	362	3,7
1944	1.296	975	321	24	1.272	658	257	401	3,7
1945	1.639	1.192	447	24	1.615	724	295	429	3,3
1946	1.733	1.090	643	47	1.686	1.159	588	571	4,0
1947	1.176	338	838	13	1.163	1.612	1.340	272	0,8
1948	773	143	630	99	674	1.629	1.561	68	6,1
1949	664	210	454	141	523	1.043	1.180	-137	13,5
1950	843	210	633	153	690	1.178	964	214	13,0
1951	708	267	441	351	357	1.169	1.480	-311	30,0
1952	608	287	321	424	184	688	1.179	-491	61,6
1953	634	372	262	256	378	1.125	795	330	22,8
1954	655	372	283	283	372	1.027	979	48	27,5
1955	510	372	138	390	120	929	1.173	-244	42,0

Fuente: Elaboración propia sobre la base de la Memoria y Balance del Banco Central de la República Argentina, 1958.

Si bien el monto de recursos comprometido en la transferencia de los ferrocarriles constituye una problemática signada históricamente por intensas controversias, con su estatización no ocurre lo mismo ya que, excluyendo a la oligarquía eminentemente agropecuaria y a los intereses ingleses, los distintos sectores sociales que querían modificar el *statu quo*, estuvieron de acuerdo en llevarla a cabo. Es importante recordar que la discusión e incluso las negociaciones para nacionalizar los servicios públicos en general, y los ferrocarriles en particular, comenzaron con el gobierno de la Concordancia durante la

Década Infame, siendo contemporáneas de las estatizaciones que se realizaban a nivel mundial (Inglaterra y Francia, nacionalizadas por el laborismo y por De Gaulle, respectivamente).

Sin embargo, desde 1948 en adelante, la tendencia de los saldos entre los activos y los pasivos del Banco Central fue decreciente. A su vez, la evolución de este endeudamiento estuvo influenciada por los saldos negativos en la balanza comercial, que irrumpieron por el estancamiento de las exportaciones agropecuarias y el dinamismo de las importaciones de insumos intermedios y bienes de capital demandados por la creciente actividad industrial. Para algunos autores, como G. Vitelli (1999), el estancamiento de las exportaciones agropecuarias estuvo vinculado al atraso tecnológico del sector que comenzó hacia 1930.

La relación entre deuda externa y exportaciones tuvo un fuerte crecimiento aunque, de todas maneras, nunca llegó a los niveles que alcanzó en la segunda etapa de sustitución de importaciones (1958-1975).[19]

Así comenzó a expresarse el típico estrangulamiento en la Balanza de Pagos que acompañó la evolución de esa etapa. En realidad, las restricciones externas pusieron de manifiesto la extrema debilidad de las políticas estatales para avanzar, mediante la inversión pública, en la integración de la estructura industrial interna. Era una situación paradójica porque, mientras los sectores dominantes denunciaban hasta el hartazgo el intolerable dirigismo estatal del peronismo, la conformación estatal y la política económica no buscaban un salto cualitativo en la estructura industrial sino poder garantizar la rentabilidad del conjunto de las fracciones empresarias industriales. Pero esta rentabilidad no se plasmó —tampoco en el caso de la burguesía nacional— en nuevas inversiones que permitieran integrar la estructura industrial y diluir las presiones sobre el sector externo de la economía.

Si bien los sectores sociales que impulsaban un recambio del modelo agroexportador coincidieron con la estatización de los servicios públicos, sus desacuerdos fueron evidentes en el momento de definir el carácter específico del nuevo patrón de acumulación de capital. Las fracciones de la oligarquía con presencia en la producción industrial planteaban la integración de una mayor injerencia estatal con el mantenimiento de las exportaciones agropecuarias pero también con un nuevo eje productivo dinámico basado en la construcción y, sobre todo, en las ventas externas de los productos industriales.

La expresión orgánica más acabada de la propuesta que impulsó esta fracción de la oligarquía fue el denominado Plan Pinedo de 1940. En este proyec-

[19] Durante los primeros años de la segunda etapa de sustitución de importaciones, ese coeficiente entre la deuda externa y las exportaciones alcanzó valores que rondaron el 200%. Incluso en los años de mayor expansión económica de la etapa (1964-1975) llegó al 144%. Es decir, más de tres veces el registro alcanzado en 1955 (42%), el más elevado durante los primeros gobiernos peronistas.

to de industrialización alternativo (exportador) al del peronismo (mercado internista), se mencionaba explícitamente la nacionalización de los servicios públicos, lo que es un indicador del grado de avance de las negociaciones por parte de algunos de los sectores que habían integrado el gobierno de la Concordancia.[20]

Por otra parte, durante la década de 1940 los sectores nacionalistas de la Fuerzas Armadas y de distintas fracturas del sistema político, influenciados todos ellos por FORJA, fueron conformando una propuesta alternativa al modelo agroexportador, también industrialista pero asentada en el consumo interno y la redistribución del ingreso hacia los asalariados. Desde el punto de vista del peronismo —la fuerza política que asumió este ideario—, la propiedad estatal de los servicios públicos, y específicamente de los ferrocarriles, se consideraba vital para consolidar la política económica. No se trataba únicamente de obtener un instrumento directo para la promoción de la industria sino de replantear el conjunto de las relaciones existentes, eliminando la posible competencia inglesa en los bienes industriales, que eran vitales como sustento del empresariado nacional.[21]

Pese a la importancia que asumió la industrialización en la tarea de gobierno del peronismo, es indiscutible que éste no logró profundizarla incorporando en la estructura productiva interna aquellas actividades que indican la superación de la etapa de la *industrialización liviana* —producción de acero, petroquímica, etcétera—, lo que habría permitido una mayor expansión económica y autonomía nacional. Para varios autores, esta oportunidad perdida se ubica en los primeros años de gobierno (1946/48), cuando las ingentes reservas de divisas con las que contaba el país supuestamente se usaron en la redistribución del ingreso hacia los asalariados, los gastos improductivos del Estado y la nacionalización de los servicios públicos.[22]

[20] Al respecto, en dicho Plan (Ministerio de Hacienda, 1940) se señala que: *"Sin que pueda, hasta este momento, anunciarse otra cosa que la existencia de un proyecto en elaboración, cabe en este lugar expresar que no es aventurado pensar en que los saldos en libras resultantes de nuestro comercio con los países del área esterlina pueden ser utilizados en un vasto programa de adquisición del contralor de piezas esenciales del sistema de transporte, si el proyecto respectivo —hoy a estudio de otro departamento— mereciera la aprobación del gobierno y del Honorable Congreso"* (capítulo III, punto 37).

[21] Según P. Skupch (1972): *"Al finalizar la guerra el objetivo básico del gobierno argentino, como de otros gobiernos latinoamericanos, era defender lo que existía en materia de producción manufacturera. Esta defensa se articulaba con el temor a la desocupación que era de esperar como consecuencia de los reajustes económicos que traería la paz. Las alternativas eran claras: se protegían las industrias que el país había logrado desarrollar o se dejaba que la competencia externa recuperase los mercados perdidos."* (p. 486).

[22] Para Esahg y Thorp (1969): *"El error mayor fue no utilizar los amplios recursos de la nación para suprimir los estrangulamientos de la economía señalados antes. Vistas las cosas de manera retrospectiva, resulta claro que las reservas de divisas iniciales y los ingresos adicionales de la exportación podrían haberse utilizado para renovar y aumentar el capital de los sectores de transporte y de energía, acero e industrias pesadas. Esta política habría exigido mayor control sobre la asignación de recursos y en especial sobre la composición de la inversión, pero habría permitido al país continuar y profundizar su industrialización aun bajo las condiciones desfavorables del comercio exterior que se manifestaron después de 1948."* (pp. 73-74).

El señalamiento es válido pero improcedente, porque en la concepción del gobierno no se evaluaba continuar con la postergación social y debilitar al Estado para desarrollar la industria pesada, sobre todo cuando, además, en tan breve lapso se afianzaba la industria liviana y desplegaba un nuevo planteo institucional.

Sin embargo, todo parece indicar que era necesario no sólo profundizar la industrialización sino también renovar parte de la maquinaria y el equipo instalados. Tanto es así que en los años cincuenta el propio gobierno peronista intentó infructuosamente solucionar este problema mediante la promulgación de la primera Ley sobre las inversiones extranjeras y la negociación con capitales extranjeros para la explotación petrolífera, lo que implicaba asumir la impotencia estatal para llevarla a cabo y reconocerle a la fracción industrial dominante la capacidad de hacerlo, cosa que más tarde hará, pero redefiniendo la naturaleza del Estado con gobiernos condicionados por el brazo armado de los sectores dominantes, las Fuerzas Armadas.

Las críticas a la estrategia adoptada por el peronismo y la situación imperante durante esos años suscitan, desde la perspectiva de este ensayo, un doble interrogante: ¿La única posibilidad que tuvo el peronismo para desarrollar la industria pesada y renovar los bienes de capital fue sacrificar los objetivos centrales de su política?, o, por el contrario, ¿tenía otras alternativas que no utilizó? Indagar esta problemática es crucial para comprender la naturaleza tanto del peronismo como la de los bloques sociales que se enfrentarán durante la industrialización, pero exige incorporar nuevos elementos estructurales, específicamente referidos a las características que asumieron las diferentes fracciones empresarias que participaban en la producción industrial.

2.1.4 Comportamiento e incidencia de las fracciones industriales durante los primeros gobiernos peronistas

Dado el carácter antioligárquico y antiimperialista del peronismo en el plano político, se suele asumir que el capital extranjero industrial, a la inversa de las fracciones del capital local, fue acentuadamente perjudicado. Más aún, si se tiene en cuenta la estatización de los servicios públicos, esas actitudes parecen signar al peronismo no sólo en el plano político sino también económico. Si bien en destacados trabajos sobre la historia económica argentina se asume esta perspectiva como si fuera un hecho que no es necesario fundamentar en términos económicos, es pertinente indagar esta problemática con los elementos disponibles.[23]

[23] Por ejemplo, C. F. Diaz Alejandro (1975) al analizar el desarrollo industrial argentino expresa: *"Desde 1943 hasta 1953 el gobierno observó una política de hostilidad, o por lo menos de indiferencia, hacia el capital extranjero. Hasta 1948 la abundancia de divisas y las posibilidades de sustituir importaciones en ra-*

Un indicador apropiado para evaluar la posible discriminación del capital extranjero es la evolución histórica de las utilidades que percibió durante esta etapa en relación con otros períodos históricos. En el Gráfico n° 2.3 se puede observar la trayectoria seguida entre 1940 y 1975 por las utilidades, la inversión neta (nueva inversión más reinversión de utilidades) y la reinversión de las empresas extranjeras radicadas en el país de acuerdo con las cifras oficiales expresadas en dólares de 1975.[24]

Gráfico N° 2.3: Comportamiento del capital extranjero: utilidades, inversión neta y reinversión de utilidades entre 1940 y 1974 (en millones de dólares)

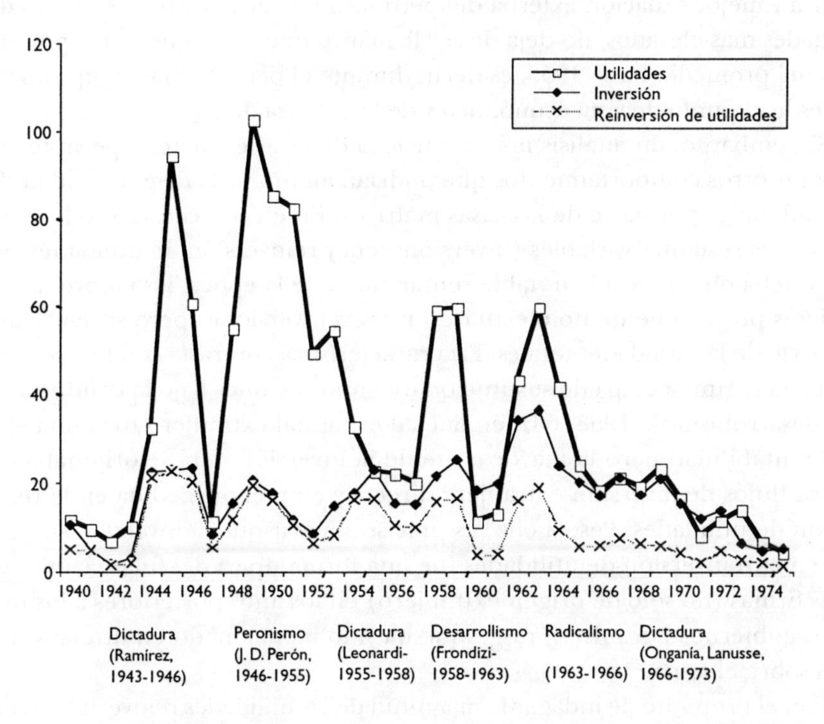

Fuente: Elaboración propia sobre la base de información del Ministerio de Economía, 1976.

---

mas de la industria para las cuales la cooperación de los conocimientos tecnológicos extranjeros no era de importancia decisiva consiguieron neutralizar los efectos desfavorables de aquella política. No obstante, el estancamiento de 1948-54 provocó su reconsideración. Se hizo evidente que la nueva etapa de industrialización exigía la cooperación en una u otra forma de la los tractores, vehículos automotores, siderurgia y demás industrias ingenieriles" (pp. 261-62).

[24] Información oficial publicada por el Ministerio de Economía, Secretaría de Estado de Programación y Coordinación Económica, noviembre de 1976.

Los resultados obtenidos no dejan de ser sorprendentes, ya que el capital extranjero que se insertó en el país realizando una inversión extranjera directa (la forma típica que adoptan las subsidiarias industriales), percibió en los años del peronismo las utilidades totales más elevadas, no sólo entre 1940 y 1975 sino desde el momento en que hay registros, es decir, desde las primeras décadas del siglo XX (1912).

Tanto es así que, al comparar el promedio de las utilidades totales percibidas por este tipo de firmas entre 1946/53 con el otro período de auge, entre 1958 y 1964 (cuando el desarrollismo sienta las bases de la segunda etapa de sustitución de importaciones), se comprueba que las obtenidas durante el peronismo son un 27% más elevadas (520 contra 409 millones de dólares de 1975, respectivamente). Si bien entre 1946 y 1949, los años de mayor bonanza económica y mejor situación externa del peronismo, se alcanzaron los niveles de utilidades más elevados, no deja de ser llamativo que se ubiquen muy por encima del promedio hasta 1953, es decir, durante el período más comprometido desde el punto de vista económico y de la Balanza de Pagos.

Sin embargo, un análisis más minucioso de estas evidencias permite corroborar otros comportamientos que podrían aminorar la disponibilidad de esas utilidades por parte de las casas matrices. En efecto, centrando la atención en las restantes variables (inversión neta y reinversión de utilidades) se comprueba que, pese a la notable rentabilidad de la época, las empresas extranjeras prácticamente no efectuaron nuevas inversiones pero sí reinvirtieron parte de las utilidades totales. Esta característica contrasta con lo que ocurrió en la segunda etapa de sustitución de importaciones bajo la conducción del "desarrollismo" (1958/64), en la cual el capital extranjero tuvo una elevada rentabilidad pero la mayor parte de la inversión neta se originaba en nuevos flujos de inversión extranjera directa y en menor medida en la reinversión de utilidades. Pese a ello, es preciso señalar que la inversión sustentada en la reinversión de utilidades fue una forma típica del financiamiento de las firmas (no sólo de origen extranjero) en los años posteriores a los primeros gobiernos peronistas, rasgo que ha sido mencionado en diversos trabajos sobre el tema.[25]

Con el propósito de indagar la magnitud de las utilidades reinvertidas y, especialmente, de evaluar la importancia que asumieron en este período las utilidades en relación con otras variables económicas, en el Cuadro nº 2.2 se consigna la evolución de las utilidades percibidas por el capital extranjero, la balanza comercial y las reservas de oro y divisas entre 1946 y 1953 pero en dólares corrientes.

[25] Sobre el tema, véase M. Brodersohn (1972).

Cuadro n° 2.2

Evolución de las utilidades percibidas por el capital extranjero, la balanza comercial y las reservas de oro y divisas, 1946-1953
(en millones de dólares)

	Utilidades Totales	Utilidades en efectivo	Exportaciones Totales	Importaciones Totales	Saldo Bza. Comercial	Reservas (oro y divisas)
1946	219	147	1.159	588	571	1.733
1947	46	23	1.612	1.340	272	1.176
1948	246	193	1.629	1.561	68	773
1949	453	369	1.043	1.180	-137	664
1950	381	310	1.178	964	214	843
1951	398	347	1.169	1.480	-311	708
1952	242	211	688	1.179	-491	608
1953	270	230	1.125	795	330	634
Total	*2.255*	*1.830*	*9.603*	*9.087*	*516*	*7.139*
Prom.anual	*282*	*229*	*1.200*	*1.136*	*64*	*892*

Fuente: Elaboración propia sobre la base de información del Ministerio de Economía y el INDEC.

Una primera evaluación indica que las utilidades distribuidas en efectivo representan el 81% de las utilidades totales en el período considerado (1.830 contra 2.254 millones de dólares), lo que significa que las reinvertidas alcanzaron los 424 millones de dólares (19%). Por otra parte, deteniendo la atención en los montos totales del período, se comprueba que tanto las utilidades totales como las distribuidas asumieron una indiscutible relevancia en términos de cualquiera de las variables del sector externo que se considere. Aunque, dada la gran magnitud relativa de ambas variables no parece necesario abundar en detalles, puede verificarse, por ejemplo, que las utilidades totales percibidas por el capital extranjero en los ocho años considerados fueron equivalentes a casi dos años de exportaciones e importaciones (con un promedio anual de 1.200 y 1.136 millones de dólares, respectivamente), a más de cuatro veces el saldo total de la balanza comercial en el mismo período (516 millones de dólares) y más de dos veces y media las reservas de oro y divisas de las que, en promedio, dispuso el BCRA (892 millones de dólares).

La determinación del monto de las utilidades del capital extranjero permite comparaciones con otras variables económicas directamente emparentadas con la problemática de fondo. Una de ellas es relacionarlo con el costo que implicaba llevar adelante el programa que se proponía en el Primer Plan Quinquenal del peronismo que, según R. Potash, alcanzaba a 1.270 o 1.900 millones de dólares, aproximadamente, si se suman las estatizaciones y otras inversiones contempladas. Esto significa que, en términos de la estimación más baja del Plan (1.270 millones de dólares) las utilidades totales del capital extranjero (2.254 millones de dólares de acuerdo con el Cuadro nº 2.2) fueron un 78% más elevadas, y que las utilidades en efectivo (1.830 millones de dólares según consta en el mismo Cuadro) fueron un 16% más elevadas que esos recursos demandados por el Plan. Por otra parte, si se considera la estimación más alta del Plan (1.900 millones de dólares) dichas utilidades totales fueron un 16% más elevadas mientras que las utilidades en efectivo fueron equivalentes a ese costo del Plan Quinquenal.[26]

Sin embargo, ese Plan —que reconocía en la industrialización su base de sustentación— no se cumplió por falta de recursos, mientras que las empresas extranjeras sí percibieron las utilidades mencionadas.

Otra comparación interesante consiste en confrontar dichas utilidades con los montos necesarios para la estatización de los servicios públicos y la cancelación de empréstitos. Las distintas fuentes son más o menos coincidentes, ya que Eshag y Thorp los estima en 1.000 millones de dólares mientras que Horowicz, en 983 millones de la misma moneda (645 millones en la nacionalización de los ferrocarriles, 95 millones en la adquisición de la Unión Telefónica y 243 millones en cancelar los empréstitos). De los valores en dólares de la estatización de los servicios públicos y el rescate de los empréstitos, se desprende que las utilidades totales de las empresas extranjeras absorbieron más del doble y las utilidades distribuidas por ellas en efectivo fueron 1,8 veces dichos montos.

Otro indicador que surge de la información disponible es la tasa de rentabilidad sobre el capital invertido que obtuvieron las empresas durante este período. A partir de las cifras oficiales, es posible efectuar una aproximación a su rentabilidad, relacionando las utilidades obtenidas con el *stock* de capital acumulado en cada año de la serie de datos considerada.

Nuevamente, los resultados obtenidos, que se presentan en el Cuadro nº 2.3, tienen tal contundencia que no exigen mayores explicaciones, ya que se trata de tasas de rentabilidad inusitadamente elevadas (23,9% en el caso de las utilidades

[26] En su clásico trabajo, R. Potash (1981) dice respecto del Plan Quinquenal: *"El Plan mencionaba una serie de cifras, consideradas estimativas de los costos de organización e inversión para el período 1947-1951, y que llegaban a la suma total de 6,66 billones de pesos (1.270 millones de dólares). Pero este total excluía, por cierto, la adquisición de equipos y fábricas militares destinados a servicios del Ejército, también omitía toda suma destinada a la salud pública y a los programas de construcción de viviendas y no hacía referencia a las industrias de servicios públicos en poder de empresas extranjeras y cuya adquisición, en una u otra forma, era parte implícita del programa de independencia económica [...] Es evidente, pues, que una estimación de 10.000 millones de pesos hubiera arrojado una cifra más realista para el Pan Quinquenal."* (p. 94, tomo I).

totales y 19,2% en el de las utilidades distribuidas). Para tener una idea de su importancia, es pertinente señalar que, de acuerdo con la misma fuente oficial, entre 1958 y 1964, cuando se instalaron las bases materiales de la segunda etapa de sustitución de importaciones, esa misma tasa de rentabilidad alcanzó el 8,6 y el 6,0% según se consideren las utilidades totales o las distribuidas, respectivamente.

Cuadro n° 2.3

Evolución del stock de capital extranjero, utilidades totales y distribuidas, 1946-1953 (en millones de dólares de 1975 y porcentajes)

	Stock de capital* (1)	Utilidades Totales (2)	Utilidades Distribuidas (3)	2/1	3/1
1946	2.130	605	405	28,4	19,0
1947	2.213	110	57	5,0	2,6
1948	2.364	548	432	23,2	18,3
1949	2.569	1.025	833	39,9	32,4
1950	2.744	851	692	31,0	25,2
1951	2.861	823	719	28,8	25,1
1952	2.944	491	428	16,7	14,5
1953	3.091	543	462	17,6	15,0
Prom. anual					
1946-1953	2.615	624	503	23,9	19,2
1958-1964	4.749	409	290	8,6	6,1

* Estimación propia basada en la suma de la inversión neta desde1912 al año considerado.

Fuente: Elaboración propia sobre la base de información del Ministerio de Economía.

La política económica del peronismo no tenía entre sus objetivos fundamentales promover el capital extranjero en la industria aunque sí respetar las consecuencias de su peso estructural ya que, salvo excepciones vinculadas al conflicto bélico, no impulsó la nacionalización de estas empresas. Sin duda, el objetivo prioritario era consolidar la burguesía nacional y buena parte de *la oligarquía diversificada,* por considerarla integrante de aquélla. Bajo ese supuesto, resulta evidente que el notable monto de las utilidades y de la tasa de rentabilidad exhibido por el capital extranjero no indica una excepción sino una situación generalizada de la rentabilidad industrial, con las lógicas diferencias derivadas del peso estructural de cada una de las fracciones empresarias.

Las evidencias empíricas oficiales analizadas dejan pocas dudas acerca de que el peronismo llevó a cabo una política que concluyó con la economía agroexportadora tanto en términos estructurales —con la estatización de la infraestructura—, como financieros, apropiándose de la renta agropecuaria mediante una profunda modificación de los precios relativos entre el sector urbano y rural, y específicamente entre la industria y el agro, como complemento de la intensa intervención estatal encaminada a consolidar el desarrollo industrial.

Ciertamente no avanzó sobre la propiedad de la tierra —bastión fundamental de la oligarquía agropecuaria— a través de una reforma agraria, pero sus políticas generales y sectoriales respecto de la distribución del excedente, y particulares en relación con el agro pampeano, parecen haber generado un proceso de desconcentración de la propiedad rural que comenzará a revertirse en las décadas posteriores pero sin la intensidad necesaria como para retornar a la situación previa al peronismo.

En todo caso, el "contenido oligárquico" de la política peronista radica en el salto cualitativo que registró la *oligarquía diversificada* como fracción empresaria industrial, excluyendo al resto de la oligarquía, exclusiva o principalmente terrateniente. Quizá por eso, de allí en adelante el papel de los terratenientes en la economía local se modificó, ya que se transformaron en una fracción subordinada a la *oligarquía diversificada* que logró incidir en el ciclo sustitutivo sólo cuando sus intereses se articulaban con los de ésta. Se estableció la relación inversa a la que había primado durante la vigencia del modelo agroexportador ya que, de aquí en adelante, al desplazarse el espacio privilegiado de acumulación hacia la producción industrial, la *oligarquía diversificada* tuvo, sin duda, una inserción trascendente.

Una revisión más amplia de la situación de esta fracción diversificada de la oligarquía pampeana indica que durante la década del treinta ya se encontraba plenamente abocada a definir recambios estratégicos ante el creciente —y cada vez más ostensible— agotamiento agroexportador. Como se señaló, un primer intento hegemónico se expresó en el Plan Pinedo, que la tuvo como uno de sus pilares fundamentales pero que fracasó políticamente y era estructuralmente inviable. Vale recordar que su principal socio potencial, las empresas norteamericanas, en ese momento se expandieron a través de formas de internacionalización contrapuestas al eje central del Plan —las exportaciones industriales—, en tanto la instalación de subsidiarias en la región respondía a la intención de explotar los mercados internos de los países latinoamericanos y no a utilizarlos como plataforma exportadora. Sin embargo, la derrota de este planteo para plasmar una industrialización exportadora no parece haber traído aparejado un debilitamiento de esta fracción. Por el contrario, se insertó plenamente en la sustitución de importaciones pero conduciendo al conjunto de la oligarquía agropecuaria.

Los muy elevados beneficios industriales no significaron que algunas de las medidas trascendentes del gobierno peronista no hayan puesto un límite a la redistribución de la renta agropecuaria hacia los sectores urbanos. Así por ejemplo, es muy probable que la estatización de los ferrocarriles haya redundado, como dice Horowicz, en un beneficio para los terratenientes pampeanos al impedir una mayor disminución de la renta transferida a los sectores urbanos,[27] pero siempre que se tenga presente que también benefició a los pequeños y medianos productores rurales, a los industriales —que redujeron sus costos—, e incluso a los asalariados, por la disminución de las tarifas en el transporte de pasajeros. Pero no parece radicar allí el núcleo de la cuestión, es decir, el impedimento que encontró el peronismo para ampliar las fuerzas productivas y consolidar su intento de capitalismo de Estado.

El escollo insalvable para los primeros gobiernos peronistas estuvo en lo nuevo que le aportó al desarrollo económico argentino la industrialización, y no precisamente desde el lado del trabajo, como conciben las corrientes liberales, sino desde el lado del capital.

Las evidencias insinúan que la alternativa entre estatización de los servicios públicos o industrialización pesada no era tal, ya que el nivel de excedente generado anualmente y el acumulado socialmente en manos del gobierno en términos de oro y divisas (monto de las reservas) era suficiente como para llevar a cabo ambas iniciativas, aun acompañadas por la redistribución del ingreso hacia los asalariados.

Sin embargo, la condición para que eso fuera posible era que la rentabilidad de las fracciones industriales no estuviese engrosada por ganancias extraordinarias alimentadas por transferencias desde el Estado, y por el ejercicio oligopólico pleno resguardado por la protección arancelaria sin medidas que orientaran el excedente hacia otros fines.

Así, cuando no se incorporan en el análisis las elevadas ganancias percibidas por el capital industrial, la contradicción aparece como si la alternativa estratégica se hubiera dirimido entre la estatización de los servicios públicos y la industrialización.

El fenómeno es muy pronunciado, a juzgar por la notable magnitud de las utilidades percibidas por el capital extranjero así como su no menos sorprendente tasa de rentabilidad. No obstante, lo más grave no es que se trató de un hecho excepcional restringido a esta fracción del capital industrial sino exten-

[27] Al respecto, A. Horowicz (1990) sostiene: *"Formulando epigramáticamente el problema: el control del ferrocarril era un elemento esencial en la fijación del monto de la renta agraria; la nacionalización del ferrocarril era una medida que beneficiaba a los terratenientes y productores, en primer término, y a los industriales en el segundo. Los industriales obtenían mercado; los terratenientes la renta. De allí en más, el déficit ferroviario (que no es déficit de transporte de pasajeros, sino de carga) se transformó en un sutil mecanismo de subvención de la renta agraria [...] La nacionalización ferroviaria atendía fundamentalmente los intereses terratenientes, y sólo muy limitadamente los intereses industriales. Si bien ampliaba el mercado (ya el camión lo había hecho parcialmente, a través de la política de Justo), cerraba el camino al equipamiento esencial."* (pp. 164-65).

dido al resto de los sectores empresarios.[28] En principio, era esperable que el nivel de utilidades y de la tasa de ganancia estuviese en relación directa con la jerarquía estructural de cada una de las fracciones (importancia del complejo sectorial específico, su lugar en el complejo sectorial, su inserción en actividades altamente concentradas, el carácter de núcleo económico y técnico de esas actividades, su grado de diversificación hacia otros complejos sectoriales, etc.) y, en ese sentido, las obtenidas por el capital extranjero serían las más elevadas, seguidas por las de la *oligarquía diversificada* y, finalmente, la burguesía nacional.

Sin embargo, dado el sesgo de la política económica en favor de las fracciones de origen local, dichas diferencias probablemente se hayan estrechado, no porque se redujeran las utilidades y la tasa de ganancia de las extranjeras sino porque se aumentaron las correspondientes a los capitales locales, manteniendo la preeminencia entre ellas la *oligarquía diversificada.*

Esta prelación estructural entre las fracciones del capital, así como el acortamiento de las diferencias en términos de la rentabilidad relativa, parecen confirmarse a partir de la información disponible. Si bien se trata de resultados in-

Cuadro nº 2.4
Composición del capital suscripto, las utilidades y la rentabilidad de las 50 empresas industriales de mayores utilidades según tipo de capital, 1954 (en porcentajes)

	Capital suscripto	Utilidades	Utilidades/capital suscripto
Capital extranjero	46,9	43,1	37,3
Oligarquía diversificada	29,0	29,6	18,1
Burguesía nacional	24,2	27,3	29,0
Total	100,0	100,0	27,2

Fuente: Elaboración propia sobre la base de *El Accionista*, 1955.

[28] Esta elevada y generalizada rentabilidad industrial es la que habría impulsado las adhesiones empresariales al gobierno peronista que destaca J. Brennan en un trabajo reciente (1998). Sobre este particular destaca: *"Este ensayo presentará dos principales ideas con respecto al rol jugado por el empresariado en el Peronismo. Primero, la creencia extendida en nuevos versus viejos industriales como una fuente de apoyo a Perón entre 1943 y 1955 es, de muchas maneras, la contraparte de los hoy desacreditados argumentos de una nueva versus una vieja clase obrera para explicar la existencia de Perón y el Peronismo. De hecho, Perón dispuso de un cierto grado de apoyo de parte de ambos sectores, viejo y nuevo, de la burguesía industrial argentina."* (p. 80).

dicativos,[29] las evidencias que constan en el Cuadro nº 2.4 confirman, en términos generales, las deducciones realizadas.

Así, al considerar la distribución del capital suscripto y las utilidades percibidas en 1954 se replica la misma importancia estructural, en tanto en ambos casos el capital extranjero encabeza nítidamente las posiciones, seguido por las empresas controladas por la *oligarquía diversificada* y a corta distancia por las que constituyen la burguesía nacional. Por otra parte, el sesgo que introdujeron las políticas económicas se expresa con singular intensidad en el indicador de la rentabilidad (utilidades/capital suscripto) que percibía cada una de ellas en las postrimerías de los gobiernos peronistas. Desde esta perspectiva, las ventajas del capital extranjero respecto de la fracción del capital que le sigue se acortan, pero sugestivamente la que le sigue es la burguesía nacional, la cual supera holgadamente la rentabilidad percibida por la *oligarquía diversificada.*

Un rasgo característico del peronismo, coherente con su concepción doctrinaria, fue el de acentuar sensiblemente la presencia de las empresas y organismos estatales en la producción industrial. En principio, estas empresas y organismos eran los que tenían que abrir el camino hacia un mayor desarrollo de la industrialización mediante la incorporación de la industria pesada en la estructura productiva del país. Sin embargo, cuando se analiza la importancia cuantitativa de todos los organismos estatales en la industria manufacturera, se comprueba que fue escasa, a pesar de su incremento en la participación durante el período intercensal. En efecto, el análisis censal indica que las empresas estatales de todo tipo generaron en 1947 el 3,6% de la producción total mientras que en 1954 concentraron el 9,5% de la producción. Como era de esperar, en términos del personal ocupado (empleados más obreros) dicha participación es más elevada pero igualmente intrascendente (el 4,3 y el 12% en 1947 y 1954, respectivamente).[30]

Es decir que las empresas que debían ser la vanguardia de la industrialización, condición ineludible para consolidar el capitalismo de Estado que

[29] Se trata de resultados empíricos aproximados porque, ante la carencia de información empresaria desagregada para esos años, de las cien empresas de mayor facturación en 1958 se consideraron las cincuenta de mayores utilidades en 1954 asignándole a cada una de las fracciones del capital la propiedad de las empresas que controlaban en 1958. La fuente de la información básica (capital suscripto y utilidades) proviene, tal como se indica en el Cuadro, de *El Accionista* (diario jurídico y comercial), 1955.

[30] Tanto en el Censo Industrial de 1947 como de 1954 se consigna información al respecto, computando todos los establecimientos controlados por dependencias nacionales, provinciales y mixtas (penales, escuelas, etc.). Díaz, Alejandro (1975) es uno de los pocos autores que menciona la escasa participación estatal en la industria, al decir: "*Si bien las políticas oficiales han influido sobre las pautas de industrialización, el Estado ha cumplido un papel muy modesto en la administración y propiedad directa de las empresas manufactureras. Después de varios años de régimen peronista, menos del 10% de la producción manufacturera bruta fue generada por empresas poseídas y administradas —total o parcialmente— por el sector público.*" (p. 243).

proponía el peronismo, en realidad constituyeron un conjunto numeroso de firmas que apenas logró una raquítica incidencia en la producción clave, debido a la escasez de recursos disponibles para llevar a cabo los grandes emprendimientos. Esos recursos existían pero fueron a manos de las diferentes fracciones empresarias que actuaban en la industria con una elevadísima rentabilidad y es plausible asumir que si los recursos disponibles hubieran sido más, habrían crecido las utilidades y aumentado la rentabilidad pero la industrialización habría permanecido igualmente trunca.

En síntesis, durante sus primeros gobiernos, el peronismo consiguió disciplinar a varios de los sectores centrales de la agotada economía agroexportadora pero fue doblegado por las fracciones del capital que conducían la actividad dinámica promovida. Entre ellos se encontraba, además del capital extranjero, la fracción dominante de la oligarquía argentina.

Es cierto que desde el gobierno se alentó y promovió una *fuerza propia* dentro del empresariado industrial, pero no es menos evidente que esa burguesía nacional era estructuralmente endeble y, quizá, más dependiente en términos ideológicos y productivos de los sectores dominantes que de la concepción y la iniciativa gubernamentales, aspecto que afloró cuando, en la década del cincuenta, surgieron problemas económicos. El principio del fin del gobierno peronista comenzó cuando la rentabilidad obtenida por las fracciones industriales dominantes empezó a descender. Entiéndase bien, a disminuir respecto de la "época de oro" (40% de rentabilidad sobre el capital invertido en 1949 por las subsidiarias extranjeras), ya que seguía siendo notablemente alta en términos históricos e internacionales (entre el 17 y el 18 % en 1952 y 1953). Ante esa situación, y tal como lo harán sistemáticamente en los años posteriores, las fracciones dominantes del capital llevaron a cabo una ofensiva política, ideológica y económica para instalar socialmente la convicción de que el problema radicaba en los excesivos gastos estatales, y en el elevado nivel de los salarios. En esas circunstancias, como lo han destacado algunos autores, la posición de la burguesía nacional no se diferenció demasiado de la adoptada por las fracciones empresarias dominantes.[31]

En términos estructurales, al final del peronismo la industrialización quedó fortalecida, pero trunca como eje del proceso económico, y tres fracciones se disputaban la conducción del proceso económico, social y político: el capi-

[31] Al efectuar una revisión histórica, J. W. Cooke (1985) afirma que: *"La burguesía industrial beneficiada de esa política, no sólo tomó parte activa sino que además siguió en la órbita gravitacional política, ideológica y cultural de la vieja oligarquía terrateniente-mercantil. La prosperidad no fue obstáculo para que se sintiesen amenazados por el avance del poder de los sindicatos y las condiciones nuevas en que se desenvolverían las relaciones obrero-patronales. [...] al desaparecer las condiciones en el que el ingreso nacional creciente permitía el enriquecimiento empresario y el mejoramiento de la vida de los trabajadores, la burguesía se pasó masivamente al frente antiperonista."* (pp. 66-67). También, P. Waldmann (1986) señala: *"Pero si creemos que la*

tal extranjero, predominante en el nivel estructural; la *oligarquía diversificada*, ya como conducción de la oligarquía en su conjunto (que establecerá alianzas o distancias con el capital extranjero) y la burguesía nacional, que oscilará entre la subordinación a los sectores dominantes y la alianza con los trabajadores que intentan ocupar en la sociedad el lugar que les corresponde como creadores de la riqueza social.

2.2 Evolución y características de la segunda etapa de sustitución de importaciones (1958-1975)

Entre los años cincuenta y mediados de los setenta, la economía argentina evolucionó sobre la base de un comportamiento cíclico de corto plazo del producto y los precios (*ciclo corto*). De allí que, desde el punto de vista económico, esta etapa sea reconocida por el denominado *pare-siga o stop-go*. Si bien respecto de este comportamiento hay un consenso prácticamente unánime, no parece ocurrir lo mismo con relación a la expansión económica que se registró en el período. Desde la Ciencia Política parece asumirse —especialmente J. C. Portantiero en su análisis sobre el *empate hegemónico*— que a partir de los años cincuenta se produjo un agotamiento de las fuerzas productivas, específicamente de la industrialización. Desde esa perspectiva, no se trataría de la culminación de una etapa y el comienzo de otra sino más bien de la clausura definitiva de la industrialización.[32]

De ser acertada dicha interpretación, significaría que durante esos años el crecimiento económico había sido sumamente reducido, casi equivalente al estancamiento. Sin embargo, esa caracterización olvida la expansión económica que trajo aparejada la implantación de nuevas inversiones extranjeras durante la gestión gubernamental del desarrollismo (1958-1964), que afianzaron la industrialización y dieron lugar a la segunda etapa de sustitución de importaciones.

CGE representaba una concepción económica fundamentalmente distinta de aquella sustentada por los tradicionales círculos económicos dirigentes, nos veremos defraudados. Sus resoluciones no se diferencian mucho de las aspiraciones y pretensiones expuestas al gobierno por la Bolsa de Comercio." (p. 203).

[32] Textualmente, J. C. Portantiero (1977) afirma que: *"El derrocamiento del primer experimento nacionalista popular de Perón, en septiembre de 1955, había de implicar, en varios sentidos, el cierre de un ciclo histórico. En la económico quedaba atrás, agotado, un modelo de acumulación, iniciado con las crisis del ´30 y reforzado en la década del 40, que el peronismo modificó socialmente introduciéndole un patrón ampliado de distribución."* (p. 532). Asimismo, en otro trabajo sobre el tema (1973) expresa: *"Una situación en que los nuevos encuadramientos de clase no se encarnan en fuerzas sociales que se corresponden con ellas no es excepcional: una etapa se cierra primero en el plano económico-social que en el plano político. Nuestra hipótesis central es que esa situación se da hoy en la sociedad argentina con un arrastre de casi dos décadas: desde mediados de los años cincuenta, cuando entra en crisis el ciclo industrialización sustitutiva, al ritmo del cual se desarrollaron, durante veinte años, las fuerzas productivas."* (p.35).

Las evidencias disponibles sobre la evolución del PBI entre 1956 y 1974 indican de manera indubitable la existencia de un crecimiento entre los años extremos que, si bien no alcanzó para utilizar la capacidad productiva potencial, alcanzó el 4,2% anual acumulativo. Por cierto, la economía argentina operó durante algunos de esos años con capacidad ociosa en términos de su capital instalado y por debajo de su disponibilidad de mano de obra debido a los periódicos estrangulamientos en el sector externo que determinaron ese sendero típico basado en el *pare-siga.*

En este contexto, es importante señalar, como lo hace M. Brodersohn[33] y surge del Gráfico n° 2.4, que se desplegaron dos etapas netamente diferenciadas con tasas de crecimiento disímiles.

Gráfico N° 2.4: Evolución del PBI y la participación de los asalariados en el ingreso, 1956-74 (en números índices 1956 = 100 y porcentajes)

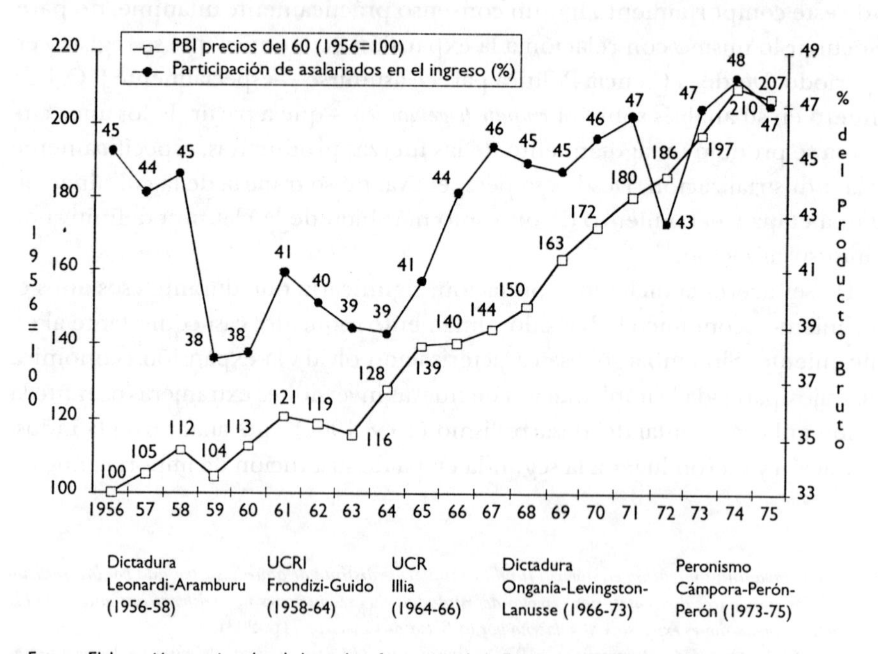

Fuente: Elaboración propia sobre la base de información de la Fundación del Banco de Boston (1978) y BCRA.

33 M. Brodersohn (1973) ha sido, quizá, quien mejor sintetizó estas características. Al referirse al período 1950-72, entre otras cosas, dice: "*... si nos atenemos a los hechos: 1952,1959 y 1962-63 muestran agudas recesiones económicas. A partir de entonces, no se presentan años con variaciones negativas en el PBI, lo cual lleva por lo general a afirmar que por fin la Argentina ha logrado contrarrestar el ciclo económico. En realidad lo que sí parece que hemos logrado eliminar es el viejo ciclo dado que todavía subsisten fuertes fluctuaciones en los ritmos anuales de crecimiento del PBI*" (p.19).

La primera abarcó desde 1956 hasta 1963, en la cual el PBI creció a una tasa del 2,1% anual y los ciclos de corto plazo acarrearon, en su fase descendente, una disminución del producto en términos absolutos. La otra se desplegó entre 1964 y 1974, con un crecimiento del PBI del 5,1% anual y, a diferencia de la anterior, con un crecimiento ininterrumpido del producto, pero con tasas anuales positivas más reducidas en la fase descendente del ciclo de corto plazo.

Por cierto, ambas etapas mantuvieron notorias diferencias en términos políticos. En la primera, a la dictadura que derrocó al peronismo le siguieron gobiernos surgidos del voto pero constitucionalmente ilegítimos por la proscripción del peronismo. En la segunda etapa, a la dictadura autodenominada Revolución Argentina la sucedió el primer gobierno constitucional elegido libremente después de dieciocho años de dictaduras y proscripciones. No obstante, las diferencias económicas que mediaron entre ambas etapas no se agotaron en sus tasas de crecimiento y características del ciclo sino que involucraron otras peculiaridades estructurales.

Durante la primera etapa, una vez consumado el golpe de Estado, en abril de 1956 se puso en marcha el denominado Plan Prebisch y, pocos meses después, se dieron los primeros pasos para que la Argentina se incorporara al Fondo Monetario Internacional y al Banco Mundial (cuyo primer crédito se concretó en agosto de 1957, por 75 millones de dólares) y se firmó el acuerdo con el Club de París, que expresaba el tránsito de la bilateralidad hacia el multilateralismo como política externa.[34] [35]

Estas iniciativas involucraron la remoción o modificación de los controles sobre el sector externo (control de cambios, retenciones, cupos, monto de los aforos, etc.) y la economía interna (eliminación de subsidios y del control de precios, liberalización del comercio de granos, etc.) que había implementado el peronismo, así como un cambio drástico en el enfoque y el contenido de la política económica.

[34] La Memoria del BCRA del año 1956 destaca al respecto que: *"Poniendo fin al aislamiento en que se había mantenido al país en el terreno de la cooperación financiera internacional, por Decreto N° 710, del 19 de abril de 1956, se dispuso [...] iniciar las gestiones necesarias para que la República Argentina ingresase al Fondo Monetario Internacional y al Banco Internacional de Reconstrucción y Fomento"* (p. 40). Para agregar, posteriormente, que se formalizó el ingreso de nuestro país el 31 de agosto mediante el Decreto-Ley N° 15.970, por el que se aprobaron los Convenios Constitutivos del FMI y BIRF y se autorizó al BCRA para que, en nombre y por cuenta del Gobierno Nacional, efectúe los aportes pertinentes. Se fijaron en 150 millones de dólares las cuotas en cada uno de estos organismos.

[35] En la Memoria del BCRA de 1956, luego de remarcar que el 60% del intercambio comercial de la época era con Europa Occidental, se consigna que dicho acuerdo tiene como intención *"el Establecimiento de un sistema de pagos multilaterales con el objeto de restaurar el intercambio sobre bases más amplias que las proporcionadas por el régimen bilateral y fijar las condiciones para la liquidación de las deudas comerciales argentinas acumuladas bajo ese régimen con los países de Europa Occidental"* (p. 39).

De allí en más, los organismos internacionales, especialmente el FMI, tuvieron una intensa injerencia en la política económica, incluso antes del primer programa de estabilización en 1959, ya que buena parte del Plan Prebisch se sustentó en la misma concepción. Las recomendaciones del FMI asumieron que los problemas inflacionarios y de crisis de Balanza de Pagos se originaban en un exceso de demanda que se corregía a partir de, por un lado, eliminar los controles sobre la economía interna y el funcionamiento del sector externo junto a una devaluación de la moneda local y, por el otro, restringiendo la oferta monetaria y comprimiendo el gasto estatal, mientras se incrementaba la presión fiscal, generalmente sobre la base de la creación o el aumento de los impuestos regresivos. Finalmente, reduciendo los salarios como medio fundamental para contraer el consumo del sector privado.

Sin duda, el supuesto exceso de demanda ignoraba que en la realidad había capacidad ociosa y que la principal restricción se encontraba en la escuálida oferta de bienes exportables (agropecuarios). Tan o más importante era que mediante la restricción de la demanda interna por la reducción del gasto estatal y los salarios, se generaban tendencias recesivas con una marcada concentración del ingreso en manos de los sectores oligopólicos industriales y la oligarquía agropecuaria.

Así se transitó esta primera etapa de la segunda sustitución de importaciones, cuyos resultados fueron (tal como se verifica en el Gráfico n° 2.4) el estancamiento económico y una profunda reversión de la distribución del ingreso plasmada anteriormente por el peronismo, a pesar de la resistencia que desplegaron los sectores populares para evitarlo. Al reparar en la estrecha relación que mantuvieron ambas variables, se puede identificar una característica del proceso sustitutivo de importaciones en la cual cabe insistir, ya que ha sido poco mencionada. Se trata de la trascendencia que asumían los salarios como factor fundamental de la demanda interna, la cual impedía objetivamente su descenso más allá de cierto límite, a riesgo de introducir un proceso recesivo. De allí que se pueda deducir que el marcado descenso de la participación de los asalariados en la etapa 1956-63 trajo aparejado un relativo estancamiento económico y no una recesión severa, por la influencia de un factor excepcional que consistió en la incorporación de ahorro externo bajo la forma de inversión extranjera directa, que alivió la situación del sector externo y expandió la producción interna y el nivel del empleo.

La concepción *desarrollista* del gobierno que asumió en 1958 se concretó mediante una serie de medidas orientadas a facilitar el ingreso de capital extranjero para, de esa manera, lograr incrementos sustanciales en la productividad y la producción que, supuestamente, asegurarían la autonomía del país respecto de los factores externos que la bloqueaban.[36]

Ese mismo año, además de haberse firmado algunos contratos con una serie de empresas extranjeras para la explotación petrolífera y carbonífera, se sancionó la Ley 14.780 de Inversiones extranjeras, se aprobó la Ley de Garantía que resguardaba a los inversores extranjeros de una eventual inconvertibilidad cambiaria y se puso fin a todos los litigios pendientes entre el Estado y los capitales extranjeros provenientes de la época del peronismo. En este contexto, el gobierno aprobó 254 proyectos de empresas extranjeras que, aunque cubrían un amplio espectro de actividades industriales, estaban sensiblemente dirigidos a la producción química y petroquímica, material de transporte, metalurgia y maquinaria eléctrica y no eléctrica. Al mismo tiempo, los 25 mayores absorbían el 67% de la inversión total. Desde el punto de vista de los países de origen, era evidente el predominio norteamericano: el 60% de la inversión aprobada provenía de los EE.UU. Las cifras disponibles indican que entre 1958 y 1963 la nueva inversión extranjera rondó los 500 millones de dólares, monto que representa el 23% de las inversiones radicadas en la Argentina desde 1912, siendo igualmente importante —aunque inferior a la que se registró durante el peronismo— la reinversión de utilidades.[37] Sobre estas bases se puso en marcha la segunda etapa de sustitución de importaciones, que reconocía un claro predominio de las firmas extranjeras industriales, sustentado en las actividades que se incorporaron durante estos años (automotriz, químico-petroquímicas, siderurgia, etc.) y que de ahí en más fueron los sectores más dinámicos del espectro manufacturero.

A partir de 1964 maduraron las inversiones realizadas en los años anteriores y comenzó una etapa en la cual el PBI creció ininterrumpidamente durante una década, pero sobre la base de un ciclo corto en el que se sucedieron aceleraciones y desacerelaciones de la tasa de crecimiento aunque nunca caídas en términos absolutos. Este proceso de expansión fue acompañado, tal como se observa en el Gráfico n° 2.4, por un incremento de la participación de los asalariados en el ingreso pero con alteraciones relevantes en el mercado de trabajo. Las evidencias disponibles indican que los cambios estructurales de la

[36] En el apéndice de la Memoria de BCRA de 1958, se menciona que el presidente Frondizi, en su discurso del 29/12/58, señaló que: *"El problema básico que afecta a la economía argentina es un proceso de paulatino empobrecimiento debido a que el crecimiento de la capacidad productiva del país no acompañó al de la población y su nivel social. Como hace treinta años, el país depende de la explotación de un campo que cada vez proporciona menores y menos valiosos saldos exportables. Se demoró la explotación del petróleo y del carbón, la creación de nuevas fuentes de energía eléctrica, el aprovechamiento de los yacimientos minerales y el desenvolvimiento de la siderurgia y de la industria pesada."*

[37] Sobre la evolución histórica del capital extranjero en el país, véase D. Azpiazu y B. Kosacoff (1985).

etapa *desarrollista* fragmentaron el mercado de trabajo, en tanto las nuevas actividades industriales —con una elevada intensidad de capital, nuevas tecnologías y grandes plantas industriales— demandaron y capacitaron mano de obra especializada que percibía salarios relativamente más elevados. No ocurrió lo mismo en aquellas ramas tradicionales de la producción industrial en las que predominaban las empresas y los establecimientos fabriles de menores dimensiones, con tecnologías maduras y una tasa de crecimiento vegetativo, ya que en ellas el nivel salarial exhibió un retraso creciente en relación con el promedio que regía en el conjunto de la actividad industrial.[38]

La política económica más relevante que se encaró hasta 1973 fue la aplicada desde comienzos de 1967 por la dictadura militar, con Krieger Vasena como Ministro de Economía. Fue el intento más enérgico que se realizó para consolidar el predominio extranjero en la producción industrial y encauzar la economía argentina en un proceso sustentable de crecimiento bajo su control pero integrando también a la *oligarquía diversificada* como parte del proceso. El proyecto no se dirigía únicamente a la política económica de corto plazo sino que también contenía cambios estructurales orientados a reforzar la presencia extranjera mediante la adquisición de empresas locales, lo que estableció una diferencia con la anterior experiencia *desarrollista*, en la que el capital extranjero se consolidó mediante la instalación de nuevos emprendimientos productivos.[39]

A pesar de responder a los intereses extranjeros, el plan económico de esos años se diferenció de las políticas ortodoxas del FMI aplicadas en la etapa anterior, al desechar la idea de que el exceso de demanda era el factor exclusivo que desencadenaba la crisis económica. Más allá de los factores coyunturales que posibilitaron la heterodoxia de Krieger Vasena,[40] la naturaleza del proceso parece indicar que dicha política buscaba articular los intereses del capital extranjero industrial con los de la *oligarquía diversificada.*

[38] Véase D. Azpiazu, C. Bonvecchi, M. Khavisse y M. Turkieh (1976).

[39] Al respecto, véase E. Cimillo y otros (1972); R. García Lupo (1972) afirma que: "... *las empresas nacionales que pretendieron alcanzar altos niveles de eficiencia se vieron ante la necesidad de adquirir tecnología en los países centrales. De la misma forma, la necesidad de reequipamiento y/o de compra de materias primas no producidas localmente, llevaron a estas empresas a endeudarse con firmas extranjeras. La evolución propia de las empresas y las periódicas devaluaciones de nuestro signo monetario colocaron a muchas de estas firmas ante la imposibilidad de cumplir los compromisos con sus acreedores externos. En estas circunstancias, se vieron obligadas a entregar parte de sus paquetes accionarios a aquéllos.*" (p. 103) Asimismo, un análisis del proceso de desnacionalización económica puede consultarse en R. García Lupo (1972).

[40] Tanto G. O'Donnell (1982) como O. Braun (1970) destacan que este carácter heterodoxo se originó, en buena medida, en el contexto económico. Así, por ejemplo, O. Braun afirma: "... *el momento del ciclo en que comienza a aplicarse el plan de estabilización también es importante. Este comienzo tiene lugar cuando, por un lado, la posición externa del país no es deficitaria y el dólar no se encuentra subvaluado gracias a las pequeñas y sucesivas devaluaciones efectuadas por el gobierno de Illia y durante los primeros meses del gobierno de Onganía, y por otra parte, cuando el estancamiento de la producción ha dejado abundante capacidad ociosa en el sector industrial.*" (p. 29).

En este sentido, Krieger Vasena expresó la tentativa de conformar un bloque social dominante y hegemónico que hiciese sustentable esta nueva fase de la industrialización.

El plan económico de Onganía y Krieger Vasena comenzó en 1967, con una acentuada devaluación del peso (de casi el 40%) que benefició prioritariamente las transacciones financieras y las exportaciones industriales, en tanto se fijaron retenciones considerables a las exportaciones tradicionales, aunque inferiores a la devaluación (entre el 16 y el 25% según los productos). También se redujeron los aranceles de los productos importados, que aminoraron el incremento de sus precios en el mercado interno. De esa manera se puso en marcha un sistema de cambios diferenciales que tendió tanto a reducir los efectos de la devaluación sobre los costos de los insumos industriales y sobre la redistribución del ingreso, como a impulsar las exportaciones industriales, la entrada de capitales externos y la repatriación del capital local radicado en el exterior. Complementariamente, para mitigar el efecto regresivo inicial en términos de la distribución del ingreso, se otorgó —omitiendo la negociación mediante paritarias— un incremento de los salarios, que quedaron congelados por un año.

En términos monetarios y fiscales, las medidas del plan aminoraron significativamente la inflación, lo que provocó el alza de la tasa de interés real. Al mismo tiempo se expandió la oferta monetaria, primero a través de la entrada de capitales del exterior[41] y luego por la reducción de los encajes bancarios. El incremento de la tasa de interés interna y la consecuente vigencia —excepcional para esa época—, de una tasa de interés real positiva, produjo el colapso financiero de numerosas empresas locales que terminaron en manos del capital extranjero.[42]

En relación con las cuentas públicas, el déficit fiscal tendió a reducirse pero estuvo relacionado con una modificación en la composición del gasto estatal. Se produjo un incremento relativo de la inversión pública asociado a la expansión de la infraestructura;[43] con la consecuente la alteración de las rentabilidades relativas dentro de las mayores firmas oligopólicas de la economía

[41] La conjunción del tipo de devaluación con las altas tasas reales de interés internas produjo efectos inmediatos en este sentido. Así, la Memoria del BCRA de 1967 consigna: *"Se produjo una reversión en el movimiento de capitales privados, pasándose de una salida neta de 213,3 millones de dólares en 1966 a un ingreso neto de 232,1 millones de dólares en 1967"*.

[42] Un listado tentativo de las más de cien empresas locales que pasaron a ser propiedad del capital extranjero se encuentra en O. Alende (1973, pp. 95-99).

[43] Entre otras obras: la construcción de la Central Hidroeléctrica de Chocón-Cerros Colorados en Neuquén, el proyecto para la construcción de la Central Nuclear de Atucha en Buenos Aires, la represa de Salto Grande en Entre Ríos, el embalse de Cabra Corral en Salta, la represa de Futaleufú en Chubut, el Plan Nacional de Vialidad, la creación de Hidronor, etcétera.

local. Gracias a la inversión pública y al reconocimiento estatal de sobreprecios a los proveedores de insumos para la construcción (productos siderúrgicos, cemento, etc.), esta actividad obtuvo un nivel de rentabilidad que superó al del resto de las que componían la economía real.[44]

Teniendo en cuenta que se trató de una política fuertemente heterodoxa[45] y que la *oligarquía diversificada* tenía una significativa inserción en la construcción y especialmente en la elaboración de insumos, parece evidente que esta iniciativa estatal se orientaba a integrar esa fracción empresarial dominante al proyecto en marcha, y así neutralizar la posible oposición de la oligarquía en su conjunto. En ese momento comenzó a plasmarse la relación entre el Estado y sus proveedores de bienes y servicios —dentro de los cuales esta fracción de la oligarquía se ubicó como uno de los actores preferenciales— de lo que luego se conoció como "la patria contratista".

En diversos trabajos se analizaron las limitaciones técnicas que desencadenaron el fracaso de este plan, que pretendió fortalecer un proceso económico conducido por el capital industrial extranjero pero integrando a la fracción empresaria conductora del conjunto de la oligarquía pampeana y subordinando, al mismo tiempo, a los sectores populares mediante la incorporación de las representaciones sindicales.

Más allá de sus insuficiencias técnicas, la movilización popular tuvo una notable influencia en la inviabilidad del plan. Tal es así que se puede afirmar que es la que dio por terminada definitivamente esta propuesta de consolidar, en términos políticos y sociales, un proceso acorde con los cambios estructurales que se habían registrado en la sociedad argentina pocos años antes.

Se trata de los levantamientos sociales que se desarrollaron en mayo de 1969 en las ciudades de Corrientes, Rosario, La Plata y Tucumán y culminaron entre el 29 y el 31 de ese mes en el denominado Cordobazo.[46] Esa gesta popular, en la que confluyeron los sectores más dinámicos y contestarios de la sociedad —fundamentalmente el movimiento estudiantil y los obreros industriales—, dio por terminada no sólo la gestión de Krieger Vasena (que fue reemplazado por Dagnino Pastore) sino la del propio general Onganía co-

[44] Véase A. Castellani (diciembre de 2002).

[45] Al respecto G. O'Donnell (1977) sostiene: *"Ese papel de casi exclusivo impulsor económico del aparato estatal no parece haber sido querido por el equipo económico. Por lo menos, en sus declaraciones públicas es recurrente la invitación al capital externo y al radicado localmente para que, ya que se estaban logrando condiciones de orden y estabilidad económica, aumentara fuertemente sus inversiones. Es claro que la esperanza del equipo económico era que, una vez obtenidas las bendiciones del FMI y lograda la paz social, se produciría un rápido e importante ingreso de préstamos de largo plazo e inversiones directas del exterior, que convertiría a esa parte del sector privado en el dinamizador de la economía."* (p. 189).

[46] Véase J. P. Brennan (1996).

mo conductor de la dictadura militar (en junio de 1970 fue reemplazado por el general Levingston).

Sin embargo, la trascendencia del Cordobazo no se agota en haber producido el relevo de la conducción de la dictadura, ni siquiera en señalar el momento en que comenzó su retirada, sino en que a partir de allí se generaron las condiciones para que convergiera un conjunto de procesos sociales y políticos de larga data que se sintetizaron en un proyecto alternativo dentro del peronismo: el *socialismo nacional.*

Los orígenes del peronismo se enclavan en la década del treinta, con la aparición de un frente social que luego será un movimiento político alternativo al liberalismo y al comunismo, estrechamente vinculado a los planteos de la Iglesia católica y a la evolución política del Ejército. No obstante, desde el inicio, dentro de este *frente social* convivieron dos tendencias que se enfrentaron de distinta manera e intensidad, incluso luego de convertirse en un *frente político* que ejerció la hegemonía en la sociedad argentina. Por un lado, las líneas nacionalistas más conservadoras, relacionadas con el régimen oligárquico. Por el otro, los sectores que reivindicaban el contenido popular, antioligárquico y antiimperialista, vinculados al proceso de industrialización y a potenciar a la clase trabajadora como el sujeto social dinámico de la sociedad.[47]

Esta fractura originaria se expresó ya durante los primeros gobiernos peronistas, en el enfrentamiento de algunos sectores con las conducciones *burocráticas,* pugna que se acentuó durante la denominada *resistencia peronista.* En el plano sindical, se expresó en el fracaso del intento de la dictadura, en 1957, de normalizar el funcionamiento de la CGT y entregársela a los gremios negociadores; en la declaración del Plenario de La Falda en 1957 que tuvo un claro contenido antioligárquico y antiimperialista; así como en la creación de la CGT de los Argentinos en 1968.

Por otra parte, es indudable que la Revolución Cubana tuvo una notable influencia en América Latina, afianzándose de allí en adelante la teoría de la "vanguardia" y cobrando fuerza paulatinamente la idea de la necesidad de encarar la "lucha armada". En la Argentina, el primer intento de guerrilla rural se concretó a mediados de 1959, cuando los denominados Uturuncos comenzaron actuar en Tucumán, seguidos, en 1968, por las Fuerzas Armadas Peronistas (*Comando 17 de Octubre*) cuyos militantes fueron apresados poco después en Taco Ralo, provincia de Tucumán.[48]

Todo parece indicar que J. W. Cooke encarnó, como militante y dirigente peronista, tanto la lucha antiburocrática dentro del peronismo como su con-

[47] Véase L. Zanatta (1996).
[48] Véase R. Baschetti (1990).

fluencia con las concepciones socialistas provenientes de la Revolución Cubana. En el nivel social, estos dos procesos se sintetizaron en el Cordobazo, dando lugar a la progresiva elaboración de una propuesta alternativa de instaurar el *socialismo nacional* dentro del peronismo.

Con posterioridad al Cordobazo se inició el retroceso de la dictadura militar, proceso que, en términos económicos, fue acompañado por modificaciones políticas acordes con la nueva situación.

Ése es el sentido de la tendencia hacia una mayor participación de los asalariados en el ingreso y también el de la puesta en marcha de grandes proyectos —como la empresa Aluar en la producción de aluminio— que serían controlados por capitales locales que eran centrales en la propuesta alternativa del peronismo ortodoxo (Madanes-Gelbard).[49] Lo mismo ocurrió con las regulaciones para el capital extranjero radicado en el país que se sancionaron en 1970 y 1971. La Ley 18.587 de febrero de 1970 introdujo nuevos criterios restrictivos para el uso de la promoción industrial por parte de los inversores extranjeros y, en julio de 1971, mediante la Ley 19.151, se impusieron por primera vez limitaciones al capital extranjero respecto del acceso al crédito bancario interno, así como la exigencia de la nominatividad de las acciones y la obligación de que los técnicos y profesionales locales constituyeran por lo menos el 85% de la nómina total del personal ocupado por estas firmas. Finalmente, se estableció un Registro Nacional de Inversiones Extranjeras y se dispuso publicar, previa autorización, el contenido de los futuros contratos de promoción que se acordasen con el gobierno. En consonancia con estos procesos, luego de la etapa de desnacionalización de empresas locales durante la gestión de Krieger Vasena, se registró una retracción de la inversión extranjera, sobre todo a partir de la reducción en la reinversión de utilidades, e incluso por un incremento de la repatriación de capital por parte de firmas instaladas en las etapas anteriores.

Cabe señalar que durante la breve gestión del peronismo a partir de 1973 se acentuaron todos los procesos que habían comenzado a esbozarse durante la retirada de la dictadura. Así, no sólo aumentó la participación de los asalariados en el ingreso sino que también se ampliaron los controles sobre el capital extranjero. La nueva legislación sobre inversiones extranjeras (Ley nº 20.557) estableció que en ningún caso se podría otorgar un tratamiento más favorable al capital extranjero que al de origen nacional e incluyó, dentro de los alcances de la nueva norma, no solamente la inversión directa sino también los créditos entre residentes y no residen-

[49] Sobre las relaciones entre Gelbard y la dictadura, véase M. Seoane (1998).

tes cuando establecieran compromisos de remesas de capital o intereses.[50] Por otra parte, se prohibió la presencia extranjera en áreas consideradas de seguridad nacional, como servicios públicos, medios de comunicación, etc., a lo que se sumó la expresa prohibición de adquirir empresas de capital nacional. Adicionalmente, se confirmó la imposibilidad de que las empresas extranjeras tuvieran acceso al crédito interno y se detallaron las condiciones normativas para su endeudamiento externo. Finalmente, a diferencia de todo lo actuado anteriormente, dicha norma regía el comportamiento tanto de las nuevas inversiones como de los capitales extranjeros. Acorde con el endurecimiento del marco legal, aunque no causado por éste, se registró la menor incorporación de capital extranjero, cualquiera sea la variable que se considere, desde el derrocamiento de los primeros gobiernos peronistas.

No obstante, la similitud de un conjunto de políticas no significa que la orientación estratégica fuese la misma que en los primeros gobiernos peronistas, ya que en los dieciocho años transcurridos se habían registrado cambios estructurales que modificaron la propuesta primigenia.

2.2.1 Modificación del ciclo sustitutivo de corto plazo y las transformaciones en el sector externo de la economía argentina

El hecho de que, a partir de 1964, los ciclos sustitutivos se sucedieran con una desaceleración del crecimiento del PBI en la fase declinante del ciclo corto, implicó un cambio positivo en la economía industrial de la época, al permitir alcanzar un crecimiento promedio claramente superior al obtenido en los años anteriores.

Tal alteración tuvo necesariamente que responder a un conjunto de modificaciones en el comportamiento de algunas variables macroeconómicas. En este sentido, vale recordar la tendencia hacia una mayor participación del ingreso por parte de los asalariados, especialmente a partir de 1969, cuando el Cordobazo estableció el comienzo de la retirada dictatorial.

Sin embargo, pese a la importancia que asumió la distribución regresiva del ingreso como una severa restricción al crecimiento, la situación del sector externo operaba como un factor limitante fundamental para el desarrollo económico. A lo largo de esta segunda etapa de la sustitución de importaciones, ante el estancamiento relativo de las exportaciones agropecuarias, hubo reiteradas manifestaciones en el ámbito político y académico acerca de la necesidad de diversificar las exportaciones locales, incorporando las ventas externas de pro-

[50] Véase D. Azpiazu y B. Kosacoff (1985).

ductos industriales —y específicamente las manufacturas de origen industrial (MOI)—, como forma de expandir la disponibilidad de divisas destinadas a la compra de bienes intermedios y capital demandados por el propio sector industrial. A pesar de que se trató de una aspiración y una propuesta reiteradas, los estudios de la época respecto de la evolución y composición de las exportaciones son escasos. En realidad, los estudios más exhaustivos se realizaron durante la década del ochenta, cuando el avance de las exportaciones tuvo otras características, en un contexto macroeconómico diferente.[51]

En el Cuadro n° 2.5 se presentan dos estimaciones acerca de la evolución de las exportaciones entre 1962 y 1975. Se considera el total de las exportaciones y las ventas externas de las manufacturas de origen agropecuario e industrial.

Los resultados obtenidos indican que, a partir de 1966, las exportaciones de origen industrial crecieron a tasas notablemente superiores a las de las ventas externas totales e incluso a las manufacturas de origen agropecuario, lo que trajo aparejado un incremento igualmente relevante en la participación de las exportaciones de origen industrial. Hubo un aumento sostenido de su participación en las exportaciones: aun en el período 1972-75, cuando se registraron las tasas de crecimiento más altas en las exportaciones, la de este tipo de bienes prácticamente duplicó el ritmo de crecimiento tanto de las ventas externas totales como de las de origen agropecuario. De allí que la participación promedio de las exportaciones de bienes de origen industrial entre 1962 y 1975 (entre el 12 y el 13 % de las totales, según la estimación) duplique la que registraron en el período inicial (1962-66) y que en 1975 superen el 20% de crecimiento anual. Es indudable que alcanzaron su mayor incidencia relativa durante el gobierno peronista, que implementó un conjunto de políticas promocionales destinadas explícitamente a expandirlas y a diversificar los mercados, jerarquizando a los países latinoamericanos y a los que conformaban el bloque socialista.[52]

[51] CEPAL, 1986 (a). También CEPAL, 1986 (b).

[52] En el Plan Trienal para la Reconstrucción y Liberación Nacional de diciembre de 1973 se mencionan en reiteradas ocasiones estas políticas. Por ejemplo: *"Dentro de este ámbito la negociación bilateral con todos los países, en especial con los de América Latina y del Tercer Mundo, como así también los del área socialista, representa una nueva política inaugurada por el Gobierno del Pueblo. [...] se duplicará el volumen de exportaciones que adicionalmente deberán denotar una composición más diversificada aumentando la participación de los productos con mayor grado de elaboración [...] Asimismo será necesario reorientar el destino de las exportaciones y las fuentes de nuestras importaciones ampliando la presencia del país en todos los mercados mundiales, fundamentalmente en los países latinoamericanos y del Tercer Mundo y facilitar y promover el acceso de los productores nacionales de bienes industriales a los mercados externos, delineando —a su vez— políticas comerciales que permitan la obtención de precios estables y remunerativos".*

Cuadro n° 2.5
Evolución y composición de las exportaciones, 1962-1975
(en millones de dólares corrientes y porcentajes)

	Estimación CEPAL				Estimación Propia			
	Total	Agropecuarias y resto	MOA (*)	MOI (**)	Total	Agropecuarias y resto	MOA (*)	MOI (**)
1962	1.216	633	527	56	1.216	541	591	84
1963	1.365	673	598	94	1.365	565	688	112
1964	1.410	883	424	104	1.410	790	517	103
1965	1.493	960	446	87	1.493	879	530	84
1966	1.593	1.001	509	83	1.593	901	596	96
1967	1.465	863	509	93	1.465	735	621	109
1968	1.367	758	478	131	1.368	602	616	150
1969	1.613	938	513	162	1.612	774	661	177
1970	1.773	1.024	564	185	1.774	857	718	199
1971	1.740	1.039	496	205	1.741	861	656	224
1972	1.941	1.110	568	263	1.942	933	722	287
1973	3.263	1.753	995	515	3.266	1.555	1.167	544
1974	3.932	1.920	1.284	728	3.931	1.670	1.497	764
1975	2.962	1.472	889	601	2.961	1.281	1.058	622
Tasa de crecimiento anual								
1962/75	7,1	6,7	4,1	20,0	7,1	6,9	4,6	16,7
1962/66	7,0	12,1	-0,9	10,3	7,0	13,6	2,1	3,4
1966/69	0,4	-2,1	2,6	25,0	0,4	-4,9	3,5	22,6
1969/72	6,4	5,8	3,5	17,5	6,4	6,4	3,0	17,4
1972/75	15,1	9,9	16,1	31,8	15	11,1	13,6	29,5
Composición								
1962/75	100	55	32	12	100	48	39	13
1962/66	100	59	35	6	100	52	41	7
1966/69	100	59	33	8	100	50	41	9
1969/72	100	58	30	12	100	48	39	13
1972/75	100	52	31	17	100	45	37	18

(*) Manufacturas de origen agropecuario.
(**) Manufacturas de origen industrial.
Fuente: Elaboración propia sobre la base de información de la CEPAL, 1986 (a) y el INDEC.

Teniendo en cuenta que los bienes de origen industrial fueron el componente más dinámico de las ventas externas durante la segunda etapa de sustitución de importaciones, especialmente desde mediados de los años sesenta, en el Cuadro n° 2.6 se desagregan las principales actividades industriales que concentraron un porcentaje mayoritario a lo largo de esos años.

Los resultados son congruentes tanto con los cambios estructurales como con el predominio de los capitales extranjeros. El primer rasgo trascendente consiste en la caída registrada en las exportaciones de productos textiles, que pasaron de ser los más importantes en 1962 a ser prácticamente intrascendentes en el último año de la serie. Fue una reducción vertiginosa que tampoco se revirtió en la gestión del peronismo. En realidad, durante el gobierno peronis-

Cuadro n° 2.6
Evolución y composición de las exportaciones de origen industrial, 1962-1975
(en millones de dólares corrientes y porcentajes)

	Productos minerales	Productos Textiles	Químicos y Petro-químicos	Metales comunes y sus manufacturas	Maquinaria, aparatos y material eléctrico	Material de transporte	Otras MOI (*)	Total MOI (*)
1962	18.201	30.028	27.021	4.107	3.548	266	1.106	84.277
1963	16.943	28.997	31.211	20.785	9.795	2.788	1.399	111.918
1964	11.478	10.058	40.060	21.240	15.464	3.303	934	102.537
1965	12.992	5.362	39.619	9.275	14.665	1.346	1.128	84.387
1966	18.450	1.705	42.132	11.890	18.056	2.339	1.680	96.252
1967	13.508	2.139	45.652	15.901	25.471	3.428	2.869	108.968
1968	19.751	3.545	54.663	32.491	30.403	5.159	3.877	149.889
1969	13.514	5.696	68.701	33.246	41.247	9.910	5.132	177.446
1970	14.103	8.283	64.827	39.155	54.572	11.647	5.988	198.575
1971	15.942	3.871	66.352	47.155	63.408	19.046	8.095	223.869
1972	13.122	6.141	83.826	55.707	82.432	35.170	10.466	286.864
1973	12.697	13.156	104.878	137.876	148.482	104.884	22.366	544.339
1974	24.953	9.624	153.296	178.953	207.881	161.467	27.700	763.874
1975	22.194	2.239	122.918	61.237	221.534	175.114	17.221	622.457
Tasas de crecimiento anual								
1962/75	1,5	-18,1	12,4	23,1	37,5	64,7	23,5	16,6
1962/66	0,3	-51,2	11,7	30,4	50,2	72,2	11,0	3,4
1966/69	-9,9	49,5	17,7	40,8	31,7	61,8	45,1	22,6
1969/72	-1,0	2,5	6,9	18,8	26,0	52,5	26,8	17,4
1972/75	19,1	-28,5	13,6	3,2	39,0	70,8	18,5	29,5
Composición								
1962/75	6,4	3,7	26,6	18,8	26,4	15,1	3,1	100,0
1962/66	16,3	15,9	37,6	14,0	12,8	2,1	1,3	100,0
1966/69	12,2	2,5	39,6	17,6	21,6	3,9	2,5	100,0
1969/72	6,4	2,7	32,0	19,8	27,3	8,5	3,3	100,0
1972/75	3,3	1,4	21,0	19,6	29,8	21,5	3,5	100,0

(*) Manufacturas de origen industrial

Fuente: Elaboración propia sobre la base de información de la CEPAL, 1986 (a) y el INDEC.

ta sí hubo cierta reacción en términos cuantitativos y, especialmente, una mayor diversificación de las empresas textiles que accedieron al mercado interno, entre las que se encontraban, junto con Alpargatas y Grafa, empresas tales como San Andrés SA, Hilanderías Villa Devoto, Productex, etcétera.

Desde la evolución de las distintas fracciones empresarias, este decaimiento de las exportaciones de productos textiles fue compatible con la pérdida de relevancia de la burguesía nacional en las ventas de las cien empresas de mayor facturación, las que se ubicaban como las principales exportadoras de bienes (agropecuarios e industriales) del país. Incluso esa atenuada reactivación y diversificación de las exportaciones textiles durante la última gestión del peronismo se interrumpió abruptamente a partir de la dictadura militar que comenzó en marzo de 1976.

Por otra parte, las actividades industriales de mayor dinamismo en términos exportadores fueron la producción de maquinaria y material eléctrico y la automotriz. En ambas, salvo excepciones, el papel protagónico lo tuvieron las empresas transnacionales, tanto de antigua como reciente inserción en la economía local, predominio que coincidió con la orientación de la reestructuración económica de la época.

Dentro de la primera se encontraba una serie heterogénea de productos en los que sólo excepcionalmente comenzaba a vislumbrarse el tránsito de la metalmecánica a la electrónica. Así, en la producción de bienes de capital vinculados internamente a la demanda de la empresa estatal de telecomunicaciones, se puede mencionar a Siemens y a Standard Electric, basadas aún en la tecnología metalmecánica. En la producción de equipos de oficina estaban Olivetti, IBM y FATE electrónica. Todas ellas eran exportadoras pero con distinto origen y estrategia empresarial. Olivetti, de origen italiano, producía tecnología metalmecánica y explotaba el mercado interno y latinoamericano, IBM se dedicaba a la fabricación de impresoras para grandes computadoras sobre la base de un planteo de comercio intrafirma, y FATE electrónica era una división de una empresa de capital local, fabricante de neumáticos, que competía en el mercado latinoamericano y recibía incentivos estatales.[53]

Por su parte, la fabricación de automotores era la producción más dinámica —de acuerdo con el ritmo de expansión de sus exportaciones— y la que al final del período concentraba el porcentaje de las ventas externas más elevado. La vinculación con los cambios estructurales de la época es obvia, ya que se trataba del núcleo dinámico de la metalmecánica, una actividad prác-

[53] Respecto de las características y evolución de estas tres empresas, véase D. Azpiazu, E. M. Basualdo y H. J. Nochteff (1988). Asimismo, sobre IBM y Olivetti, se puede consultar E. Cohen (1981) (mimeo).

ticamente controlada por subsidiarias de capital extranjero, salvo por la reducida producción estatal y la generada por una empresa local. Como fue señalado, la posibilidad de que esto ocurriera estuvo asociada, en buena medida, a los acuerdos de intercambio comercial que se establecieron con el denominado "bloque socialista".

Finalmente, en una situación intermedia se encontraban las producciones química, petroquímica, siderúrgica y metalúrgica. En esta última tenían un papel protagónico las grandes firmas del mercado local, especialmente las controladas por el conglomerado italiano Techint (Propulsora Siderúrgica SA y sobre todo Siderca SA, fabricante de tubos de acero sin costura destinados fundamentalmente al mercado externo y a abastecer la demanda de YPF y Gas del Estado).[54]

Si bien el papel de las exportaciones fue un factor clave en la modificación de las características que adoptó el ciclo sustitutivo a partir de mediados de la década del sesenta, hay evidencias que indican la existencia de otra variable que operó en el mismo sentido: el endeudamiento externo. Nuevamente se trata de un fenómeno poco analizado y, como se observa en el Cuadro n° 2.7, sobre el cual se dispone de un conjunto de estimaciones fragmentarias que presentan, en muchas ocasiones, diferencias tanto en los montos como en el sentido de los cambios.

Las discrepancias se originan en los distintos métodos para estimar el *stock* y determinar el valor de las deudas con el exterior. El mismo problema se presenta con la estimación propia, realizada a partir del *stock* de deuda externa relevado por CEPAL para 1955, actualizado anualmente con la información de Balanza de Pagos. Así, aunque es posible tener una serie completa para el período, el monto de la deuda externa resulta marcadamente más reducido que el registrado en las otras estimaciones.

A pesar de la dificultad de establecer el *stock* y el flujo del endeudamiento externo de esos años, del conjunto de las estimaciones disponibles se puede concluir que, desde mediados de la década del sesenta, tuvo un crecimiento con ciertos altibajos pero sostenido, operando en el mismo sentido que el incremento de las exportaciones de las manufacturas de origen industrial.

[54] En términos de la producción industrial en su conjunto, el mayor dinamismo exportador de las manufacturas de origen industrial profundizó la modificación de la función de producción sectorial y el grado de heterogeneidad salarial de la actividad industrial. Tal como lo destacan estudios recientes acerca de la evolución de las exportaciones, pero que abarcan el último quinquenio de la década de 1970, en esos años los productos que más aumentaron su incidencia en el total fueron aquellos que exhibían una mayor intensidad de capital y ocupaban mano de calificada, generando un sensible incremento en la importancia relativa de los salarios más elevados. Al respecto, véase E. Londero y S. Teitel (1996).

Cuadro n° 2.7

Evolución de la deuda externa argentina según distintas estimaciones, 1958-1975 (en millones de dólares y porcentajes)

	Banco Mundial		CEPAL		O´Donnell-Cafiero		Estimación propia (*)	
	Stock	Flujo Anual	Stock	Flujo Anual	Stock	Flujo Anual	Stock	Flujo Anual
1958							779	203
1959							1.187	408
1960							1.924	737
1961							2.355	431
1962							2.388	33
1963							2.236	-152
1964			2.916				2.076	-160
1965			2.650	-266			1.899	-177
1966			2.663	13	3.620		1.764	-135
1967			2.644	-19	3.217	-403	2.097	333
1968			2.805	162	3.276	59	2.186	89
1969			3.231	425	3.200	-76	2.177	-9
1970					3.394	194	2.649	472
1971					3.969	575	2.653	4
1972	6.773				4.765	796	3.172	519
1973	7.223	450			5.297	532	3.498	326
1974	7.628	405	8.089		6.082	785	3.397	-101
1975	7.723	95	7.875	-214			3.917	520
Tasas de crecimiento								
1958-75							10,0	
1958-62							32,3	
1962-66							-0,7	
1966-69			6,7		-4,0		7,3	
1969-72					14,1		13,4	
1972-75	4,4				13,0 (**)		7,3	

(*) Serie construida adicionando las variaciones de los pasivos externos registrados en el Balance de Pagos al valor de la deuda externa para el año 1955 que según CEPAL es equivalente a 576 millones de dólares.

(**) Período 1972-74.

Fuente: Elaboración propia sobre la de información de la CEPAL (1986 a), Banco Mundial, BCRA, G. O'Donnell, (1982) y A. Cafiero (1974).

Si bien en el momento de determinar la composición de la deuda externa se enfrentan los mismos inconvenientes que para determinar su stock y su flujo, del conjunto de las estimaciones se puede extraer una visión general acerca de sus características. La deuda contraída por el sector público era el principal, aunque no el único componente. Eran obligaciones contraídas con los organismos internacionales de crédito que tuvieron como objetivo fundamental subsanar las restricciones surgidas en el sector externo de la economía argentina.

A pesar de que la deuda externa del sector privado fue minoritaria, su importancia relativa fue de aproximadamente el 43% del total entre 1963 y 1975, habiéndose incrementado a lo largo del tiempo (concentraba el 38% del total en 1963 y el 49% en 1975). Aunque una parte mayoritaria de la deuda externa privada era de carácter comercial —relacionada con el financiamiento del comercio exterior—, la financiera tuvo una incidencia creciente a lo largo del período.[55]

En síntesis, las evidencias disponibles, a pesar de ser fragmentarias y en muchos casos discordantes, indican que la deuda externa fue otra variable relevante para ampliar la disponibilidad de divisas. El tipo de endeudamiento externo fue funcional con la vigencia de un modelo de acumulación sustentado en la expansión de la economía real y de la producción industrial en particular, en tanto contribuyó a que la fase depresiva del ciclo sustitutivo no implicara una reducción del valor agregado en términos absolutos sino una desaceleración de su ritmo de expansión, lo que permitió un crecimiento del PBI, en el mediano o largo plazo, superior al registrado durante la etapa anterior.

La deuda externa privada, y especialmente la presencia financiera como parte de esa deuda, tienen suma importancia para aprehender no sólo el funcionamiento de la segunda etapa de sustitución de importaciones sino también la irrupción de la alianza entre algunas fracciones empresarias y el capital financiero a partir de la dictadura militar, que interrumpe la industrialización imponiendo un nuevo patrón de acumulación sustentado en la valorización financiera del capital.

Sin duda, que las exportaciones y el endeudamiento externo hayan registrado una expansión relevante a partir de mediados de los sesenta es una evidencia importante pero insuficiente para demostrar que fueron capaces de remover las anteriores restricciones en el sector externo. En efecto, hipotéticamente, dicha expansión podría haber sido superada por el crecimiento de las variables del sector externo que implican salida de divisas, como es el caso de las importaciones y el de la remisión de utilidades al exterior por parte del capital extranjero.

[55] La información sobre la deuda externa privada proviene de CEPAL (1986).

Para verificar que eso no ocurre, en el Cuadro n° 2.8 se confronta la evolución de las exportaciones y la deuda externa[56] *versus* la de las importaciones y la remisión de utilidades al exterior por parte de las subsidiarias extranjeras entre 1958 y 1975. Se observa entonces la disponibilidad de un saldo creciente de divisas, ya que las principales variables del sector externo no neutralizaron el efecto positivo que trajo aparejado el nuevo comportamiento tanto de las exportaciones como de la deuda externa.

Cuadro n° 2.8

Promedios anuales de exportaciones, la deuda externa importaciones y la remisión de utilidades al exterior, 1958-1975
(en millones de dólares)

	Exportaciones + Deuda externa	Importaciones + Remisión de utilidades al exterior	Saldo
1958-62	1.415	1.518	-103
1962-66	1.297	1.409	-112
1966-69	1.579	1.380	199
1969-72	2.013	1.865	148
1972-75	3.340	2.992	348
1958-75	1.918	1.833	85
1958-66	1.356	1.464	-108
1966-75	2.311	2.079	232

Fuente: Elaboración propia sobre la base de información del BCRA, Ministerio de Economía de la Nación, Banco Mundial y FMI.

La disponibilidad de divisas en poder del Banco Central describe, a lo largo del período, una trayectoria congruente con los procesos analizados (Gráfico nº 2.5). Más precisamente, establece que las tendencias que siguieron en las dos etapas son contrapuestas y acordes con el nuevo comportamiento de las exportaciones y con el endeudamiento con el exterior. Tal como se verifica en el Gráfico, la tendencia en las divisas disponibles entre 1958 y 1964 fue decreciente, mientras que la vigente entre 1965 y 1975 fue creciente, aunque en ambos casos hubo alteraciones anuales de importancia.

[56] Tanto para las exportaciones como para la deuda externa se consideran los valores obtenidos en la *estimación propia*, la cual arroja en ambos casos los montos más reducidos respecto de las otras estimaciones consideradas. Los intereses devengados por el endeudamiento externo no se computaron debido a la falta de información.

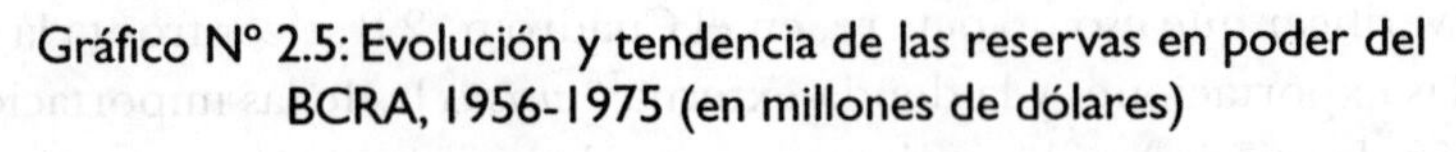

Gráfico N° 2.5: Evolución y tendencia de las reservas en poder del BCRA, 1956-1975 (en millones de dólares)

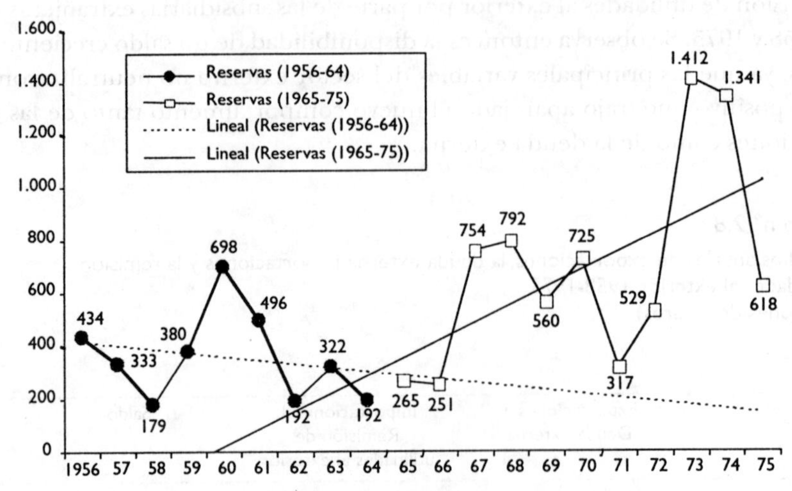

Fuente: Elaboración propia sobre la base de información del BCRA.

En este contexto, es preciso mencionar que también durante esta etapa se desplegaron otros fenómenos relacionados con el sector externo, originados en los procesos de desregulación del comercio exterior y el mercado cambiario que introdujo la dictadura militar a partir de 1955. Se trata de un conjunto de variables, cuyos valores durante el período constan en el Cuadro n° 2.9, que están implícitas en la Balanza de Pagos (como es el caso de la fuga de capitales al exterior) o que directamente no se pueden estimar solamente con las cuentas del sector externo del país sino también con las importaciones y exportaciones de los principales países que le compraban o vendían a la Argentina (sobre o subfacturación de importaciones o exportaciones).[57]

La primera de estas variables es eminentemente financiera y se llevó a cabo mediante múltiples maneras (incluido el traslado físico al exterior de las divisas), mientras que la segunda es la forma tradicional de fugar recursos por parte de los grandes exportadores durante la vigencia de un patrón de acumulación centrado en la expansión industrial. En el caso de las importaciones el proceso fue inverso, ya que durante todo el período se registró un neto pre-

[57] Para determinar ambas transferencias al exterior, se comparan las cifras de comercio exterior de los principales productos de la Argentina *vis-à-vis* con los valores que tienen registrados los países importadores o exportadores de los mismos, según el caso. De esta forma, una vez efectuadas las correcciones correspondientes a la conversión entre los valores CIF y los FOB, se obtiene el monto de la subfacturación de exportaciones y de la sobrefacturación de importaciones que se llevaban a cabo cada año.

Cuadro n° 2.9
Promedios anuales de fuga de capitales al exterior y subfacturación de importaciones y exportaciones*, 1958-1975
(en millones de dólares)

	Transferencia financieras al exterior (1)	Subfacturación de exportaciones (2)	Subfacturación de importaciones (3)	Total fuga de capitales locales al exterior (1+2+3)
1958-62	-145	-55	+ 64	-136
1962-66	+ 34	-96	+ 60	-2
1966-69	+ 150	-90	+ 157	+ 217
1969-72	- 26	-62	+ 105	+ 17
1972-74	+ 459	-412	+ 616	+ 663
1958-74	+ 82	-141	+ 180	+ 121

* El signo positivo indica entrada de capitales mientras que el signo negativo salida de capitales del país.

Fuente: Elaboración propia sobre la base de información del BCRA, Banco Mundial y FMI.

dominio de la subfacturación y no de la sobrefacturación. Una interpretación ingenua de la subfacturación de importaciones llevaría a pensar que por esta vía los residentes locales afrontaron parte del pago de sus compras en el exterior con los recursos que mantenían fuera del país. Sin embargo, todo parece indicar que en realidad capta los efectos generados por el contrabando y el *modus operandi* tradicional para eludir o disminuir el pago de aranceles de importación y el sistema de aforos: inscribir los bienes importados en las partidas del nomenclador con menores gravámenes y/o aforos.

De todas maneras, se trató de fenómenos relativamente poco importantes en términos cuantitativos, en especial porque desde el punto de vista de la Balanza de Pagos la subfacturación de importaciones opera con el signo contrario a la fuga de capitales y la subfacturación de exportaciones. Aun cuando la cuantía fue relativamente modesta, su saldo, luego de ser negativo entre 1958 y 1962, fue positivo y creciente en los años posteriores. De allí que al incorporar estos movimientos de capital a los analizados anteriormente, el saldo positivo en divisas se acrecienta a lo largo del período analizado.

En síntesis, considerando tanto la evolución de las variables que mitigan la restricción externa (exportaciones y deuda externa) como las que tienden a acentuarla (importaciones, utilidades remitidas al exterior, fuga de capitales locales, subfacturación de exportaciones), el saldo es crecientemente positivo desde mediados de los años sesenta en adelante, es decir durante la etapa en que las fases depresivas de los ciclos cortos no traen como consecuencia una reducción en términos absolutos del PBI sino únicamente una disminución en su ritmo de expansión.

2.2.2 Trayectoria de las distintas fracciones industriales durante la segunda etapa de sustitución de importaciones

2.2.2.1 Tendencias imperantes considerando las cien empresas industriales de mayores ventas

Así como durante los primeros gobiernos peronistas se consolidó el proceso de industrialización con un mayor equilibrio entre las empresas extranjeras y las de origen local, durante la dictadura que comenzó con el golpe de Estado de septiembre de 1955 se incorporó un nuevo factor de poder: los organismos internacionales de crédito y específicamente el FMI. Este cambio, que se expresó en el tránsito de una política externa de carácter bilateral a otra basada en el multilateralismo, implicó una ruptura del equilibrio entre las fracciones empresarias, con el consecuente acentuamiento del poder de las empresas extranjeras, así como la presencia del capital financiero como uno de los factores de poder dentro de los sectores dominantes, aunque sin la trascendencia que asume posteriormente.

Teniendo presente estas características del entramado del poder en el posperonismo, resulta imprescindible analizar la trayectoria seguida por las fracciones industriales durante esos años. Como una primera aproximación, en el Cuadro n° 2.10 se consigna el monto de las ventas de las cien empresas industriales de mayor facturación en años seleccionados a lo largo del período 1958 y 1976, desagregando el monto de las ventas y la incidencia relativa de las empresas estatales, las subsidiarias extranjeras y las firmas de capital local.

Cuadro n° 2.10

Evolución y composición de las ventas de las cien empresas industriales de mayor facturación considerando las empresas estatales(*), extranjeras y locales, 1958-1976
(en millones de pesos y porcentajes)

	1958		1966		1969		1973		1976	
	Millones de pesos	%	Millones de pesos	%	Millones de pesos	%	Millones de pesos viejos	%	Millones de pesos ley	%
Empresas estatales	1.105	2,0	54.968	6,4	117.118	7,3	836.987	12,7	217.632	15,3
Empresas extranjeras	28.033	51,5	541.764	62,8	1.109.392	68,8	4.052.272	61,5	773.698	54,2
Empresas locales	25.285	46,5	265.910	30,8	385.280	23,9	1.702.584	25,8	435.284	30,5
Total	54.423	100,0	862.642	100,0	1.607.688	100,0	6.591.843	100,0	1.426.614	100,0

(*) Dentro de las empresas estatales se excluye a YPF debido a que solo se disponen de sus ventas para los tres últimos años del período considerado, en los cuales se ubica como la empresa de mayores ventas.

Fuente: Elaboración propia sobre la base de la información de la revista *Panorama de la Economía Argentina* (varios números) y de la *Guía de Sociedades Anónimas* (varios números).

En términos generales, la evolución relativa de las ventas correspondientes a las empresas estatales y a las distintas fracciones industriales guarda una acentuada afinidad tanto con las políticas que se implementaron durante las diferentes etapas como con los cambios estructurales que se sucedieron a lo largo del período.

La situación inicial (1958) refleja la importancia que tenía cada una de ellas en las postrimerías del peronismo, donde se destaca la escasa relevancia de las empresas estatales.[58] Por otra parte, la situación relativa de cada una al comienzo de la dictadura autodenominada Revolución Argentina (1966), expresaba las repercusiones de los cambios generados durante el gobierno desarrollista de A. Frondizi. Es así como entre 1958 y 1966, las empresas extranjeras incrementaron su participación en un 22%, ubicándose como la fracción predominante en la producción clave (pasan de representar el 51,5 al 62,8 % de las ventas de la cúpula industrial entre 1958 y 1966). Lo contrario, pero acentuado por la influencia que ejerció el incremento en la participación de las empresas estatales, ocurrió con las empresas de origen local, que disminuyen casi el 34% su participación relativa (del 46,5 al 30,8 % de las ventas de la cúpula entre los mismos años).

Sin embargo, éste sería sólo el comienzo del avance extranjero en la cúpula industrial de la época, ya que su participación se elevó aún más como resultado del control que ejercían sobre las actividades dinámicas y, complementariamente, por la desnacionalización de las empresas locales llevada adelante por la política dictatorial durante la gestión de Krieger Vasena en el Ministerio de Economía. De allí que las evidencias indiquen que las ventas realizadas por estas firmas llegaron a representar prácticamente el 69% de la facturación total de la cúpula industrial en 1969.[59]

Así como la participación de las empresas extranjeras llegaba a su punto culminante, la de las de origen local descendió a sus menores registros (23,9% de las ventas de la cúpula), tanto por la contracción relativa de sus ventas como por los efectos producidos por la desnacionalización de varias empresas. Entre estas últimas estaban las productoras de cigarrillos que inte-

[58] Dentro de los trabajos que examinan el comportamiento de la facturación de la cúpula empresaria en las cien empresas industriales de mayor facturación durante la segunda etapa de sustitución de importaciones, hay dos que revisten especial interés: M. Khavisse y J. Piotrkowski (1973), cuya información básica proviene de las sucesivas publicaciones de las revistas *Panorama de la Economía Argentina* y *Mercado.* El otro es el realizado por P. R. Skupch (1970). La información básica de este estudio se origina en los balances presentados por las empresas en la Inspección General de Justicia de la Nación.

[59] Sobre los alcances de la desnacionalización de las empresas locales durante la gestión de Krieger Vasena, véase J. V. Sourrouille (1973): *"El monto tentativo de estas transformaciones puede estimarse que afectó a un 1,5 % de la producción industrial total medido en 1967 y a un 6,5 % de la extranjera, las fábricas de cigarrillos representan casi el 50% de estos valores"* (p. 21).

graban esta cúpula, a las que se les debe sumar varias firmas metalúrgicas que no formaban parte de las grandes empresas.

De allí en más, las participaciones de cada una de estas fracciones industriales siguieron una trayectoria inversa a la de los años anteriores, aumentando progresivamente la correspondiente a las empresas locales, incluyendo a las estatales, y descendiendo la de las empresas extranjeras. Éste un proceso que se inició a comienzos de la década del setenta y se acentúo durante la gestión del peronismo (Cuadro nº 2.10). Sin embargo, la participación final de las empresas locales fue más reducida que la que exhibían a comienzos de este proceso, en 1958 (pasa del 46,5% a sólo el 30,5% de las ventas totales en 1975). Además fue acompañada por una profunda modificación en su composición en detrimento de la participación de la burguesía nacional.

La evolución de las empresas estatales merece un comentario particular. Su trayectoria a lo largo del período indica un incremento persistente y acentuado de su incidencia relativa (del 2 al 15 % de las ventas totales de cúpula entre 1958 y 1976).[60] Este comportamiento no resulta llamativo en el caso del gobierno constitucional del peronismo, pero sí que haya ocurrido durante los gobiernos condicionados y sobre todo en las dictaduras militares propiamente dichas, ya que la crítica de los sectores de poder al sobredimensionamiento e ineficiencia estatal y a la distorsión que las políticas públicas generan sobre los mercados ya era un discurso persistente en esos años. Por cierto, no se trataba de una posición esgrimida únicamente por las fracciones empresarias dominantes sino que también para el FMI el sobredimensionamiento estatal constituía, junto al supuestamente elevado nivel de los salarios, una de las causas primordiales del estancamiento y la crisis de la economía local.

Esta discrepancia entre los hechos y el discurso refuerza la impresión de que el núcleo del problema no radicaba en el tamaño ni en la ineficiencia estatal sino en el carácter redistributivo que había adoptado el Estado durante el peronismo. De allí que una vez que se replantearon las relaciones de poder en la sociedad y el aparato estatal se adecuó a las necesidades del proceso de acumulación de las fracciones del capital dominantes, su importancia económica creció de una manera ostensible, aun en la producción industrial. Durante esos años el Estado fue uno de los sustentos fundamentales para el fortalecimiento de las empresas oligopólicas industriales a través de múltiples mecanismos redistributivos (sobreprecios en las compras estatales,

[60] O. Altimir, H. Santamaría y J. Sourrouille (1966) al estimar la importancia relativa de las empresas estatales industriales (excluyendo a YPF) en 1960, llegan a la conclusión de que generaban el 1% del valor de producción y el 1,6% del valor agregado sectorial (p. 481).

líneas de crédito a tasas de interés negativa, regímenes de promoción industrial, subvaluación de los insumos industriales producidos por las empresas del Estado, excepciones arancelarias para sus insumos, etcétera).

Esta primera aproximación aporta elementos para comprender las alternativas estructurales durante la segunda etapa sustitutiva, pero resulta insuficiente al no desagregar todas las fracciones industriales que incidieron en la evolución económica de esos años. El problema radica en que, como fue mencionado, las firmas de origen local comprendían dos fracciones empresarias que eran no solamente diferentes entre sí, sino también contrapuestas desde el punto de vista estructural y de su comportamiento económico-social: la burguesía nacional y la *oligarquía diversificada.*

Con el propósito de diferenciar cuantitativamente ambas fracciones y de profundizar el análisis de las características de esa *oligarquía diversificada,* en el Cuadro n° 2.11 consta el inicio de actividades de las empresas controladas en 1973 por esta fracción industrial. A partir de allí, se comprueba que se trataba de capitales que conformaban grupos económicos propietarios de una cantidad variable, pero siempre significativa, de empresas insertadas en diferentes actividades económicas. También, en términos de la evolución que describen estos grupos económicos, es posible determinar que los dos momentos en los que se concentra la instalación de la mayor parte de sus empresas refieren al planteo agroexportador y al desarrollo de la segunda etapa sustitutiva, mientras que en los períodos de los gobiernos peronistas la instalación de nuevas firmas fue marcadamente menor.[61]

Tal como se verifica en el Cuadro n° 2.11, el 20,5% de las firmas controladas por estos capitales en 1973 se había inscripto como sociedad anónima antes de 1930, y el 24,9% lo hizo entre 1959 y 1966. Por el contrario, los menores guarismos se registran en los primeros dos gobiernos peronistas, cuando se inscribieron sólo el 12,1% de dichas sociedades.

Sin embargo, estas características globales no deberían oscurecer el hecho de que algunos de los integrantes de esta fracción industrial tuvieron una fuerte expansión relativa durante los primeros gobiernos peronistas (tal el caso de Pérez Companc, Acindar y Bridas), mientras que los más tradicionales ya se habían establecido durante las décadas anteriores (Bunge y Born, Alpargatas, Bemberg, Tornquist, Corcemar y Soldati).

Un aspecto de particular interés consiste en identificar las actividades económicas que desarrollaban las empresas controladas por capitales pertenecientes a la *oligarquía diversificada.* En el Cuadro n° 2.12 se señalan las actividades que encaraban en la época en que se registraron como sociedades anónimas.

[61] Para el análisis desde esta perspectiva, véase D. Azpiazu, E. M. Basualdo, y M. Khavisse (1986).

Cuadro n° 2.11
Evolución de la cantidad de empresas controladas por los grupos económicos que integran la oligarquía diversificada, hasta 1973(*) (en cantidad de firmas y porcentajes)

Grupos económicos	Hasta 1930	1930-1945	1946-1955	1956-1958	1959-1966	1967-1969	1970-1973	S/D	Total Cantidad	Total %
Alpargatas	11	2	2	1	6	2	0	0	24	8,1
Acindar	1	4	3	1	12	3	1	0	25	8,4
Bemberg	4	2	2	0	11	4	7	0	30	10,1
Bunge y Born	16	19	3	9	4	2	6	2	61	20,5
Bridas	1	1	5	0	5	2	0	0	14	4,7
Celulosa	5	6	4	4	5	1	1	0	26	8,8
Corcemar	1	2	1	1	9	6	0	0	20	6,7
Fortabat	1	3	1	1	5	3	1	0	15	5,1
Ledesma	2	0	1	1	3	2	0	0	9	3,0
Pérez Companc	1	0	6	0	2	3	0	0	12	4,0
Soldati	6	2	5	0	10	9	3	1	36	12,1
Terrabusi	1	1	1	1	0	0	2	0	6	2,0
Tornquist	11	2	2	1	2	1	0	0	19	6,4
Total										
Cantidad	61	44	36	20	74	38	21	3	297	
%	20,5	14,8	12,1	6,7	24,9	12,8	7,1	1,0		100,0

(*) Es importante destacar que se trata de la fecha de inscripción de las sociedades anónimas que controlaban estos capitales en 1973. Por lo tanto, con esta metodología no se puede identificar a las empresas que pertenecieron a estos capitales en cada una de las etapas históricas y que por alguna razón (cierre, fusión, absorción, venta) no formaban parte de sus activos productivos en 1973.

Fuente: Elaboración propia sobre la base de la *Guía de Sociedades Anónimas* (varios números) y M. Acevedo, E. Basualdo y M. Khavisse (1991).

Los resultados obtenidos indican que sus principales actividades eran la agropecuaria, industrial y financiera, en las que se concentraba el 64% de las empresas, cifra que asciende a más del 70% si se le agregan las firmas inmobiliarias que, en muchos casos, eran también propietarias de tierras en la región pampeana y extrapampeana.

El predominio de las firmas agropecuarias sobre las industriales no debe llamar la atención, ya que es una característica estrechamente ligada a la idiosincrasia de esta fracción oligárquica. No obstante, sí resulta llamativo que la cantidad de empresas agropecuarias fundadas entre 1959 y 1969 haya sido tanto más numerosa que las industriales (30 firmas agropecuarias —39, si se incluyen las inmobiliarias— contra 20 empresas industriales), tratándose de años centrales en el desarrollo de la segunda etapa de la industrialización sustitutiva, por lo que sería esperable el proceso inverso. Por cierto, ese predominio de las sociedades agropecuarias sobre las industriales no expresa un rasgo regresivo en la expansión de estos capitales sino el comienzo de un proceso de preservación de la unidad de tierra y de modernización productiva de largo plazo que involucró a la oligarquía agropecuaria en su conjunto.

Hay que tener en cuenta que, a lo largo del tiempo, los propietarios pampeanos —especialmente los terratenientes—, enfrentaron el problema de la subdivisión de la unidad de la tierra, ligado a la transmisión hereditaria, mediante el uso de diversas formas de propiedad, sobre todo el condominio, que en esta actividad tiene un carácter marcadamente familiar.[62] A partir de la década de 1960, para detener el proceso de subdivisión de la unidad de tierra, los grandes propietarios agropecuarios comenzaron a reorganizar sus inmuebles rurales recurriendo primordialmente a una forma de propiedad muy difundida en las otras actividades económicas pero poco utilizada en el agro hasta ese momento: las sociedades, en particular las sociedades anónimas.

Cuadro n° 2.12

Evolución y localización sectorial de las empresas controladas por los grupos económicos que integran la oligarquía diversificada, hasta 1973* (en cantidad de firmas y porcentajes)

Grupos económicos	Hasta 1930	1930-1945	1946-1955	1956-1958	1959-1966	1967-1969	1970-1973	S/D	Total	
									Cantidad	%
Agropecuario**	10	15	6	7	21	9	9	2	79	26,6
Petróleo***	1	1	5	0	2	1	0	0	10	3,4
Industria	21	13	10	8	16	4	3	0	75	25,3
Comercio	5	2	2	0	4	6	3	1	23	7,7
Construcción	1	1	1	0	5	2	1	0	11	3,7
Financiero	7	8	4	1	10	5	1	0	36	12,1
Inversoras	4	2	1	0	3	3	1	0	14	4,7
Inmobiliario	3	2	3	2	6	3	2	0	21	7,1
Seguros	6	0	2	2	2	0	0	0	12	4,0
Servicios	3	0	2	0	5	5	1	0	16	5,4
Total	61	44	36	20	74	38	21	3	297	100,0

(*) También en este caso se trata de la fecha de inscripción de las sociedades anónimas que controlaban estos capitales en 1973.

Por lo tanto, con esta metodología no se puede identificar a las empresas que pertenecieron a estos capitales en cada una de las etapas históricas y que por alguna razón (cierre, fusión, absorción, venta) no formaban parte de sus activos productivos en 1973.

** Incluye: agrícola, ganadera, pesca y forestal.

*** Incluye: explotación petrolera, gasífera y de minerales.

Fuente: Elaboración propia sobre la base de la *Guía de Sociedades Anónimas* (varios números) y M. Acevedo, E. Basualdo y M. Khavisse (1991).

[62] El condominio es la forma de propiedad más relevante del agro pampeano y consiste en la

Si bien la organización de sociedades fue un instrumento importante para conservar la unidad de tierra de los grandes propietarios en una producción extensiva donde rigen las economías de escala, al mismo tiempo estuvo asociado tanto con la reorganización administrativa de estas propiedades como con las transformaciones del proceso de producción (cambio de la función de producción) en la búsqueda de aumentar la producción y la productividad de las empresas agropecuarias. Cabe recordar que la nueva etapa de industrialización fue acompañada, y al mismo tiempo impulsó, cambios significativos en el agro pampeano,[63] como fue, entre otros, la expansión de la tractorización y la mecanización de las cosechas con la consiguiente reducción del empleo rural; la introducción de pasturas permanentes que incrementaron la productividad ganadera; la difusión de las semillas híbridas que aumentaron el rendimiento en la producción de maíz; la introducción del sorgo y posteriormente de la soja, a mediados de los años setenta; la modificación de las tareas culturales; la creación del INTA y los grupos CREA, etcétera.

La intensidad que adquiere la creación de sociedades durante esos años se puede observar en el Cuadro n° 2.13, en el que consta la incidencia de las sociedades dentro de los propietarios de 2.500 o más hectáreas en la provincia de Buenos Aires (núcleo central de la región pampeana) en 1958, 1972 y 1988.

Para el tema bajo análisis, solamente interesa destacar el sistemático incremento de la importancia relativa de las sociedades durante la segunda etapa de sustitución de importaciones (1958-1972) y en los años posteriores (1988). Todo parece indicar que el papel de la *oligarquía diversificada* fue central, por el efecto demostración, al llevar a cabo las transformaciones productivas y organizativas, y también por la activa tarea que desarrolló en materia de difusión, convencimiento e incluso advertencia a la fracción de clase en su conjunto.[64] De allí que la creación de sociedades durante la nueva etapa de industrialización haya sido más intensa en esta fracción de la oligarquía que en el conjunto de los terratenientes bonaerenses, que se expandieron más pausadamente, ya que la difusión masiva de las sociedades en los terratenientes exclusivamente agropecuarios recién se generalizará en la década del ochenta.

---

propiedad compartida por dos o más personas físicas que en este caso son generalmente miembros de un mismo grupo familiar sobre determinado inmueble rural. Sobre el tema, véase E. M. Basualdo y Miguel Khavisse (1993).

[63] Estas transformaciones son analizadas, entre otros, por J. Billard y otros (1991); M. T. Tort y N. Mendizábal (1980); L. Cuccia y otros (1978).

[64] En este sentido, Carlos M. Blaquier, uno de los principales accionistas del grupo Ledesma,

Cuadro n° 2.13
Evolución de la cantidad y la superficie de las sociedades con 2.500 o más hectáreas en la provincia de Buenos Aires, 1958-1988 (en cantidad, porcentaje y hectáreas)

	1958	1972	1988
Cantidad de sociedades con 2.500 o más hectáreas	238	290	658
% del número total de propietarios con 2.500 o más has.	18,6	26,9	46,8
Superficie de las sociedades con 2.500 o más has.	1.613.238	1.599.100	3.244.749
% de la superficie total de propietarios con 2.500 o más has.	23,8	27,8	46,8

Fuente: Elaboración propia sobre la base de: Junta de Planificación Económica de la Provincia de Buenos Aires, 1973; Catastro inmobiliario rural de diciembre de 1988.

La conducción del conjunto de la oligarquía terrateniente por parte de esa fracción empresaria también se manifiestó en términos de las políticas económicas que se impulsaron, pero finalmente no se aplicaron, en ese período crucial y fracasado de Krieger Vasena. Durante esos años, desde la conducción económica se intentó poner en marcha el "impuesto a la renta normal y potencial de la tierra" como una de las maneras de disminuir la evasión fiscal del sector y expandir la producción agropecuaria, condición básica para incrementar las exportaciones y darle sustentabilidad al proyecto en su conjunto.[65] Esta inicia-

---

realiza un análisis de la reestructuración de las propiedades agropecuarias de su grupo económico sumamente preciso y disciplinador para la clase en su conjunto: *"Fácil es comprender que resultaba imposible encarar políticas a largo plazo con inversiones de importancia cuando la unidad de la explotación estaba constantemente amenazada por la voluntad de cualquier heredero y sujeta a la incógnita de su muerte y de las nuevas voluntades que habrían de intervenir. Por otra parte, y como toda inversión debía ubicarse necesariamente en una hijuela determinada, se creaba automáticamente el problema de cómo compensar a los demás propietarios. Era cosa de locos. ¿Cómo pensar en esas condiciones en tecnificar y en crear las infraestructuras de sostén si un día podíamos encontrarnos con que no disponíamos más que de la tercera o la décima parte de la tierra para la cual había sido dimensionado el aparato productivo? [...] A principio de 1961 tuvimos algunas reuniones de familia. En ellas planteé la necesidad de salir de ese impasse. No era posible hacer lo que el perro del hortelano: que no come ni deja comer. O se vendían esas valiosas tierras para que cada uno hiciera lo que quisiera con lo suyo o se estructuraba una sociedad anónima que asegurara la indivisibilidad de la explotación y sobre esa base, recién sobre esa base indispensable, lanzarnos a crear una moderna empresa agraria. Lo único que no se podía hacer era continuar como hasta entonces porque ello implicaba mantener inactivo un enorme capital y correr el riesgo de una justa expropiación... Y ustedes no van a creer si les digo que tenemos socios que todavía nos hablan de su fracción, aunque reconocen que por una de esas cosas que inventan los abogados nada es de nadie. Como ustedes comprenderán yo los consuelo diciéndoles que todo es de todos"* (C. P. Blaquier, 1967).

[65] Al respecto, G. O'Donnell (1982) sostiene: *"Se trataba de un intento de la gran burguesía de subordinar a su propia acumulación no sólo al sector popular sino también a una burguesía agraria dotada de*

tiva, que confluía con la vigencia de las retenciones a las exportaciones agropecuarias, generó una amplia y enconada resistencia de los productores que, sin duda, estuvo impulsada por los grandes terratenientes a partir de su tradicional capacidad para alinear al conjunto del sector detrás de sus propias reivindicaciones.

Sin embargo, el fracaso en el intento de aplicar el "impuesto a la renta normal y potencial de la tierra" no puede atribuirse a esa resistencia y agitación sectorial absolutamente esperable —incluso para las diferentes concepciones que convivían dentro de la dictadura—, a menos que fuera acompañada por el veto de una fracción constitutiva del bloque de poder y, por lo tanto, pusiera en cuestión el proceso en su conjunto. En consecuencia, la hipótesis más plausible acerca de este fracaso consiste en que la iniciativa fue rechazada por la *oligarquía diversificada*, que impulsó con el resto de los terratenientes pampeanos la movilización sectorial, poniendo en juego su propia participación en el bloque de poder que sustentaba a la dictadura.

Respecto de esta hipótesis, cabe tener en cuenta las diferencias entre las retenciones a las exportaciones agropecuarias y este impuesto. Las primeras no sólo eran imprescindibles para atenuar el impacto negativo sobre el ingreso real de los trabajadores sino que también eran una pieza clave para llevar a cabo el ambicioso plan de obras públicas de esos años que, como fue mencionado, por sus efectos directos e indirectos beneficiaba a esta fracción de la oligarquía. En cambio, el "impuesto a la renta normal y potencial de la tierra" era lisa y llanamente una medida para disciplinar y subordinar al "mundo estrictamente industrial" que era motorizada por el capital extranjero, núcleo estructural del proyecto en marcha. Era una iniciativa generada desde afuera de los grandes terratenientes que subordinaba a la propia *oligarquía diversificada* y abría un proceso de cuestionamiento a la conformación estructural de la producción agropecuaria pampeana en tanto se demostraba su incapacidad para aportarle sustentabilidad al proyecto del bloque de poder.

Habiéndose establecido que dentro de las que se consideran tradicionalmente como empresas de capital local convivían dos fracciones industriales diferentes y, más aún, de naturaleza contradictoria, es necesario reprocesar la in-

---

enorme centralidad económica, y de resortes de poder político e ideológico que, aunque disminuidos respecto de los que contó en sus buenos tiempos, le daban una posición particularmente estratégica. Por otro lado, la apropiación de parte no insignificante del excedente de la burguesía pampeana a través de las retenciones estatales (que volcada, como hemos visto, en obras públicas que tuvieron el efecto principal de proveer economías externas a la gran burguesía), en tanto abarataba relativamente el costo de los bienes salario, principalmente los alimentos, permitía alentar la esperanza de que, al caer moderadamente los salarios de los obreros, éstos serían apaciguables o cooptables" (p. 196).

formación sobre la evolución de las ventas de las 100 empresas industriales de mayor facturación durante el período analizado, diferenciando la burguesía nacional de la *oligarquía diversificada*. Éste es el propósito del Cuadro n° 2.14, en el que se repite el anterior pero ahora distinguiendo las fracciones industriales mencionadas.

Cuadro n° 2.14

Evolución y composición de las ventas de las cien empresas industriales de mayor facturación considerando las empresas estatales(*), extranjeras, de la burguesía nacional y de la oligarquía diversificada, 1958-1976 (**)
(en valores absolutos y porcentajes)

	1958		1966		1969		1973		1976	
	Millones de pesos	%	Millones de pesos	%	Millones de pesos	%	Millones de pesos viejos	%	Millones de pesos ley	%
Empresas estatales	1.105	2,0	54.968	6,4	117.118	7,3	836.987	12,7	217.632	15,3
Empresas extranjeras	28.033	51,5	536.825	62,2	1.095.610	68,0	4.027.472	61,1	773.698	54,2
Empresas de la oligarquía diversificada	9.866	18,1	136.583	15,8	237.308	14,7	940.207	14,3	253.750	17,8
Empresas de la burguesía nacional	15.419	28,3	134.266	15,6	157.652	9,8	787.177	11,9	181.535	12,7
Total	54.423	100,0	862.642	100,0	1.607.688	100,0	6.591.843	100,0	1.426.615	100,0

(*) Dentro de las empresas estatales se excluye a YPF debido a que sólo se disponen de sus ventas para los tres últimos años del período considerado, en los cuales se ubica como la empresa de mayores ventas.

(**) Los totales por tipo de empresa no necesariamente coinciden con los del cuadro n° 2.10 debido a que la reasignación de firmas compromete también a las extranjeras (caso Bemberg)

Fuente: Elaboración propia sobre la base de la información de la revista *Panorama de la Economía Argentina* (varios números) y de la *Guía de Sociedades Anónimas* (varios números).

Las nuevas evidencias aportan elementos para precisar el impacto de la segunda sustitución de importaciones dentro de las empresas consideradas anteriormente como de origen local. La situación de esta cúpula empresaria en 1958, es decir, durante el período en el que permanecía la situación estructural generada por los dos primeros gobiernos peronistas, verifica una participación relativa de la burguesía nacional (28,3% de las ventas totales) notablemente elevada y claramente superior a la que exhibe la *oligarquía diversificada* (18,1% del total). La primera alteración se registra a partir del *de-*

sarrollismo y la puesta en marcha de la segunda etapa sustitutiva, que trajo aparejada la ingente incorporación de capital extranjero en las nuevas actividades dinámicas de la producción industrial.

De allí que en 1966, junto al incremento de la participación extranjera y también de las empresas estatales, se constate una abrupta reducción de la participación de las firmas de la burguesía nacional (del 28,3 al 15,6 % de las ventas totales, lo que representa una reducción de prácticamente el 45%), equiparándose con la correspondiente a la *oligarquía diversificada,* que también disminuye pero en una proporción menor. El punto culminante de la declinación de la fracción nacional (9,8%) acompaña el auge de la participación extranjera (68%) al final de la gestión de Krieger Vasena como ministro de la dictadura en 1969. Si bien, desde el Cordobazo en adelante, a medida que se acelera el fracaso dictatorial la situación se trastoca, dicha reversión no tiene la misma intensidad que la declinación anterior. Efectivamente, la participación de la burguesía nacional en el último año de la serie refleja el legado del último gobierno peronista y es menor de la mitad que a comienzos de la serie (12,7% en 1976 y 28,3% en 1958). Más aún, a la inversa de lo que sucedía inicialmente, ahora es superada holgadamente por la incidencia de la *oligarquía diversificada* (17,8% de las ventas totales en 1976).

2.2.2.2 *Situación de las fracciones industriales considerando los grandes establecimientos manufactureros en 1973*

La progresiva marginación de la burguesía nacional como parte del conjunto de firmas constitutivas de la cúpula industrial, plantea algunos interrogantes: El indiscutible debilitamiento de la burguesía nacional y el fortalecimiento relativo de las otras fracciones empresarias dentro de las mayores firmas industriales, ¿expresan un proceso más generalizado en términos del conjunto de la producción industrial? Y en ese contexto, ¿cuáles fueron los procesos económicos que, aun durante gobiernos peronistas con redistribución del ingreso, posibilitaron este desplazamiento de las empresas nacionales?

Estas problemáticas son centrales para la comprensión del período pero implican ampliar el campo de la investigación de las grandes empresas al conjunto industrial, con el agravante de que la desagregación de los distintos tipos de empresa no forma parte de los criterios oficiales para procesar la información económica y en consecuencia no se dispone de los datos desagregados para todo el universo industrial para poder hacerlo. Sí es posible avanzar considerando la situación imperante en los establecimientos con 100 o más ocupados de acuerdo con el Censo Industrial de 1974, diferenciando los tipos de empresa analizados anteriormente para la cúpula industrial. Si bien no se abarca toda la industria, para los fines analíticos propuestos es más que suficiente, ya que se trata del núcleo central en tanto los 762 establecimientos industriales que cumplen dichas condiciones ocupaban el 46% del personal remunerado y concentraban el 48% del valor de la producción sectorial.

Sobre esta base, en el Cuadro n° 2.15, se observan los resultados de distribuir los establecimientos industriales con 100 o más ocupados de acuerdo con la tipología de empresas utilizada anteriormente, considerando las principales variables censales (cantidad de establecimientos, valor de producción y ocupación), así como el tamaño medio de los establecimientos, un indicador aproximado de la productividad y los requerimientos de empleo por cada millón de pesos producidos.

Cuadro n° 2.15
Distribución de la cantidad, valor de producción y ocupación de los establecimientos industriales con 100 o más ocupados según tipo de empresa, 1973
(en cantidad, miles de pesos de 1973 y porcentajes)

A) VARIABLES CENSALES

	Establecimientos		Valor de Producción		Ocupación	
	Cantidad	%	Miles de $	%	Cantidad	%
Estatal	81	11	18.549.328	17	94.816	18
Extranjeras	227	30	44.521.209	41	175.333	34
Burguesía Nacional	363	48	30.737.627	28	189.062	37
Oligarquía Diversificada	91	12	14.978.376	14	59.361	11
Total	762	100	108.786.539	100	518.572	100

B) RELACIONES ENTRE VARIABLES

	VP medio (VP/establecimiento)		Productividad (VP/Ocupación)		Ocupación media (ocupación establecimientos)		Requerimientos de empleo por millón de pesos producido	
	Miles de $	Total =100	Miles =de $	Total =100	Ocupados 100	Total =100	Ocupación	Total =100
Estatal	229.004	160	196	93	1.171	172	5,1	107,2
Extranjeras	196.129	137	254	121	772	113	3,9	82,6
Burguesía Nacional	84.677	59	163	77	521	77	6,2	129,0
Oligarquía Diversificada	164.598	115	252	120	652	96	4,0	83,1
Total	142.764	100	210	100	681	100	4,8	100,0

Fuente: Elaboración propia sobre la base de tabulados especiales del INDEC.

Entre los aspectos centrales que exhiben estos resultados, es indudable que, a comienzos de la década de los setenta la burguesía nacional adquiría importancia al tener el 48% de los establecimientos, concentrar el 28% del valor de producción y generar el 36% de la ocupación. Tanto es así que superaba a todas las otras fracciones industriales y a las empresas estatales, salvo en el valor de producción, del que empresas extranjeras concentraban el 41por ciento.

Sin embargo, al prestarle atención a las relaciones que se establecen entre estas variables censales se constata que, en promedio, las empresas de la burguesía nacional son las de mayor intensidad en la utilización de mano de obra (requerimientos de empleo por millón de pesos producido) pero sus establecimientos tienen una productividad, valor de producción y ocupación media que sistemáticamente está por debajo del promedio de este conjunto industrial, y sus valores se ubican muy por debajo de los que exhiben las otras fracciones industriales y las empresas estatales.

Nuevamente la situación de las empresas estatales merece un comentario particular. Considerando los promedios, éstas controlaban los establecimientos industriales de mayor tamaño —tanto por el valor de producción como por la ocupación—, pero su productividad, si bien superaba a la de los establecimientos de la burguesía nacional, era notoriamente más reducida que la de las firmas extranjeras y de la *oligarquía diversificada*. La importancia de las empresas estatales radicaba en que se ubicaban en la base productiva y eran el sustento del proceso de acumulación de las fracciones industriales dominantes, como es el caso de SOMISA en la elaboración de acero o YPF en la producción de combustibles. Las empresas estatales y las de la burguesía nacional eran las que exhibían los requerimientos de empleo más elevados, un rasgo especialmente relevante para comprender los motivos estructurales del auge de la desocupación en los años noventa, cuando el ocaso de la burguesía nacional confluye con la privatización de las empresas estatales.

Resulta claro que las empresas extranjeras constituían la fracción predominante en la producción industrial, no solamente por su incidencia en el valor de producción sino por sus ventajas relativas en cualquiera de los indicadores que se considere. Por su parte, la *oligarquía diversificada* tenía una incidencia relativa en la producción sectorial reducida pero también exhibía ventajas relativas en los diversos indicadores respecto del resto de los capitales nacionales.

Las evidencias demuestran que la burguesía nacional no había desaparecido como un sujeto cuantitativamente relevante de la actividad industrial; más aún, si el campo de análisis se ampliara a todo el espectro industrial, su incidencia en las variables censales aumentaría significativamente. Sin embargo, es irrefutable que esta fracción fue marginada del núcleo estratégico de las grandes firmas que detentaban la capacidad de conducir al conjunto de la producción industrial ya que, en términos generales, constituían los núcleos técnicos y económicos de los *bloques sectoriales* o *cadenas productivas* fundamentales de la economía argentina. A partir de esa inserción, las grandes firmas industriales definían la estructura de precios relativos, la relación con la estructura estatal, la incorporación de tecnología, etcétera. Esta situación diferencial también puede constatarse mediante el análisis del grado de concentración de la producción y el tipo de bien producido. Aunque es una aproximación indirecta a la problemática, tiene relevancia porque generalmente los núcleos técnicos de los bloques productivos están constituidos por las ramas oligopólicas o altamente concentradas. En el Cuadro n° 2.16 se aprecian los grados de concentración de los mercados en las distintas fracciones industriales y las empresas estatales, siempre considerando los establecimientos fabriles de 100 o más ocupados.[66]

Cuadro n° 2.16
Composición del valor de producción de los establecimientos industriales con 100 o más ocupados según tipo de empresa y grado de concentración de las ramas industriales*, 1973
(en miles de pesos de 1973 y porcentajes)

	Ramas Altamente Concentradas	(%)	Ramas Medianamente Concentradas	(%)	Ramas Escasamente Concentradas	(%)	Total	(%)
Estatal	15.207.848	20,8	3.174.388	13,3	167.091	1,4	18.549.328	17,1
(%)	82,0		17,1		0,9		100,0	
Extranjeras	35.186.738	48,2	4.817.706	20,3	4.516.765	37,7	44.521.209	40,9
(%)	79,0		10,8		10,1		100,0	
Burguesía Nacional	11.858.447	16,2	12.922.316	54,3	5.956.864	49,7	30.737.627	28,2
(%)	38,6		42,0		19,4		100,0	
Oligarquía Diversificada	10.769.527	14,8	2.869.657	12,1	1.339.192	11,2	14.978.376	13,8
(%)	71,9		19,2		8,9		100,0	
Total	73.022.560	100,0	23.784.067	100,0	11.979.912	100,0	108.786.540	100,0
(%)	67,1		21,9		11,0		100,0	

* Definido a partir de la participación en la producción de cada rama de los ocho locales de mayor valor de producción. RAC: Ramas Altamente Concentradas (aquellas en las que los ocho mayores establecimientos explican más del 50% de la producción de la rama); RMC: Ramas Medianamente Concentradas (aquellas en las que los ocho mayores establecimientos explican entre el 25 y el 50% de la producción de la rama); y REC: Ramas Escasamente Concentradas (aquellas en las que los ocho mayores establecimientos explican menos del 25% de la producción de la rama).

Fuente: Elaboración propia sobre la base de tabulados especiales del Censo Nacional Económico de 1974, *Guía de Sociedades Anónimas* (varios números); M. Acevedo, E. M. Basualdo, M. Khavisse (1991); M. Khavisse y D. Azpiazu (1983).

66 Véase M. Khavisse y D. Azpiazu (1983). Asimismo D. Azpiazu (marzo de 1998).

El análisis de estas evidencias permite comprobar una serie de características estructurales que merecen ser tenidas en cuenta. En términos generales, se percibe que la mayor importancia relativa de la burguesía nacional se localiza en las ramas de mediana o escasa concentración, mientras que en las de alta concentración ocupa el tercer lugar, detrás de las empresas extranjeras y las estatales. En realidad, en las ramas altamente concentradas, la burguesía nacional supera a la *oligarquía diversificada* por su mayor incidencia en el valor de producción total (16,2 y 14,7% respectivamente) pero es aventajada en términos de la proporción del valor de producción concentrado en dicho estrato (38,6 y 71,9 %, respectivamente).

La situación diferencial exhibida por las fracciones industriales en términos de la concentración de la producción estaba vinculada a las principales actividades fabriles que realizaba cada una. En el Cuadro n° 2.17 se constata la existencia de situaciones diferenciales. La actividad industrial de las empresas estatales se concentraba en la producción de bienes intermedios a través de tres de sus principales empresas: YPF, SOMISA y Fabricaciones Militares (refinación de petróleo la primera, acero la segunda y acero y armamentos la tercera). Lo mismo ocurría con la *oligarquía diversificada* cuya producción principal era la siderúrgica de Acindar y Techint a través de Dalmine Siderca y Propulsora Siderúrgica, pero además se sustentaba en la elaboración de otros insumos básicos no menos significativos como cemento (Loma Negra y CORCEMAR) o papel (Celulosa Argentina y el Ingenio Ledesma). En la composición de la producción de esta fracción oligárquica también era importante la producción de bienes de consumo no durables, especialmente productos agroindustriales tradicionales como azúcar (Ingenio San Pablo, Cruz Alta y Ledesma), galletitas (Terrabusi), cerveza (Cervecería Quilmes) y textiles (Alpargatas y Grafa).

En la producción de la burguesía nacional la elaboración de bienes de consumo no durables era central, tanto desde el punto de vista de su producción total como en relación con el resto de los agentes económicos. Eran las actividades típicas del empresariado nacional: textiles (Suixtil, Tipoiti, Danubio, Dos Muñecos, UCAL, etcétera) y lácteos (Sancor y Mastellone), a las que se incorporaron otras —como los frigoríficos— a partir de la desaparición o redimensionamiento de los grandes frigoríficos tradicionales (SUPGA, Monte Grande, Pedro Hnos, CEPA, etcétera). Asimismo, el capital nacional se destacaba en la producción de bienes intermedios vinculados a la tradicional industria metalúrgica (Genaro Graso, Cura Hnos., Acería Bragado, etc.) y a la provisión de autopartes (Wobron, Del Carbo, Protto Hnos, etcétera).

Por su parte, el núcleo central de la producción industrial extranjera estaba en la fabricación de bienes de consumo durables y, específicamente, en la producción local de automotores (Ford, Renault, General Motors, Fiat, etcétera). Sin embargo, el capital extranjero también tuvo una notable incidencia en

Cuadro n° 2.17

Composición del valor de producción de los establecimientos industriales con 100 o más ocupados según tipo de empresa y bien elaborado, 1973 (en miles de pesos de 1973 y porcentajes)

	Bienes de Consumo no Durable	(%)	Bienes de Consumo Durable	(%)	Bienes Intermedios	(%)	Bienes de Capital	(%)	Total	(%)
Estatal	3.241.676	9,7	447.022	2,9	12.721.989	24,0	2.138.641	30,0	18.549.328	17,1
(%)	17,5		2,4		68,6		11,5		100,0	
Principales actividades	*Frigoríficos y azúcar*		*Automotores, heladeras*		Refinerías, siderurgia		*Equipo ferroviario, aeronaves, barcos*			
Extranjeras	8.107.730	24,3	12.662.800	83,0	19.827.847	37,4	3.922.832	55,1	44.521.209	40,9
(%)	18,2		28,4		44,5		8,8		100,0	
Principales actividades	*Cigarrillos, medicamentos, bebidas no alcohólicas*		*Automotores*		*Refinerías, siderurgia, autopartes, neumáticos*		*Tractores, conductores eléctricos, aparatos de comunicaciones*			
Burguesía Nacional	17.448.002	52,2	2.152.880	14,1	10.357.668	19,5	779.077	10,9	30.737.627	28,3
(%)	56,8		7,0		33,7		2,5		100,0	
Principales actividades	*Frigoríficos, azúcar, tejidos, lácteos, confección*		*Radio, TV, plásticos, heladeras, cocinas calefones*		*Hilado y acabado textil, autopartes, siderurgia*		*Maquinaria agrícola, maquinaria eléctrica, conductores eléctricos*			
Oligarquía Diversificada	4.625.444	13,8	0	0,0	10.073.865	19,0	279.068	3,9	14.978.376	13,8
(%)	30,9		0,0		67,3		1,9		100,0	
Principales actividades	*Azúcar, tejido, calzado de tela, galletitas, cerveza*				*Siderurgia, papel y cartón, acabado textil, cemento*		*Tanques y depósitos, maquinaria, construcciones navales*			
Total	33.422.852	100,0	15.262.702	100,0	52.981.369	100,0	7.119.618	100,0	108.786.540	100,0
(%)	30,7		14,0		48,7		6,5		100,0	

Fuente: Elaboración propia sobre la base de tabulados especiales del INDEC.

los restantes tipos de bien. Así, su participación en la producción de bienes intermedios era la más elevada, al igual que en la elaboración de bienes de capital, en la que la fabricación de tractores ocupaba un lugar destacado (Fiat Tractores, J. Deere, Deutz Argentina, etcétera).

En síntesis, en el marco de la modificación el carácter del comportamiento cíclico de la producción que caracterizó a la segunda etapa de sustitución de importaciones, se registraron transformaciones estructurales que modificaron la naturaleza de la industrialización en la Argentina. Se consolidó el predominio extranjero sobre el proceso económico a partir de la propiedad de las grandes firmas de la producción industrial. No fue una participación mayoritaria sobre la producción clave de la economía, sino circunscripta al control de los núcleos técnicos y económicos de los bloques sectoriales centrales, en tanto determinaba el flujo del excedente y el comportamiento tecnológico del resto de las actividades o cadenas productivas de estos bloques mediante la determinación de los precios relativos.

La contracara de la consolidación extranjera fue la disminución de la incidencia de la burguesía nacional. En sintonía con las características que asumió la expansión extranjera, el capital nacional no redujo su participación de una manera abrupta sino que fue perdiendo gravitación dentro de la cúpula de las firmas de mayor facturación, definitorias en la distribución del excedente y el perfil productivo. De allí que, a pesar de tener una presencia mayoritaria en la producción sectorial, haya quedado subordinada a las fracciones industriales dominantes, con escaso acceso a los núcleos centrales y dinámicos de esa nueva economía industrial. Por eso, su inserción era especialmente importante en las ramas menos concentradas y en la producción de bienes de consumo no durables y algunos intermedios, todos ellos típicos de la primera etapa de sustitución de importaciones y estrechamente vinculados a la demanda de los asalariados.

A diferencia de la burguesía nacional, la otra fracción local, *la oligarquía diversificada*, conservó su participación en la cúpula industrial sustentándose en la elaboración de bienes intermedios y producciones agroindustriales. También fue la que impulsó, dentro de la oligarquía agropecuaria en su conjunto, la modificación de las formas de propiedad encaminada a conservar la *unidad de tierra* y a modernizar la producción de acuerdo con las transformaciones económicas de la época, tanto en el ámbito interno como en el internacional.

Finalmente, se debe destacar que la importancia de las empresas estatales se mantuvo o incluso se incrementó sobre la base de la producción de insumos básicos (acero y derivados del petróleo), pero no como parte de un proceso de sustitución conducido por el aparato estatal —como proponía el peronismo en sus primeros gobiernos—, sino mediante la subordinación a la lógica de acumulación de capital de las fracciones empresarias dominantes.

2.2.3 Una revisión del comportamiento del ciclo sustitutivo de corto plazo teniendo en cuenta todas las fracciones del capital (1956-1975)

2.2.3.1 Consideraciones preliminares

El análisis del ciclo sustitutivo de corto plazo dispone de un nutrido acervo conceptual y empírico, ya que se trata de un tema clásico en el pensamiento económico argentino y latinoamericano. La intención de estas notas no es repetir ni sintetizar los notables avances realizados por otros investigadores, sino aportar algunos elementos, hipótesis alternativas a las formuladas, e incluso interrogantes que permitan complementarlos y contribuir, al mismo tiempo, a la comprensión de las causas que influyeron en la posterior interrupción de la industrialización y el feroz aniquilamiento de las organizaciones populares que llevará a cabo la dictadura militar que se inició en 1976.

Sin embargo, antes de abordar el tema, es necesario plantear algunas acotaciones que se desprenden de las evidencias y los avances analíticos realizados en los apartados anteriores de este trabajo.

El primero, se refiere al carácter estructural de la oligarquía pampeana y algunas concepciones equívocas acerca del *modelo de dos sectores*, denominación con la que, en el análisis económico, se conoce a la segunda etapa de sustitución de importaciones. Cabe recalcar que la oligarquía fue el sujeto social fundacional del Estado moderno en la Argentina, a partir de su control sobre la propiedad de la tierra —principalmente pampeana pero también extrapampeana— y del papel estratégico que cumplió la producción agropecuaria pampeana en el desarrollo económico del país, una vez subordinadas las economías regionales a la conducción del Estado oligárquico.[67]

Una vez establecido que la base económica fundamental de la oligarquía nativa se encontraba en la propiedad de la tierra pampeana, se debe tener en cuenta que, como se mencionó, desde sus orígenes este sector de clase destinó parte de la renta agropecuaria a diversificarse hacia otras actividades económicas estratégicas.

[67] En este sentido, es relevante mencionar que G. O'Donnell (1977), tomando como punto de partida el trabajo de F. H. Cardoso y E. Faletto (1969) sostiene que: *"Lo que interesa recalcar es que ese estado fue creación de la burguesía pampeana y sus prolongaciones financieras y comerciales en el sector urbano, a través de un proceso que también implicaba la constitución de esa burguesía, y del sistema que dominaba, en apéndice directo y altamente internacionalizado del mercado mundial. ¿Qué significa esto? Para aclararlo, debemos recurrir nuevamente a algunas comparaciones. La burguesía pampeana y sus prolongaciones urbanas se engarzaron directamente —constituyéndolo— con un estado nacional, no con el estado regional que en el resto de América Latina fue tantas veces el principal ámbito de poder político de las respectivas clases dominantes."* (pp. 38-39).

Esta proyección comprendió no solamente sectores tan relevantes como la actividad financiera y comercial, sino que también incluyó la que será actividad central de la economía local en las décadas posteriores: la producción industrial. Esta diversificación de la renta del suelo por parte de la oligarquía reconoció éxitos y fracasos a lo largo del tiempo, ya que la apertura de estos nuevos espacios de acumulación implicó competir con otras fracciones del capital, generalmente extranjeras, lo que no resultó fácil en una economía con un alto grado de concentración económica, aun cuando contara para ello con un instrumento tan decisivo como el Estado. Como resultado de ese proceso, desde el comienzo de la industrialización en el país hubo una fracción de este sector de clase firmemente arraigado en esta actividad pero sin perder su inserción en la producción agropecuaria sino, por el contrario, manteniéndola y formando parte indisoluble de los grandes terratenientes, incluso como propietaria de las mayores extensiones de tierra dentro de la oligarquía argentina.

Tener en cuenta la génesis de este proceso resulta fundamental para aprehender el comportamiento de esta fracción oligárquica durante la segunda etapa sustitutiva. No se trataba, básicamente, de un sector del empresariado industrial que al diversificarse hacia la producción agropecuaria confluía y se articulaba con los grandes terratenientes, sino del proceso inverso, pero con la salvedad de que tampoco era un recién llegado al mundo urbano sino un socio fundacional del mismo. Esto no significa olvidar que, a lo largo del tiempo, esta fracción oligárquica incorporó nuevos integrantes de origen industrial, comercial y financiero, luego devenidos también en grandes terratenientes. Pero esa convergencia no le imprimió un nuevo carácter a este sector de clase sino que, a la inversa, fue la *oligarquía diversificada* la que asimiló a los nuevos integrantes.

No menos importante es insistir en que, a partir de que el peronismo consolidó la industrialización como el eje central de la economía argentina, hubo un replanteo de la oligarquía agropecuaria en todos sus aspectos. En términos del proceso de acumulación de capital en su conjunto, perdió su centralidad pero conservó una notable capacidad de veto a partir de su condición de productor de bienes exportables que eran, al mismo tiempo, los bienes salario. Desde esa nueva posición, la *oligarquía diversificada* impulsó transformaciones adentro de su sector de clase (la modernización del agro y el resguardo de la unidad de tierra) y neutralizó los intentos del mundo netamente industrial por redefinir su conformación y funcionamiento en la búsqueda de remover las restricciones externas que limitaban la expansión económica (rechazo a los diversos intentos por imponer un impuesto a la propiedad de la tierra).

En síntesis, durante la sustitución de importaciones, la oligarquía pampeana estuvo presente tanto en la producción agropecuaria, de la que ejercía su predominio tradicional, como en la producción industrial, de la que compartía, como socio menor del capital extranjero, el predominio sectorial. Esta doble inserción expresaba tanto su retroceso como sus posibilidades de condicionar a las fracciones de clase netamente industriales. Se trataba de un retroceso porque la actividad agropecuaria dejó de ser central en el proceso económico, pero conservó el control sobre la generación de divisas y la producción de bienes salario, vitales en el funcionamiento de la sustitución de importaciones. Tal fue su retroceso que no tuvo capacidad para generar una alternativa válida a la industrialización pero sí para condicionar su evolución, impidiendo la aplicación de políticas que implicaran una reestructuración sectorial, con el consecuente debilitamiento de su predominio en la producción agropecuaria.

En esas circunstancias, la *oligarquía diversificada* ejerció la conducción del sector de clase en su conjunto, enfrentó a la alianza populista entre la clase trabajadora y la burguesía nacional y, al mismo tiempo, negoció con el capital extranjero industrial tanto las reivindicaciones propias como las de la oligarquía en su conjunto. El liderazgo de esta fracción sobre el conjunto de la oligarquía se originó en que sus integrantes eran los terratenientes pampeanos con mayores extensiones de tierras, y especialmente porque por su diversificación económica era la que estaba en condiciones de concebir una estrategia global de crecimiento a través de alianzas con el capital extranjero —tal como lo había esbozado con el Plan Pinedo—, lo que ahora resultaba esencial al no ocupar la oligarquía, a diferencia de lo que ocurría en los años treinta, el lugar hegemónico.

Sin duda, el tipo de inserción estructural de la oligarquía pampeana tiene notables repercusiones en el momento de analizar los rasgos generales de la sustitución de importaciones y específicamente el ciclo sustitutivo de corto plazo. Avanzando sobre el primer aspecto, las características estructurales indican que la oligarquía en su conjunto, y no sólo su fracción diversificada, formaba parte del bloque de poder.

Esas mismas características estructurales indican que cuando se alude a la sustitución de importaciones como un *modelo de dos sectores* (en el cual la actividad agropecuaria es exportadora y la producción industrial netamente importadora y, a la vez, cada una de ellas tiene una determinada elasticidad precio, etcétera), se realiza una descripción circunscripta al plano material o productivo sin un correlato en términos políticos y sociales, ya que se hace referencia únicamente a las características de los sectores productivos y no a las de las clases sociales. Casualmente, uno de los sectores de la clase dominante, la *oligarquía diversificada,* estaba en ambas actividades al mismo tiempo. En consecuencia, desde el punto de vista de las contradicciones sociales, dentro de los sectores dominantes y entre los bloques sociales enfrentados, la cuestión fue más compleja que una mera disputa entre los intereses agrarios y los industriales.

También es importante analizar la naturaleza que asumieron la clase trabajadora y la burguesía nacional y, en consecuencia, la de la alianza que establecieron para enfrentar al bloque de poder dominante. La conformación de la clase trabajadora argentina estuvo ligada al proceso de sustitución de importaciones, y se fortaleció y homogeneizó cuando la producción industrial pasó a ser el eje central de la actividad económica, potenciando la formalización del mercado de trabajo. Por lo tanto, se expandió y se fortaleció como parte de una pugna entre dos formas alternativas de organización social capitalista —el modelo agroexportador oligárquico y la industrialización basada en la sustitución de importaciones— que oscurecieron la contradicción fundacional entre el capital y el trabajo. Quizá por eso su identidad original —que se plasmó durante el peronismo— reconoció como un tema central la posibilidad de lograr una distribución del ingreso más equitativa entre el capital y el trabajo, relegando propuestas de corte socialista o de redistribución de la propiedad dentro de un planteo capitalista, como fue la reforma agraria de Lázaro Cárdenas en México durante la década de 1930.

Dentro de esta concepción, la condición de posibilidad para lograr y mantener en el tiempo la equidad distributiva era plantear un tipo de Estado que la plasmara y que, al mismo tiempo, generara una burguesía nacional que por su inserción estructural y grado de conciencia asumiera como propia la necesidad de garantizar esa distribución del ingreso, considerándola innegociable con el bloque de poder dominante. Se hace evidente que, en gran medida, la organización y expansión de la burguesía nacional fue resultado de la irrupción de la clase trabajadora en la escena política y social argentina.[68]

Inicialmente, el punto fundamental de la alianza entre la clase trabajadora y la burguesía nacional a lo largo del ciclo, radica en que esta última era proveedora de bienes salario no exportables y que los bienes agropecuarios exportables eran, al mismo tiempo, bienes salario, teniendo la demanda de cada uno de estos bienes elasticidades distintas, y más aún, opuestas, respecto de la variación de los precios y de los ingresos. En efecto, mientras que la elasticidad/ingreso de la demanda de los bienes salario no exportables era elástica (superior a 1), la elasticidad/precio de la demanda interna de los bienes salario expor-

[68] A partir de un análisis de la burguesía nacional, G. O'Donnell señala indirectamente esta característica peculiar del caso argentino. Así, en su trabajo publicado en *Desarrollo Económico* (1977) afirma: *"La razón de la comparativamente mayor capacidad política de la burguesía local en la Argentina no se halla tanto en ella misma como en las características del sector popular y —un aspecto de lo mismo— en el mayor grado de homogeneidad nacional del caso argentino respecto de los restantes latinoamericanos. Un sector popular urbano más débil, menos organizado y menos autónomo, originado en un gran peso de las regiones marginales y en las numerosas repercusiones de una distribución general de recursos significativamente más desigual (entre esas zonas y el centro, e interna al centro mismo, como ya he anotado) despoja a las fracciones débiles de la burguesía latinoamericana del importantísimo aliado que tuvieron en la Argentina. Este es un punto crucial."* (p. 57).

tables era rígida (menor a 1). Sobre esta base, como se verá con mayor detalle posteriormente, se generó la convergencia de intereses entre ambos integrantes de la alianza distribucionista, tanto en la fase ascendente como en la descendente del ciclo sustitutivo.

El fracaso de los primeros gobiernos peronistas para hacer económicamente sustentable un proceso basado en una creciente industrialización con una distribución equitativa del ingreso, dio lugar a una experiencia de la clase trabajadora que profundizó su identidad de clase social. Durante los primeros gobiernos peronistas, la pugna entre dos modelos capitalistas alternativos (el agroexportador y el de sustitución de importaciones) oscureció la contradicción entre capital y trabajo. Impedimento que tendió a diluirse durante la segunda etapa de sustitución de importaciones porque la pugna anterior se había definido en favor de una industrialización que operaba bajo el predominio del capital extranjero. La propia práctica de la clase trabajadora quedó plenamente inmersa, sin mediación alguna, en la antinomia entre capital y trabajo.

El tercer, y último, comentario previo al análisis del ciclo sustitutivo está orientado a remarcar la necesidad de evitar la generalización del comportamiento de los años iniciales (1958 -1964) a todo el período (1958 -1975). Como fue señalado, no se trató de una etapa homogénea sino marcadamente heterogénea, cualquiera sean las variables macroeconómicas que se consideren. Sin duda, la modificación de esta visión, que le atribuye a toda esta etapa sustitutiva el comportamiento económico privativo sólo de los primeros años está relacionada con las circunstancias en que se realizaron algunos trabajos clásicos sobre el tema,[69] trae aparejada la necesidad de introducir modificaciones en la concepción imperante sobre el ciclo corto de la sustitución de importaciones.

2.2.3.2 Notas sobre la modificación del ciclo corto a lo largo de la segunda etapa de sustitución de importaciones

Hechas estas aclaraciones, es posible analizar el comportamiento del ciclo corto sustitutivo así como el de los diferentes sectores sociales durante su desarrollo. Para ello es necesario sintetizar los supuestos e hipótesis que se asumen en relación con el comportamiento de las variables económicas y las fracciones sociales (Cuadro n° 2.18).

[69] Así por ejemplo, el trabajo clásico realizado por O. Braun y L. Joy (1981) fue publicado originariamente en 1968 y toda su base empírica corresponde al período 1958-1965. Es decir, que no percibe el dinamismo económico posterior porque considera únicamente el primer período de la etapa sustitutiva. En estudios posteriores, como es el caso de G. O'Donnell (1972), se utilizaron las series macroeconómicas a precios de 1950 que aminoran el crecimiento del segundo período de la etapa analizada, generando problemas semejantes a los que exhibe el de Braun y Joy.

Cuadro n° 2.18

Características, supuestos e hipótesis acerca de las variables económicas y las fracciones sociales que intervienen en el ciclo corto de la segunda etapa de sustitución de importaciones

	1956-64	1964-74
1. Características generales del ciclo	Las fases descendentes del ciclo generan una caída del PBI en términos absolutos.	Las fases descendentes del ciclo generan desaceleración en el PBI.
2. Ocupación y salarios	La elasticidad ocupación/ingreso es rígida (>1), mientras que la elasticidad salario/ingreso es elástica (< 1).	Idem.
3. Bienes agropecuarios exportables	Son bienes salarios. Tanto su demanda como su oferta tienen una elasticidad precio inelástica (>1).	Idem.
4. Bienes salarios no exportables	Se producen internamente y su demanda y oferta tienen una elasticidad/precio elástica (<1).	Idem.
5. Bienes industriales	No son significativas las exportaciones industriales durante el período.	Son minoritarios pero significativos en las exportaciones totales (las de mayor dinamismo). Su elasticidad /precio es elástica (>1).
6. Bienes importados	La elasticidad demanda/precio es inelástica (>1) porque no son bienes sustituibles por producción interna.	Idem.
7. Inversión Extranjera Directa	Aporte de capital externo destinado a la instalación de las empresas y las actividades dinámicas de allí en más	Incorporación mediante compras de empresas nacionales. Salida de recursos mediante la remisión de utilidades de las subsidiarias a sus casas matrices.
8. Deuda externa	Se incrementa en las crisis y se origina tanto en el sector público como privado.	Idem.
9. Reservas en el BCRA	Fluctuantes y decrecientes a lo largo del período.	Fluctuantes y crecientes a lo largo del período.
10. Empresas de capital extranjero	Son predominantes en la producción interna. Producen bienes, principalmente, para sectores de ingresos relativamente altos.	Idem. Además son las que concentran las exportaciones industriales.
11. Oligarquía diversificada	Son terratenientes y forman parte de la cúpula industrial; tienen una significativa presencia en las exportaciones primarias. Producen bienes industriales intermedios vinculados con la construcción y en menor medida bienes de consumo.	Idem.
11. Burguesía nacional	Producen bienes salarios industriales no exportables.	Idem.

Fuente: Elaboración propia.

Una rápida lectura del cuadro indica que muchos de los supuestos asumidos reflejan los rasgos centrales del análisis realizado en este trabajo. Tal es el caso de los períodos comprendidos en esta etapa sustitutiva, las características de las fracciones empresarias, el comportamiento del endeudamiento externo, etcétera.

Sin embargo, el caso de los salarios y el de la ocupación han sido poco tratados y, por lo tanto, requieren algunas explicaciones adicionales. La indiscutible importancia que asumió la demanda interna durante la sustitución de importaciones determinó que el nivel de los salarios tuviera un mínimo por debajo del cual la economía interna entraba en depresión y podían emergen conflictos sociales de gran envergadura. Esto no significa que sus posibilidades de crecimiento fueran infinitas, sino que su expansión también tenía un límite superior que difícilmente podía ser vulnerado porque a partir de allí se registraba un aletargamiento de la tasa de rentabilidad, o incluso un descenso, si la economía operaba en una situación de cuasi pleno empleo.

Dentro de los límites mencionados, se puede asumir que los salarios exhibían una elasticidad ingreso mayor que 1, porque se incrementaron más que proporcionalmente a medida que aumentaba el PBI en las etapas ascendentes del ciclo y descendieron también más que proporcionalmente en las crisis, mientras que se supone una ocupación inelástica, menor a 1, porque ésta reaccionó tenuemente ante esas mismas alteraciones cíclicas.[70]

La discrepancia en el comportamiento de los salarios y la ocupación se debe al papel que asumió la estructura sindical en esta etapa y a que las representaciones gremiales tendieron a negociar el nivel salarial pero consideraron innegociable el nivel de ocupación. Este comportamiento reiterado trajo como consecuencia una política empresaria remisa a aumentar la ocupación en la fase ascendente porque luego, durante la recesión, sería socialmente muy conflictivo disminuirla.

Finalmente, es necesario analizar brevemente la diferenciación que se estableció entre los bienes salario exportables y los no exportables. Los bienes salario exportables eran los productos agropecuarios en los que los terratenien-

[70] En relación con la rigidez de la demanda de mano de obra y sus efectos sobre la productividad en el corto plazo, véase J. Villanueva y A. J. Geretto (1973). Al respecto, señalan: *"En esencia, las observaciones son las siguientes: A) El empleo de la mano de obra tiende a crecer y contraerse según los vaivenes de la producción en el ciclo. Pero, por un lado, dicha relación entre empleo y producción no presenta el mismo grado de intensidad en todas las actividades económicas, y por el otro, en la mayoría de los casos puede observarse que en las etapas de ascenso del ciclo el aumento del empleo es menos que proporcional al aumento en la producción y en el descenso la caída de la ocupación es asimismo menos que proporcional al descenso en la producción. B) La productividad de la mano de obra tiende a variar en relación directa con la producción, en el corto plazo. Es decir, que aquélla sigue, conjuntamente con la producción, las fluctuaciones del ciclo económico"* (pp. 453-54).

tes pampeanos tenían una presencia destacada. Entre ellos se encontraba la *oligarquía diversificada*, que además ejercía el control sobre la comercialización externa de dichos bienes. Por el contrario, en la producción de bienes salario no exportables el papel protagónico era de la burguesía nacional, y la demanda por parte de la clase trabajadora era muy sensible a los cambios en el ingreso, ya que se trataba de bienes industriales no alimenticios.

El estudio del comportamiento del ciclo corto debe identificar las características que adoptó en los dos períodos que se desplegaron dentro de esta etapa de la sustitución de importaciones en el país. El primero de ellos (1955-1963) es conocido porque su generalización dio lugar a la versión tradicional sobre toda la etapa. No obstante, es necesario reverlo para poder identificar el papel que jugó la *oligarquía diversificada* y poder confrontarlo, con las características que asumió el ciclo corto en el segundo período, entre 1964 y 1974.

Considerando como punto de partida, de acuerdo con los usos y costumbres, la fase ascendente, el nivel de actividad de la economía interna comenzó a reactivarse en una situación en la que se disponía de reservas y había una significativa capacidad ociosa. El incremento de la actividad no fue automático sino inducido básicamente por tres factores que se combinaron en distinta proporción: las políticas estatales monetarias y fiscales expansivas, el aumento del salario real y la inversión extranjera.[71] Así la implementación de una política estatal que incrementó el crédito, induciendo una disminución de la tasa de interés, fue acompañada por el aumento del salario real, que se encontraba seriamente deteriorado. Estos elementos impulsaron una expansión del consumo que, a su vez, generó un crecimiento de la producción sobre la base de la capacidad ociosa.

Durante esta fase, es dable asumir que se produjo una mejoría no sólo de la situación de los asalariados sino también del conjunto de las fracciones empresarias comprendidas en la producción industrial. Por supuesto, mejoró la situación de las firmas extranjeras —predominantes en la actividad— pero igualmente la burguesía nacional registró un alza de la masa y la tasa de beneficios por la expansión de la demanda de los asalariados y, en menor medida, por la disminución de la desocupación. Incluso la *oligarquía diversificada* recompuso su masa y tasa de beneficios, ya que las obtenidas en la actividad industrial compensaban ampliamente su retracción en la producción agropecuaria y exportadora. En efecto, durante este lapso hubo un deterioro en los ingresos percibidos por el sector agropecuario —específi-

[71] En un interesante estudio sobre el primer período de esta etapa, M. Brodersohn (1969) sostiene: *"En el período 1960-61 la inversión, financiada con recursos externos, fue el elemento dinámico en el proceso de recuperación y expansión. En esta forma, expandiendo la capacidad productiva del país, se trató de hacer compatible la reactivación de corto plazo con las necesidades de largo plazo. La reactivación del período 1964/65, por lo contrario, se basó en la expansión del consumo privado y en la producción de automotores."* (pp. 48-49).

camente la oligarquía pampeana—ya que sus precios relativos internos se deterioraron respecto del nivel general y, más aún, a los precios industriales. La coexistencia de una tasa y masa de beneficios creciente con un aumento del salario real fue posible porque el incremento en la productividad del trabajo superó al registrado por el salario debido a que la ocupación tiene una elasticidad/ingreso muy reducida por las razones mencionadas precedentemente.

Sin embargo, la expansión económica sustentada en el crecimiento industrial tuvo una serie de efectos sobre el sector externo. Por un lado, el incremento de la demanda de la clase trabajadora redujo las exportaciones de bienes salario, cuya producción permaneció sin alteraciones. Por el otro, la expansión industrial generó una demanda creciente de bienes intermedios y de capital importados, ya que su elasticidad/ingreso es mayor que la unidad. El resultado del mayor dinamismo de las importaciones respecto de las exportaciones fue el deterioro de la situación del sector externo —específicamente de la reserva de divisas—, factor que anunciaba el comienzo de la fase depresiva del ciclo corto. Se aplicaron entonces las conocidas y reiteradas políticas de estabilización: devaluación del peso para lograr un incremento de las exportaciones y una reducción de las importaciones; reducción del déficit fiscal mediante la disminución del gasto estatal y el incremento de los ingresos fiscales (sobre la base de impuestos regresivos en materia de distribución del ingreso); una política monetaria restrictiva que redujo el crédito y elevó la tasa de interés; y una redistribución del ingreso contraria a los trabajadores mediante el deterioro del salario real.

La crisis de la Balanza de Pagos dio lugar a que se registrara el momento de mayor incidencia relativa de los organismos internacionales de crédito —específicamente el FMI— en la política económica interna, a través de las mencionadas políticas de estabilización que exigían aplicar a cambio de facilitar préstamos tendientes a cerrar la brecha externa. Objetivamente, esas políticas establecían una alianza de esos organismos con los terratenientes pampeanos, que se beneficiaban con la redistribución del ingreso que acompañó la devaluación del signo monetario local.

Sin embargo, no se trató de una alianza entre el mundo rural y el sector financiero en contra de las fracciones empresarias industriales ni tampoco que estos últimos adhirieran en bloque a las políticas de ajuste. Lo que en realidad parece que ocurrió es que se fracturó el sector industrial porque, a pesar de sus coincidencias durante la fase anterior, sus intereses económicos eran heterogéneos. La *oligarquía diversificada,* que además de tener una significativa presencia industrial era parte de los grandes terratenientes pampeanos y ostentaba una relevante presencia en la exportación de productos primarios, formó parte indisoluble de la alianza que definió la política económica durante la fase depresiva del ciclo corto.

En consecuencia, la *oligarquía diversificada* fue la que nuevamente, pero en sentido contrario a la fase de recuperación del ciclo, movió el fiel de la balanza dentro del bloque de poder, dejando relativamente aislados tanto al capital extranjero industrial como a la burguesía nacional en la definición de la política de corto plazo. No obstante, sería un error entender que el aislamiento de estas últimas significa que tuvieran intereses objetivos compartidos y fueran afectados de la misma manera. El capital extranjero recibió un impacto más atenuado de la crisis en tanto estaba más vinculado a la demanda de los sectores de mayores ingresos y además podía paliar su situación mediante múltiples recursos (endeudamiento con su casa matriz, obtención del escaso crédito interno, etcétera) e incluso avanzar en su liderazgo estructural adquiriendo empresas locales con problemas económicos o financieros. En cambio, la burguesía nacional se vio inmersa en una crisis provocada por la retracción de los ingresos y el consumo de los asalariados demandantes de sus productos.[72]

Resultan evidentes las razones que objetivamente impulsaron la alianza entre los trabajadores y la burguesía nacional con el propósito de modificar las políticas estabilizadoras y dar por terminada la fase descendente del ciclo corto. No obstante, también intervinieron en la misma dirección algunas modificaciones en las variables económicas a medida que transcurrió esta etapa.

En primer lugar, durante este primer período (1956-64) la fase descendente del ciclo acarreó una caída del PBI que, cuanto más profunda fue, mayores repercusiones tuvo sobre la situación del sector industrial predominante: las empresas extranjeras.

En segundo lugar, impulsar una mayor reducción de los salarios y del nivel de actividad se hizo cada vez más insostenible ya que, a medida que se profundizó la crisis, se incrementaron los saldos exportables y disminuyeron las importaciones. Estas modificaciones, junto con los créditos externos otorgados por los organismos internacionales, determinaron una mejora sensible en la situación externa de la economía argentina.

El análisis realizado hasta el momento recoge, con readecuaciones que respetan el argumento básico, la "visión clásica" sobre el ciclo corto, pero introduciendo el papel que cumplió la *oligarquía diversificada* en su desarrollo. Antes de abordar el estudio de las características de ciclo corto durante el segundo

[72] La diferenciación de la *oligarquía diversificada* permite identificar los distintos intereses y comportamientos que conviven dentro de lo que G. O'Donnell caracteriza como "gran burguesía". Al respecto, en su trabajo publicado en *Desarrollo Económico* (1977), entiende que: *"Por consiguiente, ante el desencadenamiento de la crisis de la balanza de pagos, la gran burguesía pendulaba hacia los intereses objetivos de la burguesía pampeana, propiciando y apoyando los 'programas de estabilización' que transferían una gran masa de ingresos (fundamentalmente desde el resto del sector urbano)hacia la burguesía pampeana y —por supuesto— hacia los sectores comerciales y financieros ligados a la exportación de sus productos."* (p. 51).

período de esta etapa de sustitución de importaciones —e incluso como introducción a su tratamiento— se examinarán las que presuntamente aparecen como incongruencias, o al menos ausencias explicativas que, sin invalidar los avances realizados, sí despiertan dudas acerca de la validez excluyente de algunas de sus concepciones básicas.

No es necesario realizar un análisis exhaustivo de los múltiples estudios económicos realizados sobre la problemática para concluir que la piedra angular del ciclo corto durante la segunda etapa de sustitución de importaciones fue la situación del sector externo, a partir de la rigidez de la oferta de los bienes agropecuarios exportables. De allí que la fase ascendente del ciclo culminó cuando la situación de la Balanza de Pagos se volvió deficitaria y la fase descendente finalizó cuando la recomposición de la Balanza Comercial y los créditos externos dieron como resultado un superávit en términos de las divisas disponibles en el Banco Central. Por lo tanto, de acuerdo con esta visión, las contradicciones entre trabajo y capital, así como las que se desplegaron entre las diferentes fracciones del capital estuvieron mediadas por el comportamiento de una variable económica específica, la reserva de divisas. Se trata de una mediación porque fue a partir de la abundancia o escasez de reservas que se desencadenaron los diversos conflictos que caracterizaron la fase de expansión o retracción de la producción y la redistribución del ingreso.

Esto significa que, según el análisis precedente, la *oligarquía diversificada* se desprendió del bloque industrial obligada por la crisis en el sector externo y no a partir de la modificación de sus propias condiciones de acumulación de capital y, al mismo tiempo, que al capital extranjero le ocurrió lo mismo y convalidó las políticas de ajuste que iniciaron la fase descendente del ciclo sin enfrentar ningún problema en su propio proceso de acumulación de capital. El tema es trascendente porque implica determinar si el tránsito de una fase a otra dependió exclusivamente de la rigidez de la oferta de bienes exportables y, por lo tanto, estuvo desvinculado de la evolución de las relaciones entre el capital y el trabajo en la producción industrial.

Considerando nuevamente como punto de partida la fase ascendente del ciclo corto, parece inobjetable que durante el lapso inicial la expansión generalizada de la demanda, impulsada por el incremento del salario real y en menor medida por el aumento de la ocupación, trajo aparejada una expansión de la oferta de bienes industriales. En ese momento, la producción industrial obtuvo una tasa de rentabilidad y una masa de ganancias creciente, ya que operaba con capacidad ociosa por estar saliendo del proceso recesivo anterior. La coexistencia de un salario real y una tasa de rentabilidad crecientes fue posible debido a que la productividad evolucionó por encima del incremento de los salarios.

Sin embargo, asumiendo que la producción creció más que la inversión a medida que se sucedieron la expansión de la producción y disminución de la capacidad ociosa, las condiciones iniciales se modificaron ante una desaceleración en el aumento de la tasa de rentabilidad, ya que los salarios siguieron aumentando por la presión de las organizaciones sindicales y de la clase trabajadora en general, superando los incrementos en la productividad. Esta desaceleración de la tasa de rentabilidad —que se hizo cada vez más pronunciada a la vez que la economía se acercó al pleno empleo— hizo que las empresas industriales se vieran impulsadas a aumentar sus precios y/o su nivel de producción para mantener la misma masa de ganancias, lo cual agravó el deterioro del sector externo, al generar un aumento de las importaciones en un contexto inflacionario originado en la pugna distributiva. De allí que la crisis en el sector externo se manifestó cuando la economía funcionaba en una situación de pleno empleo, desplegándose a partir de ese momento las políticas de estabilización mencionadas.

De acuerdo con las evidencias disponibles, la evolución de los indicadores económicos parece avalar la existencia de un funcionamiento económico sustentado en un régimen de pleno empleo en la culminación de la fase ascendente del ciclo corto. En efecto, si se considera la culminación de las fases ascendentes posteriores a los primeros gobiernos peronistas (que se registran en 1958 y 1961) se puede verificar que, durante esos años, la capacidad utilizada (o, de acuerdo con la información disponible, la relación entre el producto generado y el producto potencial) llegó a los valores máximos, para luego descender durante la fase decreciente del ciclo.[73]

En términos de las diferentes fracciones del capital, parece indiscutible que al comienzo de la fase ascendente del ciclo todas ellas tenían una tasa y una masa de ganancias crecientes. Sin embargo, cuando la economía se acercó progresivamente a la situación de pleno empleo y comenzó a desacelerarse la tasa de rentabilidad, el proceso adoptó características particulares en cada una. La burguesía nacional logró, como mínimo, mantener su tasa de rentabilidad y aumentar la masa de utilidades, porque sus bienes eran demandados por los trabajadores, que vieron incrementados sus salarios reales. Por el contrario, las fracciones dominantes —especialmente el capital extranjero

[73] La evolución de la capacidad productiva utilizada entre 1955 y 1967 fue estimada por M. Brodersohn (1969, p. 37): *"Como puede apreciarse, los años 1958 y 1961 —previos a los planes de estabilización— son los más cercanos al pleno empleo. En 1958 la coincidencia es total, mientras que en 1961 se aprecia un margen muy reducido de capacidad ociosa que, de acuerdo con nuestro concepto de pleno empleo, no necesariamente se puede deber a insuficiencia de demanda efectiva, sino que puede provenir de rigideces en algunos sectores productivos y/o limitaciones en la capacidad para importar."* (p. 37). Cabe aclarar que, de acuerdo con la información provista por el mismo Brodersohn, el grado de aprovechamiento de la capacidad productiva potencial en 1958 llegó al 100% y en 1961 al 97,7 por ciento.

industrial— encontraron mayores dificultades para expandir su masa de utilidades, ya que sus bienes eran demandados por los sectores de mayores ingresos, que estaban perdiendo participación relativa en el ingreso total. Estas peculiaridades, a su vez, repercutieron diferencialmente sobre el sector externo (porque la expansión de la producción de la burguesía nacional tenía menor impacto que la de las empresas extranjeras sobre la demanda de bienes importados), tendiendo a prolongar el tiempo en que la economía en su conjunto funcionó en un régimen de pleno empleo.[74]

Esto significa que la crisis en el sector externo estuvo acompañada por un descenso o al menos una desaceleración acentuada de la tasa de rentabilidad en la actividad industrial y en las fracciones dominantes, aliadas ahora con los organismos financieros y los terratenientes pampeanos, que intentaron revertirla mediante las políticas de estabilización. La *oligarquía diversificada* impulsó la adopción de estas políticas porque la devaluación potenciaba la tasa de rentabilidad de la producción agropecuaria pampeana y la exportación de productos primarios de tal manera que su tasa de rentabilidad total (incluida la obtenida en la producción industrial) se elevaba notoriamente. Por su parte, el capital extranjero industrial aprobaba la aplicación de estas políticas porque de esta manera elevaba su tasa de rentabilidad y disponía de recursos políticos y económicos para paliar los efectos de la crisis. De allí que las políticas de estabilización tuvieran como objetivo tanto recomponer la situación del sector externo como redistribuir el ingreso en contra de los asalariados.

Los mismos factores estuvieron presentes en el momento de tránsito de la fase depresiva a la ascendente del ciclo. En ese momento se verificó una recomposición tanto de la situación del sector externo como de la tasa de rentabilidad de las fracciones empresarias, por la severa redistribución del ingreso que implicó la reducción del salario real y el incremento de la desocupación. Sin

[74] Es pertinente recordar algunas de las conclusiones a las que arriba M. Kalecki (1977) al tratar la relación que mantienen los salarios y las ganancias (pp. 177-186). El autor demuestra que en una economía cerrada, oligopólica y con capacidad ociosa el incremento de los salarios trae aparejada una reducción de las ganancias, siempre y cuando medie un poder sindical significativo. Sin embargo, también indica que en un régimen de pleno empleo no hay una redistribución del ingreso sino una reasignación de las ganancias de los sectores productores de bienes de inversión y de consumo de no asalariados hacia los productores de bienes salario. Aplicando estas conclusiones al caso argentino durante la etapa analizada, se puede concluir que, en una situación de pleno empleo, habría una redistribución de las ganancias desde las empresas extranjeras y la *oligarquía diversificada* —productora de bienes de inversión y de consumo de no asalariados— hacia la *burguesía nacional* —productora de bienes salarios no exportables—, ya que los bienes salarios exportables tienen precios dados por el mercado internacional e internamente se abaratan por el atraso relativo del tipo de cambio. Así, desde otra perspectiva se arriba a conclusiones similares a las descriptas (una reducción de las ganancias de las dos fracciones predominantes).

embargo, la contracción de la demanda produjo una muy acentuada reducción de la masa de ganancias. Frente al deterioro del salario real y de la ocupación generado por las políticas de estabilización, la presión política y social de la alianza entre la clase trabajadora y la burguesía nacional fue incesante, pero también confluían en la misma dirección las presiones de las empresas extranjeras industriales para recomponer su nivel de actividad. Incluso la *oligarquía diversificada* reclamaba la reversión de la crisis ante el deterioro del nivel de actividad de sus empresas industriales y las pérdidas patrimoniales en términos de dólares que se registraron durante la fase descendente del ciclo. La conclusión es que los terratenientes pampeanos quedan aislados, aunque transitoriamente, porque en el bloque industrial también se encontraba la fracción conductora de la clase en su conjunto, la *oligarquía diversificada.*

A partir de 1964, luego del aumento de la capacidad productiva generado por la incorporación del capital extranjero en la producción industrial, comenzó un nuevo período que se caracterizó por la ausencia de reducción del PBI en la fase descendente del ciclo corto. De allí en adelante, no se produjo la superposición de una reducción, o una acentuada desaceleración de la tasa de rentabilidad con el estrangulamiento del sector externo, ya que se consolidó la expansión de las exportaciones —especialmente las de origen industrial—, y se incrementó el endeudamiento externo. La pugna entre capital y trabajo ocupó nuevamente el lugar central, pero ahora ya no estuvo oscurecida por las reiteradas crisis en la Balanza de Pagos. En realidad, la disminución de la disponibilidad de divisas fue aprovechada por los sectores dominantes para recomponer su tasa y masa de ganancias sin afectar seriamente la situación en el sector externo ni la evolución del PBI, en tanto las exportaciones industriales y el endeudamiento externo operaron como las variables de equilibrio del ciclo corto sustitutivo.

La relevancia de las exportaciones y del endeudamiento externo durante estos años radicó no solamente en que éstos permitieron equilibrar el funcionamiento macroeconómico sino también en que tendieron a compatibilizar los intereses del capital extranjero con los de la *oligarquía diversificada* en las dos fases del ciclo corto. Cabe recordar que, en la culminación de la fase ascendente, el capital extranjero consintió la aplicación de políticas de estabilización por el deterioro —relativo o absoluto— que se registraba en su tasa de rentabilidad, pero sabiendo que la recesión también afectaría su situación económica aunque menos que al promedio de la economía: su carácter transnacional y su peso estructural lo dotaban de privilegios con los que contaban las otras fracciones del capital. En cambio, bajo las nuevas circunstancias, el capital extranjero concentró un factor muy relevante que le permitió beneficiarse con las devaluaciones: las exportaciones industriales. Esto implicó introducir modificaciones en las políticas de estabilización tradicionales, como la introducción de un tipo de cambio diferencial que hiciera posible la expansión de las exportaciones de bienes industriales. Por su parte, el incremento de la deuda externa privada tuvo un efecto similar al de las exportaciones para las firmas extranjeras, pero con la diferencia de que, en este caso, las ventajas fueron compartidas con las firmas de la *oligarquía diversificada* que también acceden al endeudamiento externo. Ambas fracciones se endeudaron durante la fase descendente del ciclo y cancelaron total o parcialmente sus obligaciones durante la fase expansiva, en la que se registró un atraso relativo del tipo de cambio.

Por estas transformaciones, desde mediados de la década del sesenta las contradicciones entre capital y trabajo, al no estar opacadas por las reiteradas crisis económicas, fueron percibidas como tales contradicciones en la práctica cotidiana de los sectores populares. Vinculando estas características con lo acontecido a lo largo de toda la sustitución de importaciones, se puede afirmar que durante los años treinta y los primeros gobiernos peronistas la contradicción entre el capital y el trabajo estuvo mediada por la pugna entre el modelo oligárquico agroexportador y el desarrollo industrial; a partir del derrocamiento del peronismo, fue oscurecida por la irrupción de reiteradas crisis económicas y, finalmente, en el último período de la segunda etapa de sustitución de importaciones, se expresó diáfanamente, sin estar distorsionada por otros factores sociales. En la culminación de este largo periplo transitado por la sociedad argentina, las posiciones asumidas tanto por los sectores dominantes como por los populares se modificaron de tal manera, que para la comprensión de ese momento histórico, y la feroz dictadura militar que le sucede, merece analizarse con algún detenimiento.

Respecto de los sectores dominantes, el comportamiento económico que caracterizó al período indica que durante esos años tomó cuerpo una nueva ortodoxia en términos de las políticas de estabilización dirigidas a cohesionar las fracciones predominantes entre sí y a ellas con el capital financiero, plasmando la hegemonía política de todas ellas en la sociedad argentina. Con estas transformaciones no sólo se produjeron cambios en el funcionamiento del capital extranjero y la *oligarquía diversificada* sino también en las propuestas y visiones sostenidas por los organismos internacionales de crédito, que aprobaron y fomentaron medidas hasta ese momento vedadas y consideradas heterodoxas. La política económica y social aplicada por Krieger Vasena fue el intento más acabado de plasmar esta nueva ortodoxia económica y de avanzar hacia una hegemonía política que bloqueara definitivamente la posibilidad de volver a los planteos distribucionistas, típicos de la experiencia peronista. De allí la trascendencia histórica del Cordobazo al dar por concluida esta experiencia.

Sin embargo, las condiciones económicas, sociales y políticas también influyeron en las características que asumieron los proyectos alternativos de los sectores populares, específicamente dentro del peronismo.

Para aprehender el núcleo de esta cuestión tan decisiva, es imprescindible insistir en que era una sociedad que, lejos de los supuestos que sustentan la *teoría del empate hegemónico*, se encontraba inmersa en un proceso en el que la industria —luego de haber concretado un nuevo salto en la sustitución de importaciones— era el eje del proceso económico y su expansión fue, en términos históricos, acelerada e ininterrumpida a lo largo de una década, aun con un resultado relativamente modesto en términos internacionales. En otras palabras, la producción industrial fue la actividad más dinámica con una significativa generación de empleo y la base de sustentación principal del mercado de trabajo formal en la Argentina.[75]

Podría decirse que efectivamente no se trató de un régimen de acumulación basado en la explotación de mano de obra barata ni de una mera extracción de materia prima, sino de una dinámica más aproximada a lo que en el pensamiento latinoamericano se denominó un *desarrollo dependiente asociado*[76] pero que, en el caso argentino reconoce una particularidad: las fracciones empresariales predominantes en la economía interna eran tanto el capital extran-

[75] Al respecto, B. Kosacoff (julio de 1984) señala: *"El análisis de los resultados económicos del Censo Industrial de 1974 nos brinda elementos muy valiosos para la determinación de algunos rasgos estructurales del sector manufacturero anterior a 1976 [...] En relación a la comparación intercensal 1974-64, los resultados indican un comportamiento del sector industrial altamente positivo:*

* *La producción manufacturera creció continuamente durante el período —sin ningún año de disminución— a una tasa anual cercana al 8%, lo que significa la expansión histórica más importante del sector industrial;*
* *el crecimiento de la producción estuvo acompañado por un mayor volumen de empleo. En este período se incorporaron 290.000 personas al sector industrial, que totaliza en 1974, 1.600.000 personas ocupadas. La tasa anual de crecimiento intercensal del personal ocupado en la industria fue del 2%;*
* *el mayor ritmo de crecimiento de la producción en comparación al registrado por el empleo, se traduce en un incremento de la productividad de la mano de obra, que creció entre los dos censos a una tasa anual del 6%;*
* *el crecimiento del tamaño medio de los establecimientos —medido en términos de ocupación— fue superior al 25% para el total industrial de todo el período. Los que ocupan más de 100 personas son los que más crecieron y en 1974 representaban la mitad de la ocupación y las dos terceras partes de la producción. Su tasa de crecimiento casi duplicó a la de los establecimientos de menor ocupación y originó casi las 4/5 partes del crecimiento del producto y absorbió 250.000 de los 290.000 nuevos puestos de trabajo. En el período intercensal se incorporaron más de 700 establecimientos nuevos de este tamaño.*

En síntesis, la comparación intercensal nos indica un fuerte incremento de la producción y el empleo, con un liderazgo de las industrias metalmecánicas, químicas y petroquímicas y una importancia creciente de los establecimientos de mayor tamaño, cuya productividad tuvo avances significativos y fue acompañado positivamente por salarios medios más elevados y menores precios relativos." (pp. 7 y 8).

[76] F. H. Cardoso (1974) al tratar el caso brasileño destaca que el desarrollo asociado *"hace una división de áreas de actuación que sin eliminar la expansión de los sectores controlados por la burguesía local, desplaza a ésta de los sectores clave de la economía o la mantiene en ellos en forma asociada y subordinada; al mismo tiempo, crece la base económica del sector estatal, que se dirige hacia los sectores de infraestructura, mientras que los bienes de consumo duradero (automotores, electrodomésticos, etcétera) quedan especialmente bajo el control directo de las empresas multinacionales."* (p. 20).

jero (por su indiscutida primacía industrial) como la *oligarquía diversificada* (por su peso en la producción industrial y también agropecuaria).

A comienzos de los años setenta, las condiciones estructurales vigentes durante los primeros gobiernos peronistas ya no existían, en tanto el nuevo salto en la sustitución de importaciones ya se había llevado a cabo, pero no conducido por el Estado sino por el capital extranjero que, junto a la *oligarquía diversificada*, habían "colonizado" el aparato estatal. Bajo el nuevo contexto económico, todo intento de reproducir esas primeras experiencias implicaba desplazar tanto al capital extranjero como a la *oligarquía diversificada* del control sobre las producciones centrales mediante el avance de la propiedad estatal y la burguesía nacional, e implementar una redistribución del ingreso hacia los sectores asalariados influenciada por el abaratamiento de los bienes salario y la redefinición del patrón de crecimiento económico.

3. Instauración de un nuevo régimen de acumulación de capital a partir de la dictadura militar (1976-1983)

3.1 La crisis del movimiento y del nuevo gobierno peronista

La nueva gestión del peronismo en el gobierno (1973-1976) fue breve y tumultuosa, lo que dificulta el análisis de los ejes centrales que guiaron su mandato. No obstante, la evolución de los acontecimientos y de las políticas implementadas parecería indicar que el planteo original del peronismo sufrió alteraciones notables en sus concepciones primigenias, sustentadas en el capitalismo de Estado.

A partir de 1973, la propuesta de fondo del nuevo gobierno peronista ya no pareció concebir al Estado como mascarón de proa garante de la expansión industrial y de la consolidación económica, social y política de un frente social conformado por los sectores populares y la *burguesía nacional*, desplazando para eso —o al menos reduciendo— el neto predominio que ejercían las fracciones del capital dominantes en el nivel económico. De lo que se trataba ahora, era de que el Estado fuera el impulsor y garante de una asociación entre el capital extranjero y la fracción dinámica de la burguesía nacional que condujera el proceso de industrialización, pero reconociendo la necesidad de implementar una redistribución del ingreso hacia los asalariados.

Indudablemente, el rumbo estratégico adoptado por el peronismo implicaba que a mediano plazo debía producirse una redefinición del papel y de los ingresos de los grandes terratenientes pampeanos, e incluso una redefinición de la *oligarquía diversificada* en su relación privilegiada con el Estado y en su significativa inserción industrial. El énfasis puesto por el nuevo gobierno en la necesidad de expandir las exportaciones industriales, así como los acuerdos establecidos con los países latinoamericanos y del bloque socialista, se encaminaba a profundizar el proceso en marcha y otorgarle sustentabilidad externa a la industrialización, debilitando el papel estratégico que tenían las ventas externas de los productos agropecuarios. Por otra parte, la necesidad de imponer un nivel significativo de retenciones a las exportaciones agropecuarias resultaba acuciante no sólo para garantizar los ingresos fiscales sino también para reducir el impacto sobre los costos de las remuneraciones de la mano de obra industrial.

En síntesis, ante las nuevas circunstancias, el general Perón intentaba plasmar un *capitalismo asociado* cuya suerte dependía de su capacidad para integrarse con el capital extranjero y, al mismo tiempo, redimensionar y subordinar al conjunto de la oligarquía pampeana.[1]

Resulta ineludible apuntar que la tergiversación del planteo original del peronismo exacerbó hasta límites desconocidos los enfrentamientos entre las dos tendencias que estaban presentes en el movimiento desde sus orígenes. El sector "ortodoxo" del peronismo se enfrentó con el que enarbolaba el socialismo nacional como la nueva línea estratégica. Esta última, liderada por las organizaciones armadas (principalmente Montoneros), fue el resultado de la confluencia de las concepciones originales con la práctica social que desplegaron los sectores populares a lo largo de los dieciocho años de proscripción, a lo que se sumaron las experiencias resultantes de las luchas sociales y políticas latinoamericanas, especialmente las provistas por la Revolución Cubana.

La conjunción de todos esos procesos generó una revisión explícita de los postulados del peronismo, pero de signo contrario a la que llevaba a cabo, implícitamente, el general Perón. Desde esta perspectiva, la coexistencia entre el capital y el trabajo planteada originariamente por el peronismo respondió a las condiciones económicas, sociales y políticas específicas de la época de su surgimiento.[2] Dichas condiciones se alteraron a partir del derrocamiento de los primeros gobiernos peronistas, volviéndose irreconciliables los intereses específicos de ambos términos de la ecuación capitalista.

De esta forma, el contenido ideológico del Movimiento Peronista se modificó drásticamente, adoptándose los postulados socialistas como nuevo eje doctrinario.[3] Desde esta visión la alteración de los contenidos ideológicos del pe-

[1] Cabe señalar que algunos autores interpretan que se trató de un proceso que ya estaba en marcha desde 1964. Tal el caso, de P. Gerchunoff y J. J. Llach (1975, p. 42), quienes afirman: "*Una correcta visión de la nueva etapa* [1964 en adelante] *que aquí se ha señalado es la de Fernando H. Cardoso en su análisis sobre las contradicciones del desarrollo asociado; con el término 'asociado' se hace referencia a la incorporación de nuevos sectores propietarios al modelo de crecimiento dirigido por el capital monopolista extranjero, dicha incorporación no elimina las contradicciones, sino que plantea problemas inéditos en el plano de la dependencia tecnológica y la distribución del ingreso*" (p. 42).

[2] Dentro de la polémica entre las FAR (Fuerzas Armadas Revolucionarias) y el ERP (Ejército Revolucionario del Pueblo), C. Olmedo (*Fuerzas Armadas Revolucionarias*, 1974) señala: "*Esencialmente policlasista, el Movimiento Peronista se define desde el comienzo por su carácter nacional-popular, antioligárquico y anti-imperialista [...] Producto de la excepcional coyuntura histórica conformada por el período de la guerra y la primera posguerra, la expresión política de esta alianza de clases nacionales, el Movimiento Peronista, tiene en ese momento una concepción doctrinaria que, como idea central, levanta la coexistencia armónica de Capital y Trabajo [...] La coexistencia del capital y del trabajo era la idea dominante del momento, surgida de las condiciones económicas y políticas existentes*" (p. 13).

[3] Al respecto, Carlos Olmedo (*Fuerzas Armadas Revolucionarias*, 1974) sostiene: "*Hoy en día, la concepción ideológica socialista que el Peronismo Revolucionario asume, no es sino el reflejo de una situación objetiva y al mismo tiempo muestra el permanente e inclaudicable compromiso del Peronismo con los intereses nacionales y los de la clase trabajadora*" (p. 14).

ronismo respondía a la modificación de las condiciones materiales de los sectores sociales que integraban el frente popular, como resultado de las transformaciones económicas. El control ejercido por el imperialismo norteamericano a través de las empresas extranjeras industriales, había sido el factor desencadenante de la sobreexplotación de la clase trabajadora y de la subordinación o extinción de la burguesía nacional.[4]

Dentro de este cuerpo doctrinario, la *vanguardia revolucionaria*[5] que, por su relación con las masas populares tenía la capacidad de sintetizar los ejes de la lucha popular e interactuar con la conducción estratégica, cumplió un papel insustituible y terminó encarnándose en las organizaciones armadas peronistas, especialmente Montoneros, luego de su fusión con las Fuerzas Armadas Revolucionarias y Descamisados, entre otras organizaciones.

De esta esquemática caracterización, que omite la riqueza de los debates y concepciones de la época porque sólo intenta rescatar algunos de los rasgos básicos de la situación del peronismo, se puede inferir que los dos proyectos presentes dentro del movimiento político que accedió al gobierno en 1973 se alejaban de la doctrina original pero en sentido contrario, lo que los volvía incompatibles.

Sin embargo, conviene insistir en que la pugna entre ellas se puso de manifiesto desde el comienzo de la *resistencia peronista,* a través de lo que se denominó la lucha contra la *burocracia* política y sindical,[6] y que su nivel de violencia se fue incrementando sensiblemente a través del tiempo. Por cierto, el general Perón estuvo involucrado en la conformación del denomina-

[4] C. Olmedo (*Fuerzas Armadas Revolucionarias,* 1974) al analizar la situación a comienzos de los años setenta, señala: *"La liquidación de la burguesía nacional, tendencia histórica que a nadie escapa, lleva implícita la desnacionalización continua y la pérdida cada vez mayor de peso político de la burguesía nacional y de sus concepciones. Quienes quieran sobrevivir deberán resignarse a la asociación o la dependencia del capital imperialista o perecer"* (p. 14).

[5] J. W. Cooke, (1985) la define de la siguiente manera: *"La conciencia revolucionaria es un grado de lucidez con que la voluntad humana lucha en medio de una realidad complicada y ambigua. Y la vanguardia revolucionaria no es una minoría autodesignada en mérito a la admiración que a sí misma se profesa, sino el cumplimiento de una función que revalida constantemente mediante la comprensión teórica de una realidad fluyente que escapa a toda sabiduría inmóvil centellante de verdades definitivas. Con eso estamos afirmando, en primer lugar, que ese conocimiento no es exterior a la práctica de las masas, sino la experiencia directa de esa lucha enriquecida por el pensamiento crítico. Y, además, que tal conocimiento sólo adquiere valor revolucionario en cuanto se socializa al ser incorporado por las masas a su acción, pues ellas son las actoras y también las destinatarias de la revolución"* (p. 18).

[6] Al respecto, J. W. Cooke (1985) señala: *"Lo burocrático es un estilo en el ejercicio de las funciones o de la influencia. Presupone, por lo pronto, operar con los mismos valores del adversario, es decir, con una visión reformista, superficial y antitética de la revolucionaria. Pero no es exclusivamente una determinante ideológica, puesto que hay burócratas con buen nivel de capacidad teórica, pero que la disocian de su práctica, y en todo caso les sirve para justificar con razonamientos de 'izquierda' el oportunismo con que actúan. [...] El burócrata quiere que caiga el régimen, pero también quiere durar; espera que la transición se cumpla sin que él abandone el cargo o posición..."* (pp. 20-21).

do *peronismo revolucionario* no solamente porque J. W. Cooke fue su delegado personal a partir de 1956 sino porque aprobó la lucha armada y antiburocrática llevada a cabo por las organizaciones guerrilleras pero eludiendo, hasta 1973, el debate sobre el fondo de la cuestión, es decir, sobre el nuevo proyecto estratégico para el peronismo que cada una impulsaba.[7]

Se puede percibir que estos dos proyectos definían el carácter básico de la crisis que se abatía sobre el frente popular. En esa pugna se inscriben hechos tan definitorios y dramáticos como la masacre de Ezeiza, la renuncia de Cámpora,[8] la muerte de José Ignacio Rucci y las palabras del general Perón el 1º de mayo de 1974 que produjeron la retirada del *peronismo revolucionario* de la Plaza de Mayo. La muerte del general Perón, el 1º de junio de 1974, dio por terminado este ciclo y abrió la etapa preparatoria para el golpe militar que se concretó en marzo de 1976.

Como fue señalado, una de las pocas coincidencias de fondo entre ambos proyectos estratégicos fue la convicción de que la experiencia de los primeros gobiernos peronistas era irrepetible. Sin embargo, profundizando el análisis de la evolución histórica del peronismo, se puede percibir que ambas vertientes dejaron de lado un rasgo fundacional de vigencia decisiva en el proceso económico-social y que es vital para aprehender la naturaleza de la dictadura militar que irrumpió en marzo de 1976.

Contando con la perspectiva que otorga el tiempo transcurrido, un somera revisión de los contenidos medulares de ambos proyectos permite detectar

[7] Por ejemplo, en el intercambio epistolar entre Montoneros y el general Perón de febrero de 1971 (R. Baschetti, 1993), dicha organización le plantea en el último punto que: "5. *Bien, hemos visto la eficacia de nuestro método de lucha para golpear al régimen con la ejecución de Aramburu, el descreimiento popular sobre el sindicalismo como herramienta capaz de conducir un proceso revolucionario, la imposibilidad de que el ejército pueda generar un proceso de liberación nacional y la insuficiencia del camino electoral para tomar el poder [...] Tenemos clara una doctrina y clara una teoría de la cual extraemos como conclusión una estrategia también clara: el único camino posible para que el pueblo tome el poder e instaure el socialismo nacional, es la guerra revolucionaria total, nacional y prolongada que tiene como eje fundamental y motor al peronismo. El método a seguir es la guerra de guerrillas urbana y rural. Esto no es un capricho, es una necesidad: a carencia de potencia recurrimos a la movilidad; en fin, no es nada nuevo pero no por ello deja de ser eficaz [...] Es para nosotros de fundamental importancia conocer sus opiniones sobre estas consideraciones...*" (p. 128). Pocos días después, el general Perón les responde: "*Mis queridos compañeros: 5. Totalmente de acuerdo en cuanto afirman sobre la guerra revolucionaria [...] Como ustedes dicen con gran propiedad, cuando no se dispone de la potencia y en cambio se puede echar mano a la movilidad, la guerra de guerrillas es lo que se impone en la ciudad o en el campo. Pero, en este caso es necesario comprender que se hace una lucha de desgaste como preparación para buscar la decisión tan pronto como el enemigo se haya debilitado lo suficiente. Por eso la guerra de guerrillas no es un fin en sí mismo sino solamente un medio y hay que pensar también en preparar el dispositivo general que aun no interviniendo en la lucha de guerrillas, debe ser factor de decisión en el momento y en el lugar en que tal decisión debe producirse [...] Un gran abrazo. Juan Perón*" (p. 132).

[8] Véase M. Bonasso (1997).

una drástica disolución del carácter antioligárquico que estaba tan presente en la formulación original del peronismo. No solamente omitieron la presencia de los terratenientes pampeanos en la producción industrial —es decir, la existencia de la *oligarquía diversificada*—, sino que asumieron, lisa y llanamente, que esta clase social en su conjunto ya no era uno de los factores decisivos en el funcionamiento económico, ni uno de los integrantes fundamentales del poder dominante establecido en el país.

Esta omisión se expresó de una manera diferente en cada proyecto. El planteo conducido por el general Perón se dirigía a concretar una negociación, no una disputa con el poder dominante, y su política respecto de la oligarquía pampeana se puede percibir conociendo quiénes eran los interlocutores y cuáles los escollos que debían superarse.

El interlocutor privilegiado de esa negociación fue el capital extranjero industrial que había consolidado su predominio económico a partir de la profundización de la sustitución de importaciones durante la gestión del *desarrollismo*. Si se considera el planteo original del peronismo, esto hubiera implicado la emergencia de un nuevo proyecto estratégico en clave antioligárquica, tras el cual se habría convocado a la movilización popular como medio para garantizar la subordinación de esa fracción dominante. Sin embargo, nada de esto ocurrió porque se asumió que la oligarquía estaba debilitada y, por lo tanto, se evaluó que con esgrimir algunas propuestas económicas (como el impuesto a la renta potencial de la tierra) y modificar los precios relativos era suficiente para garantizar un incremento de la producción de bienes salario que generara divisas y consolidara la distribución progresiva del ingreso. En realidad, el intento fue recurrir a la indudable convocatoria popular del general Perón —incluso entre quienes lo cuestionaban dentro del movimiento— para dirimir la pugna interna con el *peronismo revolucionario* y no para enfrentar al bloque dominante.

En el caso de la propuesta del peronismo revolucionario, la ausencia de un contenido antioligárquico se percibe de una forma mucho más directa, ya que efectivamente intentó llevar a cabo una drástica modificación del orden establecido, por lo que aludía a los sectores poderosos. En este caso, el carácter de la propuesta fue fundamentalmente antiimperialista, entendiendo que éste no era ejercido por varias fracciones del capital sino exclusivamente por las empresas extranjeras industriales, en particular de origen norteamericano. De allí que en esta concepción el contenido antioligárquico del peronismo fuera un atributo histórico, específico de la etapa fundacional —debido al enfrentamiento entre los sectores populares y la oligarquía para consolidar la industrialización como eje del proceso económico— pero sin vigencia en la realidad nacional de ese momento. De esta manera, el enfrentamiento con la oligarquía había dejado de ser un problema central, quedando acotado a conflictos regionales en los que los trabajadores rurales y los pequeños y medianos productores agropecuarios se enfrentaban a los grandes propietarios.

Se trata de una distorsión de enorme importancia que está profundamente arraigada en los sectores populares. Así, sólo como un ejemplo de los muchos que se podrían analizar, esta situación parece expresarse, con sus propias peculiaridades, en lo que fue el Movimiento de Sacerdotes del Tercer Mundo. Creado en 1967, se disolvió en 1973 ante la imposibilidad de sintetizar una posición común entre las líneas afines a la "ortodoxia" peronista, las concepciones del peronismo revolucionario y aquéllas abiertamente "clasistas". Sin embargo, de acuerdo con las evidencias disponibles, la oligarquía como factor de poder no estaba presente en las visiones del peronismo "ortodoxo", pero tampoco en las líneas alternativas, las que, a lo sumo, incorporaron la figura del terrateniente como explotador de los trabajadores rurales o de los pequeños y medianos propietarios agropecuarios.[9]

Este dramático error estratégico fue el resultado de una lectura estructural en la que se sobredimensionó la importancia de una serie de procesos relativamente recientes (el aceleramiento de la industrialización desde mediados de los años sesenta, la acentuada transnacionalización de las empresas norteamericanas y la agresiva política imperial de EE.UU. en la región) y se subestimó la trascendencia de la clase social que fundó el Estado argentino moderno, la oligarquía pampeana. No menos relevante, pero quizá más comprensible, es haber obviado lisa y llanamente la existencia de la *oligarquía diversificada*, a pesar de que esta fracción de clase había accedido a la conducción de la clase terrateniente en su conjunto durante la etapa de consolidación de la industrialización (y, finalmente, condujo el bloque social dominante interno a partir de la dictadura militar que se inició en marzo de 1976).

Estas distorsiones de fondo impidieron a los sectores populares contar con los elementos para aprehender la idiosincrasia del golpe militar. En efecto, esta carencia parece haber asumido una notable importancia, ya que quien hilvanará las alianzas —con otros integrantes de las fracciones locales dominantes y fundamentalmente con el capital financiero internacional— para plasmar un nuevo patrón de acumulación durante la dictadura militar, será precisamente la oligarquía argentina, la clase social que se suponía disgregada o debilitada después de varias décadas de industrialización y extranjerización de la economía interna.

[9] Al respecto, J. P. Martín (1992) señala: *"Los Sacerdotes para el Tercer Mundo han tenido un blanco generalizado para vencer, aunque no del todo definido: el imperialismo y la oligarquía. Han tenido una configuración ideal del polo agónico: el pueblo, concebido como sujeto de la liberación. Pero han oscilado frecuentemente en la definición sociológica de los componentes de este sujeto agonista. En particular, su lenguaje ha dejado en la indefinición la voz oligarquía, desde el punto de vista cultural, social o económico"* (pp. 213 y 214).

La importancia del tema exige una indagación más desarrollada del proceso. La derrota que los sectores populares le habían infligido al proyecto conducido por Onganía-Krieger Vasena no sólo dio lugar a una retirada progresiva de la dictadura militar sino que les anuló a los sectores dominantes la viabilidad de cualquier proyecto alternativo al sustentado por el general Perón y al del peronismo revolucionario. Salta a la vista que para este último, la oligarquía pampeana, así como el conjunto de las fracciones dominantes, debían ser, como mínimo, redimensionadas, y, especialmente, debían perder su indiscutible capacidad para conducir el rumbo de la economía interna. Sin embargo, para la oligarquía era una amenaza, más inminente y factible, que el propio proyecto del gobierno peronista requiriera, como condición de posibilidad, que la conducción de la oligarquía pampeana, la *oligarquía diversificada,* fuese parcialmente desplazada por la fracción dinámica de la *burguesía nacional* y, al mismo tiempo, que los grandes terratenientes se subordinaran a las necesidades del nuevo patrón de acumulación (como proveedores de divisas y garantía de la redistribución del ingreso), todo dentro de un cambio significativo de los precios relativos en detrimento de los bienes salario. En esa dirección confluían el acuerdo entre la CGT y la CGE, la orientación de la promoción industrial y el intento de imponer el impuesto a la renta normal potencial de la tierra.

Ante estas circunstancias, la estrategia adoptada por la oligarquía en su conjunto consistió en cohesionar a las fracciones dominantes planteando como única alternativa válida, ante la convulsión social y el peligro de un "régimen socialista" en el país, el golpe de Estado. A los gobiernos del doctor Cámpora y del general Perón se los boicoteó de todas las formas posibles para garantizar su fracaso, incluso exacerbando la pugna interna del peronismo y la crisis del campo popular. De allí que el golpe de Estado de marzo de 1976 se puso en marcha a partir de la muerte del general, que dejó sin conducción al intento de plasmar un *capitalismo asociado* en la Argentina.

A partir de la dictadura, el bloque dominante se encaminó hacia una modificación drástica de las relaciones sociales y, como consecuencia, a potenciar su capacidad de acumulación de capital, especialmente el de la oligarquía local, la fracción social que condujo ese proceso.

3.2 La naturaleza de la revancha oligárquica que pone en marcha la dictadura militar en 1976

Las evidencias analizadas previamente indican que la instauración de un nuevo régimen de acumulación de capital no se origina en el agotamiento de la industrialización basada en la sustitución de importaciones, ya que durante la década anterior (1964-1974) se había producido un crecimiento ininterrumpido del PBI interno, se había registrado una acentuada expansión industrial y se había modificado la naturaleza del ciclo corto sustitutivo, que ahora no implicaba una reducción del PBI en la etapa declinante.

Al tener en cuenta la irrupción del predominio de la obtención de renta financiera en la economía internacional, y asumir que el fracaso de las dictaduras anteriores radicaba en haber intentado disciplinar a los sectores populares impulsando la expansión industrial, esta vez la estrategia elegida consistió en restablecer el orden capitalista modificando drásticamente la estructura económica y social para disolver las bases materiales de la alianza entre la clase trabajadora y la *burguesía nacional* y, de esa manera, restablecer relaciones de dominación permanentes en el tiempo.[10]

Si bien el golpe militar en la Argentina no parece haber respondido a una iniciativa motorizada directamente por los Estados Unidos —como sí ocurrió en Chile—, caben pocas dudas acerca del apoyo irrestricto por parte de la administración norteamericana previa a la presidencia de Carter. Lo mismo ocurre con el capital extranjero radicado en la producción industrial local, cuya participación fue fundamental para asegurar la viabilidad del golpe. Al respecto, todo parece indicar que la adhesión de este último a la interrupción del orden constitucional no reconoció fisuras ni excepciones, ya que se trataba de la fracción del capital que era repudiada y hostigada por los sectores populares en tanto encarnaba las nuevas formas de la dominación imperialista en América Latina.

Por cierto, esta cruzada anticomunista, que escondía reivindicaciones exclusivamente particulares de la oligarquía vernácula y el capital financiero internacional, contó con la participación activa de los factores de poder que integraban el bloque oligárquico. Es el caso de la Iglesia oficial —parte constitutiva de la oligarquía desde la industrialización en adelante—, que se ubicó como parte de la conducción ideológica de la dictadura militar, y marginó de sus propias filas a los sectores vinculados al movimiento popular, lo que implicó la tortura, la desaparición o la muerte de muchos de sus miembros.[11]

Sobre la base de estas concepciones y de estos alineamientos, los sectores dominantes, a través del *terrorismo de Estado* que ejerció la dictadura militar, le impusieron a la sociedad argentina un nuevo patrón de acumulación de capi-

[10] Proceso que estuvo muy alejado de algunos pronósticos realizados en la época. Poco antes del golpe militar, P. Gerchunoff y J. J. Llach (1975) afirmaban: *"Finalmente, no descubriríamos nada al decir que el carácter esencialmente inestable de este estado tendencial tiende a realzar objetivamente el papel arbitral de las Fuerzas Armadas, en cuyas manos está en buena medida convertir este 'cuasi-estado' en un proceso de Reconstrucción y Liberación Nacional o en un neoliberalismo desarrollista remozado".*

[11] Sobre el nefasto papel que cumplieron el vicariato castrense, el episcopado, el nuncio apostólico, así como el asesinato, tortura y desaparición de militantes y autoridades eclesiásticas durante la dictadura militar, véase E. F. Mignone (1999).

tal cuyo núcleo central fueron las políticas económicas y un nuevo comportamiento estatal. Este comportamiento implicó la convalidación de la *valorización financiera* de una parte del excedente apropiado por el capital oligopólico, a partir de la adquisición de diversos activos financieros (títulos, bonos, depósitos, etc.) en el mercado interno e internacional, en un momento en el que las tasas de interés, o su combinación, superaban la rentabilidad de las actividades económicas, y en el que el acelerado crecimiento del endeudamiento externo posibilitaba la remisión de capital local al exterior al operar como una masa de excedente valorizable y/o liberar los recursos propios para esos fines. En relación con este núcleo central se desplegaron otras modificaciones sustantivas, como la redefinición de la protección arancelaria de las importaciones y el desplazamiento del mercado interno como el ámbito privilegiado del proceso de acumulación de capital.

Las transformaciones que se sucedieron entre una estructura asentada en la industrialización y otra que se sustentaba en la *valorización financiera*, introdujeron una modificación inédita en todas las instancias sociales. Así es como cambió drásticamente la relación entre el capital y el trabajo y, en consecuencia, el carácter del Estado, adoptando ambos sesgos inéditos en favor del gran capital oligopólico. Pero también, influenciadas por esos mismos contenidos, se desplegaron alteraciones tan decisivas como la destrucción y la reasignación del capital. De allí en más cambiaron la fisonomía, el comportamiento y también las contradicciones de las propias fracciones dominantes, y, al mismo tiempo, se redimensionó la presencia de la *burguesía nacional*, especialmente la fracción industrial, más que su núcleo central.

La redefinición de la relación, de por sí desigual, entre el capital y el trabajo tuvo tal magnitud que sólo puede entenderse como una *revancha oligárquica* sin precedentes históricos en el país, acorde con el profundo resentimiento que guardaba la oligarquía nativa hacia la clase trabajadora argentina. Desde el golpe de Estado en adelante, los trabajadores fueron perdiendo los derechos laborales más básicos y elementales que habían conquistado a través de las luchas sociales desarrolladas a lo largo de muchas décadas. Dicho proceso se inició al hacerse palpable que el nuevo patrón de acumulación diluía el papel que la demanda asalariada había asumido durante la vigencia de la industrialización sustitutiva. En tanto la *valorización financiera* desplazó a la producción de bienes industriales como el eje del proceso económico y de la expansión del capital oligopólico, el salario perdió el atributo de ser un factor indispensable para asegurar el nivel de la demanda y la realización del excedente: de allí en más, contó como un costo de producción que debía ser reducido a su mínima expresión para asegurar la mayor ganancia del empresario.

Por otra parte, ya instalada la *valorización financiera*, la reestructuración económica y el deterioro de la producción industrial, trajeron aparejada una significativa expulsión de mano de obra. Surgió entonces otro instrumento fundamental para disciplinar a la clase trabajadora: el flagelo de la desocupación.

La alianza policlasista terminó de desestructurarse con la creciente marginación política y económica de la *burguesía nacional.* No se trató ya —como ocurrió durante la segunda etapa de sustitución de importaciones— de su subordinación al capital extranjero y su desplazamiento hacia empresas con menor valor de producción y ocupación, sino de la expulsión progresiva de este tipo de capitales a medida que se consolidaba la desindustrialización, pese a que se trataba de una fracción del capital que, en términos generales, inicialmente adhirió al golpe de Estado.

Por otra parte, el giro copernicano que se aplicó al Estado no involucró únicamente aspectos económicos —que fueron fundamentales— sino también el ejercicio irrestricto de la coerción que el Estado monopoliza, desde las concepciones y la estructura de las Fuerzas Armadas.[12] Éstas, a través de su participación activa en la represión previa al golpe fueron definiendo la doctrina represiva que después aplicaron con toda su intensidad durante la dictadura. La actualización de la doctrina represiva fue una derivación directa de la nueva concepción de los sectores dominantes y, al mismo tiempo, su objetivo fue hacer socialmente viables las modificaciones económicas y sociales que se llevarían a cabo.

Al respecto, es pertinente señalar que, a lo largo de la segunda etapa de sustitución de importaciones, especialmente a partir de 1966, se dio forma a la denominada *Doctrina de Seguridad Nacional,* que asumía —como una de sus hipótesis centrales— que la superación de las contradicciones entre el trabajo y el capital requería, junto al ejercicio de la represión estatal, asentar un proceso de desarrollo económico que les planteara a los sectores subalternos ciertas vías para el ascenso social y el mejoramiento de las condiciones de vida. Su fracaso y la modificación de la economía internacional impulsaron una revisión y transformación de la doctrina original. La hipótesis de que el crecimiento económico es una de las condiciones para superar las contradicciones sociales fue reemplazada por la contraria. De esta manera, la crisis económica y los mecanismos de disciplinamiento social fueron elementos centrales de la nueva doctrina represiva. Así, el concepto de represión institucional, orientado en las dictaduras precedentes a disgregar a las organizaciones armadas, se reemplazó por el de

[12] En relación con la naturaleza del Estado y su campo de acción, O'Donnell (1984) señala: *"la garantía que presta el Estado a ciertas relaciones sociales, incluso las relaciones de producción, que son el corazón de una sociedad capitalista y de su contradictoria articulación en clases sociales, no es una garantía externa ni a posteriori de dicha relación. Es parte intrínseca y constitutiva de la misma, tanto como otros elementos —económicos, de información y control ideológico— que son aspectos que sólo podemos distinguir analíticamente en dicha relación. ¿Qué quiere decir a su vez esto? Que las dimensiones del Estado, o de lo propiamente político, no son —como tampoco lo es 'lo económico'— ni una cosa, ni una institución, ni una 'estructura': son aspectos de una relación social".* (p. 204).

aniquilamiento del conjunto de las organizaciones populares, realizado por fuera de las normas institucionales —aun de las que funcionaban durante esa dictadura—, y materializó a través de la tortura y la *desaparición* de personas, dando lugar a la figura de *terrorismo de Estado.*

Junto a estas transformaciones, de por sí decisivas, se registró otra que replanteaba la hipótesis de guerra tradicional, en la cual las Fuerzas Armadas actuaban como principal garantía de la defensa nacional. En efecto, si bien desde el punto de vista institucional se la mantuvo, dicha hipótesis —que enfatizaba la defensa de las fronteras— fue vaciada de contenido y subordinada tanto a las necesidades de supervivencia de la dictadura militar como a la concepción de que la estrategia represiva debía extenderse a la región, en tanto la supuesta guerra interna formaba parte de un enfrentamiento a nivel mundial. En este sentido, la guerra de las Islas Malvinas señaló el punto culminante de la tergiversación de los contenidos de la defensa nacional y su plena subordinación a las necesidades propias del *terrorismo de Estado.*[13]

No menos trascendentes fueron las alteraciones en la composición y el comportamiento de los propios sectores dominantes. En este sentido, es imprescindible destacar que, a medida que se consolidó el nuevo patrón de acumulación, se fracturaron y realinearon las empresas extranjeras industriales que habían sido el núcleo dinámico de la segunda etapa de sustitución de importaciones.

El conjunto de las empresas extranjeras industriales no fue, como podía preverse en un inicio, la fracción del capital que encarnó la dominación imperialista en la dictadura militar. La prueba palpable de la disolución del poder que ostentaba el capital extranjero industrial fue que esta actividad productiva perdió la centralidad económica que había exhibido desde los primeros gobiernos peronistas, para entrar en un proceso de progresiva y sistemática desindustrialización caracterizada, entre otros rasgos regresivos, por: una pérdida de incidencia en el valor agregado total; una acentuada reducción del espectro productivo y del grado de integración local de la producción; la repatriación de capital extranjero industrial; un salto de la concentración de la producción sectorial en un reducido conjunto de firmas, etcétera.

Paralelamente al proceso de desindustrialización se fractura el bloque industrial extranjero, registrándose, por un lado, una acentuada e inédita repatriación de capital industrial —durante la década del ochenta— y, por otro, una modificación sustantiva del comportamiento de varios de los conglomerados extranjeros que asumieron los parámetros vinculados al nuevo patrón de acumulación de capital. En otros términos, algunos de los integrantes del

[13] Sobre la hipótesis de guerra asumida por la dictadura militar, véase H. Verbitsky (2002).

bloque extranjero retiraron las inversiones productivas radicadas en el país, mientras que otros confluyeron con la *oligarquía diversificada* incorporándose al nuevo bloque de poder.[14] No es menos relevante señalar que la contraparte extranjera fundamental del patrón de acumulación no fue ese conjunto de conglomerados extranjeros industriales sino el capital financiero internacional, incluidos los organismos internacionales de crédito, que son sus representantes políticos durante esa etapa.

3.3 La redistribución del ingreso como hecho fundacional de la dictadura militar

La dictadura militar comenzó con un planteo económico que respondía a las tradicionales políticas de estabilización implementadas durante la segunda etapa de sustitución de importaciones. Ante una aguda crisis del sector externo, provocada en buena medida por la negativa del FMI a negociar un acuerdo con el anterior gobierno constitucional, y por las acentuadas presiones inflacionarias, se implementó una fuerte devaluación del peso que provocó una aguda modificación de los precios relativos. El rasgo peculiar y decisivo de esta política radicó justamente en la profundidad que asumida por dicha alteración de los precios relativos en favor de la oligarquía pampeana y en detrimento de los asalariados. Tanto los exportadores de bienes salario como los productores agropecuarios —especialmente los grandes terratenientes pampeanos— se beneficiaron no sólo por la devaluación del peso, que superó el 80%, sino que adicionalmente se redujeron las retenciones agropecuarias a la mitad.[15]

[14] El apoyo de estos capitales extranjeros fue tan intenso como el brindado por los grupos económicos locales, llegando incluso a permitir e impulsar la represión en sus plantas industriales. Al respecto la CTA denunció ante el Juzgado Cinco de la Audiencia Nacional de Madrid en 1993, entre otras cuestiones, que: *"El obrero de la fábrica Ford, de General Pacheco, provincia de Buenos Aires, Juan Carlos Conti, fue secuestrado desde el interior de la fábrica llevado a un centro de detención instalado en el interior de la planta fabril, y retirado del mismo por personal del Ejército, todo ello con conocimiento y evidente anuencia de la empresa. Conti era delegado de personal [...] a partir del 25 de marzo de 1976 comienzan a producirse detenciones de obreros dentro de la planta, a lo que el gerente de la fábrica les dijo que 'estaban dispuestos a llevarse a quien fuera'. Según la prueba colectada, se produjeron desde entonces entre dos o tres secuestros por día en la misma planta, donde funcionaba un centro de detención o interrogatorios"* (pp. 13 y 14). A este caso, se le agrega posteriormente la denuncia judicial de la responsabilidad en la represión de los directivos de Mercedes Benz en la planta industrial de González Catán y del secretario general de SMATA, José Rodríguez.

[15] De acuerdo con las evidencias empíricas presentadas por N. Ras y R. Levis (1980), el notable incremento de la rentabilidad agropecuaria registrado en 1976 determinó que el precio de la tierra (medido en dólares de 1960) fuese el más elevado de la historia. Al respecto, los autores indican: *"El precio de las tierras en la Argentina era aproximadamente el mismo en 1955 que el que se había pagado 25 años antes al*

En este sentido, los diferentes estudios realizados sobre la época señalan, explícita o implícitamente, la notable influencia que ejerció el deterioro del salario real en la regresividad distributiva y cómo para lograrlo la dictadura militar, además del contexto represivo, liberó los precios y congeló los salarios, disolvió la CGT, suprimió las actividades gremiales y el derecho de huelga, eliminó las convenciones colectivas de trabajo, etcétera.

De esta manera se consumó una disminución en la participación de los asalariados en el PBI sin antecedentes desde la irrupción del peronismo en adelante. En efecto, los asalariados perdieron el equivalente a 13 puntos porcentuales del PBI, en circunstancias en que este último permaneció prácticamente constante. Más aún, tal como se verifica en el Gráfico n° 3.1, en 1977 se profundizó la distribución regresiva del ingreso, a pesar de que el PBI se había incrementado, disminuyendo al 25% la participación de los asalariados en el PBI.

En el último año de la dictadura, esta participación fue prácticamente la mitad de la que se registraba en 1975. Asimismo, durante todo el período, más allá de los altibajos, se ubicó muy por debajo de la registrada en el peor año (1969) de la segunda etapa de sustitución de importaciones.

Desde la perspectiva de algunos autores, no ocurre lo mismo con la desocupación. Presuntamente, se habría mantenido el cuasi pleno empleo, porque los dictadores —por razones tácticas e ideológicas— habrían impedido la implementación de políticas que implicaran la expulsión de mano de obra.[16] En el Gráfico nº 3.2 se expone la evolución de la desocupación en el Gran Buenos Aires (desocupados/población económicamente activa) con una tasa de actividad (población económicamente activa/población total) va-

---

comienzo de la Gran Depresión. [...] En esta segunda mitad del siglo, los precios de la tierra en términos reales crecen en forma notable, hasta alcanzar un pico elevadísimo en 1975-76. En ese momento la tierra llegó a valer en la Argentina más cara que su equivalente en los Estados Unidos, fenómeno con muy pocos antecedentes." (p. 19).

[16] Así, por ejemplo, en relación con el mantenimiento del pleno empleo, A. Canitrot (1983) señala: *"Los trabajadores desplazados de la industria fueron absorbidos en otros sectores (el pleno empleo se mantuvo). [...] La mayor parte de las actividades por cuenta propia corresponden al sector servicios. [...] En realidad, hubo una traslación de la mano de obra desde los sectores de la producción de bienes transables con el exterior, a los de producción de no transables, traslación que se correspondió con la transferencias de ingresos resultante de la modificación de los precios a favor de los últimos."* (p. 30). Sobre la base de esta caracterización, A. Canitrot en otro de sus trabajos (1980) concluye: *"Se ha hecho referencia previamente al veto, explícito en 1976 e implícito después, de las Fuerzas Armadas a todo programa que significara un desempleo extenso y prolongado de la fuerza de trabajo. Para este veto se invocaron razones tácticas de seguridad, pero su génesis hay que buscarla en la ideología de las Fuerzas Armadas. Por un lado, la visión de la clase trabajadora como una clase destinada a ocupar una posición social subordinada pero protegida; por otro lado, una concepción del orden y progreso donde no cuentan contradicciones dialécticas, de tal modo que los conflictos entre acumulación y distribución, pleno empleo e inflación, orden y movilidad social, etcétera, sólo aparecen como resultados de una coordinación insuficiente."* (p. 50).

Gráfico N° 3.1: Evolución del PBI y de la participación de los asalariados en el PBI*, 1974-1982 (en números índices y porcentajes)

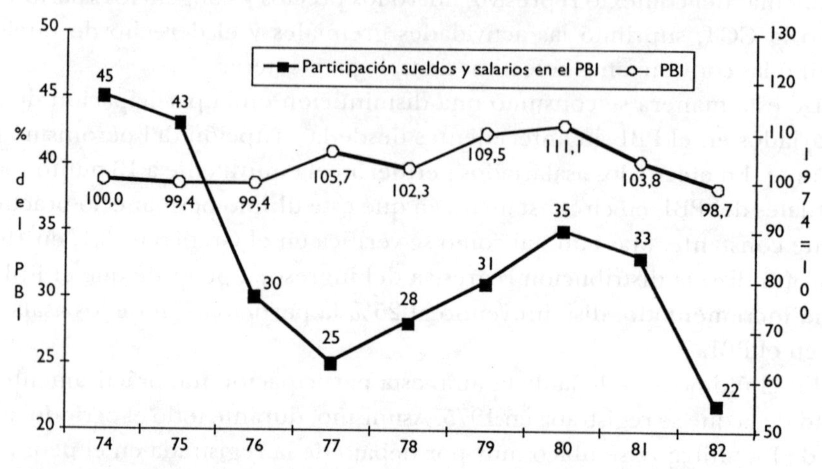

* En este caso, a diferencia del Gráfico N° 2.4, la participación de los asalariados en el PBI no incorpora los aportes jubilatorios.
Fuente: Elaboración propia sobre la base de FIDE y BCRA.

Gráfico N° 3.2: Evolución de la desocupación en el Gran Buenos Aires con una tasa de actividad variable y fija (mayo de 1975) (en porcentajes)

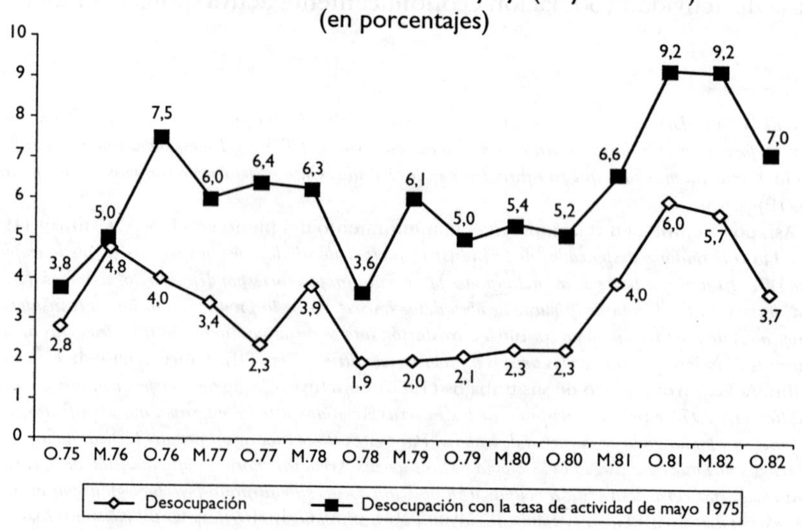

Fuente: Elaboración propia sobre la base de información de INDEC.

riable y fija (mayo de 1975), de acuerdo con las dos mediciones anuales (mayo y octubre) que realiza el INDEC.[17]

Una primera aproximación indica que la tasa de desocupación, luego de un incremento en mayo de 1976, tendió a disminuir. Dejando de lado las oscilaciones, a lo largo de la serie los valores son reducidos, siempre que se excluyan los años 1981 y 1982.

Sin embargo, si se observa la evolución de esa misma desocupación pero considerando la tasa de actividad vigente en mayo de 1975 como fija, se comprueba un aumento a lo largo de la serie, así como alteraciones en su comportamiento en los primeros años de la dictadura militar. Se hace evidente que la desocupación aumentó ininterrumpidamente a lo largo de 1976 llegando, en octubre de ese año, a prácticamente duplicar el registro del mismo mes del año anterior (7,5% contra 3,8% en el año anterior). Con posterioridad, no se verifica un descenso sino una estabilización en valores que rondan el 6,2 por ciento.

La evolución de la desocupación tendió a oscurecer la verdadera magnitud de la expulsión de mano de obra porque no se computó a los trabajadores que abandonaban la búsqueda de empleo a pesar de estar desocupados, lo que generó una disminución de la Población Económicamente Activa. El principal motivo para ello fue la acentuada reducción de los salarios, a la que se le agregaron las escasas oportunidades de trabajo y el elevado costo relativo que implicaba su búsqueda. Este mismo fenómeno (efecto desaliento) se repetirá en otras etapas de la *revancha clasista* que puso en marcha la dictadura militar en la Argentina.[18]

En síntesis, si bien el principal factor que generó la reversión de la distribución del ingreso fue la reducción del salario real, el papel que cumplió la desocupación en el deterioro de las condiciones de vida de los trabajadores fue significativo, lo que se puede verificar cuando se indaga el conjunto de los fenómenos que lo caracterizaron. Por lo tanto, en la realidad no parecen haber jugado razones tácticas para aislar a las organizaciones populares de su base social y menos aún razones ideológicas, en tanto la nueva doctrina represiva dejó atrás la concepción del desarrollo como uno de los factores clave para superar las contradicciones sociales.

[17] La tasa de desocupación con una tasa de actividad fija (mayo de 1975) es igual a:

$$TDf = (Dxy + VPEA)/PEAm$$

Donde:

TDf = Tasa de desocupación teniendo en cuenta la tasa de empleo de mayo de 1975
Dxy = Cantidad de desocupados en la respectiva fecha del relevamiento del INDEC
VPEA = Variación de la Población Económicamente Activa entre mayo de 1975 y la fecha del relevamiento considerada.

Por lo tanto, la variación en la Población Económicamente Activa registrada entre mayo de 1975 y la fecha del relevamiento considerado influyen sobre el nivel de desocupación, aumentándolo si es de signo positivo o disminuyéndolo si es negativo.

[18] Véase C. Sánchez, F. Ferrero y W. Schulthess (1979).

Más aún, los elementos para afirmar que el desplazamiento de la mano de obra de la producción a las actividades de servicios fue un rasgo relevante de la época, son empíricamente endebles. Las evidencias parecen indicar que ese fenómeno irrumpió en los años posteriores a la dictadura, mientras en esa época prevaleció el autoempleo como el factor impulsor de un aumento relativo en la ocupación generada por los servicios.[19]

Para entender el carácter *oligárquico* de la dictadura militar, es importante analizar no solamente la evolución de la desocupación agregada sino también la expulsión de la mano de obra industrial. Nuevamente algunos autores señalan la escasa relevancia de dicha expulsión en el primer año de la dictadura,[20] por lo que es necesario indagar las alternativas sectoriales durante todo este período crucial.

En el Cuadro n° 3.1 consta la evolución de los principales indicadores de la actividad industrial entre 1974 y 1983. Un somero análisis de los resultados es suficiente para percibir que, luego de una década ininterrumpida de crecimiento industrial, el golpe militar fue el punto de partida de una nueva etapa histórica caracterizada, ahora, por un franco retroceso sectorial. Si bien el volumen físico de la producción exhibe acentuados altibajos durante el período —vinculados a los efectos que provocaron las diferentes políticas monetarias que se ensayaron durante estos años—, su nivel en el último año completo de vigencia dictatorial (1982) es un 17% más reducido que el alcanzado en 1974.

Por su parte, el acentuado deterioro de la ocupación obrera no reconoció altibajo alguno y terminó siendo, al final de la dictadura, un 36,4% más pronunciado que en 1974, especialmente a causa de la mayor expulsión de trabajadores por parte de las grandes firmas oligopólicas.[21] Es así que esta etapa tuvo el triste privilegio de registrar 27 trimestres de caída ininterrumpida de la

[19] L. Beccaria (1980) en el trabajo citado por Canitrot, expresa: *"La situación del empleo en el Gran Buenos Aires durante el período 1975-1978 indicaría que las bajas tasas de desempleo abierto no fueron el resultado del aumento —ni aún mantenimiento— de los niveles de demanda de trabajo del sector formal en respuesta a la caída de los costos salariales. Por el contrario, aquella situación se dio como consecuencia de la reducción de la oferta agregada de trabajo (debido a la reducción de la tasa de actividad y a la disminución de la entrada de inmigrantes) y —en particular— de la oferta de asalariados"* (p. 180).

[20] Por ejemplo, J. V. Sourrouille (1983), sostiene: *"Conforme con los lineamientos básicos de la política iniciada en marzo —liberación de precios, congelamiento de salarios y devaluación—, hubo fuertes aumentos en las exportaciones y una buena caída de las importaciones como en el consumo [...] la caída en la producción industrial no trajo aparejados aumentos importantes en el nivel de desempleo, en tanto que el salario real, dados los controles estrictos impuestos sobre el ajuste de los valores nominales, cayó el 60%, comparando los datos de los últimos trimestres de 1976 y 1975"* (p. 14).

[21] Al respecto, L. Beccaria (1991) señala: *"Específicamente en el caso de la industria, la evidencia disponible apunta que, a lo largo del período analizado (1974-1989) las firmas más grandes fueron reduciendo los costos salariales en mayor medida que las pequeñas y medianas. [...] En efecto, la mencionada disminución de la ocupación que se observa en el estrato de las firmas grandes no parece haber sido sólo la necesaria para compensar la menor producción, sino que se habrían aprovechado las mayores posibilidades derivadas tanto del mencionado debilitamiento de la capacidad negociadora de los trabajadores como de la reducción del costo de despido. Debe recordarse que éste se encuentra relacionado con el monto del salario mínimo vital y móvil que, en 1976 por ejemplo, cayó casi a la mitad"* (p. 322).

ocupación obrera (del segundo de 1976 al cuarto de 1982), a pesar de que en diez de ellos hubo una expansión de la producción industrial.

Cuadro n° 3.1
Evolución de los principales indicadores industriales, 1974-1983
(1974=100)

	Volumen físico de la producción	Obreros ocupados	Productividad de la mano de obra	Horas trabajadas /obreros	Salario real*	Costo salarial**	Productividad/ costo salarial
1974	100,0	100,0	100,0	100,0	100,0	100,0	100,0
1975	96,5	103,8	92,9	97,6	88,5	88,5	104,9
1976	93,6	100,4	93,3	99,1	57,0	57,0	163,7
1977	98,9	94,3	105,0	104,9	62,8	62,8	167,2
1978	88,1	85,1	103,5	104,1	66,4	66,4	155,8
1979	102,0	83,3	122,5	107,7	77,7	77,7	157,6
1980	99,7	76,8	129,7	106,6	96,2	96,2	134,9
1981	83,8	67,2	124,7	102,4	83,2	83,2	149,8
1982	83,0	63,6	130,6	103,9	61,5	61,5	212,4
1983	90,4	65,7	137,6	105,9	81,4	81,4	169,0

*Salario real = Salario nominal promedio / Indice de costo de vida.
**Costo salarial = Salario nominal promedio / Indice de precios mayoristas (Productos no agropecuarios nacionales).

Fuente: D. Azpiazu, E. M. Basualdo y M. Khavisse (1986), sobre la base de la encuesta industrial del INDEC.

La mayor caída relativa de la ocupación respecto de la producción dio como resultado un sensible aumento de la productividad de la mano de obra que, a diferencia de la década anterior, no estuvo relacionado con la expansión de la capacidad productiva sino con una mayor explotación de los trabajadores, tanto por la extensión de la jornada laboral como por una mayor intensidad del trabajo, especialmente en las grandes firmas oligopólicas de capital extranjero y local.[22]

En conclusión, desde el mismo inicio del golpe militar, los sectores dominantes —bajo la conducción de la oligarquía local— establecieron un profun-

[22] Sobre esta misma encuesta industrial del INDEC, D. Azpiazu, E. M. Basualdo y M. Khavisse (1986) señalan que para el período 1974-1983, los principales resultados son los siguientes:
– *"el volumen físico de la producción se contrajo poco menos del 10%;*
– *la cantidad de obreros ocupados en la industria se redujo en más de un tercio (34,3%). Esta disímil contracción refleja un incremento de la jornada media de trabajo equivalente al 5,9%;*

do replanteo de las relaciones entre el capital y el trabajo. Aunque esta alteración de la pauta distributiva se implementó a partir de las tradicionales políticas de estabilización, su peculiaridad radicó en la profundidad que adquirió la transferencia de ingresos desde los asalariados hacia la oligarquía pampeana asentada sobre la producción y la exportación de bienes agropecuarios. Este proceso no tuvo limitaciones tácticas o ideológicas de ningún tipo, ya que la drástica reducción del salario real estuvo acompañada por una notoria expulsión de mano de obra en la actividad industrial, en la que las grandes firmas industriales oligopólicas implementaron una reducción sistemática de su dotación de personal.

Si bien la modificación de la pauta distributiva implicó, de por sí, una ruptura profunda de la situación económica y social vigente hasta ese momento, las evidencias disponibles acerca de la evolución industrial a lo largo del período dictatorial ponen en evidencia otra ruptura no menos trascendente. En efecto, la reconstitución de la situación del sector externo no fue acompañada por una reactivación de la producción industrial sino que, a partir de allí, se inició un proceso de desindustrialización de largo plazo que expresó la gestación de un nuevo patrón de acumulación que no solamente fue alternativo a la sustitución de importaciones sino que excluyó el desarrollo industrial.

3.4 Primera aproximación a la génesis de la valorización financiera: reforma financiera, deuda externa y apertura importadora

La transferencia de ingresos que llevó a cabo la dictadura desde su inicio, tuvo repercusiones inmediatas sobre la naturaleza del proceso económico y las características de la política económica.

Hasta el golpe militar de marzo de 1976, el proceso inflacionario —incluido el recrudecimiento en los últimos meses del gobierno constitucional— se originaba en la pugna entablada entre el capital y el trabajo por mantener o acrecentar su participación en el ingreso. La dictadura dirimió esa disputa al establecer un inusual —al menos desde peronismo en adelante— predominio del capital en la distribución del ingreso, sostenido por el *terrorismo de Estado.*

– la productividad media de la mano de obra muestra un crecimiento por demás significativo (37,6% si se refiere a obreros ocupados y 29,9% en función de las horas trabajadas);

– el salario real y el costo salarial disminuyeron casi un 20% (17,3 y 18,6%, respectivamente);

– la relación productividad/costo salarial o, en otras palabras, la distribución interna del ingreso industrial revela una creciente apropiación del excedente por parte del sector empresarial (se incrementó en un 69%)." (p. 103).

Esto contribuyó a que las distintas fracciones del capital —no sólo las dominantes— apoyaran el régimen dictatorial, e incluso avalaran la política de exterminio —o al menos no la condenaran— que éste llevó a cabo sobre los sectores populares.

En consecuencia, se puede asumir que dicha redistribución del ingreso fue la base material para que la dictadura militar implementara, durante los primeros años, una política de alianzas dentro del empresariado, incluyendo en ella amplios sectores de la *burguesía nacional*, los cuales de esta manera reeditaban un comportamiento anterior, dejando al desnudo la falta de identidad que había señalado J. W. Cooke décadas atrás.

Sin embargo, la definición de ese conflicto distributivo no eliminó el problema, que a partir de ese momento se trasladó al ámbito del capital, desplegándose una intensa pugna entre las distintas fracciones empresarias, siendo una de sus manifestaciones el posterior recrudecimiento del proceso inflacionario, esta vez con un nivel superior al alcanzado durante la sustitución de importaciones. De allí las reiteradas exhortaciones, durante 1976, de la conducción económica al empresariado para evitar los reajustes de precios, y también el posterior establecimiento de la denominada *tregua de precios* (control de los precios para las empresas líderes, entre abril y julio de 1977), que fue acompañada por un incremento en las tarifas de los servicios públicos de alrededor del 30%, destinada a restablecer cierto equilibrio en los precios relativos en favor de las empresas públicas.[23]

La índole de las medidas adoptadas para contener la inflación, así como el inicio de la política orientada a reducir los márgenes de protección arancelaria, e incluso las expresiones de la conducción económica acerca de futuras acciones punitorias,[24] indican que eran transitorias y estaban orientadas a controlar las expresiones inflacionarias derivadas de las pugnas corporativas, hasta

[23] Este análisis se inscribe dentro de la concepción acerca de la inflación estructural que realiza J. H. G. Olivera (1960) ya que: *"Mientras que, conforme a las teorías monetarias, la inflación es un fenómeno que nace enteramente fuera de la órbita del equilibrio real, de acuerdo con la explicación no monetaria la inflación es sólo un epifenómeno del desplazamiento de la posición de equilibrio real del sistema. Esto ocasiona a su vez un cambio en las variables que absorben que el interés analítico tiene que versar primariamente sobre la demanda global y la oferta global de servicios y productos, atribuyéndose el origen de la inflación a las variaciones de una u otra según el modelo teórico que se emplee. Pero en una explicación no monetaria, antes que el volumen global de la demanda y de la oferta importan la estructura o composición de la demanda y la estructura de la oferta, por cuanto de ellas dependen las relaciones del valor entre mercancías."* (pp. 619-620). Sobre el tema, véase también J. H. G. Olivera (1967).

[24] En relación con las expresiones de la conducción económica, cabe mencionar un comentario de J. V. Sourrouille (1983) que incluye una cita del ministro de Economía posterior a la aprobación de la Reforma Financiera de 1977, en la que adelanta las futuras políticas para reestructurar la economía: *"El llamado a la responsabilidad empresaria era ahora acompañado, a diferencia de lo que ocurriera al eliminar un año atrás todo el sistema de control de precios, de una velada amenaza que luego probaría ser de crucial importancia: [...] hemos observado en el pasado que ciertos sectores o empresas se han aprovechado de*

tanto la conducción económica pudiera encontrar las claves centrales de una política de cambio estructural que dirimiera dichas pugnas en favor de las fracciones dominantes y, al mismo tiempo, volviera irreversible la redistribución del ingreso en contra de los asalariados.[25]

En otras palabras, teniendo en cuenta que se estaban transfiriendo 13 puntos porcentuales del PBI desde el trabajo hacia el capital —se llegó a los 18 puntos en 1977, equivalente a una reducción del 40% de la participación en el ingreso vigente en 1975—, se intentaba evitar brotes hiperinflacionarios derivados de la pugna distributiva entre las fracciones empresarias. La conducción económica buscaba entre diversas políticas de cuño monetarista, aquella que hiciera posible un cambio estructural que diera por terminado ese conflicto al canalizar el excedente, de manera permanente, hacia las fracciones dominantes que constituían su base económica y social, marginando al resto del empresariado. Por esa misma razón se abandonaron las políticas de estabilización que habían sido tradicionales en la última etapa de sustitución de importaciones, y se pusieron en marcha —bajo la misma consigna de lucha antiinflacionaria— políticas monetaristas que hicieron posible la *contrarrevolución* impulsada por un nuevo bloque de poder conducido por la fracción diversificada de la oligarquía pampeana y el capital financiero internacional.

La Reforma Financiera se instauró legalmente a comienzos de 1977 mediante la sanción de la Ley 21.495 —sobre descentralización de los depósitos— y la Ley 21.526 —que estableció un nuevo régimen para las entidades financieras—, puestas en vigencia a partir de junio de 1977 (Memoria del Banco Central de 1977, p. 41). Dicha Reforma fue el primer paso hacia una modificación de la estructura económico-social de la sustitución de importaciones, ya que puso fin a tres rasgos centrales del funcionamiento del sistema financiero hasta ese momento: la nacionalización de los depósitos por

---

su situación, de alguna manera monopólica o de oligopolio en el mercado, para efectuar frecuentes o grandes aumentos en los precios. Quiero advertir que estas situaciones van a ser observadas muy de cerca y que, llegado el caso, sabremos adoptar todas las medidas necesarias dentro de la amplia gama que tiene el Estado, desde las medidas arancelarias para permitir la importación, hasta las de otro orden, para que estas empresas entren en razón y no ejerzan prácticas contrarias a una actuación leal en el mercado' (discurso del doctor Martínez de Hoz, BS 172, 14/III/77)" (pp. 20-21).

[25] Esta problemática es planteada por A. Canitrot (1980) cuando señala: *"Cuando se habla de estabilización —de políticas de estabilización— se sugiere, implícitamente, la existencia básica de un comportamiento normal aceptado. Se estabiliza lo que temporariamente se ha apartado del equilibrio. Estabilizar es reencauzar las cosas a su estado previo, a su normalidad. Hay un inventario amplio de experiencias económicas que caben dentro de este concepto de estabilización. Las de los países europeos después de 1975, la aplicada en México últimamente. Estos fueron proyectos de estabilización destinados a normalizar el funcionamiento económico alterado temporariamente por problemas inflacionarios y de balance de pagos. Pero en esta definición no cabe ni el caso argentino de 1976 ni tampoco, permítase la extensión, los de Chile y Uruguay en 1973 y 1974, respectivamente. En estos tres casos el objetivo fue la transformación de la estructura económica."* (p. 455).

parte del Banco Central, la vigencia de una tasa de interés controlada por esa autoridad monetaria y las escasas posibilidades de contraer obligaciones financieras con el exterior por parte del sector privado.[26] De esta manera, el Estado le transfirió a ese sector privado uno de los principales instrumentos través de los cuales se concretaban las transferencias intersectoriales de recursos durante el período anterior.

Más allá de sus características y efectos inmediatos,[27] el análisis de este proceso es arduo y complejo ya que se trató de uno de los instrumentos fundamentales con el que se plasmó un nuevo patrón de acumulación y tuvo un sinnúmero de repercusiones específicas y generales cuya compresión requiere introducir el resto de los elementos que formaron parte de las diversas políticas antiinflacionarias de inspiración monetarista que se sucedieron de allí en más. Es así que, luego de sucesivos fracasos entre 1979 y 1981, la dictadura militar consumó la revancha conducida por la oligarquía pampeana y el capital financiero, al hacer confluir la Reforma Financiera con la apertura externa asimétrica en el mercado de bienes y en el de capitales.

La Reforma Financiera fue la primera expresión institucional de un cambio radical en el enfoque de la política económica: la subordinación que te-

[26] Sin embargo, es necesario recordar que durante la etapa preparatoria del golpe militar este sistema se había deteriorado seriamente. Al respecto, C. Canitrot (1983) sostiene: *"En 1975 se produjo una fuerte aceleración del ritmo inflacionario a la par que surgieron los títulos indexados de la deuda pública. Estos títulos, negociados fuera del sistema bancario dieron lugar a una intensa especulación. El peso relativo del sector bancario y extrabancario, dentro del conjunto del sistema financiero, se alteró radicalmente. Los bancos pasaron a ser meros proveedores de fondos de corto plazo a tasas de interés negativas, para ser destinados a la compra de títulos públicos en las entidades financieras no bancarias. De este modo, la introducción de un submercado de títulos indexados, destruyó el mecanismo de crédito controlado vigente durante cuatro décadas. Es importante subrayar que esta destrucción fue previa a la implantación de la Reforma Financiera en junio de 1977."* (p. 31).

[27] Respecto de los cambios específicos que introdujo la Reforma Financiera, J. V. Sourrouille (1983) señala: *"Las principales implicancias inmediatas de la nueva Ley de Entidades Financieras fueron las siguientes: 1. Recrear un sistema de reservas fraccionarias o efectivos mínimos uniforme sobre todo tipo de depósito, con independencia de que devengara o no intereses. 2. La liberalización de los criterios con que los bancos pueden fijar la tasa nominal de interés ya sea activa o pasiva, principio que, a diferencia del anterior, implicaba una transformación de un régimen que llevaba no menos de treinta años de vigencia (el sistema de centralización o nacionalización de depósitos rigió desde 1946 hasta 1957 y desde 1973 hasta 1976, mientras que el sistema de tasas nominales controladas se aplicó en forma ininterrumpida por lo menos desde la primera de estas fechas). 3. La restitución a las entidades financieras de la capacidad de discernir las formas y destinos de la instrumentación de su gestión crediticia, función que en los hechos no habían perdido con el régimen centralizado. 4. La recreación, a través del redescuento, del papel de prestamista de última instancia del Banco Central. 5. Un conjunto de normas referidas a la solvencia y liquidez de las entidades financieras [...] 6. Una mayor liberalidad en cuanto a la expansión de las entidades existentes en el país (las que podrían ser titulares de acciones de otras entidades), para la instalación de nuevas casas, incluidas sucursales de empresas foráneas, y el dictado de pautas para la transformación de las cajas de crédito en bancos comerciales y de las sociedades de crédito para consumo en cajas de crédito o compañías financieras. 7. Un sistema de garantía de los depósito por parte del Banco Central que cubría el monto total de las operaciones en moneda local."* (pp. 21-22).

nía el sistema financiero respecto de la expansión de la economía real —especialmente de la producción industrial— se invirtió, y así la evolución de la economía real pasó a estar en función de los fenómenos y equilibrios monetarios. Es decir, fue un giro copernicano en la concepción del proceso económico, los agentes económicos, el papel del Estado —incluida la política económica—, etcétera.

No obstante, sería un error interpretar que estas modificaciones, plasmadas a partir de la aplicación de políticas monetaristas, instalaron la contradicción entre el sector financiero y la economía real (o el sector industrial) como la nueva antinomia central del proceso económico. Así como en la sustitución de importaciones la contradicción central no se desplegó entre el mundo urbano y el rural, ahora tampoco se dirimió entre lo financiero y lo productivo. En realidad, en ambos casos —sustentados en la pugna entre el capital y el trabajo— se expresaron dos tipos de alianzas entre las distintas fracciones del capital que subsumen tanto al espacio financiero como al productivo, sea éste agropecuario o industrial. En otras palabras, la visión sectorial no es un criterio eficaz para aprehender la naturaleza de ningún modelo económico, sino que más bien oscurece la posibilidad de hacerlo.

Así como en la segunda etapa de la sustitución de importaciones la oligarquía pampeana había estado presente en la producción agropecuaria y en la industrial, en el nuevo patrón de acumulación hubo fracciones empresarias asentadas en la producción industrial que fueron beneficiarios directos —junto al sector financiero internacional y al local—, de la *valorización financiera*, desplazando a otras fracciones del capital industrial (extranjeras y locales) que, por su importancia productiva son las que definieron el ritmo y las modalidades de la desindustrialización en el país.

Sería un error concebir que la Reforma Financiera, y el proceso que se inició con ella, se basaron en el libre juego del mercado que comenzó a operar sin las "perniciosas interferencias" del Estado. La sustitución de importaciones había sido un modelo fuertemente estatista, no sólo porque las transferencias de ingresos se canalizaban mediante un sistema financiero centralizado, sino también por la capacidad del Estado para determinar la estructura de precios relativos —incluido el nivel salarial— en el funcionamiento económico, para otorgar subsidios directos e indirectos, etcétera. Lo mismo ocurrió en la dictadura, pero ahora ya no en función de la industrialización sino de la *valorización financiera,* lo que implicó modificaciones sustanciales —aunque igualmente definitorias— en la forma de acción estatal, tanto para la conformación de los mercados como para el mantenimiento de la valorización financiera a lo largo del tiempo.

Así, a pesar de la Reforma Financiera, el Estado siguió siendo central para la conformación de la tasa de interés interna, del costo del endeudamiento externo del sector privado, y, por lo tanto, de la diferencial entre las tasas de interés interna e internacional. En el mismo sentido, su propio endeudamiento externo así como sus reservas disponibles fueron vitales para la expansión de las fracciones dominantes internas y externas. Posteriormente, también se hizo cargo de una parte significativa de la propia deuda externa —y de la interna— del sector privado. Al mismo tiempo, el Estado otorgó ingentes subsidios y transferencias hacia los integrantes del nuevo bloque de poder que se canalizaron mediante la sobrevaluación de las compras de bienes y servicios, así como a través de los regímenes de promoción industrial. En suma, era un nuevo tipo de Estado que, una vez dirimida la puja entre el capital y el trabajo, asumió un papel decisivo en las transferencias intra e intersectoriales del excedente y, en consecuencia, en la formulación del nuevo bloque de poder dominante.

La idea de que se trataba de un régimen definido por el juego del mercado era, de por sí, una entelequia, una postulación de las corrientes monetaristas que fue asumida por la nueva alianza dominante para hacer posible una serie de transformaciones económicas de una profunda regresividad social, orientadas a potenciar su propio proceso de acumulación de capital y, al mismo tiempo, a diluir las bases de las alianzas populistas mediante la expulsión, entre otros, de los sectores empresarios que funcionaban como interlocutores de los sectores populares.

En este contexto, es pertinente analizar el contenido de las políticas de corte monetarista —orientadas, según la conducción económica, a controlar el proceso inflacionario— que se desplegaron a partir de la Reforma Financiera: la ortodoxa (entre junio de 1977 y abril de 1978), sustentada en la contracción de la base monetaria; la basada en eliminar las expectativas de inflación (entre mayo y diciembre de 1978); y el enfoque monetario de balanza de pagos (entre enero de 1979 y febrero de 1981) en el que convergieron la Reforma Financiera con la apertura externa en el mercado de bienes y en el de capitales. La primera y la última fueron intentos orgánicos mientras que la segunda fue únicamente una transición entre las anteriores.

Durante la *tregua de precios* se puso en marcha la Reforma Financiera, con la liberación de la tasa de interés y una política monetaria restrictiva acompañada por una tasa de efectivo mínimo del 45% sobre los depósitos en las entidades bancarias. De allí en adelante comenzaron varios procesos relevantes: el incremento sistemático de la tasa de interés, la modificación en la composición de la base monetaria, el aceleramiento de la inflación y, a partir de la finalización de la *tregua de precios,* la caída del nivel de actividad.

La tasa de interés interna se elevó rápidamente, impulsada tanto por el endeudamiento de las empresas industriales —que incrementan significativamente el nivel de producción— como por el endeudamiento del sector público, y acompañada de un elevado nivel de los encajes bancarios (45% de los depósitos). Es imprescindible señalar que el incremento en el nivel de actividad de las firmas industriales estuvo vinculado al aumento del *stock* de bienes terminados, mientras que el endeudamiento del sector público obedeció a que, a partir de la Reforma Financiera, los organismos y empresas del Estado operaron como uno de los mayores demandantes de crédito en el sistema financiero interno.

A su vez, el incremento de las tasas de interés trajo aparejada una reformulación en la composición de la base monetaria ya que, por la magnitud que asumió la diferencial entre las tasas de interés internas y la vigente en el mercado internacional, rápidamente se expandió la entrada de capitales vinculada al endeudamiento externo del sector privado. De esta manera, al mismo tiempo que se estabilizó la importancia del Estado en la creación de dinero, la incidencia del sector externo pasó a ser predominante en esta última.

Finalmente, a partir de la finalización de la *tregua de precios*, hubo un recrudecimiento en el ritmo inflacionario relacionado con el comportamiento de las empresas industriales que de esa manera buscaban recomponer sus precios relativos y neutralizar el impacto de las altas tasas de interés sobre sus costos operativos. Al terminar dicha tregua, se clausuró la expansión coyuntural del nivel de actividad económica que se había registrado durante los meses anteriores y la economía entró en una etapa recesiva.

Lo más llamativo de este primer ensayo de las políticas monetaristas, no son ciertamente sus características —en tanto respondían a la visión tradicional de esta vertiente del pensamiento económico—, sino su abrupta y temprana interrupción, cuando la experiencia internacional en la materia indica que los resultados buscados en términos estructurales (expulsión de empresas) y antiinflacionarios se generan en el mediano plazo. Aun más sorprendente resulta si se considera la endeble fundamentación oficial acerca de los motivos de su interrupción —la imposibilidad de controlar la expansión de la oferta monetaria generada por la entrada de capitales—, teniendo en cuenta que algunas de las posibles medidas para evitar esas supuestas distorsiones se aplicaron posteriormente, una vez abandonado este enfoque inicial.[28]

Determinar los motivos reales que desencadenaron el fracaso de esta política tiene suma importancia para aprehender la naturaleza del proceso en mar-

[28] A. Canitrot (1983) señala: *"Lo más significativo de la experiencia de la política de contracción monetaria fue la rapidez con que se la dio por concluida... El argumento utilizado para el abandono fue el de la imposibilidad de controlar la oferta monetaria en un mercado de capitales abierto. Según la autoridad monetaria el alza de la tasa de interés provocaba el ingreso de capitales del exterior reexpandiendo la oferta monetaria hasta el punto en que la tasa de interés en pesos se alineara con la tasa de interés en moneda extranjera. Este argumento, si bien es esencialmente correcto, implicaba desechar dos alternativas compatibles con la contracción monetaria: la adopción de un sistema de tipo de cambio flotante o la aplicación de impuestos a los ingresos de capitales del exterior."* (p. 39).

cha. La primera explicación en este sentido enfatiza la disputa entre las corrientes monetarias y, en consecuencia, la derrota de la "ortodoxia" en manos de las nuevas visiones, que jerarquizaban la influencia de las "expectativas" en la evolución de la inflación.[29]

Sin embargo, la explicación más relevante está relacionada con la supuesta negativa de las Fuerzas Armadas a convalidar un proceso caracterizado por generar "potencialmente" un alto grado de desocupación, así como un no menos relevante desmantelamiento industrial. Esta posible explicación implica desconocer el profundo replanteo que se registró en la doctrina y las concepciones de los dictadores militares, así como la existencia de un proceso de expulsión de mano de obra cuyo epicentro era la actividad industrial.[30] Más aún, esta hipótesis resulta poco plausible por desconocer que poco tiempo después —con el aval irrestricto de las Fuerzas Armadas— se puso en marcha otra política del mismo cuño que generó un colapso industrial sin antecedentes y que no solamente expulsó a buena parte de la burguesía nacional sino que también impulsó la repatriación de un nutrido conjunto de empresas extranjeras industriales.

Una revisión del proceso permite identificar algunas hipótesis alternativas que, en principio, parecen más ajustadas a la realidad y permiten comprender los objetivos específicos que buscaba alcanzar la política económica. Con ese propósito, en el Gráfico n° 3.3 consta la evolución del volumen físico de la producción industrial, de la ocupación sectorial y del índice de precios mayoristas nacionales no agropecuarios.

Se puede apreciar que, en el marco de una continua expulsión de mano de obra industrial, durante los tres primeros meses de la *tregua de precios* (segundo trimestre de 1977) se registró una reducción en el ritmo inflacio-

[29] El recambio entre las distintas concepciones monetaristas es mencionado, entre otros, por R. Frenkel (1980) al señalar: *"El resonante fracaso de la ortodoxia monetarista como política estabilizadora nunca fue oficialmente admitido [...] Pero la ortodoxia monetarista fue abandonada; en parte forzada por la imposibilidad de control impuesta por el ingreso de capitales; en parte, por la más programática e intuitiva necesidad de moderar la tasa de interés que había mostrado sus efectos recesivos e inflacionarios. En los círculos gubernamentales más sofisticados la 'nueva' escuela de Chicago tendió a sustituir a la 'vieja escuela'"* (p. 222).

[30] Nuevamente es A. Canitrot (1983) quien plantea esta hipótesis, al afirmar: *"Más plausible es la hipótesis que atribuye la interrupción de la política de contracción monetaria a su previsibles efectos sobre el nivel de empleo. Se sabía entonces del desarrollo del experimento de políticas contractivas iniciado en Chile en 1975. Y, por parte de las Fuerzas Armadas, no se deseaba imitarlo. La extensión en el tiempo del experimento recesivo había producido efectos estructurales. Una parte de la industria se había desmantelado. Esto no era indeseado por el gobierno chileno en tanto aspiraba a reemplazar la actividad industrial creada por la sustitución de importaciones y dirigida al mercado interno, por una nueva industria orientada hacia los mercados internacionales. En el caso argentino, en cambio, las Fuerzas Armadas tenían distintas concepciones. Ni deseaban el alto costo social del desempleo ni tampoco el desmantelamiento industrial. Se proponían disciplinar el comportamiento social de empresarios y obreros industriales, pero no acabar con la industria. El veto militar a la recesión como política antiinflacionaria obligó a la conducción monetaria a buscar una orientación alternativa..."* (p. 39).

Gráfico N° 3.3: Evolución de los precios, volumen físico y ocupación industrial, 1976-1980 trimestral (en porcentajes)

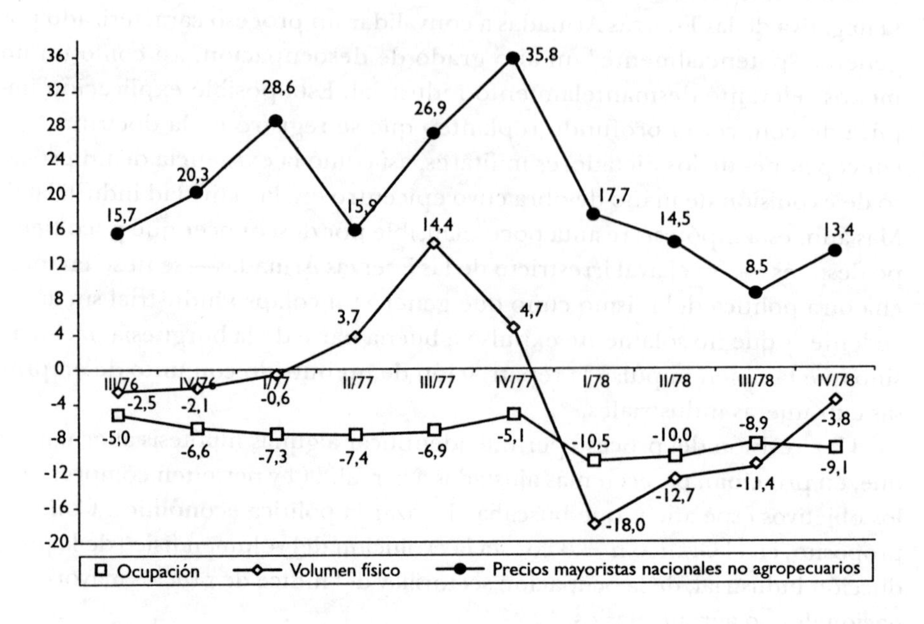

Fuente: Elaboración propia sobre la base de la información de INDEC.

nario y al mismo tiempo una reactivación de la producción industrial, expresada en la evolución del volumen físico sectorial destinado a incrementar las existencias de bienes terminados. En el tercer trimestre de ese año, a pesar de que aumentó la tasa de interés, se incrementó la producción destinada a elevar los *stocks* y aumentó significativamente la inflación debido al intento de las firmas industriales para neutralizar el impacto de la tasa de interés sobre sus costos. Durante el último trimestre de 1977, el incremento de precios alcanzó su mayor intensidad, coincidiendo con el nivel más alto de la tasa de interés, al mismo tiempo que las firmas industriales comenzaron a liquidar *stocks* —por lo tanto, disminuyeron el ritmo de expansión— para, en el primer trimestre de 1978, operar únicamente sobre la base de la liquidación de existencias, desplomándose tanto el ritmo de producción como la ocupación industrial. Estos elementos parecen indicar que el motivo fundamental para abandonar la política basada en la contracción monetaria no radicó en la desocupación ni en la reducción del nivel de actividad, sino en que la suba de la tasa de interés era indiscriminada y pasible de ser neutralizada por las distintas fracciones empresarias. Efectivamente, en tanto esta política funcionaba en una economía cerrada, todas las firmas industriales realizaron ajustes de precios neutralizando el incremento de la tasa de interés y/o incursionando en el autofinanciamiento, ajustando el nivel de producción y de ocupación.[31]

La política monetaria activa era incapaz de introducir discriminaciones contundentes que salvaguardaran a las fracciones dominantes —que fueron la base social y económica de la dictadura— y expulsaran a la *burguesía nacional*. Por el contrario, todas ellas contaban con los mismos elementos (la determinación del nivel de precios), lo que adelantaba una recesión prolongada y con un desenlace incierto en términos del tipo de reestructuración productiva que se iba a desencadenar. De allí que el veto a esta política no haya provenido de la conducción militar sino de las fracciones empresarias dominantes.

Sin embargo, las razones que determinaron el abandono de la política monetarista ortodoxa anterior no explican los motivos por los cuales se adoptó otra política de similar orientación, como fue la basada en erradicar las expectativas inflacionarias mediante la desindexación, que intenta disminuir la inflación mediante una progresiva reactivación, la devaluación del signo monetario y el incremento del costo al endeudamiento externo del sector privado. En decir que desde los intereses estrictos de las fracciones dominantes no se entienden las razones por las cuales se adoptó una política reactivadora para el conjunto de las fracciones empresarias y no directamente la aplicada pocos meses después que retomó, con mayor éxito que la inicial, la tarea de reestructurar selectivamente la economía argentina.

En efecto, este interregno entre las dos políticas de reestructuración no se sustentó en causas económicas sino estrictamente políticas. Los dictadores militares también presionaron para abandonar esta política monetaria recesiva, pero no por el efecto sobre el desempleo o la desindustrialización sino por el posible conflicto bélico con Chile —mediante el cual pensaban que podían prolongar a la dictadura indefinidamente— cuyo punto culminante se registró en el último trimestre de 1978.

Como el país no podía entrar en un conflicto bélico con la recesión vigente en el primer trimestre de 1978, debía superarla lo más rápidamente posible, por lo que se demoró la aplicación de la política sustentada en el *enfoque mone-*

[31] De allí que J. V. Sourrouille (1983) señale: "... *los industriales y los comerciantes no encontraron mayores inconvenientes en ajustar su margen bruto o incluir en sus costos los intereses a su valor nominal. También fue posible especular con existencias, dado que la tasa de interés real, a pesar del aumento en sus valores nominales, continuaba siendo negativa*" (p. 74).

tario de Balanza de Pagos hasta el primer trimestre de 1979, cuando el eventual conflicto había quedado atrás. En síntesis, se trató de un desvío obligado que finalmente, provocó un recambio de las políticas en las que los enfoques ortodoxos fueron reemplazados por las nuevas concepciones monetaristas de los países centrales, ya que las mismas le permitían a la dictadura revertir una crisis vetada —aunque por diferentes razones— tanto por las fracciones dominantes como por los dictadores militares.

En enero de 1979 —ya superada la posibilidad de un conflicto armado con Chile a raíz de la mediación papal—[32] se puso en marcha otra política que contenía los elementos necesarios para que la conducción económica introdujera sesgos que beneficiarían a algunas fracciones del capital y perjudicarían a otras. Comenzó entonces la política antiinflacionaria basada en el *enfoque monetario de Balanza de Pagos,* que conjugaba una tasa de cambio pautada sobre la base de una devaluación decreciente en el tiempo, con la apertura importadora —disminución de la protección arancelaria y paraarancelaria— y el libre flujo de capitales al exterior.

Desde el comienzo de la dictadura la reforma arancelaria estuvo presente como una problemática de consideración. A fines de 1976 se llevó a cabo la primera reducción arancelaria, pero no produjo mayores alteraciones a causa de que operó sobre la acentuada sobreprotección establecida por Krieger Vasena en 1967; que una parte del incremento de la productividad registrado en la década anterior se había trasladado a los precios; que había una notable reducción del salario real y del costo laboral; y que se había aplicado un importante incremento del tipo de cambio.

La siguiente reforma arancelaria fue la de la nueva política antiinflacionaria que se inauguró a comienzos de 1979 y comprendía tanto una disminución de la protección como una reducción de la dispersión entre los aranceles más altos y más bajos. A mediados de 1980 se implementó la derogación de los gravámenes para-arancelarios —como la tasa de estadística, el gravamen destinado al Fondo de Fomento Minero, etcétera—, los que fueron asimilados, con reducciones, a la nueva estructura de aranceles.[33] La desigual reestructuración que se generó fue debido a que estuvo acompañada por una tasa de devaluación decreciente y una flexibilización de los salarios que pro-

[32] Sin analizar en detalle el conflicto con Chile —y considerando únicamente su relación con el proyecto reestructurador de las fracciones dominantes—, parece poco discutible la notable organicidad de la Iglesia al asumir el papel de mediador entre las partes e impedir un conflicto que no sólo hubiera sido desastroso para ambos pueblos sino que, seguramente, le hubiera bloqueado al poder dominante la posibilidad de instalar un nuevo patrón de acumulación.

[33] Al respecto, véase J. V. Sourrouille (1983, capítulo II); J. Berlinsky (1977); J. J. Medina (junio 1980).

vocó, como se observa en el Gráfico n° 3.1, un leve aumento en la participación de los asalariados.

Esta reforma fue inusual porque no se orientaba a definir una nueva política comercial sino porque formaba parte de la política de estabilización y reestructuración productiva buscada por los sectores dominantes. Por eso fue acentuadamente desigual, tanto por sus características como por las excepciones y también porque la conducción económica adelantaba la aplicación de las medidas previstas. Dentro de las excepciones, el caso más notorio fue el régimen especial de 1979 para la industria automotriz, por el cual se autorizó —además de la importación de automotores con aranceles elevados pero decrecientes— la importación de autopartes, a través de la fijación de porcentajes crecientes del valor de los vehículos, lo que inició el proceso de expulsión de las empresas proveedoras de partes a las terminales. En el caso siderúrgico sucedió algo similar, ya que si bien se disminuyeron los aranceles de los productos básicos, la Dirección General de Fabricaciones Militares —pieza clave para el funcionamiento del oligopolio siderúrgico liderado por Techint y Acindar— conservó resortes fundamentales, como el de otorgar exenciones arancelarias para los productos no elaborados en el país.

Por otra parte, el adelantamiento de las modificaciones arancelarias fue un recurso aplicado reiteradamente, bajo diversos argumentos. Así fueron, por ejemplo, las disminuciones arancelarias anticipadas —aduciendo aumentos de precios no justificados por los costos—puestas en marcha el mismo enero de 1979 y que afectaron especialmente los bienes de consumo, o la eliminación de aranceles para la importación de bienes de capital fundamentada en la necesidad de aumentar la productividad sectorial.

La libre movilidad del capital es un aspecto clave para definir el carácter de la reestructuración económica y social que trajo aparejada la nueva política económica. La vigencia de una tasa de interés interna que sistemáticamente superó el costo de endeudarse con el exterior —debido, entre otros motivos, a la reevaluación del peso que devino de la "tablita" cambiaria— determinó el comienzo de un agudo endeudamiento externo de las fracciones dominantes con el propósito de valorizar esa masa de recursos en el mercado financiero interno y remitirla al exterior. Tal como se observa en el Cuadro n° 3.2, a partir de 1979 se consolidaron dos fenómenos inéditos que se prolongaron en los años posteriores: el endeudamiento externo del sector privado y la transferencia —fuga— de capitales al exterior.

Cuadro n° 3.2
Evolución de los principales indicadores del sector externo, 1975-1982
(en miles de millones de dólares)

	1975	1976	1977	1978	1979	1980	1981	1982	Variación anual (T.a.a.)
Deuda Externa Total	7,8	8,3	9,6	12,5	19,1	27,2	35,6	43,6	27,9
Variación anual		*0,5*	*1,3*	*2,9*	*6,6*	*8,1*	*8,4*	*8,0*	-
Deuda Externa Pública	4,0	5,2	6,0	8,4	10,0	14,5	20,0	28,6	32,4
Variación anual		*1,2*	0,8	*2,4*	*1,6*	*4,5*	*5,5*	*8,6*	-
Deuda Externa Privada	3,8	3,1	3,6	4,1	9,1	12,7	15,6	15,0	21,7
Variación anual		*-0,7*	0,5	*0,5*	*5,0*	*3,6*	*2,9*	*-0,6*	-
Saldo Bza. Comercial		0,9	1,5	2,7	1,1	-2,5	-0,3	2,3	-
Reservas	0,6	1,8	4,0	6,0	10,5	7,7	3,9	3,2	27,0
Reservas netas	-1,3	1,3	4,0	6,0	10,5	7,7	-1,8	-5,8	-23,8
Fuga (acumulada)	3,9	5,4	6,3	8,1	11,2	16,0	23,8	30,2	34,0
Variación anual	*1,2*	*1,4*	1,0	*1,8*	*3,1*	*4,7*	*7,8*	*6,5*	-

Fuente: Elaboración propia sobre la base de la información del BCRA.

En este proceso, conducido por las fracciones dominantes, el endeudamiento externo del sector público cumplió un papel insustituible porque aportó las divisas necesarias para garantizar la transferencia de recursos al exterior y posibilitó el equilibrio de la Balanza de Pagos. Si bien estos rasgos de por sí rompieron con el comportamiento económico experimentado durante la sustitución de importaciones, debe computarse en el mismo sentido, ya que fue un proceso en el que el saldo de la Balanza Comercial era positivo y se disponía de un nivel de reservas netas sin antecedentes que por cierto estuvo muy ligado al endeudamiento externo del sector público.

Esta situación inicial se revirtió rápidamente a medida que se registraba un acelerado crecimiento de las importaciones y se consolidaba la fuga de capitales y las posibilidades de endeudamiento con el exterior. Obviamente, la rápida transformación del saldo comercial y del nivel de reservas de positivo en negativo estuvieron en directa relación con el impacto recesivo y las transformaciones productivas —especialmente en las actividades productivas de la *burguesía nacional*— que generaba una política económica impulsora de la apertura a la importación de bienes y de la vigencia de altas tasas de interés en términos reales. De esta manera, amplios sectores del empresariado se endeudaron enfrentando una elevada tasa de interés real y, al mismo tiempo, perdieron la capacidad de fijación de sus precios frente a la competencia importada, porque la conjunción de la reforma arancelaria con la reevaluación del peso y el leve incremento de los salarios, determinó una acentuada reducción de su rentabilidad y la imposibilidad de enfrentar sus obligaciones financieras.[34]

Los efectos de esta reestructuración asimétrica en la economía real se expresaron rápida y negativamente en la evolución del sistema financiero. Si bien desde la aplicación de la Reforma Financiera el Banco Central había liquidado más de 35 entidades financieras, la mayor crisis sectorial irrumpió a fines de marzo de 1980 con el cierre del Banco de Intercambio Regional (BIR) —la entidad financiera más importante de acuerdo con su nivel de depósitos—, seguida por la intervención del Banco Central a otras tres entidades bancarias relevantes (el Banco Internacional, el Banco Oddone y el Banco de los Andes). Pocos meses después, en septiembre de ese año, con motivo de la celebración del Día de la Industria, las fracciones dominantes —a través de las expresiones del presidente de la UIA y de la SRA— adelantaron el fin de esta experiencia, que se consuma en marzo de 1981 con la renuncia del ministro de Economía.[35] De allí en más se abrió otra etapa en la que continuaron tanto el endeudamiento externo —público y privado— como la salida de capitales locales al exterior, pero sobre la base de una política económica diferente, que reconocía la transferencia de la deuda externa privada al Estado como uno de sus ejes prioritarios.

[34] Al respecto, E. Feldman y J. Sommer (1986) sostienen: *"Hacia fines de 1979 y comienzos de 1980 la ansiada convergencia de precios se estaba logrando pero al costo de: 1) generar una creciente recesión que afectaba la producción de bienes comerciables internacionalmente; en la esfera manufacturera sufrieron tal impacto especialmente las industrias textil, de vestimentas y electrónicos. Obviamente los sectores agropecuarios, productores de bienes exportables, también vieron fuertemente afectada su rentabilidad. 2) deteriorar la cuenta corriente del balance de pagos; el* boom *de importaciones y la declinación en la tasa de crecimiento de las exportaciones que produjo la 'convergencia' provocó en el último trimestre de 1979 déficit en la balanza comercial, situación que no se verificaba desde 1975."* (p. 129).

[35] Nuevamente, E. Feldman y J. Sommer (1986) describen este proceso: *"En un contexto de precios relativos desfavorables, el endeudamiento y las cargas financieras que se derivaron del mismo, fueron letales para una gran cantidad de empresas en especial del sector manufacturero. En 1979 y 1980 el endeudamiento en pesos con el sistema financiero creció un 31 y 39%, respectivamente, en términos reales. La relación deuda/PBI, que había promediado el 16,5% en el período 1970-1978, sube a 21,5% en 1979 y a 30% en 1980. Obviamente, tal relación se agrava en mayor medida en el sector industrial, porque su nivel de actividad sufrió un deterioro mayor que el del conjunto de los sectores económicos. Además, el deterioro de la rentabilidad empresaria, resultante de las tasas de interés en términos reales y de la pérdida de mercado, se reflejó en relaciones deuda/patrimonio neto más altas. A su vez, en el nivel microeconómico no resulta difícil distinguir el efecto de tal endeudamiento en un contexto de fuerte reducción en los niveles de producción, como los que experimentaron las actividades textiles, electrónicas, de producción de indumentaria y de bienes de consumo durable."* (p. 130).

3.5 Formación de la tasa de interés interna, la renta financiera privada, el papel del endeudamiento externo público y la fuga de capitales locales al exterior

Todos los elementos disponibles indican que, a partir de 1979, la política económica dictatorial encontró las claves para generar una reestructuración económica, al conjugar una expulsión de amplias franjas de la *burguesía nacional*—e incluso de un conjunto para nada despreciable de empresas extranjeras que no adscribían a las nuevas pautas económicas—, con la expansión económica de las fracciones dominantes que eran su base económica y social. Así como el redimensionamiento industrial se desplegó a partir de la confluencia de la reforma arancelaria con la reevaluación del peso y cierto incremento en los salarios, la expansión de las fracciones dominantes se concretó a través de las transferencias de capital fijo, la desaparición de empresas en la economía real y, especialmente, por la apropiación de una renta financiera derivada del diferencial entre la tasa interna e internacional de interés, lo que les permitió ser destinatarios fundamentales de la transferencias de ingresos provenientes de la pérdida de participación de los asalariados y de las fracciones empresarias más endebles.

Dada la importancia definitoria que asumió la renta financiera, y el papel que cumplió la política estatal para que ésta fuera posible, resulta insoslayable analizar con mayor detenimiento la manera en que se originó y evolucionó durante esos años, así como la vinculación que mantuvo con el endeudamiento externo del sector privado, del sector público y con la transferencia de recursos locales al exterior.

En la política económica que se inició en 1979, la renta financiera se originaba en la diferencia entre la tasa de interés nominal que rige en el sistema financiero interno —la que cobra el inversor privado— y el costo en pesos de endeudarse en el exterior —la que paga ese mismo inversor por los fondos que invierte en el sistema financiero local. A su vez, el costo de endeudarse en el exterior, fue el resultado, tal como lo desarrolla R. Frenkel, de la sumatoria de la tasa de interés internacional, la variación del tipo de cambio y otros costos (como comisiones, impuestos, etcétera).[36]

En el Gráfico n° 3.4 consta la evolución de las variables mencionadas en cada una de las políticas implementadas entre junio de 1977 y diciembre de 1981.[37] Se observa que las diferentes políticas monetarias ensayadas por la dic-

[36] R. Frenkel (1980) señala: *"El costo en moneda nacional del crédito externo es: $c = r + t + q$, donde c: costo del crédito externo, r: tasa de interés internacional, t: tasa de variación del tipo de cambio, y q: otros costos (transacciones, impuestos, etcétera)."* (p. 226).

[37] La información básica de las distintas variables mantiene, en algunos casos, ligeras diferencias con las utilizadas por R. Frenkel (1980). Por otra parte, todos los valores de todas las variables fueron actualizados hasta diciembre de 1980.

tadura tuvieron como objetivo prioritario garantizarles a las fracciones dominantes un elevado diferencial entre la tasa de interés interna y el costo del endeudamiento externo.

Durante la política monetaria ortodoxa que se aplicó a partir de la Reforma Financiera —y se extendió hasta abril de 1978—, se logró plasmar una elevada renta financiera, pero también se desató una crisis indiscriminada que impidió la consolidación en la economía real de las mismas fracciones dominantes y la expulsión del resto de los integrantes del mundo empresario, ya que dicha Reforma operaba, todavía, en una economía relativamente cerrada en términos de la competencia importada y, en consecuencia, el conjunto de las fracciones empresarias tenía la capacidad de fijar los precios de sus productos y de neutralizar el efecto de la tasa de interés y de la modificación de los precios relativos en general.

Gráfico N° 3.4: Evolución de la tasa de interés interna e internacional, junio 1977 - diciembre 1980 (en porcentajes)

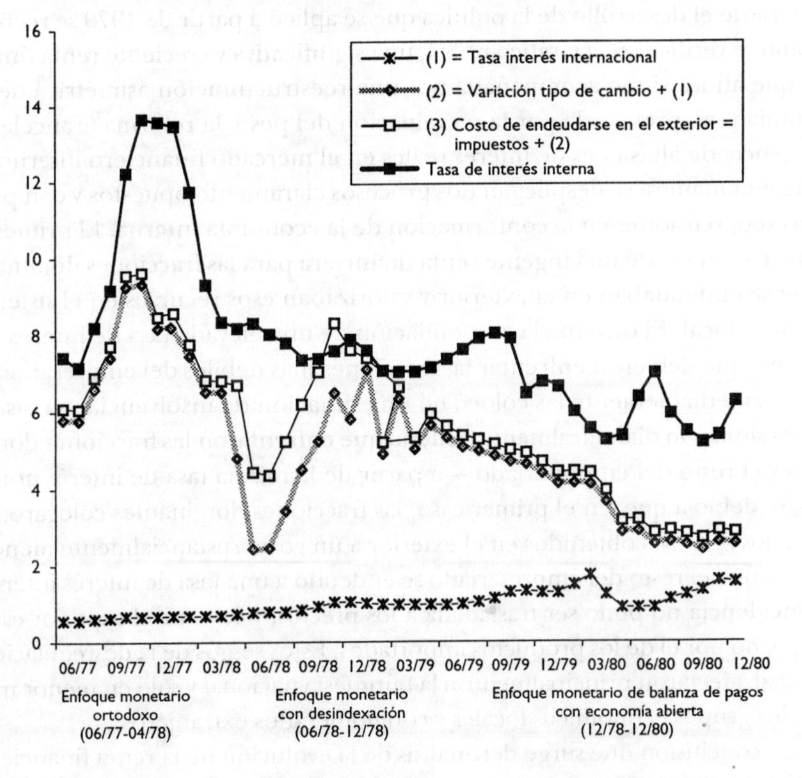

Fuente: Elaboración propia sobre la base de R. Frenkel (*op. cit.*, 1980), BCRA y Ministerio de Economía.

La política siguiente, entre mayo y diciembre de 1978, no asoció una alta renta financiera con una reestructuración indiscriminada sino que, por el contrario, transitó por los carriles inversos, disminuyendo la renta —mediante sucesivas devaluaciones del peso y el encarecimiento de la entrada de capitales— e impulsando una reactivación de la producción interna a través de una baja relativa de las tarifas de los servicios públicos. Es indudable que la influencia del conflicto limítrofe con Chile, afortunadamente coyuntural, impuso la necesidad de instrumentar medidas antirrecesivas generalizadas y de disminuir la renta financiera. Tal es así, que en el punto álgido del conflicto se registró el único momento en todos estos años en el que la renta financiera fue negativa, al superar el nivel del costo en pesos del endeudamiento externo a la tasa de interés interna nominal (noviembre de 1978). También se corrobora la notable influencia de ese conflicto en la política económica —y su carácter transitorio— si se tiene en cuenta que inmediatamente superado (diciembre de 1978) se implementó la política económica opuesta, sustentada en el *enfoque monetario de Balanza de Pagos,* que retomó y perfeccionó ese primer intento basado en el enfoque monetario ortodoxo.

Durante el desarrollo de la política que se aplicó a partir de 1979 se recreó, tal como se verifica en el Gráfico n° 3.4, una significativa y creciente renta financiera que ahora sí fue acompañada por una reestructuración asimétrica de la economía real, provocada por la reevaluación del peso, la reforma arancelaria y la vigencia de altas tasas de interés reales en el mercado financiero interno.

De esta manera se despliegan dos procesos claramente opuestos y con profundas repercusiones en la conformación de la economía interna. El primero, fue la emergencia de una ingente renta financiera para las fracciones dominantes que se endeudaban en el exterior y valorizaban esos recursos en el sistema financiero local. El otro fue la consolidación de una elevada tasa de interés interna real que debieron enfrentar las fracciones más débiles del empresariado, y que irremediablemente las colocó en una situación de insolvencia y crisis.

Esta situación diametralmente opuesta que enfrentaron las fracciones dominantes y el resto del empresariado —a partir de la misma tasa de interés nominal—, se debió a que, en el primer caso, las fracciones dominantes colocaron a esa tasa los recursos obtenidos en el exterior a un costo sustancialmente menor, mientras que el resto del empresariado se endeudó a una tasa de interés interna cuya incidencia no pudo ser trasladada a los precios, y cuyo nivel superior estaba regulado por el de los productos importados. Estos sesgos de la desregulación comercial, afectaron principalmente a la burguesía nacional y sólo en menor medida a los grupos económicos locales y conglomerados extranjeros.

Otra conclusión que surge del análisis de la evolución de la renta financiera vinculada al endeudamiento externo, es que fue un proceso gestado y mantenido por el Estado, aun después de la vigencia de esta política. En otras palabras, no se trató únicamente de una apertura externa asimétrica del mercado de bienes de la economía local sino también de una apertura específica del mercado de capitales que el Estado modeló en función de los intereses y la expansión de las fracciones dominantes internas y el capital financiero internacional.

En efecto, todo parece indicar que el Estado se mantuvo como un factor determinante, tanto de la tasa de interés interna como del nivel del costo del endeudamiento externo.

La influencia estatal en la evolución del costo en pesos del endeudamiento externo del sector privado es nítida. Un somero análisis del Gráfico n° 3.4 indica que, desde junio de 1977 hasta el mismo mes de 1979, la importancia de la tasa de interés internacional no superó como máximo el 18% del costo total en pesos del endeudamiento externo del sector privado, correspondiéndole el 82% restante a las variables determinadas por la política económica, como la variación de la tasa de cambio y los impuestos a la entrada de capitales. Si bien de estos últimos habría que exceptuar las comisiones bancarias, su escasa relevancia no impide concluir que la incidencia estatal fue determinante de los costos que enfrentó el sector privado al endeudarse con el exterior. Resulta evidente que la política económica fue fundamental para, en un primer momento, garantizar una alta renta financiera —pero manteniendo el equilibrio en las cuentas internas— y posteriormente restringirla ante el potencial conflicto con Chile.

A partir de junio de 1979, se produjo un aumento sistemático de la importancia de la tasa de interés internacional en los costos totales del endeudamiento originado, en parte, en el incremento de la tasa de interés pero sobre todo en la permanente reevaluación del peso que llevó a cabo la dictadura. En otras palabras, también en esta ocasión la influencia estatal fue determinante de la formación del costo en pesos del endeudamiento externo.

La actuación estatal en la conformación del otro término que define la tasa de la renta financiera, la tasa de interés interna, fue más compleja e involucra debatir los objetivos de la políticas monetarias que aplicaron los *intelectuales orgánicos* de las fracciones dominantes que ocuparon el Ministerio de Economía durante estos años. Antes de la Reforma Financiera, la influencia estatal se mantenía a través de la nacionalización de los depósitos y la determinación de la tasa de interés interna por parte del BCRA. Posteriormente, por ejemplo durante la política ortodoxa de contracción monetaria, se mantuvieron instrumentos financieros que utilizaba el Estado desde 1975, como la fijación de una tasa mínima para el sistema financiero mediante intereses otorgados por los bonos públicos y las Letras de Tesorería. Asimismo, durante esa etapa la conducción económica impulsó a los distintos organismos y empresas del Estado a tomar crédito en el mercado financiero como cualquier otro demandante privado. Sin embargo, no se trataba de un demandante de crédito más ya que, por el nivel de su demanda, superaba a los otros agentes económicos privados que concurrían en ese mercado. Cabe recordar que, según las estadísticas del Banco Central, la participación del sector público en el crédito bancario en 1977 y 1978, alcanzó al 30,5 y 26,6 % del total, respectivamente.[38] Estas circunstancias reforzaron la imposibilidad de lograr una disminución de la tasa de interés del mercado financiero interno y, por lo tanto, su convergencia con la tasa de interés internacional.

A partir de la aplicación de la política económica sustentada en el *enfoque monetario de Balanza de Pagos* —especialmente desde junio de 1979—, se desarrolló una tendencia al aumento de la renta financiera, debido a que la tasa de interés nominal tenía una rigidez mayor que el costo del endeudamiento externo. En esta etapa, la política estatal operó sobre la tasa nominal de interés mediante tres vías. La primera fue la tendencia a elevarla por su endeudamiento en el mercado financiero interno, que —a pesar de que el sector público lo sustituyó, en buena medida, por el endeudamiento con el exterior— siguió siendo significativo, concentrando el 22 y el 24% del crédito interno total en 1979 y 1980, respectivamente.[39]

La segunda vía fue la influencia ejercida por la garantía oficial sobre los depósitos para mantener un elevado nivel relativo de la tasa de interés interna. Fue un mecanismo reiteradamente criticado por los propios funcionarios e ideólogos de la dictadura, pero que nunca fue modificado.[40] La tercera vía fue cómo operaron indirectamente en el mismo sentido el déficit en la Balanza Comercial y el recambio de autoridades de la dictadura militar, pautado para el primer trimestre de 1981, ya que la disminución de las re-

[38] En relación con ese mismo período, R. Frenkel (1980) señala: *"La restricción crediticia en un período en que la aceleración inflacionaria y la acumulación de existencias impulsaban el aumento de la demanda de crédito constituyó el principal factor del boom de la tasa de interés. Pero también contribuyeron a éste algunos elementos provenientes del contexto en que se realizó el ensayo monetarista. La reforma financiera implicó una reestructuración del mercado de capitales, integrando los bancos a las operaciones de corto plazo y volcando la demanda de fondos de organismos descentralizados y empresas públicas al nuevo mercado libre. La concurrencia de bancos y empresas públicas no fue programada, de manera que en determinados momentos del período fue su demanda la que lideró los aumentos de la tasa de interés."* (p. 221).

[39] La visión de E. Feldman y J. Sommer (1986) acerca de la importancia del endeudamiento interno del sector público es mucho más drástica, al afirmar que: *"En el programa que acompañó el preanuncio de la tasa de cambio, el gobierno señaló las dificultades que se presentaban para controlar la cantidad de dinero y crédito y fijó, entonces, límites a la creación de crédito interno. De esta forma forzó a que la demanda de crédito que superara ese límite fuera satisfecha con recursos del exterior. Además, como la casi totalidad de crédito interno que se iba a crear se destinaría a financiar al sector público, sería el sector privado el que se vería obligado a buscar financiamiento externo"* (p. 56).

[40] Al respecto, véase, entre otros R. B. Fernández (1983).

servas generaba una creciente incertidumbre acerca de la continuidad de la política económica.[41]

Si se considera que la generación de una renta financiera para los que se endeudan con el exterior es una de las prioridades de la política económica, es insoslayable analizar el comportamiento y el papel que cumplieron tanto el endeudamiento externo del sector privado como el correspondiente al sector público. Al respecto, en el Cuadro n° 3.3 consta la evolución trimestral de la deuda externa estimada por el BCRA para los años 1977 y 1980, diferenciada entre la correspondiente a las empresas, al gobierno y al sistema financiero.

Debido a que la deuda externa de las empresas comprende a la contraída tanto por las empresas privadas como por las estatales, fue necesario realizar una estimación de cada una sobre la base de registros inéditos del Ministerio de Economía. De esta manera, se puede diferenciar y analizar el comportamiento de ambos sectores, ya que al agregar la deuda externa de las empresas públicas y el gobierno se obtiene la deuda externa total del sector público, y haciendo lo propio con la de las empresas privadas y el sistema financiero, se determina la deuda externa total del sector privado.

En el Gráfico n° 3.5 se constata la variación trimestral de ambos tipos de deuda externa, así como la evolución de la tasa de renta financiera (tasa de interés interna nominal menos el costo en pesos del endeudamiento externo). Estas evidencias permiten determinar con claridad la relación entre todas estas variables. Su análisis indica que la deuda externa privada varió en función de la tasa de renta financiera, salvo durante las etapas de aguda crisis en la economía real, como el segundo trimestre de 1980. Por otra parte, el comportamiento del endeudamiento estatal guardó una relación inversa con la trayectoria de la tasa de renta financiera y, por lo tanto, con la seguida por la deuda externa privada. En otros términos, la deuda externa estatal operó como una variable anticíclica en el sector externo para intentar compensar el comportamiento inverso del endeudamiento del sector privado.

[41] Quién formalizó y cuantificó (mediante la prima de riesgo) la incertidumbre durante esta etapa fue R. Frenkel (1980), quien señala: *"La incertidumbre depende, probablemente, de un complejo conjunto de circunstancias entre las que se encuentran el nivel y tendencia de las reservas y el nivel de actividad de la economía (en tanto éste depende del tipo de cambio real y así es percibido por los agentes). Si el efecto antiinflacionario de la progresiva reducción de la tasa de devaluación demora, el 'atraso' cambiario, la emergencia de déficit de cuenta corriente y los efectos recesivos tenderán a elevar la prima de riesgo y a incrementar la volatilidad. La incertidumbre está sometida a tensión y sujeta a la aparición de 'noticias' que permiten mejorar las conjeturas sobre la continuidad de las pautas cambiarias. A estas influencias está sujeta la tasa de interés"*. (p. 239).

Cuadro n° 3.3

Evolución y composición de la deuda externa, 1977-1980 trimestral
(en millones de dólares)

	Empresas			Del gobierno	Del sistema financiero	Total
	Privadas	Públicas	Total			
1977	**S/d**	**S/d**	**1.150,8**	**-23,4**	**159,1**	**1.286,5**
IV	751,3	114,3	865,6	16,7	56,6	938,9
1978	**-149,3**	**863,1**	**713,8**	**525**	**95,1**	**1333,9**
I	825,2	125,2	950,4	52,6	73,9	1.076,9
II	305,0	160,3	465,3	0,7	-6,3	459,7
III	-407,5	291,5	-116,0	167,1	-15,7	35,4
IV	-872,0	286,1	-585,9	304,6	43,2	-238,1
1979	**2932,3**	**1250,8**	**4.183,1**	**528,6**	**-24,8**	**4.686,9**
I	742,2	312,1	1.054,3	-5,1	5,0	1.054,2
II	574,5	246,2	820,7	141,6	8,3	970,6
III	836,5	300,0	1.136,5	196,6	-58,8	1.274,3
IV	779,1	392,5	1.171,6	195,5	20,7	1.387,8
1980	**698,9**	**1336,8**	**2.035,7**	**933,8**	**-371,0**	**2.598,5**
I	600,5	383,0	983,5	324,6	-85,6	1.222,5
II	-1312,4	427,6	-884,8	209,0	-39,5	-715,3
III	1303,3	346,4	1.649,7	12,3	-100,7	1.561,3
IV	107,5	179,8	287,3	387,9	-145,2	530,0
1981	**-3107,4**	**1923,1**	**-1.184,3**	**2.536,9**	**3,4**	**1.356,0**
I	-3043,4	995,1	-2.048,3	1.437,9	-138,0	-748,4
II	-96,1	436,9	340,8	667,4	29,5	1.037,7
III	-273,1	179,6	-93,5	193,1	37,3	136,9
IV	305,2	311,5	616,7	238,5	74,6	929,8

Fuente: Elaboración propia sobre la base de la información del BCRA y el Ministerio de Economía.

La comprobación de que la deuda externa estatal estuvo en función de las alternativas seguidas por la deuda externa privada permite comprender que el proceso en su conjunto fue conducido por las fracciones del capital que se endeudaron con el exterior. No obstante, esa característica del comportamiento estatal es insuficiente para aprehender la naturaleza del endeudamiento externo, ya que ese papel anticíclico podría estar indicando que en las etapas en las

Gráfico N° 3.5: Variación trimestral de la deuda externa pública, privada y evolución trimestral de la tasa de la renta financiera, 1977-1980 (en millones de dólares y porcentajes)

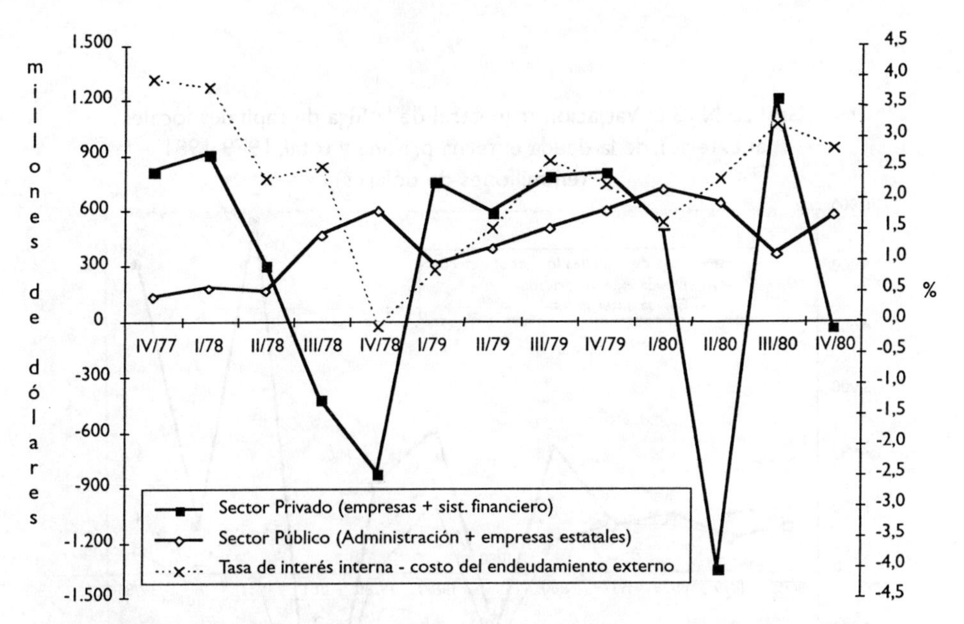

Fuente: Elaboración propia sobre la base de la información del BCRA y tabulados especiales del Ministerio de Economía.

que el sector privado canceló transitoriamente una parte de sus deudas con el exterior —ya fuera porque disminuyó la renta financiera o porque se desencadenó una crisis financiera—, el Estado incrementó las suyas para facilitarles a las fracciones dominantes una parte de las divisas necesarias para cancelar compromisos, mientras que la parte restante se cubrió mediante la transferencia (disminución) de las reservas disponibles en el BCRA. Si ésta hubiera sido realmente la dinámica del endeudamiento externo, se estaría ante un proceso en el que las fracciones dominantes efectivamente subordinaron el funcionamiento del Estado a sus intereses, pero el excedente apropiado mediante la valorización financiera —resultante de endeudarse en el exterior y valorizar esos recursos en el sistema financiero interno a partir de una tasa de interés interna superior al costo del la deuda— habría sido reinvertido en el país en alguna de las actividades de la economía real.

Sin embargo, cuando se incorpora al análisis la salida de capitales al exterior, esta hipótesis —la más probable desde el punto de vista de la teoría económica— no se compadece con la realidad. Tal como se observa en el Gráfico n° 3.6, la salida de capitales locales al exterior se desarrolló de manera similar al endeudamiento externo privado pero, a partir del segundo trimestre de 1980, con oscilaciones amplificadas.

Gráfico N° 3.6: Variación trimestral de la fuga de capitales locales al exterior, de la deuda externa privada y total, 1979-1981 (en millones de dólares)

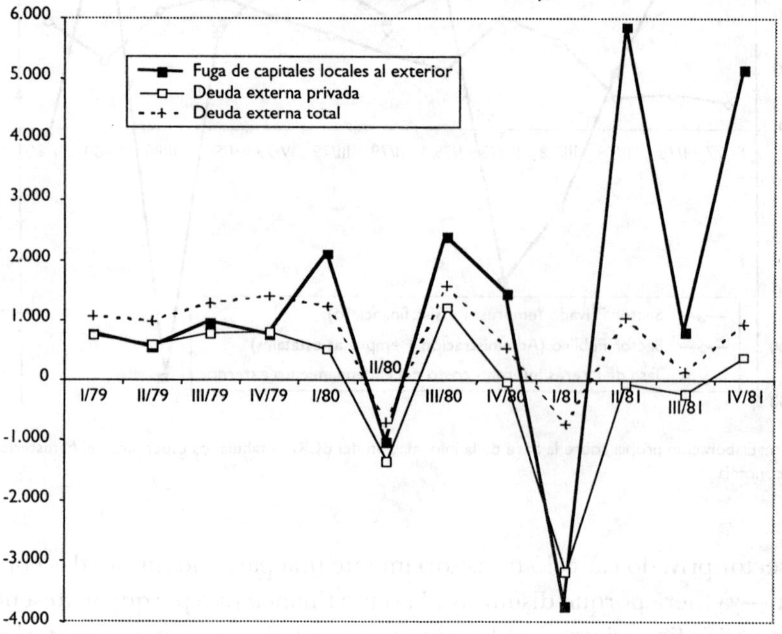

Fuente: Elaboración propia sobre la base de la información del BCRA y tabulados especiales del Ministerio de Economía.

Vinculando todos estos procesos (Gráficos nº 3.5 y nº 3.6), se puede inferir que la cancelación, parcial y momentánea, de las obligaciones se realizó, en buena medida, mediante la repatriación de una parte de los fondos fugados al exterior en los años previos; de allí que en esos momentos la transferencia de recursos al exterior haya sido negativa. Así, la retracción del endeudamiento externo privado en el primer trimestre de 1980 fue acompañada no ya por una disminución de la fuga de capitales locales sino por su repatriación, para aumentar muy por encima del endeudamiento externo privado en el trimestre siguiente.

Por lo tanto, a partir de la relación entre la deuda externa privada y la transferencia de recursos al exterior, se puede afirmar que esta última no se consumó durante las etapas de retracción del endeudamiento externo sino durante su expansión. También la relación que mantuvieron los flujos de recursos al exterior con la deuda externa total permite identificar otros procesos cruciales.

A lo largo de 1979 y hasta el primer trimestre de 1980, la deuda externa superó la salida de capitales al exterior, pero esa situación se invirtió a partir del segundo trimestre de 1980, definiendo un proceso en el cual la salida de capitales —aún contabilizando la repatriación de recursos— superó largamente la entrada de capitales derivada del endeudamiento externo total. Por esta razón, si a fines de 1979 se había llegado a un récord de reservas, de allí en adelante éstas disminuyeron aceleradamente, en un contexto en el que también disminuía el superávit de la Balanza Comercial —debido a la reevaluación del peso— y se contraía la Inversión Extranjera Directa —por la crisis de la economía real.

Es decir que la fuga de capitales locales originada en la valorización financiera superó con creces la entrada de capitales relacionados con la deuda externa, afectando el nivel de reservas disponibles y señalando, de esa manera, la inviabilidad de la política económica iniciada en 1979. Por lo tanto, no sólo el flujo de divisas que percibió el Estado a partir del endeudamiento externo de las empresas públicas y la Administración Central, sino también el *stock* de esas divisas —las disponibles en el BCRA— estuvieron en función de la evolución del endeudamiento externo privado y de la transferencia de recursos locales al exterior, provenientes de la valorización financiera a partir de la diferencia entre la tasa de interés interna (la que se cobra) y el costo en pesos del endeudamiento externo (la que se paga).

3.6 Predominio de las fracciones dominantes en la economía real y su incidencia en la deuda externa del sector privado

3.6.1 La centralización del capital en la valorización financiera y sus repercusiones para el análisis de la estructura económica argentina

Una primera aproximación a esta problemática consiste en adoptar los mismos criterios utilizados para analizar la segunda etapa de sustitución de importaciones. Es decir, evaluar la composición de las ventas de las 100 empresas industriales de mayor facturación identificando los distintos tipos de capitales propietarios. En el Cuadro n° 3.4 se constatan cambios no sólo de gran significación sino también de una notable coherencia con el contenido de las diversas políticas económicas ensayadas durante la dictadura militar.

Al considerar el período en su conjunto —es decir, comparando la situación en los años extremos—, se verifica un acentuado avance en la incidencia relativa de la *oligarquía diversificada* en las ventas totales de las cien empresas industriales de mayor facturación. Es una modificación que le agrega a su participación inicial casi 7 puntos, que representan un incremento del 38,2% respecto de la de 1976. En el otro extremo, se ubican las empresas estatales cuya participación disminuye en 8,5 puntos (equivalente a una reducción del 55,6% en relación con el año inicial), como resultado de los cambios en los precios relativos derivados de las transferencias de recursos a las fracciones dominantes mediante las compra-venta de las empresas estatales y, en menor medida, a la utilización del atraso tarifario como instrumento anti-inflacionario, e incluso de la política de privatización periférica que lleva a cabo la dictadura. Finalmente, la incidencia del capital extranjero se incrementa moderadamente (2% sobre la participación del año inicial), mientras que la correspondiente a la burguesía nacional se reduce, también levemente (1,6% sobre la del año 1976).

Cuadro n° 3.4
Evolución y composición de las ventas de las cien empresas industriales de mayor facturación considerando las empresas estatales(*), extranjeras y locales, 1976-1983
(en porcentajes)

	1976	1977	1978	1979	1980	1981	1982	1983	Variación 1983-1976	
									absoluta	porcentual
Estatal	15,3	13,5	9,2	9,9	8,2	7,5	7,1	6,8	-8,5	-55,6
Oligarquía diversificada	17,8	15,1	15,8	16,3	16,2	21,6	23,5	24,6	6,8	38,2
Burguesía nacional	12,7	15,5	12,7	15,1	14,4	14,1	15,4	12,5	-0,2	-1,6
Extranjeras	54,2	56,0	62,3	58,8	61,2	56,4	53,6	55,4	1,1	2,0
Asociaciones	0,0	0,0	0,0	0,0	0,0	0,4	0,4	0,8	0,8	-
Total	100,0	100,0	100,0	100,0	100,0	100,0	100,0	100,0	-	-

(*) Excluida YPF por falta de información en varios años.

Fuente: Elaboración propia sobre la base de la información de las revistas *Mercado, Prensa Económica* y el Área de Economía y Tecnología de la FLACSO.

Las evidencias disponibles también aportan elementos para aprehender los resultados de las políticas económicas ensayadas por los *intelectuales orgánicos* de las fracciones dominantes. Al respecto, se aprecia claramente que los efectos de las primeras políticas monetaristas aplicadas en 1977 y 1978 —la ortodoxa y la sustentada en las expectativas inflacionarias— fueron discordantes con los propósitos dictatoriales, en tanto las fracciones empresarias que aumentaron su participación fueron el capital extranjero y la burguesía nacional, mientras que la participación de la *oligarquía diversificada* disminuyó, llegando a los valores más reducidos dentro del período analizado.

Estas trayectorias permiten comprender tanto los motivos por los cuales la conducción económica descartó la posibilidad de reestructurar la economía mediante una política de restricción monetaria, como el carácter transitorio de la sustentada en las expectativas inflacionarias. En efecto, estas políticas no solamente se interrumpieron porque todas las fracciones empresarias disponían de los medios para neutralizarlas sino que los capitales extranjeros, por su inserción estructural, fueron los que ampliaron su participación relativa en detrimento de la *oligarquía diversificada*. Por otra parte, también se percibe cómo la apertura discriminada del mercado interno a los productos importados que formó parte del *enfoque monetario de Balanza de Pagos* hizo que, a partir de 1981, se invirtieran las tendencias anteriores y la *oligarquía diversificada* incrementara su participación en las ventas de la cúpula industrial, en detrimento de las otras fracciones empresarias.

Si bien estas evidencias son contundentes en identificar los efectos generados por las políticas dictatoriales, las características que asumió el proceso también indican que son evidencias parciales y, en consecuencia, insuficientes.

La primera limitación de ese análisis consiste en que no sólo se circunscribe a la actividad que era central en el patrón de acumulación anterior sino que también mantiene inalteradas las fracciones empresarias correspondientes a la sustitución de importaciones, cuando, en realidad, sufrieron cambios profundos en la propia transición hacia la valorización financiera. Sin dudas, el tránsito de una modalidad de acumulación de capital a otra trajo aparejado un sinnúmero de modificaciones sustanciales en el conjunto social y en el espectro de las fracciones empresarias que actuaban en esa formación económico-social. No se produjo únicamente la desaparición de firmas —o la transferencia, fusión o absorción— que fortalecía, en términos absolutos y relativos, determinadas fracciones del capital en detrimento de otras, sino también el realineamiento de las unidades económicas, no sólo como estrategia de acumulación de largo plazo sino que se plasmó, en el corto y mediano plazo, en una profunda "revolución" en el comportamiento de las empresas.

En el análisis de la segunda etapa de sustitución de importaciones estaba implícito que la unidad económica predominante de las principales fracciones del capital era la empresa y que la dirección principal del proceso económico era la tendencia a la concentración de las actividades industriales por el creciente control que ejercían las firmas oligopólicas sobre el valor de producción y/o el valor agregado generado por dichas actividades. De allí que fuera tan importante analizar el grado de concentración de las actividades industriales para caracterizar la situación estructural, diferenciando las grandes firmas oligopólicas industriales —con gran incidencia en el movimiento de los precios relativos— de las medianas y pequeñas empresas que actuaban en los mercados más competitivos. Al mismo tiempo, la diferenciación de la nacionalidad de origen del capital resulta crucial en tanto se trata de la etapa en la que el proceso de sustitución de importaciones fue conducido por las firmas transnacionales, especialmente las norteamericanas.

Desde marzo de 1976 se produjeron modificaciones estructurales que alteraron la situación de una manera sustancial. La orientación principal de la economía local ya no estuvo centrada en la concentración del capital sino en su centralización, lo cual no significa que la evaluación del grado de concentración de las actividades económicas se hubiera vuelto prescindible sino únicamente insuficiente. El predominio de la centralización del capital a partir de la valorización financiera fue la expresión de un cambio fundamental en el nivel macroeconómico, como es la modificación de la unidad económica en los grandes capitales oligopólicos. La unidad económica pasó a ser el grupo económico que subsumía bajo su órbita y propiedad múltiples empresas —tanto oligopólicas como otras que no lo eran— ubicadas en diferentes actividades económicas, el conjunto de las cuales respondía a estrategias —no excluyentes sino complementarias entre sí— de integración horizontal, vertical o de diversificación de actividades. El predominio de la nueva unidad económica no sólo involucró los capitales locales, entre ellos la *oligarquía diversificada*, sino también los capitales extranjeros.

La importancia que asumió la centralización del capital en la reestructuración económica exige replantear y desagregar las fracciones empresariales que habían actuado en la sustitución de importaciones. Dentro del capital extranjero es necesario diferenciar entre aquellas empresas transnacionales diversificadas internamente y las que sólo controlaban unas pocas subsidiarias en el país. Se denominan conglomerados extranjeros a las transnacionales que controlan el capital de 6 o más subsidiarias locales y empresas extranjeras a las que controlan menos de 6 subsidiarias en el país.

En el capital local, se mantuvieron las empresas estatales como categoría de análisis, al igual que la *burguesía nacional* aunque, desde el punto de vista de la centralización del capital, pasaron a denominarse "empresas locales independientes", en tanto eran grandes firmas que actuaban por sí solas, sin estar vinculadas por la propiedad con otras empresas de la misma u otra rama económica. Dentro de esta categoría quedaron los integrantes de la *burguesía nacional* que se mantuvieron como tales durante la valorización financiera, porque los que se reconvirtieron de acuerdo con las pautas del nuevo patrón de acumulación, pasaron a engrosar los grupos económicos locales, donde convergieron con la *oligarquía diversificada,* e incluso con algunos capitales cuyo origen era extranjero. La denominación "grupos económicos locales" comprende a los capitales locales que detentaban la propiedad de 6 o más firmas en diversas actividades económicas. Finalmente, se agregaron las asociaciones como un sexto tipo de empresa, los consorcios cuyo capital accionario era compartido por inversores del mismo o diferente origen.

El predominio del grupo o conglomerado económico como unidad económica de estas fracciones dominantes no significa que todos ellos —ni siquiera la mayoría— se hayan conformado en esta etapa, sino que ya existían como tales y algunos, como se analizó anteriormente, con un sensible grado de diversificación.[42] Si bien se enfrentan limitaciones, por la información disponible, el tema requiere determinar la participación de las formas de propiedad que integraron la nueva tipología empresaria, considerando algunos años de la segunda etapa de sustitución de importaciones (1958, 1966, 1973 y 1976), y tomando como base la cúpula empresaria analizada hasta este momento, es decir las 100 empresas industriales de mayor facturación.[43]

En el Cuadro n° 3.5 constan los resultados obtenidos, los cuales, a pesar de ser estimaciones, presentan alternativas dignas de tenerse en cuenta. La composición de la cúpula industrial en 1958 expresa, con sus más y sus menos, la situación estructural con la que culminó el primer tránsito del peronismo en el gobierno. En esa época, el predominio en las ventas industriales lo ejercían las empresas extranjeras y, dentro de ellas, la influencia de las empresas transnacionales (aquellas que tenían menos de 6 subsidiarias en el país) es indiscutible al concentrar el 43,7% de las ventas, mientras que los conglomerados ex-

[42] Al respecto, en D. Azpiazu, E. M. Basualdo y M. Khavisse (1986) se pueden consultar ejemplos de diversificación de capitales locales y extranjeros durante la sustitución de importaciones. De allí que, en las conclusiones, señalen: *"Los capitales que ocupan finalmente el centro del proceso de acumulación, a partir de la reestructuración impuesta por la dictadura militar, son grandes actores ya existentes en la economía argentina. Por lo tanto, no se trata de una redefinición del poder económico basado en nuevos capitales que surgen y se consolidan al calor del accionar estatal."* (p. 190).

[43] La participación de cada una de las formas de propiedad que componen la nueva tipología empresaria (empresas estatales, grupos económicos, empresas locales independientes, conglomerados extranjeros, empresas extranjeras y asociaciones) en las ventas de las 100 empresas industriales de mayor facturación, se determinaron sobre la base de las fechas de fundación de las empresas que controlaban en 1973. En términos metodológicos, este procedimiento acarrea la limitación de no considerar las empresas que esas formas de propiedad controlaban en cada uno de los años considerados y se cerraron o transfirieron antes de 1973.

tranjeros (las que controlaban el capital de 6 o más firmas locales) sólo alcanzó el 5,7% de las ventas totales. Entre las empresas locales, las estatales (excluida YPF, por falta de información) exhibieron una participación muy reducida, mientras que las empresas locales independientes (que congregaban básicamente a la burguesía nacional con menos de 6 empresas controladas) superaron la participación de los grupos económicos locales (entre ellos, el grueso de la *oligarquía diversificada*).

Cuadro n° 3.5

Evolución y composición de las ventas de las cien empresas industriales de mayor facturación diferenciando los distintos tipos de capital(*), 1958, 1966, 1973 y 1976 (en porcentajes)

	1958	1966	1973	1976	Variación en términos absolutos			
					1966-1958	1973-1966	1973-1958	1976-1973
Estatales	1,9	6,4	12,7	15,3	4,4	6,3	10,8	2,6
Grupos Económicos Locales	22,8	17,2	16,2	24,0	-5,6	-1,0	-6,6	7,8
Empresas Locales Independientes	25,9	13,6	7,4	8,4	-12,2	-6,2	-18,4	1,0
Conglomerados Extranjeros	5,7	17,4	36,4	27,7	11,6	19,1	30,7	-8,7
Empresas Transnacionales	43,7	45,4	25,6	23,0	1,8	-19,8	-18,1	-2,6
Asociaciones	0,0	0,0	1,6	1,6	-	-	-	-
Total	100,0	100,0	100,0	100,0	-	-	-	-

(*) Dentro de las empresas estatales está excluida YPF debido a la falta de información en varios años.

Fuente: Elaboración propia sobre la base de la información de la revista *Panorama de la Economía Argentina* (varios números) y de la *Guía de Sociedades Anónimas* (varios números).

Entre 1958 y 1966 se registraron modificaciones congruentes con la incorporación de capital extranjero producida durante la gestión del desarrollismo (1958-1962). Nuevamente, el predominio extranjero fue indiscutible, liderado por las empresas transnacionales. Sin embargo, las diferencias entre estas empresas y los conglomerados extranjeros se acortaron sensiblemente, poniendo de manifiesto tanto la rápida expansión transnacional —sobre la base de la instalación de subsidiarias industriales integradas horizontal o verticalmente— como la expansión del capital extranjero ya radicado en el país mediante nuevas inversiones orientadas a instalar subsidiarias industriales, también con una estrategia de integración vertical u horizontal con las empresas existentes.[44] En

[44] Véase E. M. Basualdo (1984).

cuanto a las empresas locales, se incrementó la participación de las empresas estatales dentro de las ventas totales de la cúpula industrial, al mismo tiempo que hubo una reducción en las de las empresas locales independientes y en las de los grupos económicos locales, de menor intensidad pero significativa.

Entre en 1966 y 1973 se pusieron de manifiesto cambios trascendentes vinculados a la consolidación del proceso de industrialización en manos del capital extranjero. Lo llamativo de este período ya no es el predominio que dichos capitales seguían ejerciendo en la producción industrial, sino el notable incremento de la participación de los conglomerados extranjeros, que por primera vez superaron —y de una manera categórica— la de las empresas transnacionales. Al igual que en el período anterior, la expansión de la participación relativa de las empresas estatales fue acompañada por una atenuada reducción de la incidencia de las empresas controladas por los grupos económicos, y una pronunciada disminución de la correspondiente a las empresas locales independientes (compuestas fundamentalmente por la burguesía nacional no diversificada), la cual llegó a niveles realmente exiguos e inéditos, al menos desde mediados de la década del cuarenta en adelante.

También dentro de los capitales que ejercían un indiscutible predominio estructural hubo modificaciones relacionadas con el proceso de concentración y centralización del capital. Al final del período, los conglomerados extranjeros obtuvieron una participación mayoritaria en las ventas de ese origen y, en consecuencia, en la cúpula industrial. Por el contrario, las empresas extranjeras describieron una trayectoria inversa, aunque de todas maneras en 1973 concentraban el 23% de las ventas totales de la cúpula industrial. No cabe ninguna duda de que la vertiginosa expansión de los conglomerados extranjeros estuvo vinculada al dinamismo de las nuevas actividades oligopólicas que se instalaron en el país durante el "desarrollismo", pero también influyó la adquisición de empresas locales, especialmente durante la gestión de Krieger Vasena a fines de los años sesenta.

Por su parte, la sucesión de la composición de las ventas de la cúpula industrial entre 1973 y 1976, muestra una drástica alteración de las tendencias que estaban vigentes hasta ese momento. El capital local fue el que incrementó sustancialmente su participación en las ventas de la cúpula en detrimento del capital extranjero en su conjunto. Más importante es que la expansión de su incidencia relativa se sustentó en el comportamiento de los grupos económicos locales, que concentraron casi el 70% de los 11,3 puntos de las ventas que se transfirieron del capital extranjero a las empresas locales en esos tres años. La orientación e intensidad de estas nuevas características, así como el breve período en el que se desplegaron, indican la existencia de un cambio histórico que se profundizó durante la dictadura militar, cuando los *intelectuales orgánicos* del bloque dominante pusieron en marcha las políticas monetaristas reestructuradas de la economía argentina.

El hecho de que transformaciones de tamaña magnitud se observen al considerar sólo el primer año de la dictadura militar, reafirma —teniendo en cuenta el estancamiento económico de esos años— la importancia de la centralización del capital, así como que la *oligarquía diversificada* no compartió el control estatal durante la dictadura, sino que lo poseyó de una manera irrestricta y, en consecuencia, determinó el sentido de las transferencias directas e indirectas, vinculadas no sólo a la valorización financiera sino también a la inversión (regímenes de promoción industrial), las compras de bienes y servicios (sobreprecio), el financiamiento interno (avales, garantías y crédito de los bancos oficiales), etcétera. En otras palabras, la pieza clave no fue el "mercado" sino el control sobre el Estado, que le permitió inicialmente asegurarse —para luego consolidarla con la instauración de la valorización financiera— una acelerada expansión en detrimento de las restantes fracciones del capital, y especialmente de los sectores populares.

3.6.2 Transformaciones en la economía real durante la dictadura militar. El predominio de los grupos económicos locales

Resultaría insostenible restringir el análisis de las fracciones empresarias a la producción industrial, cuando dicha actividad no sólo dejó de ser el eje central del proceso de acumulación de capital sino que, además, por su incompatibilidad con la valorización financiera, estuvo sujeta a un sensible redimensionamiento (desindustrialización). En rigor, la industria era incompatible con la valorización financiera porque su tasa de rentabilidad era menor que la de interés, debido al límite que le había impuesto la apertura comercial a sus precios y al incremento de la tasa de interés De allí que las modificaciones visibles en las evidencias analizadas no se puedan generalizar al conjunto de la economía, en tanto reflejan un fenómeno sectorial que no necesariamente refleja el comportamiento de la economía en su conjunto.

La necesidad de considerar otros sectores de actividad además de la producción industrial no se debe únicamente a que la industria dejó de ser decisiva en el nuevo funcionamiento de la economía argentina, sino también porque es la manera más idónea para captar la expansión de las fracciones dominantes en una etapa en la que el grupo o conglomerado económico fue la unidad económica preponderante. Es decir, cuando los grandes capitales se diversificaron rápidamente hacia diferentes ramas de la actividad económica.

En consecuencia, la cúpula empresarial estaba constituida ahora por las 200 empresas de mayores ventas en la economía argentina, tomando en cuenta todos los sectores de actividad salvo —debido a la carencia de información e incompatibilidad de la información— la producción agropecuaria y la actividad financiera. Para cada una de ellas se consideran los datos de las ventas provenientes de sus balances para el período comprendido entre 1975 y 1983.[45]

Al respecto, en el Cuadro n° 3.6 consta la evolución entre 1975 y 1983 de la composición de las ventas de las 200 empresas de mayor facturación en las diferentes actividades económicas, considerando los distintos los distintos tipos de capital.

Cuadro n° 3.6
Evolución y composición de las ventas de las doscientas empresas de mayor facturación diferenciando los distintos tipos de capital(*), 1975-1983
(en cantidades y porcentajes)

	1975	1976	1977	1978	1979	1980	1981	1982	1983	Variación 1983-1975 Absoluta	Variación 1983-1975 Porcentual
1. Cantidad de empresas											
Estatales	24	24	28	27	25	24	24	22	21	-3	-12,5
Grupos Económicos	36	41	45	50	47	50	57	55	61	25	69,4
Conglomerados Extranjeros	35	32	33	29	26	27	26	29	37	2	5,7
Empresas Locales Independientes	52	40	33	38	44	45	42	46	35	-17	-32,7
Empresas Extranjeras	52	61	59	55	56	51	48	46	42	-10	-19,2
Asociaciones	1	2	2	1	2	3	3	2	4	3	300,0
Total	200	200	200	200	200	200	200	200	200		
2. Distribución de las ventas (%)											
Estatales	35,6	38,4	34,5	33,8	35,8	36,8	34,5	31,2	31,5	-4,1	-11,5
Grupos Económicos	17,6	18,0	19,7	19,7	18,9	17,2	21,6	24,3	25,0	7,4	41,9
Conglomerados Extranjeros	17,7	16,4	19,0	20,1	19,9	21,3	20,2	19,5	22,7	5,0	28,1
Empresas Locales Independientes	10,4	7,7	7,0	7,5	8,9	9,2	8,9	9,9	7,0	-3,4	-33,4
Empresas Extranjeras	18,4	19,1	19,6	18,8	16,3	15,0	14,3	14,8	13,1	-5,3	-28,9
Asociaciones	0,2	0,3	0,3	0,2	0,3	0,4	0,5	0,4	0,7	0,5	246,5
Total	100,0	100,0	100,0	100,0	100,0	100,0	100,0	100,0	100,0		

(*) Las empresas estatales incluyen a YPF.

Fuente: Elaboración propia sobre la base de la información de las revistas *Mercado, Prensa Económica* y el Área de Economía y Tecnología de la FLACSO.

[45] Desde un enfoque centrado en la producción industrial y que solamente diferencia entre las empresas de capital nacional y extranjero, J. Schvarzer (1978, p. 342) señala tanto la diversificación en distintas actividades industriales de las de origen "nacional" como la reconstitución de su impor-

Es rápidamente comprobable que los capitales que se sustentaban en una inserción diversificada en la estructura económica, más allá de su origen, incrementaron su incidencia, mientras que el resto de los capitales disminuyeron su participación, tanto en la cantidad de empresas como en las ventas de esta cúpula económica constituida por las 200 firmas de mayor facturación. Así como los conglomerados de origen local y los de origen extranjero fueron los únicos que incrementaron su participación en la cúpula empresaria, las evidencias señalan que fueron los grupos económicos los que recibieron la mayor parte de los incrementos en la cantidad de firmas y en la participación de las ventas. De hecho, concentraron más del 80% de las firmas (25 de las 30 firmas) y casi el 60% de las ventas (7,4 del 12,9%) que se reasignaron entre los diferentes capitales participantes de la cúpula empresaria entre 1975 y 1983, mientras que los conglomerados extranjeros absorbieron el resto de cada una de estas variables. Es interesante reparar en que su predominio en las ventas de la cúpula respecto de los conglomerados extranjeros se dirimió a partir de 1981, momento en que se consolidó la valorización financiera y comenzó el proceso de desindustrialización.

Entre las formas de propiedad que disminuyeron su gravitación en las variables, las empresas locales independientes fueron las más afectadas, lo que vuelve a señalar el deterioro que sufrieron las empresas integrantes de la *burguesía nacional* que no se diversificaron. Quedaron excluidas de la valorización financiera y expuestas a la competencia de los productos importados por la política sustentada en el enfoque monetario de Balanza de Pagos. Su retracción es especialmente significativa en términos de cantidad de empresas, al concentrar más del 55% de las firmas que se reasignaron dentro de la cúpula (17 de las 30) y un número menor —aunque relevante—, en las ventas, al absorber el 27% de su reasignación (3,4 sobre 12,8%). Esta asincronía en la retracción de las empresas locales independientes —entre la disminución de sus empresas y su caída en las ventas de la cúpula— se debe a la severa disminución de la participación de las empresas transnacionales en la facturación de las 200 empresas. Al igual que las em-

---

tancia industrial en los primeros años de la dictadura militar. Sostiene a este respecto: *"El lector habrá advertido que la promoción industrial se concentra en un puñado de empresas que reciben el máximo de los incentivos oficiales para su crecimiento. También habrá notado algunas repeticiones de nombres en distintas ramas, un hecho que destaca las características de un sector empresario que trata claramente de diversificarse durante este proceso. Se puede hacer un 'identikit' de ese núcleo de empresas señalando tres rasgos esenciales. En primer lugar, que responden en su casi totalidad a capitales nacionales. En segundo lugar, que su tamaño promedio es apreciable para la economía argentina, pues se colocan generalmente entre las empresas más grandes en los ranking de los últimos años. Finalmente, cada una de las empresas que lo componen tiende a diversificarse hacia numerosas actividades y, especialmente, hacia aquellas promocionadas. Puede agregarse que es un grupo de empresas que presenta un dinamismo notable por su ritmo de expansión."* (p. 342).

presas locales independientes, la retracción de esta fracción del capital extranjero no se originó únicamente en el menor dinamismo de sus ventas sino también en la expulsión de firmas de diferentes mercados (descienden de 52 a 42 durante el período analizado) que da lugar a una repatriación de capital extranjero durante el período analizado. Finalmente, las empresas estatales disminuyen su importancia en ambas variables pero con una intensidad relativa menor a la de los otros capitales analizados, lo cual parece estar relacionado con —entre otros factores— el atraso de las tarifas de los servicios públicos, método utilizado, por la dictadura militar, como instrumento de la política antiinflacionaria.

Las tendencias generales vigentes en la cúpula económica, junto al hecho de que se trata de un período de estancamiento económico, reafirman, una vez más, la importancia que asumió el proceso de concentración económica y de centralización del capital durante el proceso dictatorial. Sin embargo, dicho proceso también plantea interrogantes acerca de su impacto específico sobre las formas de propiedad consideradas, especialmente, sobre, los grupos económicos, el capital extranjero, y la burguesía nacional no diversificada (empresas locales independientes).

Indagar la composición estructural de los grupos económicos locales es relevante tanto porque se trata de la forma de propiedad que se convirtió en predominante a partir de la dictadura militar, como porque se trata de una categoría que, en una primera instancia, parecería diluir —al subsumirla— la identidad y la importancia de la *oligarquía diversificada* en la economía, cuando, en realidad, lo que permite captar es el proceso de ampliación de esa fracción de clase. En el Cuadro n° 3.7 se expone la incidencia relativa que tuvieron las distintas fracciones empresarias en las ventas de los grupos económicos integrantes de las 200 empresas de mayores ventas de la economía argentina, en los años 1976 y 1983.

Hubo un indiscutible predominio de la *oligarquía diversificada* en las ventas de los grupos económicos locales, al concentrar alrededor del 60% al principio y al final del período. Esa participación mayoritaria la lograron sobre la base del conjunto de capitales que constituían el elenco estable de esta forma de propiedad, en tanto 16 de los 17 grupos económicos de este origen están presentes tanto en 1976 como en 1983.

Cuadro n° 3.7
Incidencia de las distintas fracciones empresarias en las ventas totales de los grupos económicos que participan en las 200 empresas de mayores ventas, 1976 y 1983
(en porcentajes)

	1976	1983	Integrantes (*)
Oligarquía Diversificada	62,0	60,7	Acindar, Bunge y Born, Alpargatas, Garovaglio y Zorraquín, Celulosa Argentina, Astra, Pérez Companc, *Bagley*, Bridas, Ingenio Ledesma, Loma Negra, *Tabacal*, Terrabusi, Ferrum, Corcemar, Bemberg, Nougués.
Burguesía Nacional	19,6	18,8	Fate/Aluar, *Arcor*, Agea/Clarín, *Massuh*, *Aceros Bragado*, *Canale*, Roggio, Laboratorios Bagó, *Schcolnik*, *Astilleros Alianza*, *Noel*, *Werthein*, *BGH*, *H. Zupán*, Grafex, *Inta*.
Conglomerados Extranjeros	18,4	19,5	Techint, *Macri*, Soldati.
Asociaciones		1,0	Atanor
Total Grupos Económicos	100,0	100,0	

(*) Los grupos económicos integrantes de cada fracción empresaria están ordenados de mayor a menor según la magnitud de sus ventas en 1983. En negrilla constan los grupos económicos con alguna empresa dentro de las 200 firmas de mayor facturación y en letra cursiva los que aparecen en 1983 pero no forman parte de las mismas en 1976.

Fuente: Elaboración propia sobre la base de la información de las revistas *Mercado*, *Prensa Económica* y el Área de Economía y Tecnología de la FLACSO.

Los grupos económicos provenientes de la *burguesía nacional* se ubican en una situación inversa, no únicamente porque en 1983 generaron alrededor del 20% de las ventas totales de esta categoría, sino porque 12 de los 16 integrantes de esta forma de propiedad están presentes solamente en el año final del período considerado. En términos generales, son capitales que redefinieron drásticamente su estrategia empresarial, adecuándola a los parámetros impuestos por la dictadura militar. El caso de Aluar/ Fate es paradigmático en ese sentido —y también, aunque con sus respectivas particularidades, Agea/ Clarín, Arcor o Laboratorios Bagó— porque era un integrante de la *burguesía nacional* que, en las vísperas y primeros años de la dictadura, no sólo marginó al que había sido el ministro de Economía del peronismo, sino que modificó drásticamente su estrategia empresarial, eliminando su inserción en los sectores tecnológicos de punta e insertándose decididamente en la valorización financiera.

Así, durante el período analizado desapareció un conjunto de grupos económicos locales. Específicamente, durante la crisis financiera de 1980 entraron en un proceso de quiebra y disolución cuatro grupos económicos que formaban parte de *la burguesía nacional.* Tres de ellos, si bien estaban liderados por bancos (Banco de Intercambio Regional, Banco Oddone y Banco Los Andes), controlaban empresas productivas de importancia, especialmente en el ámbito regional. El restante era Sasetru que, en ese momento, constituía el mayor grupo económico local.

La presencia de tres conglomerados de origen extranjero dentro de los grupos económicos exige explicaciones que justifican su inclusión en este tipo de empresas y señala elementos que, al converger con los anteriores, permiten esclarecer la naturaleza de los grupos económicos locales en su conjunto. El carácter extranjero, más precisamente italiano, del conglomerado Techint es indiscutible,[46] aunque se lo considera como un grupo económico local porque sus empresas radicadas en el país constituyeron el núcleo central de este conglomerado que, a partir de la dictadura, llevó a cabo un veloz *aggiornamiento* a las nuevas reglas de juego, dejando atrás en los hechos —pero manteniendo el discurso— sus concepciones industrialistas. Tanto es así que, en un breve lapso lideró —junto a Pérez Companc— el conjunto de firmas proveedoras de bienes y servicios para el Estado; participó muy activamente en la valorización financiera vinculada al endeudamiento externo; fue una pieza clave en la conformación del *transformismo argentino*; y ya en la década de los noventa fue uno de los capitales con mayor participación en el proceso de privatización de las empresas públicas. En otras palabras, se integró plenamente no sólo a la dinámica sino directamente a la fracción *oligárquica diversificada.*

Los casos de Macri y Soldati son similares entre sí, pero marcadamente diferentes, en algunos aspectos, al de Techint. Ambos son grupos económicos que se conformaron sobre la base de firmas pertenecientes a capitales extranjeros —Fiat en el caso de Macri y Brown Boveri en el de Soldati—, por lo cual cumplieron tareas tanto de asociación como de representación

[46] En relación con el carácter extranjero de este conglomerado, en E. Basualdo (1984) se puede verificar la participación extranjera en las empresas que lo integran, especialmente de Santa María SA y de la firma Techint (donde los inversores extranjeros tienen el 100% del capital) que son las empresas cruciales en el control de la propiedad de todas las empresas de este conjunto económico. La información consignada en dicho trabajo, proviene de: Listado de empresas extranjeras con domicilio en el país publicado a través de la Circular B 1150 del BCRA, de acuerdo con lo dispuesto por la Ley 20.575 de 1974 y el listado de empresas inscripta en el Registro de Inversiones Extranjeras del Ministerio de Economía.

de éstos.[47] El grupo económico Macri se incorporó en 1983 porque, dentro del período dictatorial, culminó la "transferencia" de las empresas locales provenientes del conglomerado extranjero Fiat. La similitud de ambos con Techint radica en su plena participación en la valorización, corroborada en múltiples oportunidades a lo largo de este trabajo, por ejemplo en el análisis de la estructura de deudores externos privados.

La composición de los grupos económicos locales permite extraer una serie de conclusiones cruciales para comprender tanto la naturaleza del nuevo bloque dominante como su proceso de formación durante la dictadura militar. Una de esas conclusiones es que, efectivamente, esta categoría analítica no diluye ni oscurece la presencia de la *oligarquía diversificada* sino que, por el contrario, expresa plenamente su trayectoria, por cierto, signada por una espectacular expansión. Los grupos económicos locales eran la *oligarquía diversificada* no sólo porque constituían su núcleo central y elenco estable sino también porque junto a ellas se encontraban unidades económicas que hasta ese momento eran parte de otras fracciones del capital —la burguesía nacional e incluso los conglomerados extranjeros— y que, desde la dictadura en adelante fueron asimiladas por esta fracción de la oligarquía argentina.

Desde el manejo de la política económica, los *intelectuales orgánicos* del bloque dominante fracturaron las restantes fracciones empresarias —tanto locales como extranjeras— integrando orgánicamente una de las partes y expulsando la otra. Este proceso, que alude a la conformación de la clase dominante en clave de la valorización financiera, se llevó a cabo desde el mismo momento en que se implementó el golpe militar, primero a través de un discriminatorio manejo del aparato estatal y luego mediante la profunda reestructuración económico-social que acompañó la instalación de la valorización financiera.

No todos los nuevos integrantes de la *oligarquía diversificada* transitaron indemnes el desarrollo de la valorización financiera, ni siquiera todos sus "viejos" integrantes, sino que algunos consolidaron sus posiciones en una forma inédita y otros quedaron en el camino, dando lugar —en algunos casos— a nuevas incorporaciones sustentadas en la transferencia de sus empresas.

Durante el desarrollo de la *valorización financiera,* dentro del nuevo bloque de poder se desplegaron pugnas entre las fracciones dominantes internas y los sectores financieros del exterior e, incluso, entre ambos y el sistema político que encarnó el *transformismo argentino,* debido a sus intentos para lograr cierta autonomía relativa a los sectores dominantes en su conjunto. Estas contradic-

[47] La estrecha vinculación entre las empresas del grupo económico Macri con las que pertenecían a Fiat, así como la que mantienen las del grupo Soldati con las de Brown Boveri se puede corroborar en M. Acevedo, E. M. Basualdo y M. Khavisse (1991).

ciones se sucedieron a raíz de los límites estructurales que le plantearon a la *valorización financiera* las conquistas históricas defendidas por la clase trabajadora. Estos conflictos dieron lugar a profundas crisis económicas y sociales que afectaron la situación del conjunto social, incluidos los grupos económicos locales, que alteraron su composición. De todas formas, hubo un conjunto de integrantes de la *oligarquía diversificada* —viejos y nuevos— que permaneció, a lo largo de las décadas siguientes, constituyendo el elenco estable de la *oligarquía diversificada* durante la valorización financiera.[48]

De esta manera, la categoría de los grupos económicos esclarece el salto cualitativo que registró la *oligarquía diversificada* a partir de la dictadura militar y que se prolonga hasta nuestros días bajo otras formas. No sólo fue la conducción de los grandes terratenientes —y a través de ellos del bloque rural— como en la sustitución de importaciones, sino que se amplió y se recreó, para lo cual absorbió capitales —basados principalmente en la producción industrial— que provenían de otras fracciones del capital que adoptaron la nueva forma de apropiación de excedente. La *oligarquía diversificada* condujo, entonces, el conjunto de las fracciones internas del capital que, junto al capital financiero transnacional, se establecieron como el nuevo bloque de poder en la Argentina.

Así como los grupos económicos incrementaron su incidencia por la expansión de la *oligarquía diversificada*, otras formas de propiedad se estancaron en su participación o perdieron importancia dentro de las ventas realizadas por las grandes firmas, porque fueron fracturadas por la reestructuración económica, dispersándose con diferentes destinos (transferencia de empresas a otros capitales, cierre de establecimientos o repatriación de capitales al exterior).

El capital extranjero, si bien dejó de ser la fracción dinámica de la economía local, mantuvo su participación dentro de las grandes empresas. Sin embargo, le ocurrió un fenómeno semejante al registrado en el capital local, ya que mientras los más diversificados (conglomerados extranjeros) se expandieron, los más especializados (empresas transnacionales) perdieron trascendencia. Así se profundizaba el proceso iniciado en la sustitución de importaciones, pero ahora avanzaba no solamente por la diferente tasa de crecimiento de las ventas sino también por la repatriación o transferencia de las firmas extranjeras, especialmente industriales. Este último fenómeno dio lugar a la retracción más importante del capital extranjero en la producción industrial local desde el comienzo de la sustitución de importaciones.[49]

[48] Al respecto, véase E. M. Basualdo (1997).

[49] De acuerdo con B. Kosacoff y D. Azpiazu (1989) la participación del capital extranjero en la producción industrial disminuyó un 9% entre los años censales 1973 y 1984 (del 30 al 27% del valor de producción durante esos años). Al respecto, véase también E. M. Basualdo, E. Lisfchitz y E. Roca (1988).

Al respecto, en el Cuadro n° 3.8 se verifica —sobre la base de la Encuesta Industrial del INDEC— que las transferencia o el cierre de las empresas extranjeras entre 1973 y 1983 comprometió el 15,6% del valor agregado por éstas en el año inicial. Por otra parte, las más afectadas por dichas transformaciones fueron las empresas transnacionales, de menor diversificación en la economía local.

Fue un proceso sustentado en la reversión de los rasgos centrales de la segunda etapa de sustitución de importaciones, en tanto el núcleo de ese proceso se localizó en el complejo metalmecánico en general, y la producción automotriz, en particular. La repatriación de las inversiones extranjeras involucró a firmas oligopólicas extranjeras que lideraban diversas producciones industriales locales (como Olivetti, Liebig's, Kaiser Aluminio o Phelp Dodge), cuyo núcleo central estaba constituido por algunos de las grandes fabricantes extranjeros de automotores (tal el caso de General Motors, Citroen y Chysler).[50]

Cuadro n° 3.8

Participación en el valor agregado y la ocupación de 1973 por parte de las empresas extranjeras industriales que cesaron sus actividades o fueron vendidas a otros capitales entre 1973 y 1983, diferenciando entre las empresas transnacionales y los conglomerados extranjeros (*)
(porcentajes en términos de los respectivos valores vigentes en 1973)

	Total capital extranjero	Empresas Transnacionales	Conglomerados extranjeros
I. Total de las transferencias o cierres de empresas extranjeras (% del Valor agregado generado por las firmas extranjeras en 1973)	15,6%	9,7%	5,8%
I I. Ventas de empresas a capitales locales y cese de actividad (% del Valor agregado generado por las firmas extranjeras en 1973)	8,5%	6,1%	2,3%
2. Empresas transferidas a otros capitales extranjeros(**) (% del Valor agregado generado por las firmas extranjeras en 1973)	7,1%	3,6%	3,5%

(*) Se denominan como empresas transnacionales a los capitales extranjeros que tienen menos de 6 subsidiarias locales y conglomerados extranjeros, a las casas matrices que controlan el capital de 6 o más subsidiarias en el país.
(**) Comprende, únicamente, las transferencias de firmas que se registran entre los dos tipos de capital extranjero considerados (Empresas Transnacionales y Conglomerados Extranjeros).

Fuente: Elaboración propia sobre la base de la Encuesta industrial del INDEC y E. M. Basualdo, E. Lifschitz y E. Roca (1988).

[50] Véase E. M. Basualdo, E. Lisfchitz y E. Roca (1988).

Finalmente, las empresas locales independientes constituyeron la otra forma de propiedad que registró una severa disminución en su participación dentro de la cúpula empresaria local. Tal como se constata en el Cuadro n° 3.9, al igual que en el caso de las empresas transnacionales, el severo deterioro que sufrió este tipo de empresas entre 1975 y 1983 estuvo fuertemente influenciado por la acentuada expulsión de estas firmas de la cúpula empresaria, la cual superó largamente las incorporaciones a lo largo del período.

Cuadro n° 3.9
Modificaciones en las empresas locales independientes (ELI) que integran la cúpula empresaria entre 1975 y 1983 (en cantidad y porcentajes).

	1975			1983		
	Cantidad de empresas	% de ventas de las ELI	% de ventas de la Cúpula	Cantidad de empresas	% de ventas de las ELI	% de ventas de la Cúpula
Total Cúpula	200	-	100,0	200	-	100,0
Total ELI	52	100,0	10,4	35	100,0	7,0
Firmas que Permanecen	15	36,4	3,8	15	43,8	3,0
Firmas que salen	37	63,6	6,6	-	-	-
Firmas que Ingresan	-	-	-	20	56,2	3,9
Firmas ELI que pasan a Grupos Económicos	13	29,4	3,1	-	-	-

Fuente: Elaboración propia sobre la base de la información de las revistas *Mercado*, *Prensa Económica* y el Área de Economía y Tecnología de la FLACSO.

En este caso, cobró importancia un proceso que estaba prácticamente ausente en el redimensionamiento de las empresas transnacionales, consistente en la inclusión de los capitales más diversificados a la categoría de grupo económico, es decir, se integraban los capitales más dinámicos de la *burguesía nacional* a la *oligarquía diversificada*.

De las 37 empresas locales independientes que salieron de la cúpula en el período analizado, 13 pasaron a integrar la *oligarquía diversificada* (grupos económicos). Más aún, su facturación representó casi el 30% de las ventas de este tipo de empresas en 1975, lo que equivale a la disminución de su participación en las ventas de las 200 empresas de mayor facturación en la economía local entre 1975 y 1983. Dentro de esta situación se encuadran, tal como se constata en el Cuadro nº 3.7, grupos económicos como Fate/Aluar, Agea/Clarín, Laboratorios Bagó, etcétera.

En términos generales, tal como se verifica en el Cuadro n° 3.10, se registró un deterioro en la participación del sector industrial, mientras que las restantes actividades económicas incrementaron su incidencia en las ventas de la cúpula empresaria. Sin embargo, dicha reducción relativa no cuestiona el claro predominio que siguió ejerciendo la producción industrial en las ventas de las grandes firmas, de las que, a pesar de su reducción, en 1983 concentró casi el 60 por ciento.

Cuadro n° 3.10
Importancia de las actividades sectoriales en las ventas de las grandes firmas, según los distintos tipos de empresas
(en porcentajes)

Tipos de empresa	% ventas del sector		% ventas tipos de empresa	
	1976	1983	1976	1983
Total	***100,0***	***100,0***	-	-
Industria	62,1	58,7	-	-
Petróleo	19,7	21,2	-	-
Construcción	1,7	2,1	-	-
Comercio	1,2	2,1	-	-
Servicios	15,3	15,9	-	-
Estatales	***38,4***	***31,5***	***100,0***	***100,0***
Industria	13,3	7,4	21,6	13,8
Petróleo	79,2	56,3	40,7	37,9
Servicios	94,8	96,0	37,8	48,3
Grupos Económicos	***18,0***	***25,0***	***100,0***	***100,0***
Industria	24,4	34,9	84,0	81,8
Petróleo	5,1	11,0	5,6	9,3
Construcción	83,5	73,8	7,8	6,3
Comercio	0,0	8,5	0,0	0,7
Servicios	3,1	2,9	2,6	1,8
Conglomerados Extranjeros	***16,4***	***22,7***	***100,0***	***100,0***
Industria	22,3	27,0	84,5	69,8
Petróleo	12,8	31,2	15,5	29,2
Construcción	0,0	10,6	0,0	1,0
Empresas Locales Independientes	***7,7***	***7,0***	***100,0***	***100,0***
Industria	11,7	11,3	93,8	95,2
Construcción	16,5	15,6	3,6	4,8
Servicios	1,3	0,0	2,6	0,0
Empresas Transnacionales	***19,1***	***13,1***	***100,0***	***100,0***
Industria	27,8	18,1	90,0	81,4
Petróleo	2,8	1,5	2,9	2,4
Comercio	100,0	91,5	6,4	14,8
Servicios	0,8	1,1	0,6	1,4
Asociaciones	***0,3***	***0,7***	***100,0***	***100,0***
Industria	0,5	1,3	100,0	100,0

Fuente: Elaboración propia sobre la base de la información de las revistas *Mercado*, *Prensa Económica* y el Área de Economía y Tecnología de la FLACSO.

Estos resultados globales son el resultado de tendencias contrapuestas en las diferentes formas de propiedad que expresan el carácter que asumió la reestructuración impulsada por la instalación de la valorización financiera como el nuevo eje del proceso económico y social.

El deterioro de las empresas estatales se fundamenta en una marcada reducción de la incidencia relativa tanto de sus empresas industriales como de la petrolera estatal en las ventas de la cúpula empresaria. Al tratarse de un período en que se implementó sólo la denominada "privatización periférica", que afectó muy atenuadamente la facturación de estas empresas, es indudable que este deterioro estuvo vinculado a una profunda reducción de sus precios relativos.

Asimismo, en las otras dos formas de propiedad que disminuyeron su participación relativa en las ventas de la cúpula empresaria —las empresas locales independientes y las empresas transnacionales—, su pérdida de gravitación en la producción industrial fue igualmente definitoria.

Por su parte, las formas de propiedad que expandieron su presencia en las ventas de la cúpula —los grupos económicos y los conglomerados extranjeros— se sustentaban en esas mismas actividades, es decir en la producción industrial y la explotación petrolífera. Al respecto, es pertinente reparar en el significativo incremento que obtuvieron los grupos económicos en la explotación petrolífera y en la importancia que asumieron en las facturación del sector de construcciones al concentrar gran parte de los contratos para llevar a cabo las obras públicas que realizó el Estado.

3.6.3 Predominio de las fracciones del capital dominante en la deuda externa privada

La carencia de información detallada sobre los agentes económicos que transfirieron recursos al exterior implica una restricción relevante para identificar los capitales que estuvieron involucrados en la valorización financiera. Sin embargo, la disponibilidad de información detallada —proveniente del BCRA— sobre la deuda externa para el año 1983, permite superar esta restricción. Esta posibilidad, se origina en las características que asumió el proceso de valorización financiera en la Argentina, ya que, como se analizó, lo sustancial de ese fenómeno estuvo vinculado con capitales internos (locales y extranjeros) que valorizaron internamente los recursos obtenidos de su endeudamiento con el exterior y, posteriormente, colocaron esos fondos en el mercado financiero internacional, desvinculándolos de las alternativas que se registraban en la economía local.

Sobre la base de dicha información y considerando las operaciones de 9 o

Cuadro n° 3.11
Distribución de la deuda externa privada según estratos de empresas, 1983 (en miles de dólares y porcentajes)

Tramos de empresas	Deuda externa	% del Total	% Deuda acumulada	Deuda promedio	Empresas endeudadas con el exterior
Entre 1 y 10	5.799.306	34,9	34,9	579.931	Cogasco, Autopistas Urbanas, Celulosa Argentina, Acindar, Bco. Río, Alto Paraná, Bco. de Italia, Bco. de Galicia, Bridas, Alpargatas.
Entre 11 y 20	1.764.805	10,6	45,5	176.481	Cía. Naviera Pérez Companc, Citibank, Dálmine, Bco. Francés, Papel del Tucumán, Juan Minetti, Aluar, Celulosa P. Piray, Bco. Ganadero Argentino, Bco. de Crédito Argentino.
Entre 21 y 30	1.264.308	7,6	53,1	126.431	Bco. Mercantil Argentino, Bco. de Londres, Bco. Comercial del Norte, Bco. Tornquist, Sade, Sevel, Bco. de Quilmes, Parque Interama, Cía. de Perforaciones Río Colorado, Swift Armour.
Entre 31 y 40	948.846	5,7	58,8	94.885	IBM, Bco. Sudameris, Astra-A. Evangelista, Astilleros Alianza, Mercedes Benz, Bco. Español, Bank Boston, IMPSA, Bco. Roberts, Bco. general De Negocios.
Entre 41 y 50	756.781	4,6	63,4	75.678	Bco. de Crédito Rural, Alianza Nav. Argentina, Ford, Massuh, Continental Nat. Bank, Bco. Shaw, Deere y Co., Cementos NOA, Alimentaria San Luis
Más de 50	6.093.025	36,6	100,0	15.909	Bco. Supervielle, Loma Negra, Selva Oil, Macrosa, Sideco, Chase Manhattan Bank, Bank of America, Astra, Corcemar, Deminex, etc.
Total	16.627.071	100,0	-	38.400	

Fuente: Elaboración propia sobre la base de la información del BCRA publicada por la revista *El Periodista*, 4 de julio de 1985.

más millones de dólares,[51] en el Cuadro n° 3.11 se puede apreciar el grado de concentración que presentaba la deuda externa privada y, en consecuencia, el proceso de valorización financiera en la Argentina.

Estas evidencias indican la existencia de un elevado grado de concentración en este tipo de operaciones, en tanto el endeudamiento de las 10 empresas con mayor monto —que realizaron el 2,3% de las operaciones con 9 o más millones de dólares— representa casi el 35% del monto total considerado, teniendo un endeudamiento promedio de casi 580 millones dólares, 14 veces más elevado que el monto total promedio. Aunque a partir de allí los montos de cada estrato empresario descienden rápidamente, es posible comprobar que las 30 empresas con mayor endeudamiento con el exterior —equivalentes al 6,9% de las operaciones realizadas por las firmas que componen la base de datos analizada— concentraron el 53,1% del total —8.828 millones de dólares— con un endeudamiento externo promedio de casi 295 millones dólares.

La elevada concentración del endeudamiento externo es un rasgo relevante, pero resulta insuficiente porque, al considerar como unidad de análisis la empresa, no se puede precisar el grado de participación de las distintas fracciones del capital en dicho proceso. Para eso, en el Cuadro n° 3.12 consta el endeudamiento externo para las diferentes formas de propiedad.

A partir de esta nueva perspectiva se verifica, con notable claridad, el predominio que ejercieron 38 grupos económicos locales en el endeudamiento del sector privado con el exterior, al concentrar prácticamente el 49% del monto total (poco más de 8 mil millones de dólares) mediante las operaciones que realizaron 180 de sus empresas controladas. Tanto o más contundente es comprobar que el endeudamiento promedio de los grupos económicos locales (208,9 millones de dólares) equivale a tres veces el endeudamiento promedio total (69,9 millones de dólares), y a casi cuatro veces el de los conglomerados extranjeros (56,6 millones de dólares), la forma de propiedad que le sigue en orden de importancia y donde las entidades bancarias son mayoritarias. Esta coherencia del endeudamiento externo con la reestructuración productiva se reafirma cuando se comprueba que las empresas locales independientes no solamente tuvieron una pronunciada reducción en las ventas de la cúpula, sino que también exhibieron una escasa participación en el endeudamiento externo y el promedio más reducido de todas los tipos de capital considerados.

[51] La base de datos del BCRA sobre la deuda externa privada de diciembre de 1983 está compuesta por 8.811 registros (operaciones de endeudamiento externo) que comprometen 21.278 millones de dólares. Dentro de las mismas, hay 433 operaciones (4,9% de las operaciones totales) que alcanzan a 9 o más millones de dólares, las cuales en conjunto suman 16.690 millones de dólares, es decir, el 78,4% del total de la deuda externa contraída por el sector privada hasta la fecha mencionada.

Cuadro n° 3.12
Distribución de la deuda externa privada
según formas de propiedad y empresas
endeudadas, 1983
(en cantidad, millones de dólares y porcentajes)

	Unidades Económicas	Cantidad de Empresas	Deuda Externa	% del Total	Deuda promedio por empresa	Deuda promedio por unidad económica	Empresas*
Estatales	6	6	170	1,02	28,3	28,3	Bco. de la Prov. de Bs. As., Bco. del Chaco, Atanor, Bco. de Mendoza, Petroquímica Río III, Bco. de la Prov. de Río Negro
Grupos Económicos Locales	38	180	8.080	49,60	44,5	212,6	Celulosa Argentina, Acindar, Bco. Río, Alto Paraná, Bco. de Italia, Bco. de Galicia, Alimentaria San Luis, Bridas, Alpargatas, Cía. Naviera Pérez Companc, Dálmine
Conglomerados Extranjeros	37	90	2.093	12,59	23,3	56,6	Citibank, Bco. de Crédito Argentino, Bco. de Londres, Bco. Sudameris, The F. N. Bank Boston, Bco. Roberts, Ford, Bco Supervielle, Industrias Pirelli, Esso
Empresas Locales Independientes	51	51	1.138	6,84	22,3	22,3	Juan Minetti, IMPSA, Bco. de Crédito, Rural, Ventura Mar del Plata, Uzal, Azucarera Concepción, Banco Mariva, Frymat-Friar, Sancor
Empresas Transnacionales	81	81	4.499	27,06	55,5	55,5	Cogasco, Autopistas Urbanas, Swift Armour, IBM, Mercedes Benz, Bco. general de Negocios, Continental, Nat. Bank, Deere y Co., Macrosa, Chase Manhattan Bank
Asociaciones	2	2	48	0,29	24,0	24,0	Papel Prensa, Nuclar
Sin Identificar	23	23	599	3,60	26,0	26,0	Parque Interama, Selva Oil, La Fenice, Baiter, Arpemar, Distrimotor, Chincul, Argenbel, ISIN, Fouquet
Total	238	433	16.627	100,00	38,4	69,9	

* En todos los casos, se menciona la razón social de las 10 empresas de mayores montos de deuda externa.

Fuente: Elaboración propia sobre la base de la información del BCRA publicada por la revista *El Periodista*, 4 de julio de 1985.

La conjunción de una elevada concentración por empresa con una no menos significativa concentración por forma de propiedad, indica que el endeudamiento externo estuvo fuertemente centrado en las fracciones empresarias dominantes, especialmente en las que ejercían la hegemonía en el nuevo bloque de poder, es decir, los grupos económicos locales. Desde esta perspectiva, no caben dudas de que sus características difieren de las de otras situaciones históricas hegemonizadas por el capital financiero, como la experiencia francesa de mediados del siglo XIX analizada por Carlos Marx en uno de sus textos clásicos.[52] Si bien entre ambos procesos median notables diferencias en términos económicos, políticos y sociales, es interesante mencionar una de sus principales diferencias estructurales para comprender más acabadamente las peculiaridades del caso argentino.

Mientras que en la sociedad francesa de esa época, el débil capital industrial estaba desvinculado del proceso de apropiación financiero del excedente, en el caso argentino algunas de las fracciones industriales oligopólicas fueron centrales en el proceso de valorización financiera asentado sobre el endeudamiento externo —privado y público— y, por lo tanto, no se desarrolló una contradicción entre el ámbito industrial y el financiero, sino una reestructuración productiva con un nítido sesgo en contra de la *burguesía nacional*, especial pero no únicamente sustentada en la producción industrial.

Tal como se observa en el Cuadro n° 3.13, este aspecto estructural se expresó contundentemente en el endeudamiento externo contraído por los capitales que integraban las diferentes formas de propiedad consideradas en este trabajo.

En términos generales, y pese a la nutrida presencia de bancos nacionales y extranjeros, estas evidencias indican que el 67% del monto del endeudamiento externo privado (11.101,8 millones de dólares) respondió al endeudamiento de empresas pertenecientes a capitales con inserción en la producción industrial local. Al realizarse un somero análisis de cada una de

[52] Carlos Marx (1968). Respecto de la problemática planteada, allí se consigna: "*En un país como Francia, donde la magnitud de la producción nacional es desmesuradamente inferior a la magnitud de la deuda nacional, donde la renta del Estado constituye el objeto más importante de la especulación y donde la Bolsa forma el mercado principal para la colocación del capital que quiere invertirse de manera improductiva, en un país de este género es necesario que una masa innumerable de gentes de todas las clases burguesas o semi-burguesas, participan en la deuda pública, en el juego de la Bolsa, en las finanzas.*" (p. 141). Al comparar Inglaterra con Francia, agrega: "*En Inglaterra predomina la industria, en Francia la agricultura. En Inglaterra la industria necesita el* free trade *(librecambio), en Francia necesita protección aduanera, el monopolio nacional junto a otros monopolios. La industria francesa no domina la producción francesa; los industriales franceses, por consecuencia, no dominan la burguesía francesa. Para hacer triunfar sus intereses contra las demás fracciones de la burguesía, no pueden ponerse a la cabeza del movimiento —como los ingleses— y llevar al mismo tiempo al extremo sus intereses de clase; necesitan ponerse detrás de la revolución y servir intereses que son contrarios a los intereses generales de su clase*" (p. 142).

Cuadro n° 3.13

Composición de la deuda externa privada según tipo de capital e inserción industrial de los mismos, 1983.

(en cantidades y millones de dólares)

	Total		Con inserción industrial		Sin inserción industrial		Grupo/ Conglomerado/ Empresa*
	Unidades Económicas	Deuda externa	Unidades Económicas	Deuda externa	Unidades Económicas	Deuda externa	
Estatales	6	169,8	2	48,1	4	121,7	Bco. Provincia de Buenos Aires, Bco. del Chaco, ***Atanor***, Bco. de Mendoza, ***Petroquímica Río III***, Bco. de la Provincia de Río Negro
Grupos Económicos Locales	38	8.080,5	31	6.668,7	7	1.411,8	***Celulosa Argentina, Pérez Companc, Bridas, Acindar***, Bco. de Italia, ***Alimentaria San Luis, Alpargatas, Techint, Garovaglio y Zorraquín***, Bco. de Galicia, ***Macri***
Conglomerados Extranjeros	37	2.093,3	26	1.004,1	11	1.089,2	Citibank, Iri, Bco. de Crédito Argentino, Bco. de Londres, ***Pirelli***, F. N. Bank Boston, ***Ford***, Roberts, Societe Generale, ***Exxon***
Empresas Locales Independientes	51	1.137,8	35	826,6	16	311,3	***Juan Minetti, IMPSA***, Bco. de Crédito Rural, Ventura Mar del Plata, ***Uzal, Azuc. Concepción***, Bco. Mariva, ***Frymat-Friar, Sancor***
Empresas Transnacionales	81	4.498,7	45	2.507,4	36	1.991,4	***Cogasco***, Autopistas Urbanas, ***Swift Armour, IBM, Mercedes Benz***, Bco. General de Negocios, Continental National Bank, ***Deere y Co., Macrosa***, Chasse Manhattan Bank
Asociaciones	2	47,9	1	46,9	1	1,0	***Papel Prensa***, Nuclar
Sin Identificación	23	599,1	0	0	23	599,1	Parque Interama, Selva Oil, La Fenice, Baiter, Arpemar, Distrimotor, Chincul, Argenbel, ISIN, Fouquett
Total	238	16.627,1	140	11.101,8	98	5.525,3	

* En negrita y cursiva están los grupos con inserción industrial.

Fuente: Elaboración propia sobre la base de la información del BCRA publicada por la revista *El Periodista*, 4 de julio de 1985.

las formas de propiedad, es fácilmente perceptible que los grupos económicos locales —dejando de lado las asociaciones— son los que tuvieron el mayor porcentaje de la deuda vinculada a capitales con implantación industrial (82,5% de su respectivo total), seguidos por las empresas locales independientes (72,6% de su total) y recién después por las dos fracciones del capital extranjero, debido a la influencia ejercida por las entidades puramente bancarias.

Finalmente, la difundida presencia de la banca extranjera en el propio endeudamiento externo privado argentino y, en menor medida, de empresas productivas que no formaban parte de la cúpula empresaria, plantean la posibilidad de que haya habido un defasaje entre los capitales que lideraban la economía real y los que concentraban el endeudamiento externo privado, lo cual indicaría que el proceso de valorización financiera durante la dictadura militar estuvo desvinculado de la reestructuración productiva.

Con el propósito de dilucidar este interrogante, en el Cuadro n° 3.14 consta la distribución de la deuda externa privada según el tipo de inserción económica de los deudores externos privados. Los resultados obtenidos indican que la hipótesis planteada no se constata en la realidad, ya que los capitales presentes en la cúpula empresaria concentran el 50% de la deuda externa privada, superando claramente la participación de los restantes agregados y, al mismo tiempo, exhibiendo el endeudamiento externo promedio más elevado.

Resulta imprescindible destacar que esa porción mayoritaria del endeudamiento externo que concentraron los capitales que formaban parte de la cúpula empresaria, tampoco se distribuyó proporcionalmente entre las distintas formas de propiedad. En efecto, tal como se constata en el Cuadro nº 3.15, prácticamente el 80% de la deuda externa privada considerada en la muestra —casi el 40% del endeudamiento externo privado total— es generada por los grupos económicos locales, es decir por la *oligarquía diversificada,* que es la que se expandió económicamente desde la dictadura militar en adelante. En realidad, las marcadas diferencias cuantitativas que mantuvieron los grupos económicos locales, cualquiera sea la variable que se considere, sobre el resto de las formas de propiedad, los ubicó como el núcleo económico y social básico que articuló los resultados de la reestructuración de la economía real y el proceso de valorización financiera.

Habiéndose establecido que los grupos económicos locales ejercieron, al mismo tiempo, el predominio en la economía real y en el endeudamiento externo privado, la acentuada dispersión del resto del endeudamiento entre diversos integrantes de las fracciones empresarias, tuvo la función de otorgarle viabilidad a ese endeudamiento externo centralizado en la fracción hegemónica.

Cuadro n° 3.14
Distribución de la deuda externa privada de acuerdo con la inserción económica de los deudores privados, 1983.
(en miles de dólares, porcentajes y cantidad)

	Deuda externa privada total		Unidades económicas		Deuda promedio (miles de dólares)	Deuda promedio (Total = 100)
	Miles de dólares	% del Total	Cantidad	% del Total		
Empresas/grupos/conglomerados con inserción en la cúpula empresaria	8.330,8	50	70	29	119,0	170
Empresas/grupos/conglomerados sin inserción en la cúpula empresaria	4.907,8	30	115	48	42,7	61
Empresas/grupos/conglomerados con inserción financiera de origen extranjero sin inserción en la cúpula empresaria	1.736,5	10	34	14	51,1	73
Empresas/grupos/conglomerados con inserción financiera de origen local sin inserción en la cúpula empresaria	1.652,0	10	19	8	86,9	124
Total	*16.627,1*	*100*	*238*	*100*	*69,9*	*100*

Fuente: Elaboración propia sobre la base de la información del BCRA publicada por la revista *El Periodista*, el 4 de julio de 1985.

Fue un proceso muy restringido en términos sociales, pero al mismo tiempo participativo dentro de los sectores de poder, integrando capitales productivos que no estaban presentes en la cúpula empresaria: bancos transnacionales —muchos de los cuales eran acreedores externos del país—, entidades financieras locales y hasta algunos integrantes de la *burguesía nacional*. En otras palabras, si bien para la sociedad en su conjunto el proceso de endeudamiento con el exterior estuvo sumamente centralizado en un número relativamente escaso de capitales y empresas, dentro de los sectores de poder tuvieron una relativa dispersión que permitió aminorar las resistencias, al fracturar a las restantes fracciones del capital.

3.6.4 La estatización de la deuda externa privada

La estatización de la deuda externa del sector privado fue el resultado de la confluencia de múltiples instrumentos y acciones que puso en marcha el Banco Central a lo largo de varios años. Si bien las principales medidas se sintetizan en el Cuadro n° 3.16, su complejidad requiere que, al menos, se realice un breve análisis de su contexto y contenido.

Cuadro n° 3.15

Capitales que integran el listado de las empresas de mayores ventas y el de mayores deudores externos según tipo de empresa, 1983. (en millones de pesos 1983, millones de dólares, porcentajes y números índices)

	Ventas				Deuda				Grupos/ conglomerados/ empresas
	Monto	% del Total	Promedio	Promedio Total =100	Monto	% del Total	Promedio	Promedio Total =100	
Grupos económicos locales	116.473	22,8	4.659	182,5	6.471	38,9	259	370,5	Techint, Acindar, Bunge y Born, Madanes, Macri, Alpargatas, Garovaglio y Zorraquín, Celulosa, Astra, Pérez Companc, Bridas, Ledesma, Loma Negra, Patrón Costas, Arcor, FV, Soldati, Massuh, Aceros Bragado, Atanor, Corcemar, Bagó, Schcolnik, Astilleros Alianza, Werthein.
Conglomerados extranjeros	51.302	10,0	4.275	167,4	597	3,6	50	71,2	Shell, Ford, Renault Pirelli, Bayer, Siemens, Philips, Lepetit Dow, Fiat, Deutz, Johnson & Johnson, La Vascongada.
Empresas transnacionales	40.531	7,9	1.762	69,0	836	5,0	36	52,0	IBM, Ducilo, Good Year, Swift Armour, Pasa, Mercedes Benz, VW, Nestlé, Firestone, Ciba Geigy, Lever, Monsanto, Roche, Gillette, Argentina de Teléfonos, Cidec, Saab Scania, Merck Sharpe y Dohme, Compañía Embotelladora Argentina, NCR, Kodak, Deere, Petrosur.
Empresas locales independientes	14.825	2,9	1.647	64,5	380	2,3	42	60,5	Mastellone, Sancor, Azucarera Concepción Minetti y Cía., Colorín, Juan Minetti, Ucal, Lombarda, Pescarmona.
Asociaciones	1.173	0,2	1.173	45,9	47	0,3	47	67,1	Papel Prensa
Subtotal	224.304	43,9	3.204	125,5	8.331	50,1	119	170,4	
Total	510.694	100,0	2.553	100,0	16.627	100,0	70	100,0	

Fuente: Elaboración propia sobre la base de la información del BCRA publicada por la revista *El Periodista*, 4 de julio de 1985.

Cuadro n° 3.16

Instrumentos utilizados para subsidiar y estatizar la deuda externa del sector privado

Fecha	*Medida*	Norma	Contenido general de la norma
Junio 1981	Primer régimen de seguros de cambio para deudas externas privadas	Comunicación "A" 31 del BCRA (5/6/81)	Le garantiza al deudor privado la tasa de cambio inicial y le cobra una "prima de garantía" siempre que renueve el crédito externo por 540 días.
Junio 1981	Subsidio directo a los deudores privados para cubrir la devaluación de junio de 1981	Comunicación "A" 33 del BCRA (10/6/81)	Subsidio directo (0,23 dólares por dólar de deuda) resultante de la diferencia entre el tipo de cambio del 29/5/81 y del 2/6/81, a pagar al finalizar la deuda
Noviembre 1981	Primer régimen de seguros de cambio para deuda externa privada de corto plazo ("swaps")	Comunicación "A" 75 del BCRA1981 (30/11/81)	Le garantiza al deudor privado la tasa de cambio inicial y le cobra una "prima de garantía" del 5% del monto. Se suspendió en diciembre del mismo año.
Mayo 1982	Segundo régimen de seguros de cambio para deudas externas privadas de corto plazo	Comunicación "A"129 del BCRA (28/5/82)	Le garantiza al deudor privado la tasa de cambio inicial y le cobra una "prima de garantía" del 3% del monto.
Julio 1982	Tercer régimen de seguros de cambio para deudas externas privada de corto plazo ("swaps")	Comunicación "A" 136 del BCRA (5/7/82)	Para créditos por 180 días a partir del 6/7/82. Se le garantiza al deudor privado la tasa de cambio inicial y le cobra una "prima de garantía" a determinar.
Julio 1982	Segundo régimen de seguros de cambio para deudas externas privadas	Comunicación "A" 137 del BCRA (5/7/82)	Le garantiza al deudor privado la tasa de cambio inicial y le cobra una "prima de garantía" siempre que renueve el crédito externo entre 1 y 5 años.
Septiembre 1982	Tercer régimen de seguros de cambio para deudas externas privadas	Comunicación "A" 229 del BCRA (24/9/82)	Modificación del tipo de cambio y tasa futura de la Comunicación "A" 137 del 5/7/82.
Octubre 1982	Estatización de la deuda externa del sector privado	Comunicación "A" 251 del BCRA (17/1182)	Modificación de cronograma de vencimiento y entrega de bonos al acreedor externo (*Promissory notes y Bonod*). Cancelación parcial del subsidio a las deudas no estatizadas mediante un depósito indisponible.
Octubre 1983	Investigación de la deuda externa privada "ilegítima"	Resolución del Directorio del BCRA n° 340 (31/10/83)	Investigación de irregularidades sobre el 30% del monto de la deuda externa privada. Detección de numerosas irregularidades pero una sola impugnación (deuda de Cogasco).
Septiembre 1982	Capitalización de deuda externa privada con seguro de cambio	Resolución "A" 532 del BCRA (13/9/84)	Capitalización del acreedor externo en empresas locales con liquidación por parte del BCRA del subsidio derivado del seguro de cambio.

Fuente: Elaboración propia sobre la base de información del BCRA y otras fuentes.

La problemática de la estatización de la deuda externa privada, comenzó a plantearse a partir del agotamiento de la política sustentada en el "enfoque monetario de Balanza de Pagos" y de la salida de Martínez de Hoz como ministro de Economía en febrero de 1981. Fue un período con un nivel paupérrimo de reservas en el BCRA y en el que comenzó una serie de devaluaciones sucesivas con el objetivo de superar el estrangulamiento externo provocado por la política económica anterior.[53]

En esas circunstancias, antes de la sucesión de los dictadores (Viola por Videla) y de los ministros de Economía (Sigaut por Martínez de Hoz) el tipo de cambio se incrementó un 10% y, con posterioridad, se sucedieron otros incrementos del 30%, en abril y junio de 1981, respectivamente. En ese momento —bajo el justificativo de la escasez de reservas— se puso en funcionamiento el primer régimen de seguros de cambio (Comunicación "A" 31 del BCRA del 5/6/81) al que pudieron acogerse todos los préstamos contraídos por el sector privado que vencían en julio de 1981, o las nuevas deudas externas que se concertaran a partir de ese momento.[54] Asimismo, el BCRA estableció que el vencimiento de las renovaciones y de los nuevos préstamos no podían ser menores a un año y medio (540 días) y debían ser correctamente inscriptos en dicha institución monetaria.

Mediante este régimen, el BCRA le garantizaba al deudor privado el tipo de cambio vigente en el momento de establecer el respectivo contrato y le cobraba una "prima de garantía" que durante los primeros 6 meses se fijó en el 40% del tipo de cambio determinado por la autoridad monetaria. Posteriormente se determinó sobre la base de la evolución de los precios mayoristas deducida la inflación internacional (variación de los precios mayoristas norteamericanos). Como en la práctica la "prima de garantía" evolucionó muy por debajo del tipo de cambio —que aumentó aceleradamente superando al resto de los precios, debido al atraso acumulado en la etapa anterior—, se produjo un descomunal subsidio estatal para los deudores externos privados.

Si bien el grueso del endeudamiento externo fue contraído por las fraccio-

[53] Para un análisis de la evolución y el impacto de la estatización de la deuda externa privada, véase E. Basualdo (1987).

[54] El Banco Mundial (junio 22,1984) realiza las siguientes consideraciones respecto de este régimen: *"En julio de 1981, el BCRA introdujo un seguro de cambio para postergar el vencimiento de las deudas externas del sector privado que debían extenderse, por lo menos, a 540 días. La prima inicial cobrada por el BCRA estaba algo más del 2% mensual. A pesar de que fue aumentando por la indexación que contemplaba, la prima se mantuvo muy por debajo de las tasas de devaluación del período, de tal manera que los incentivos para el sector privado eran muy fuertes y llegaron a generar deuda ficticia. Se alega que la práctica denominada autopréstamos —por ejemplo, la creación por parte de residentes argentinos de deuda externa cubierta por un depósito en el exterior o por algún otro activo— suman 5 mil o más millones de dólares, que quedaron registrados como deuda externa."* (p. 67) (traducción propia).

nes dominantes locales, la deuda era muy inferior a los recursos que esas mismas fracciones fugaron al exterior. En realidad, la transferencia de recursos al exterior efectuada por parte de los residentes locales fue prácticamente equivalente al total de la deuda externa del país, que resulta de la suma de la deuda externa pública y la del sector privado. No eran capitales endeudados con el exterior que enfrentaban problemas financieros como consecuencia de una modificación del contexto macroeconómico sino que, por el contrario, tenían una situación superavitaria y su intención era acrecentarla aún más transfiriendo su deuda externa al Estado.[55]

Pocos días después el BCRA emitió otra comunicación ("A" 33 del 10/6/81) en la que estableció un nuevo subsidio para los deudores externos con cargo a las finanzas públicas. En este caso, se trató de un subsidio directo resultante de la diferencia entre el tipo de cambio del 29 de mayo de 1981 (3.284 pesos por dólar) y el vigente el 2 de junio (4.269 pesos por dólar), que era equivalente a 0,23 dólares por cada dólar de deuda externa y su pago se efectuaba al final de la renovación, no inferior al año, al tipo de cambio vigente. De esta manera, los *intelectuales orgánicos* de los sectores dominantes establecieron la retroactividad del régimen de seguro de cambio, incorporando en él la última devaluación del 30 por ciento.

A lo largo de 1981, las autoridades económicas establecieron una serie de medidas complementarias al régimen de seguro de cambios que, fundamentalmente, acrecentaron los beneficios para los deudores privados en detrimento del sector público. La serie de medidas ampliaba los préstamos susceptibles de acogerse a este régimen e introducía modificaciones en la forma de determinar, y disminuir, la "prima de garantía" dado el movimiento de los precios relativos. Así, cuando se desdobló el mercado de cambios, se permitió que el pago de los préstamos se realizara por el dólar comercial y no por el financiero, que era más elevado. Posteriormente se abrió la opción para que la "prima de garantía" se determinara sobre la base de la tasa de interés regulada, descontada la tasa "libor" a treinta días. Asimismo, entre agosto y septiembre se le dio curso a la posibilidad de concretar el seguro de cambio en forma anticipada, abriéndose la alternativa a que se incorporaran al régimen los préstamos excluidos hasta ese momento.

[55] Sobre el particular, E. Calcagno (1987) señala: *"Una de las mayores utilizaciones de la deuda externa que contrajo la Argentina a partir de 1976, fue el financiamiento de la evasión (fuga) de capitales. Sobre el tema existen cifras dispares, que hacen oscilar los capitales evadidos (fugados) entre 20 y 30 mil millones de dólares. La estimación del Banco Mundial la sitúa cerca de los 19 mil millones. Pero más recientemente, el Morgan Guaranty Trust Co. of New York en su publicación* World Financial Markets, *lleva ese cálculo a los 26.000 millones de dólares. Y lo que es más revelador aún realiza una estimación sorprendente: si no hubiera existido esa evasión [fuga] de capitales, la deuda externa argentina ascendería hoy solamente a mil millones de dólares. Al comparar esta última cifra con las análogas del Brasil, México y Venezuela, se puede advertir mejor la naturaleza de la deuda externa en esos países: la evasión [fuga] fue escasa en el Brasil, importante en México y enorme en Argentina y Venezuela."* (p. 42).

Entre noviembre y diciembre se instrumentó un nuevo régimen de seguros de cambio para los préstamos de corto plazo ("swaps") que contrajera el sector privado ("A" 75 del 30/11/81). Para estas operaciones, se les garantizó la tasa de cambio inicial y se definió una "prima de garantía" del 5% mensual del monto considerando el tipo de cambio inicial. Este régimen, que también implicó un notorio subsidio al deudor privado, se suspendió a fines de diciembre, luego de un nuevo recambio de dictadores y sus ministros de Economía (Galtieri reemplaza a Viola y Roberto Alemann a Lorenzo Sigaut).

Durante el conflicto de las Islas Malvinas, debido al vencimiento de los préstamos de corto plazo contraídos el año anterior, se reinstaló el régimen de seguros de cambio para ese tipo de deudas del sector privado ("*swaps*") mediante otra circular del BCRA (Comunicación "A" 129 del 28/5/82) como un intento para lograr su renovación, fijándose la prima en un nivel aún más reducido que la del año anterior (el 3% del monto considerando el tipo de cambio inicial).

Finalizado el conflicto y modificado por última vez el esquema de mandos de la dictadura, siendo ministro de Economía J. Dagnino Pastore y D. Cavallo presidente del Banco Central, se puso en marcha un nuevo régimen de seguros de cambio (comunicación "A" 137 del BCRA) que no anuló el anterior, sino que funcionó como otra alternativa para los deudores externos privados. Esta norma permitió la incorporación de préstamos externos contraídos por el sector privado antes del 6 de julio de 1982, incluyendo los préstamos impagos con o sin seguro de cambio, siempre que su renegociación fuese por no menos de uno y no más de cinco años. Se le garantizó el tipo de cambio y la "prima de garantía" se determinó sobre la base de la inflación interna menos la internacional y debía ser abonada semestralmente. Nuevamente, sucesivas comunicaciones del BCRA introdujeron una serie de alteraciones a las normas originales, como la modificación de la tasa de cambio y la "prima de garantía" que provenían del régimen anterior.

En agosto de 1982, habiendo asumido J. Whebe como nuevo ministro de Economía, y dada la crítica situación de la Balanza de Pagos y los inminentes vencimientos de la deuda externa privada con seguros de cambio, se intentó poner en marcha el tercer régimen de esas características bajo la aparente modificación del régimen anterior (Comunicación "A", 229 de septiembre de 1982) con el propósito de lograr una nueva postergación de este tipo de endeudamiento. Sin embargo, el nuevo régimen no tuvo mayores repercusiones ya que, a esa altura, más del 70% de la deuda externa privada estaba asegurada sobre la base de los regímenes anteriores.[56]

[56] Al respecto, A. García y S. Junco (1987) afirman: "*Al finalizar 1982, el total de la deuda contratada bajo la forma de operaciones de pase ascendía a 1.400 millones de dólares. El régimen de seguros de cambio concluyó en octubre de 1982 después de algunas modificaciones que intentaron hacerlo aún más atractivo. Para entonces se había contratado seguros por 4.500 millones de dólares, los que sumados a los tomados bajo el régimen anterior totalizaban 9.600 millones equivalentes al 70% del total de la deuda externa privada.*" (p. 34)

Tras ese intento frustrado, al mes siguiente se puso en marcha la estatización de la deuda externa privada mediante la comunicación "A" 251 del BCRA, transformándola en deuda pública y reformulando, al mismo tiempo, el cronograma de vencimiento de las obligaciones que tomó a su cargo, pero sin afectar el subsidio al deudor privado. Inicialmente, la estatización abarcó la deuda externa privada que tenía seguro de cambio y su renovación vencía el 22/10/82, mientras que las que lo hacían antes de esa fecha seguían siendo privadas hasta finalizar los plazos estipulados.

En el caso de las deudas estatizadas, el deudor privado debía abonar en pesos la deuda y la "prima de garantía" en las condiciones pactadas —con lo que se concretaba el subsidio— y el BCRA las tomaba a su cargo y le abonaba al acreedor externo con un nuevo cronograma de pago mediante dos tipos de bonos: obligaciones en dólares ("*Promissory Notes*") y Bonos en dólares (BONOD). En ambos casos, la amortización se realizaba en 42 meses y su negociación estaba prohibida dentro del país. Si bien la estatización de la deuda externa privada se rigió por las normas mencionadas, el BCRA también estableció su predisposición para analizar propuestas alternativas que estuvieran acordadas entre el deudor y el acreedor, siempre y cuando respetaran el cronograma de pagos establecido en la operatoria general.[57]

Por otra parte, respecto de las deudas privadas que no fueron estatizadas, el BCRA también estableció una nueva operatoria. La renovación de los seguros de cambio se realizó sobre la base del tipo de cambio vigente que, obviamente, era muy superior al establecido en el contrato original. La autoridad monetaria reconocía, una vez más, que el deudor debía recibir la diferencia entre ambas tasas de cambio, pero no en efectivo sino a través de un "bono de absorción monetaria", que en realidad era un depósito indisponible a nombre del deudor que devengaba un interés del 8% anual, tenía dos años de gracia y se amortizaba en 7 cuotas semestrales a partir de su emisión.

De esta manera, la estatización de la deuda externa del sector privado perfeccionó la irreversibilidad de la licuación del endeudamiento externo de las

[57] En la Memoria y Balance de 1986 de la firma Renault Argentina se menciona una operación de cancelación de deuda externa con seguro de cambio (Comunicación "A" 137) de acuerdo con las pautas de la Comunicación "A" 251 que regía la estatización de estas deudas mediante la entrega de bonos. Resulta interesante no sólo por la operación en sí misma sino también porque ilustra el funcionamiento de los autopréstamos. En la nota 7 se afirma: *"El 19 de mayo de 1983 la Sociedad canceló ante el banco local interviniente, de acuerdo con las disposiciones del BCRA, el importe en pesos equivalente a una deuda por aproximadamente u$s 3.800.000 contraída con un banco del exterior, la cual tenía cambio asegurado según las disposiciones de la comunicación A-137. El acreedor externo ha manifestado su conformidad de aceptar Bonos del Banco Central, como forma de cancelación de la deuda [...] Asimismo se aclara que la Sociedad posee inversiones en el exterior por valor de aproximadamente u$s 3.800.000 que garantizan el pago de la deuda original"*. Las características que asumen las operaciones de autopréstamos de la empresa Renault Argentina pueden consultarse en E. Halliburton, J. M. Bianco y C. A. Villalba (1989).

fracciones dominantes locales, articulándose con los regímenes de seguros de cambio y convalidando los subsidios implícitos que dichas fracciones percibían con cargo a las finanzas públicas.

En el fracaso dictatorial y el advenimiento del nuevo gobierno constitucional, no se produjo una impugnación de la legalidad, ni de la legitimidad de lo actuado por la dictadura militar en materia de los seguros de cambio o de la estatización de la deuda externa privada. No obstante, el sistema político, y especialmente el partido de gobierno, sí cuestionó lo que se denominó la "deuda externa ilegítima",[58] entendiendo como tal aquella que habían contraído las empresas oligopólicas de manera fraudulenta, especialmente mediante los autopréstamos —respaldados con depósitos en el exterior— o simulando la existencia de deudas que ya habían sido pagadas para, de esa manera, establecer contratos de seguros de cambio con el BCRA.[59]

En consonancia con las sospechas de que existieron deudas contraídas por el sector privado en forma fraudulenta, durante los primeros meses del gobierno constitucional el BCRA dispuso la conformación de un cuerpo de investigadores (Inspectores de Cambio) que tenían como objetivo el análisis de las declaraciones juradas de las empresas privadas con deudas en moneda extranjera al 31/10/83 (Resolución del directorio del BCRA nº 340 del 5/7/84). Si bien de acuerdo con las evidencias del propio BCRA, había 8.562 deudores con un total de 17.000 millones de dólares de deuda externa, las autoridades de la institución monetaria decidieron que el cuerpo de investigadores sólo debía tomar en cuenta 5.080 millones (el 30% de la deuda privada total identificada por el BCRA).[60] A pesar de es-

[58] El candidato del partido radical, R. Alfonsín, en un acto partidario realizado en la provincia de Formosa, expresaba: *"Con respecto de la deuda externa, afirmó que hay unos 5 mil millones de dólares adeudados en forma ilegítima. Agregó que esto resultará difícil de establecerlo con pruebas, pero desde el gobierno se pedirá, a quiénes soliciten dólares para pagar, que justifiquen en concepto de qué es lo que deben"* (Diario *Clarín*, 20/9/83, p. 12).

[59] Al respecto, E. Calcagno (1987) plantea las siguientes precisiones: *"Uno de los mecanismos más utilizados para evadir capitales y, por consiguiente de aumentar la deuda era el siguiente: el interesado introducía dólares prestados por bancos extranjeros, los convertía en pesos, realizaba ganancias por la tasa de interés nominal interna (mucho mayor que el costo del crédito fijado por la tasa de interés externa y el ritmo de la devaluación); después reconvertía los pesos en dólares, los sacaba del país y los depositaba en un banco extranjero, y obtenía un nuevo crédito en dólares de ese banco con la garantía del depósito; y así se repetía reiteradas veces esa operación. Cuando el saldo del comercio exterior ya no era suficiente para proveer de dólares a los que querían depositarlos en el exterior, se obligó a las empresas públicas a endeudarse en moneda extranjera, para que los depositaran en el Banco Central, que le daba el equivalente en pesos a la empresa pública y vendía los dólares a los particulares que los solicitaban. Este fue uno de los mayores mecanismos utilizados para la evasión de capitales. Otro procedimiento fue el de los seguros de cambio, ampliamente utilizados por el sector privado, incluso en los casos de autopréstamos"* (p. 43).

[60] Si bien los resultados de esta investigación del BCRA nunca se dieron a conocer institucionalmente, algunas de sus características y de los casos específicos de endeudamiento fraudulento que se identificaron, se puede consultar en E. Halliburton, J. M. Bianco y C. A. Villalba (1989).

ta restricción, se detectaron numerosas e importantes irregularidades —autopréstamos, aportes de capital devenidos en deuda externa, etcétera—, que nunca dieron lugar a acciones concretas por parte del gobierno, salvo en el caso de Cogasco.[61]

El último hito en el proceso de transferencia de la deuda externa de las fracciones dominantes locales al Estado, consistió en la puesta en marcha del régimen de capitalización de deuda externa que cuente con seguros de cambio mediante la comunicación "A" 532 del BCRA, emitida en septiembre de 1984. No deja de ser paradójico que la culminación de este proceso haya sido el comienzo de otra etapa del ciclo del endeudamiento externo que llegó a su máxima expresión con la privatización de las empresas públicas: la capitalización de la deuda externa.

Por otra parte, era necesario que la firma endeudada cancelara en pesos el monto del capital adeudado y la prima de garantía al BCRA. Entonces se procedía a un asiento contable por el cual el BCRA le entregaba las divisas equivalentes al préstamo, que eran simultáneamente adquiridas por la misma entidad al tipo de cambio vigente en el mercado de cambio, recibiendo la empresa privada el monto en moneda local y capitalizando el acreedor externo el crédito en la empresa previamente definida. De tal forma, estas operaciones de capitalización no comprometían divisas en la cancelación de la deuda externa privada ni en el subsidio a la empresa privada que surgía de la diferencia entre el tipo de cambio original y el vigente en el mercado de cambio.

3.6.5 Características e impactos de la licuación de la deuda externa privada con cargo a las finanzas públicas

En el contexto de las características que presentaron los múltiples regímenes de seguros de cambio que reglaban la licuación de la deuda externa del sector privado con cargo a las arcas estatales, es posible realizar una evaluación cuantitativa de sus alcances en términos de la deuda externa del sector privado, así como de su impacto sobre las finanzas públicas.

El primer paso consiste en determinar la evolución de la deuda externa privada con seguros de cambio a lo largo del período analizado. Al respecto, en el

[61] Algunas de las numerosas y graves irregularidades detectadas por los inspectores del BCRA se mencionan E. Halliburton, J. M. Bianco y C. A. Villalba (1989). Al respecto, los autores afirman que: *"La nómina de empresas a las cuales se le detectó alguna forma de autopréstamos es tan abundante como significativa: Renault Argentina SA; Sideco Americana SA, Socma SA; Suchard Argentina SA; Cargill SA; Celulosa Jujuy SA; Ford Motors Argentina; Sudamtex SA; Textil Sudamericana, etcétera. [...] está el caso —entre muchos— del Citibank de Buenos Aires, que le conseguía a sus clientes una línea de créditos del Citibank de Nueva York, con la cual podían cancelar aquellos préstamos que les habían sido otorgados, ahora sí pudiendo conseguir el seguro de cambio para la nueva financiación proveniente del exterior."* (pp. 77-79).

Cuadro n° 3.17 consta su trayectoria de acuerdo con los tres tipos de regímenes de seguros de cambio puestos en marcha entre junio de 1981 y diciembre de 1983.

El punto culminante de la deuda externa privada con seguros de cambio se registra en septiembre de 1982, cuando su valor alcanzó los 10,7 miles de dólares, debido a la convergencia del régimen de la circular "A" 31 y sus complementarias —que se pone en marcha a mediados de 1981—, las que regían los préstamos de corto plazo ("swaps") y la aplicación de la circular "A" 137. Teniendo en cuenta que la deuda externa privada alcanzó los 15 mil millones de dólares en diciembre de 1982, se confirma que en estos regímenes se encontraba, en ese momento, aproximadamente el 72% de ese total. A partir de ese momento, el monto asegurado comenzó a declinar de una manera sistemática debido a la disminución de la deuda externa privada que operaba sobre la base del primer régimen de seguros de cambio (circular "A" 31 del BCRA y sus complementarias), arribando a 5,1 miles de millones de dólares a fines de 1983.

Antes de efectuar una evaluación cuantitativa del subsidio que percibieron las fracciones dominantes locales a través de estos regímenes, es necesario abordar el análisis de la manera en que se operó la transferencia de esta deuda privada al Estado, desagregando —de una manera simplificada pero que capte lo substancial de la operatoria— las diversas instancias que los integraban.

Cuadro n° 3.17

Evolución de la deuda externa privada y préstamos de corto plazo con seguro de cambio, junio 1981 - diciembre 1983 (en millones de dólares y porcentajes)

	Circular "A" 31		Circular "A" 137		Préstamos de corto plazo ("swaps")		Total	
	Monto	%	Monto	%	Monto	%	Monto	%
Junio de 1981	959	100,0	-	-	-	-	959	100,0
Septiembre de 1981	2.955	100,0	-	-	-	-	2.955	100,0
Diciembre de 1981	5.078	91,3	-	-	484	8,7	5.562	100,0
Marzo de 1982	5.078	90,8	-	-	513	9,2	5.591	100,0
Junio de 1982	5.078	90,5	-	-	435	7,7	5.613	100,0
Septiembre de 1982	5.078	47,3	4.480	41,7	1.185	11,0	10.744	100,0
Diciembre de 1982	3.608	38,1	4.486	47,3	1.380	14,6	9.475	100,0
Marzo de 1983	1.857	23,8	4.700	60,4	1.430	18,4	7.787	100,0
Junio de 1983	956	13,8	4.623	66,5	1.430	20,6	6.950	100,0
Septiembre de 1983	572	9,7	4.564	77,1	1.242	21,0	5.917	100,0
Diciembre de 1983	343	6,7	3.529	69,2	1.228	24,1	5.100	100,0

Fuente: Elaboración propia sobre la base de información del Banco Mundial y BCRA.

A partir del vencimiento del contrato de seguros de cambio entre las partes —el BCRA y una empresa privada con deuda externa—, la institución monetaria recibía del deudor privado el pago del capital adeudado, los intereses y la prima de garantía. Dicho pago se realizaba en pesos, de acuerdo con la tasa de cambio vigente al momento de suscripción del contrato entre las partes. Es decir que:

(1) $Ib = (C + I + P) \times Tcs$

Siendo:
Ib = Ingresos percibidos por el BCRA, pagados por la firma privada, en pesos
C = Capital adeudado por la empresa privada al acreedor externo, en dólares
I = Intereses adeudados por la empresa privada al acreedor privado, en dólares
P = Prima de garantía abonada por la empresa privada, en dólares
Tcs = Tasa de cambio que le aseguraba el BCRA a la empresa privada (la vigente a la firma del contrato).

Dado que, según lo establecieron los diversos regímenes, la prima de garantía estaba indexada y se aplicaba sobre el capital y los intereses, ésta se expresa de la siguiente manera:

(2) $P = (C + I) \times Tp$
Donde, además de las variables mencionadas:
Tp = Tasa de indexación de la prima de garantía

Por lo tanto, los ingresos percibidos en pesos por la institución monetaria son iguales a:

(3) $Ib = \{ [C + I] + [(C+ I) \times Tp] \} \times Tcs$

Por otra parte, la operatoria de los seguros de cambio implicaba que el BCRA le debía abonar en dólares el capital y los intereses al acreedor externo. De allí que:

(4) $Pa = C + I$
Donde, además de las variables mencionadas:
Pa = El pago que recibían los acreedores externos de la empresa privada, por parte del BCRA.

Finalmente, el subsidio del BCRA resultaba de la diferencia entre los ingresos percibidos por la institución monetaria —pagados por la empresa privada— y sus egresos, derivados del pago de la deuda privada al acreedor externo, todos ellos valorizados en dólares corrientes. Es decir:

(5) Sb = Ib - Pa

Donde, además de las variables mencionadas:
Sb = Subsidio otorgado por BCRA al deudor externo privado.

Sin embargo, como el pago del deudor privado al BCRA estaba en pesos, tal como se verifica en la ecuación (3), éste debe traducirse en dólares a la tasa de cambio vigente en el mercado de cambio en el momento de cancelación de la operación. Por lo tanto:

(6) Sb = (Ib/Tcc) - Pa

Donde, además de las variables mencionadas:
Tcc = Tasa de cambio vigente en el mercado de cambio en el momento de cancelar la operación. Por lo tanto, reemplazando los términos sobre la base de las ecuaciones anteriores, el subsidio era igual a:

(7) Sb = [{ [C + I] +[(C+ I) x Tp] } x Tcs] / Tcc] - (C + I)

Es decir que el monto del subsidio estaba en función de los precios relativos, específicamente de la evolución del tipo de cambio y de los precios utilizados para indexar la prima de garantía que le cobraba el BCRA al deudor privado. El análisis de un caso hipotético permite aclarar esta cuestión que, por cierto, es decisiva para aprehender la política instrumentada por la dictadura militar y asumida posteriormente por el primer gobierno constitucional. Se evalúa una empresa privada ficticia que tuviera una deuda con un acreedor externo de 1.000 dólares, que devengaba una tasa de interés anual del 10% y que contrató un seguro de cambio con el BCRA bajo el régimen establecido por la Comunicación "A" 31, entre junio de 1981 y diciembre de 1982 (540 días). La prima de garantía en este régimen era, como resultado de la aplicación de diferentes índices, equivalente aproximadamente al 15% del capital más los intereses indexados en función de la evolución general de los precios mayoristas (índice general de precios mayoristas) descontada la evolución de los precios mayoristas de Estados Unidos (*producer price index*). Dado que la Comunicación "A" 36 del 17/6/81 (complementaria de la "A" 31) establecía que debía considerarse la variación de los precios mayoristas correspondientes al segundo mes anterior, se toma en cuenta el período comprendido entre abril de 1981 y octubre de 1982. Por lo tanto, los datos básicos del caso analizado son:

(C) = 1.000 U$S
(I) = 10% anual
(Tcs) = 4.351$/ U$S (promedio de junio de 1981).
(Tcc) = 43.570 $/U$S (promedio de diciembre de 1982).

Variación de los precios mayoristas locales: 623% (entre abril 1981 y diciembre de 1982).

Variación de los precios mayoristas norteamericanos: 10% (entre abril de 1981 y diciembre de 1982).

En consecuencia, de acuerdo con la ecuación (3) el BCRA recibió del acreedor privado el siguiente monto en pesos:

(3) Ib = { [C + I] +[(C+ I) x Tp] } x Tcs
Equivalente a:

9.911.230$ = { [1.000 + 150] +[0,15 (1.000+ 150) x (6,23 - 0,10)} x 4.351 $/ US$

Por otra parte, el BCRA le pagó al acreedor externo el capital y los intereses asegurados, que suman 1.150 U$S (capital más intereses). Finalmente, el subsidio transferido por el BCRA al deudor privado resulta, tal como se expresa en la ecuación (6) de:

(6) Sb = Pa - (Ib/Tcc)
Equivalente a:

923U$S = 1.150 US$ - (9.911.230 $/ 43.570 $/ US$)

En consecuencia, el subsidio otorgado por el BCRA al deudor privado alcanzó al 80,3% del monto de la deuda de la empresa (923/1.150). En otras palabras, el BCRA tuvo un quebranto equivalente al 80,3% del monto asegurado bajo ese régimen de seguros de cambio.

Efectivamente, el ejemplo analizado, tal como se verifica en el Cuadro n° 3.18, refleja el subsidio implícito en el régimen establecido mediante la Comunicación "A" 31 y sus complementarias, especialmente en las primeras operaciones.

Dentro de este régimen se encuentra, hasta 1983, un monto de deuda externa privada que alcanzaba, entre capital e intereses, a 5.664 millones de dólares. Mediante el juego de precios relativos, los deudores privados le transfirieron al BCRA el 79% de la deuda (4.474 millones de dólares). Ciertamente, se trata de una estimación de mínima, ya que el Banco Mundial y el BCRA asumen que este régimen culminó en 1983, cuando en realidad muchas de esas deudas sobrepasaron dicha fecha, concluyendo en los años posteriores con un subsidio aun mayor al estimado que, de por sí, es elevado.

Cuadro n° 3.18
Estimación del seguro mínimo originado en el seguro de cambio de la Comunicación "A 31", 1981-1983
(en millones de dólares, pesos por dólar y porcentajes)

Tipo de cambio al inicio y final del seguro (pesos por dólar)				Vencimientos de capital e intereses (millones de dólares)		Pagos del BCRA al acreedor externo (millones de dólares)	Pagos del deudor privado al BCRA (millones de dólares)			Subsidio del BCRA al deudor privado (millones de dólares)	
Fecha de inicio	Tipo de cambio inicial*	Fecha final	Tipo de cambio final	Capital	Intereses**		Capital en intereses	Prima de garantía	Total	Monto	%
1	2	3	4	5	6	7 = 5+6	8	9	10	11= 7-10	12= 11/7
II/81	4.351	IV/82	43.570	959	180	1.139	114	114	228	912	80%
II/81	5.236	IV/82	43.570	511	78	589	71	64	135	454	77%
		I/83	57.523	1.485	278	1.763	160	192	352	1.411	80%
IV/81	6.621	I/83	57.523	266	50	316	36	38	74	242	77%
		II/83***	78.199	901	199	1.100	93	152	245	855	78%
		IV/83***	165.000	239	61	300	12	44	56	244	81%
Situación 1982				1.470	258	1.728	185	178	363	1.366	79%
Situación 1983				3.265	671	3.936	331	497	828	3.108	79%
Total				**4.735**	**929**	**5.664**	**516**	**675**	**1.191**	**4.474**	**79%**

* Como el inicio de los contratos ofrecidos fue el mes de Junio de 1981, la tasa de cambio es el promedio de la tasa mensual.
** Se asume un interés del 12% anual sobre el principal en dólares para todos los períodos.
*** Proyecciones.

Fuente: Elaboración propia sobre la base de información del Banco Mundial y BCRA.

De acuerdo con la información disponible, a mediados de 1982 la situación en el régimen de seguros de cambio establecido cambió drásticamente mediante la Comunicación "A" 137. Tal como se constata en el Cuadro n° 3.19, el monto de deuda externa privada dentro de este régimen, considerando el capital y los intereses, alcanzó a 4.749 millones de dólares hasta 1983 y el subsidio del BCRA a 1.028 millones de dólares, es decir el 22% del monto total asegurado.[62]

Este descenso del subsidio se originó en el alto valor de la prima de garantía, que representaba el 86% del monto pagado por el deudor privado (3.185 millones de dólares, respecto de 3.721 millones de dólares). Es altamente probable que la prima de garantía efectivamente pagada por los deudores privados haya sido marcadamente inferior a la estimada por el Banco Mundial y el BCRA, por lo que el subsidio sería sustancialmente mayor al estimado por estas instituciones. No obstante, teniendo en cuenta el contexto económico en que se insertó este régimen, también resulta poco discutible que la prima de garantía haya sido más elevada que la aplicada en el régimen anterior ("A" 31). En efecto, cabe recordar que la aplicación del régimen de

Cuadro n° 3.19
Estimación del subsidio mínimo originado en el seguro de cambio de la Comunicación "A" 137, 1982-1983
(en millones de dólares y pesos por dólar)

Tipo de cambio al inicio y finaldel seguro (pesos por dólar)				Vencimientos de capital e intereses (millones de dólares)		Pagos del BCRA al acreedor externo (millones de dólares)	Pagos del deudor privado al BCRA (millones de dólares)			Subsidio del BCRA al deudor privado (millones de dólares)	
Fecha de inicio	Tipo de cambio inicial*	Fecha final	Tipo de cambio final	Capital	Intereses**		Capital e intereses	Prima de garantía**	Total	Monto	%
1	2	3	4	5	6	7 = 5+6	8	9	10	11= 7-10	12= 11/7
II/82	19.067	II/83	78.199	118	7	125	31	66	97	28	22%
		III/83	105.700	397	24	421	76	274	350	71	17%
		IV/83	165.000	495	30	525	60	364	424	101	19%
		1984 en adelante	190.000	3.470	208	3.678	369	2.481	2.850	828	23%
Total en 1983				**4.480**	**269**	**4.749**	**536**	**3.185**	**3.721**	**1.028**	**22%**

* Se consideró un interés del 12% anual hasta fines de 1982.
** Se consideró que los deudores optaron para la determinación de la prima de garantía por la diferencia entre la evolución de los precios mayoristas en la Argentina y en los Estados Unidos.

Fuente: Elaboración propia sobre la base de la información del Banco Mundial y el BCRA.

[62] El Banco Mundial (junio 22, 1984) destaca que el régimen de la "A" 137 implicaba una prima de garantía significativamente más elevada que la del régimen anterior ("A" 31). Sobre el

la Comunicación "A" 137 coincidió con la puesta en marcha de la otra gran transferencia de deuda privada al Estado, la licuación de deuda interna, que fue equivalente al 24% del PBI.

El tercer tipo de régimen de seguros de cambio se relaciona con las operaciones de pases ("swaps"), es decir, los préstamos externos de corto plazo que se pusieron en marcha en forma discontinua a través de múltiples comunicaciones del BCRA. Tal como se observa en el Cuadro n° 3.20, mediante esta operatoria se les otorgó seguros de cambio a 4.559 millones de dólares que acarreaban un costo cuasi fiscal de 1.573 millones de dólares, representando el subsidio el 34,5% del monto asegurado.

La información disponible permite comprobar que esa incidencia promedio del subsidio fue el resultado de tasas disímiles que tendieron a ser más elevadas durante el año 1982 por los incentivos otorgados durante la guerra de las Islas Malvinas. Al considerar los subsidios otorgados por los tres tipos de regímenes de seguros de cambio, se verifica que llegaron a los 8.243 millones dólares, siendo el monto más elevado el canalizado mediante la Comunicación "A" 31 (4.474 millones de dólares que representan el 54,3% de los subsidios totales), seguido por los otorgados a través de los "swaps" (1.573 millones de dólares, equivalentes al 19% del total) y finalmente el subsidio directo otorgado por las Circulares "A" 33 y la "A" 137, con el 14 y el 12% del subsidio total, respectivamente (Cuadro 3.21).

---

particular sostiene: *"En julio de 1982 se lanza un nuevo esquema de seguros de cambio (Circular A-137) con primas de garantía sustancialmente más altas. Este nuevo régimen resultó menos atractivo para el sector privado, y una parte importante de las garantías que vencían no fueron renovadas. Alarmados por la acumulación de pasivos externos que superaban cómodamente las reservas disponibles, el Banco Central anunció lo que fue una reprogramación de hecho de las divisas extranjeras, convirtiendo las obligaciones del sector privado garantizadas bajo el esquema previo (A-31) al esquema vigente (A-137)."* (p. 68) (traducción propia).

Cuadro n° 3.20

Estimación del subsidio originado en el seguro de cambio
a los préstamos de corto plazo ("swaps"), 1982-1983
(en millones de dólares, pesos por dólar y porcentajes)

Tipo de cambio al inicio y final del seguro (pesos por dólar)				Monto de los "swaps" (millones de dólares)	Pagos del deudor privado al BCRA incluida la prima de garantía (millones de dólares)	Subsidio del BCRA al deudor privado (millones de dólares)	
Fecha de inicio	Tipo de cambio inicial	Fecha final	Tipo de cambio final			Monto	%
1	2	3	4	5	7	8= 6-7	9= 8/5
IV/81 (a)	7.089	II/82	15.750	485	293	192	39,6
I/82	10.263	III/82	37.727	29	11 (b)	18	62,1
II/82	13.670	IV/82	42.030	406	177 (b)	229	56,4
III/82	42.030	I/83	78.199	601	409 (b)	192	31,9
IV/82	37.727	II/83	97.523	779	646 (b)	133	17,1
I/83	57.523	III/83	105.700	829	571 (b)	258	31,1
II/83	78.199	IV/83	165.000	601	360	241	40,1
III/83	105.700	IV/83	190.000	829	519	310	37,4
1982				920	481	439	47,7
1983				3.639	2.505	1.134	31,2
1982-83				**4.559**	**2.986**	**1.573**	**34,5**

(a) Comprende únicamente el mes de diciembre y lo pagado por el deudor privado al BCRA en junio de 1982.
(b) La prima de garantía se estima en el 5% mensual.

Fuente: Elaboración propia sobre la en base de información del Banco Mundial y el BCRA.

Cuadro n° 3.21
Evolución de los subsidios estatales canalizados a través de los regímenes de seguro de cambio, 1981-1983 (en millones de dólares)

Fecha de inicio del seguro cambio	Circular A 33	Circular A 31	Circular A 137	"Swaps"	Total
II/81	-	2.777	-	-	2.777
IV/81	-	1.697	-	192	1.889
I/82	-	-	-	18	18
II/82	-	-	1.028	229	1.257
III/82	-	-	-	192	192
IV/82	1.168	-	-	133	1.301
I/83	-	-	-	258	258
II/83	-	-	-	241	241
III/83	-	-	-	310	310
1981	-	4.474	-	192	4.666
1982	1.168	-	1.028	572	2.768
1983	-	-	-	809	809
Total	**1.168**	**4.474**	**1.028**	**1.573**	**8.243**

Fuente: Elaboración propia sobre la base de la información del Banco Mundial y el BCRA.

Sin embargo, el monto del subsidio anual fue decreciente —alcanzó los 4.466 millones de dólares en 1981 y llegó a 809 millones en 1983—, ya que el primer régimen (Comunicación "A" 31) fue el que exhibió una mayor licuación de deuda privada con cargo a las finanzas públicas. No obstante, el subsidio acumulado hasta 1983 —8.243 millones de dólares— representa el 57,8% de la deuda externa privada total y el 67,4% de la deuda externa privada con seguros de cambio. Incidencia cuya importancia es mayor aún si se tiene en cuenta que se trata únicamente del monto del subsidio acumulado hasta fines de 1983, cuando en los hechos los seguros de cambio terminaron en 1985-86, a raíz de la implementación del primer régimen de capitalización de deuda externa que, casualmente, estuvo dirigido a la deuda externa privada con seguros de cambio.

4. El primer gobierno constitucional (1984-1989): la consolidación de las fracciones del capital dominantes

4.1 El comportamiento económico del período como resultado del predominio del bloque social dominante

4.1.1 Las transformaciones en las funciones económicas del Estado en la valorización financiera y la orientación de las transferencias de ingresos entre 1984 y 1989

La evolución de la valorización financiera a partir de la dictadura militar indica que el Estado cumplió un papel central en ese proceso. Una somera revisión histórica de las características y funciones estatales permite constatar que, a partir de la disolución del modelo agroexportador y de la consolidación de la sustitución de importaciones, dichas funciones se modificaron en sintonía con los cambios sociales y productivos derivados de ese tipo de industrialización. Por supuesto, el Estado mantuvo sus funciones básicas y tradicionales, como la provisión de los denominados "bienes públicos": la defensa nacional y la justicia. Después de prolongadas luchas sociales, durante los primeros gobiernos peronistas se institucionalizó el mercado de trabajo, lo que —entre otros muchos cambios relativos a su regulación— provocó un cambio cualitativo del sistema provisional, al replantearse y universalizarse ese régimen.

Además se generalizaron los servicios sanitarios, educativos y el acceso a la vivienda. En consonancia con la necesidad de potenciar el proceso de industrialización y la ocupación de mano de obra, se amplió la incidencia estatal directa en la explotación e industrialización de los recursos mineros (petróleo y gas), la producción industrial de insumos básicos (siderurgia, petroquímica, etcétera) y la prestación de los servicios públicos. Así, ese Estado vinculado al desarrollo industrial, al desarrollo de la infraestructura y al desenvolvimiento de las empresas públicas, cumplió un papel definitorio en la formación de capital en la economía interna.

Sin embargo, también se estructuró una amplia y compleja gama de transferencias y subsidios al capital privado más concentrado, la que se tradujo en un significativo costo fiscal y cuasi fiscal, el último de los cuales se puso de manifiesto en las cuentas del BCRA. Las dos vías principales a través de las que se canalizaban estas transferencias estatales fueron:

a) Los subsidios directos y las diversas modalidades de exenciones, diferimientos de los impuestos internos y de los relativos al comercio exterior, avales del Tesoro Nacional para la obtención de créditos internos o externos, créditos a tasas de interés por debajo de las vigentes en el mercado y de los precios internos que dieron como resultado tasas reales de interés fuertemente negativas.

b) Los sobreprecios en la compra de bienes y servicios por parte del Estado a sus proveedores, y la venta de bienes o servicios generados por las empresas públicas a precios ubicados por debajo de los de mercado.

A lo largo de las diversas etapas de la industrialización, estas transferencias tuvieron diferente incidencia relativa, y su importancia se fue acrecentando a medida que transcurrieron los años y se profundizó el proceso de sustitución de importaciones.

Las evidencias disponibles acerca del equilibrio de las finanzas públicas señalan que durante los años setenta éstas comenzaron a mostrar signos evidentes de agotamiento, pero también que la irrupción de la denominada "crisis del pacto fiscal" se desplegó a partir de la instauración de la valorización financiera. Desde 1982 en adelante, la abundancia de financiamiento externo se transformó en escasez y hubo que enfrentar las obligaciones derivadas de la deuda externa en un contexto de altas tasas de interés en el mercado internacional, junto con una reducción de los precios internacionales de los bienes exportables.

Las primeras expresiones de la crisis estructural de las finanzas públicas se manifestaron tanto en los ingresos como en el gasto estatal. En el deterioro relativo de los primeros influyeron varios factores. La tendencia declinante de largo plazo en los precios de los productos exportables afectó las posibilidades estatales de apropiarse de una parte de la renta y de las ganancias mediante las tradicionales políticas cambiarias y arancelarias. El régimen previsional comenzó a manifestar una crisis estructural, ya que sus ahorros anteriores habían sido destinados a otros fines por parte de las administraciones que se sucedieron durante la segunda etapa de sustitución de importaciones.[1] En la estructura impositiva cobraron una creciente importancia los tributos con mayor incidencia relativa sobre los ingresos de los asalariados (impuestos indirectos), cuando la participación de éstos describió una tendencia claramente decreciente. Asimismo, comenzaron a agotarse las posibilidades de financiamiento barato para el Estado, debido a la tendencia inexorable que asumió el proceso de desmonetización de la economía.

Respecto de la tendencia hacia un mayor gasto estatal, en ella influyeron

[1] Sobre este proceso, R. Carchofi (1990) indica: *"El proceso de desintegración de los activos financieros de las cajas concluyó formalmente en 1970, con la sanción de una ley que dispuso el rescate de las obligaciones: el monto de los títulos correspondientes a las sucesivas colocaciones de los 15 años anteriores, ascendía tan sólo a 215 millones de dólares. La cláusula de amortización fue sustituida en 10 cuotas anuales sin ajuste."* (p. 11). Para un análisis pormenorizado de la evolución previsional, véase J. Feldman, L. Golbert y A. Isuani (1986).

diversos procesos (como los requerimientos de empleo, necesidades de capitalizar las empresas públicas, etc.), pero el factor determinante fue la expansión de los subsidios y transferencias del Estado hacia el sector privado.[2] Hasta ese momento se trataba de un proceso de transferencias directas (a empresas y/o sectores productivos) o indirectas destinadas a promover el desarrollo regional, que ya alcanzaba una magnitud destacada —superior al 4% del PBI, según las estimaciones disponibles.[3] Si bien todas estas transferencias estuvieron concentradas en las grandes firmas oligopólicas de la economía local, fueron percibidas no sólo por la *oligarquía diversificada* y el capital extranjero sino también por los integrantes más poderosos de la burguesía nacional, muchos de los cuales engrosaron las filas oligárquicas después de consumado el golpe militar de marzo de 1976. Un caso paradigmático en ese sentido lo constituyó la empresa Aluar, productora de aluminio en el sur del país, cuya propiedad la detentaba el grupo económico Fate y que comenzó a instalarse en los años setenta, durante el mandato dictatorial de Lanusse.

Sin embargo, la dimensión que alcanzó el colapso fiscal a partir de la dictadura, si bien estuvo vinculada a la crisis estructural manifiestada en los años anteriores, no fue su mera consecuencia, sino que tuvo otro contenido, y expresó el cambio cualitativo del comportamiento económico. Así como la crisis estatal de los años setenta constituyó una expresión estructural del profundo conflicto social que se desplegó entre el capital y el trabajo, la hecatombe de las finanzas públicas a partir de la dictadura militar estuvo directamente vinculada a la resolución de dicho conflicto en contra de los intereses de los sectores populares y, más aún, al comportamiento económico y social específico que le impuso la nueva alianza dominante al conjunto social. En otras palabras, no hubo un deterioro paulatino que se agudizó a lo largo del tiempo generando restricciones estructurales que culminaron en una irreversible crisis fiscal, sino que durante esta etapa se registró un colapso de las finanzas públicas a raíz de la redefinición de la naturaleza del Estado que exigió el tránsito de un modelo de acumulación sustentado en la sustitución de importaciones a otro basado en la valorización financiera del capital.

El endeudamiento externo del sector público y el incremento de la tasa de interés internacional fueron factores relevantes en la crisis de las finan-

[2] En términos más generales, P. Gerchunoff y M. Vicens (1989), plantean la situación de esos años de la siguiente manera: *"Estamos pues, por analogía, con los modelos estructuralistas de inflación, ante un sector público con dos clases de gastos: los gastos reales rígidos (especialmente vinculados a los contratos largos con los productores privados), y los gastos reales flexibles (más vinculados a las actividades y las erogaciones trabajo-intensivas del Estado, estos es, las funciones constitucionales y el gasto social). De este modo, la inflación se institucionaliza como mecanismo de reducción de los salarios reales y por lo tanto del gasto público"* (pp. 27-28).

[3] P. L. Gerchunoff y M. Vicens (1989, p. 26).

zas públicas, especialmente a partir de 1981, cuando convergieron abultados vencimientos de intereses y amortizaciones —sin contar con la posibilidad de un nuevo financiamiento internacional— con la estatización de la deuda externa privada a través de los regímenes de seguros de cambio. Pero también los ingresos y los impuestos indirectos (los de mayor regresividad distributiva) se acrecentaron incesantemente, al mismo tiempo que aumentó la evasión impositiva y, especialmente en las fracciones empresarias dominantes, la elusión fiscal.

Tanto o más importantes fueron las modificaciones en la composición del gasto estatal a lo largo de la década de 1980, ya que las transferencias hacia el bloque de poder dominante se expandieron a niveles que superaron cualquier otro destino de ese gasto.[4] Fue un incremento generalizado de estas transferencias canalizadas tanto a través del gasto fiscal presupuestado[5] (presupuesto nacional, y de las distintas jurisdicciones provinciales) como del denominado gasto cuasi fiscal, que se realizó mediante el Banco Central. Dentro del primero, el costo fiscal de la promoción industrial tuvo una innegable importancia, aunque hay que sumarle otro tipo de transferencias, generalmente desvinculadas de los instrumentos que formaban parte de las leyes de promoción industrial y que no se contabilizan en el presupuesto sino que repercutían en el déficit cuasi fiscal, tal el caso de los

[4] Sobre el particular, P. Gechunoff y M. Vicens (1989) destacan que: *"Si se mira del lado del gasto, los correspondientes al dominio tradicional del Estado, aún con todos los componentes clientelísticos y corporativos, no superan el 7% del PBI; los gastos sociales —extendidos, como se ha visto, hasta intentar una satisfacción de las demandas de los sectores medios—, constituyen no menos del 20% del PBI; los gastos asociados a la producción y la inversión (computando los subsidios impositivos, los subsidios precio en las tarifas públicas y los subsidios precio en los insumos comprados por el Estado) pasan el 25% del PBI"* (p. 36).

[5] En el mensaje del Poder Ejecutivo al Poder Legislativo que acompaña al proyecto de Ley de Presupuesto General de la Administración Pública Nacional para el ejercicio 1988, se evalúa el alcance de los subsidios y transferencias al capital oligopólico de la siguiente manera: "... *el sector privado plantea un conjunto de demandas vinculadas con el subsidio a la actividad económica, la promoción industrial, los reembolsos de exportación, la desgravación de derechos de importación en determinadas actividades, la asunción de los pasivos de empresas quebradas, el apoyo a actividades muy específicas (tales como la petroquímica, la siderurgia, etc.) son ejemplos de este fenómeno. Cabe señalar que en la lista anterior se incluye sólo los ítems más relevantes; pero hay además un conjunto de mecanismos que no ha sido citado y que opera tanto por la vía de la compensación impositiva (subsidios a la petroquímica, alconafta, etc.) como por vía del gasto (subsidios a cultivos regionales, industria naval, etc.). Pero aún restringiéndonos a los rubros señalados, debe tenerse en cuenta que, frente a una magnitud de subsidios al sector empresario privado del orden de 3.000 millones de dólares, el total de lo recaudado por impuestos a las ganancias y a los capitales de las sociedades anónimas (sean industriales, agropecuarias, de la construcción, etc.) sólo alcanzó a 1.000 millones de dólares en 1987"*. (Trámite Parlamentario nº 43, Cámara de Diputados de la Nación, 1 de julio de 1988). Asimismo, en el mensaje del año anterior, el Poder Ejecutivo señala que dichos subsidios al sector privado alcanzan a 3.995 millones de dólares que son equivalentes al 5% del PBI (Trámite Parlamentario nº 108, Cámara de Diputados de la Nación, 29 de septiembre de 1988).

"avales caídos".[6] Dentro del déficit cuasi fiscal se destacan —por su elevada magnitud—, el costo derivado de la cuenta de regulación monetaria y el de la liquidación de entidades financieras, al comprometer en conjunto 43.693 millones de dólares, equivalentes a 4.855 millones de dólares anuales.[7] La primera, que fue crecientemente deficitaria a partir de 1982, concentró el 77% de ese monto (33.679 millones de dólares) y expresó tanto los costos de la licuación de la deuda interna como los derivados del sistema de estatización de los depósitos que dio lugar al endeudamiento estatal sobre la base de los encajes remunerados.[8]

Con el propósito de profundizar el análisis de las transformaciones macroeconómicas e identificar las fracciones dominantes que predominaron en el proceso económico, en el Cuadro n° 4.1 se expone una síntesis de la evolución de un conjunto de variables seleccionadas relativas a la formación de capital y a las principales transferencias de ingresos que se registraron entre 1981 y 1989.

En relación con el sector externo, una de las principales transferencias consistió en el pago de los intereses por la deuda externa. Tal como se indicó, fue una etapa crítica con acentuadas oscilaciones, tanto en el pago como en los ingresos por nuevo financiamiento. Ambos estuvieron estrechamente vinculados a las negociaciones con los acreedores externos y a las situaciones de moratorias de hecho en 1982 y, especialmente, entre 1988 y 1990, siendo éste uno de los principales factores desencadenantes de las crisis hiperinflacionarias de fines de la década. De acuerdo con las cifras analizadas, el pago del capital y sus intereses representó el 8,0% del PBI del período (5,6 miles de millones de dólares por año). No obstante, su efecto neto alcanzó al 1,6% del PBI (1,1 miles de millones de dólares anuales), debido a que durante esos años se refinanció y se contrajo un nuevo endeudamiento con el exterior que implicó una entrada de recursos equivalente al 6,3% del PBI (alrededor de 4,4 miles de millones de dólares anua-

[6] Éstos se originaron en los avales otorgados por el Estado para garantizar la deudas externas de las grandes empresas oligopólicas. Como a su vencimiento los deudores privados no las cancelaron, quedaron a cargo del fisco porque tenían avales estatales. De acuerdo con la Secretaría de Hacienda del Ministerio de Economía de la Nación ("Informe sobre avales otorgados por el Tesoro Nacional al sector privado, 1976-88, noviembre de 1988), a mediados de 1988, el monto de los avales caídos alcanzaba a 5.628 millones de australes equivalentes a 400 millones de dólares, aproximadamente (p. 25, Anexo I).

[7] Al respecto, véase R. B. Fernández, 1990. Presentado en la Convención de ADEBA (Asociación de Bancos Argentinos).

[8] Acerca de la magnitud que alcanzó el déficit cuasi fiscal durante estos años, P. Gerchunoff y M. Vicens (1989) afirman: *"En una organización estatal con fuerte influencia corporativa —y en un sistema político inestable— no todo gasto público se debate en el Parlamento, sino que en muchas ocasiones la banca central termina constituyéndose en una verdadera 'Tesorería paralela' que contribuye a expandir las erogaciones en cualquier instancia jurisdiccional."* (pp. 47-48).

les). Otra de las transferencias relevantes que se puso de manifiesto en el sector externo, fue la fuga de capitales locales al exterior. Las evidencias señalan que durante el período analizado se remitió al exterior un total de 33,7 miles de millones de dólares, que representan un promedio anual de aproximadamente 3,7 miles de millones de dólares, equivalentes al 5,3% del PBI.

Cuadro n° 4.1
Transferencia de ingresos y formación de capital, 1981- 1989
(en miles de millones de dólares y porcentajes)

	Total	Anual	% PBI
Producto Bruto Interno	630	70,0	-
1. Sector Externo			
1.1 Endeudamiento Externo			
-Capital e Intereses pagados al exterior	50,1	5,6	8,0
-Financiamiento y refinanciamiento externo	40,0	4,4	6,3
-Transferencias netas (egresos - ingresos)	10,0	1,1	1,6
1.2 Salida de capitales locales	33,7	3,7	5,3
2. Redistribución interna del ingreso			
2.1 Entre el capital y el trabajo			
-Ingresos de los asalariados1981/1989	190,0	21,1	30,2
-Deterioro de los asalariados respecto de 1970/75	-79,0	-8,8	-12,6
2.2 Del Estado a las fracciones dominantes			
-Transferencias fiscales (Presupuesto Nacional) (*)	22,5	2,5	3,5
-Transferencias cuasi-fiscales (BCRA)	67,5	6,8	9,7
3. Formación de capital			
3.1 Inversión neta fija 1981/1989	31,0	3,4	4,9
3.2 Deterioro respecto a 1970/80	-74,0	-8,3	-10,1

(*) Se consideran los subsidios a la promoción industrial, Fondos de Fomento, Otros apoyos presupuestarios y el subsidio-precio en la venta de bienes estatales al sector privado.
Fuente: Elaboración propia sobre la base de la información del BCRA, ADEBA, CEPAL y P. Gerchunoff y M. Vincens (1989).

Las características de estas dos transferencias indican que cada una estaba referida a dos fracciones diferentes del capital que participaban del bloque de poder. La primera (los pagos realizados al exterior) remite a los ingresos netos percibidos por los acreedores externos que, durante esta etapa, fueron los organismos internacionales y la banca transnacional. En cambio, la fuga de capitales locales estuvo vinculada al comportamiento de las fracciones del capital insertas en la estructura económica local (*oligarquía diversificada* y capital extranjero), que se solapaba con la anterior sólo marginalmente, debido a que una parte de la fuga de capitales la realizaban los acreedores externos (banca transnacional) con sucursales en el país.

La otras transferencias de ingresos se desplegaron dentro de la economía interna. Dentro de ellas, la distribución funcional del ingreso entre el capital y el trabajo asumió una enorme importancia. La participación de los asalariados en el ingreso ascendió, durante el período analizado, a 21,1 miles de millones de dólares por año, los cuales representaban el 30,2% del PBI. Por cierto, es una incidencia sumamente reducida en términos históricos y, específicamente, en relación con la vigente durante la sustitución de importaciones. Si se compara este nivel de ingresos con el promedio de los percibidos entre 1970 y 1975 —que ascendieron a 29,9 miles de millones de dólares y eran equivalentes al 42,8% del PBI— se comprueba que desde 1976 en adelante los trabajadores dejaron de percibir una cifra equivalente al 12,6% del valor agregado generado anualmente. Esta transferencia —que equivale a casi tres veces la registrada en el sector externo— se redistribuyó hacia el capital, especialmente hacia las fracciones dominantes internamente —constituidas por los grupos económicos locales (la *oligarquía diversificada*) y los conglomerados extranjeros radicados en el país— que, a su vez, eran los propietarios fundamentales de los recursos que se fugaron al exterior durante este mismo período.

También es trascendente tener en cuenta las transferencias de recursos estatales hacia las fracciones empresarias que conformaban el sector interno del nuevo bloque de poder.

A este respecto, en línea con las cuantificaciones anteriormente citadas, se consideran las transferencias cuasi fiscales (concretadas por el BCRA) y sólo algunas de las fiscales (presupuestarias), tratando de que no se superpongan. De todas maneras, se trata de estimaciones de mínima porque en ninguna se contempla una de las principales transferencias a los sectores dominantes, los sobreprecios pagados a los proveedores estatales de bienes y servicios.

Para estimar la primera transferencia se utiliza la estimación que realizó, en 1990, el primer presidente del BCRA del gobierno peronista como parte de los fundamentos para reformar la Carta Orgánica de esa institución. Allí se indica que esta transferencia de ingresos —es decir, los recursos canalizados por el Estado hacia el capital concentrado— alcanzó a 67,5 mil millones de dólares, entre 1981 y 1989, equivalentes a 6,8 miles de millones de dólares por año, que representaban el 9,7% del PBI.[9] Esto significa que en esos nueve años

[9] El citado funcionario (R. B. Fernández, 1990) señala el contenido social de esta redistribución de ingresos, de la siguiente manera: "*En nuestro caso la inestabilidad de precios ha sido doblemente regresi-*

el capital concentrado se apropió, por este concepto, de una masa de recursos que duplicaba con creces los recursos pagados a los acreedores de la deuda externa, siendo equivalentes a, prácticamente, el PBI generado por la economía argentina en todo un año. El análisis de la composición de esa masa de recursos revela que en esos años allí se computaron transferencias sumamente importantes, tales como: los subsidios al sector financiero por la quiebra de entidades, la licuación de la deuda interna —que puso en marcha Cavallo en 1982 cuando era presidente del Banco Central de la República Argentina—, y el costo del endeudamiento estatal mediante los encajes remunerados, que fue una de las principales formas de financiamiento del primer gobierno constitucional. Es decir, el conjunto de transferencias que tuvieron a las fracciones locales del bloque de poder dominante como sus receptores privilegiados. Por su parte, las transferencias fiscales (presupuestarias) representan, durante el período analizado, el 3,5% del PBI —equivalente a 22,5 mil millones de dólares— y un promedio de 2,5 mil millones de dólares anuales. Si bien las transferencias analizadas incluyen la mayoría de los subsidios estatales al sector privado (como la promoción industrial, los Fondos de Fomento, otros apoyos presupuestarios y los subsidios-precios en la venta de bienes estatales), excluyen los sobreprecios en las compras estatales de bienes y servicios debido a la falta de información al respecto.[10]

De esta manera, las transferencias internas de ingresos expresan tanto el acentuado predominio que ejercían las fracciones dominantes internas sobre el destino del excedente en desmedro de los asalariados, como el papel estratégico que cumplió el Estado en la consolidación de esas mismas fracciones del capital a través de la ingente masa de recursos que les transfirió. En este sentido, parece evidente que el origen y el financiamiento del elevado déficit fiscal y cuasi fiscal de ese período tuvo el mismo contenido económico-social que las transferencias de ingresos mencionadas.

Por otra parte, al considerar conjuntamente las transferencias en el sector externo y en la economía interna, se reafirma el predominio de las fracciones

---

va: mientras que el impuesto inflacionario ha sido pagado principalmente por los sectores más postergados, los recursos que originó, en una parte muy significativa, fueron apropiados por un reducido grupo de beneficiarios. Justamente, un problema al que hemos asistido en los últimos años es que el impuesto inflacionario se encontraba privatizado, al servicio de distintos grupos que, con una suerte directamente vinculada a su capacidad de lobby, han podido beneficiarse individualmente con cargo a la emisión de dinero. De alguna manera estos beneficiarios han sido identificados popularmente con el nombre de patria financiera, patria contratista. *En realidad, en muchos de estos casos bien se los podría considerar derivaciones de la* patria inflacionaria" (p. 4).

[10] Estas transferencias presupuestarias provienen del trabajo de P. Gerchunoff y M. Vicens (1989). Para estimar su incidencia en la década se toman en cuenta los años 1983, 1987 y 1988 y solamente algunos de los *item* considerados por los autores. Éstos, y su incidencia promedio en el PBI en esos tres años, son los siguientes: Promoción Industrial (1,33%); Fondos de Fomento (0,20%); Otros apoyos presupuestarios (0,28%); y Subsidio-precio a la producción privada (1,72%).

dominantes internas (la *oligarquía diversificada* y el capital extranjero) en el proceso económico en su conjunto. Dichas fracciones fueron el núcleo central de la fuga de capitales locales al exterior y, al mismo tiempo, las principales receptoras de la redistribución interna del excedente que se desplegó entre el capital y el trabajo e, indirectamente, a través del Estado, mientras que el grueso de los acreedores externos percibió una masa de ingresos más reducida e incluso durante los últimos dos años de la década no recibió pago alguno, debido a la "moratoria de hecho" que rigió en esos años.

Si la economía hubiera seguido funcionando bajo un régimen de sustitución de importaciones, es decir, como una economía cerrada y centrada en la producción industrial, tendría que haberse plasmado una notable reactivación en la formación de capital, al menos en el sector privado, ya que las fracciones empresarias determinantes en la inversión bruta fija fueron las receptoras fundamentales de la redistribución del excedente. Más todavía, cierta reactivación de la formación de capital del sector privado hubiera sido esperable aun con una economía industrial que operara con apertura en el mercado financiero, ya que la salida de capital local al exterior estuvo acotada por severas carencias de divisas debido a las restricciones del financiamiento externo.

Sin embargo, como se corrobora en el Cuadro n° 4.1, la inversión neta fija registró una reducción inédita, tanto la proveniente del sector público como del sector privado. En promedio alcanzó sólo al 5% del PBI, lo que implica una pérdida, respecto de los niveles de la década anterior, de 10 puntos del PBI anualmente. De esta manera, el excedente apropiado por las fracciones dominantes locales enfrentó —a diferencia de lo ocurrido entre 1979 y 1981— dificultades insalvables para culminar el ciclo de la valorización fugándose al exterior, pero no fue canalizado hacia la inversión sino que una parte significativa de esos recursos continuó, en forma líquida, reproduciendo su valorización en el mercado financiero interno.

Finalmente, es posible delinear una aproximación al funcionamiento económico que caracterizó esta fase de la valorización financiera. En ese sentido, es necesario tener en cuenta que desde 1981 la dictadura militar implementó dos transferencias de ingresos que marcaron las restricciones presupuestarias del Estado a lo largo de toda la década: la estatización de la deuda externa y de la deuda interna del sector privado. Éstas se agregaron a otro conjunto de subsidios explícitos e implícitos que se habían puesto en marcha anteriormente (promoción industrial, sobreprecios en las compras estatales y subvaluación de los bienes y servicios que le vendía el Estado al sector privado), cuya característica distintiva fue apuntalar la expansión de las mismas fracciones dominantes que licuaban sus deudas internas y externas.

Esta situación, de por sí insostenible en el tiempo, se agravó cuando México se declaró en moratoria de pagos en 1982 y se interrumpió el financiamiento externo para la región. El impacto para las finanzas públicas fue notorio, no sólo porque operó la restricción al financiamiento internacional sino que se elevó la importancia de los intereses y amortizaciones, por el incremento de la tasa de interés internacional. Ante la presión que ejercieron los crecientes subsidios a las fracciones dominantes locales, y también los acreedores externos, se modificó la composición del gasto, perdiendo importancia los sueldos y salarios, la inversión pública y el gasto social. Al financiarse el Estado internamente mediante los encajes remunerados y la emisión de bonos —según las etapas— la desmonetización de la economía fue una de las derivaciones que generó las condiciones para que rigieran altas tasas de interés en el mercado interno.

La vigencia de una alta tasa de interés interna tuvo, a su vez, múltiples e importantes derivaciones. Por un lado, produjo severos problemas de sustentación para las pequeñas y medianas firmas. Por otro, generó las condiciones para continuar la valorización financiera por parte de las grandes firmas oligopólicas. Finalmente, introdujo presiones inflacionarias, por el intento de los distintos sectores de modificar sus precios relativos, que deprimieron sensiblemente los ingresos públicos (efecto Olivera-Tanzi). De esta manera, se registró un estancamiento o crisis del nivel de actividad económica, dependiendo del período que se considere, una aguda redistribución del ingreso, una reducción de la inversión y una expulsión de productores en las distintas actividades económicas.

4.1.2 El derrumbe de la inversión productiva y las restricciones al endeudamiento con el exterior

El análisis de las tendencias económicas a lo largo del primer gobierno constitucional exige tener en cuenta los últimos años de la dictadura militar, ya que en ellos se pusieron en marcha las transformaciones estructurales que, al no ser revertidas por las nuevas autoridades constitucionales, determinaron la trayectoria de la década en su conjunto.

Una primera aproximación a la evolución económica (Gráfico n° 4.1) permite constatar que el PBI disminuyó notablemente entre 1980 y 1989. Entre los años extremos descendió casi el 10% (equivalente a una tasa del -1,1% anual acumulativo) y, en sus oscilaciones a lo largo del período, llegó casi a igualar el nivel alcanzado en 1980, sólo en el año de máxima expansión del período (1987).

También la participación de los asalariados en el ingreso exhibió una tendencia decreciente y aún más pronunciada que la disminución del PBI. Entre 1980 y 1989, los trabajadores perdieron casi 10 puntos de participación en el valor agregado total —equivalente a una tasa anual acumulativa del -4,1%—, alcanzando la participación registrada en 1980 sólo en los años 1984 y 1986. Esta reducción fue el resultado de una profunda disminución en el salario real, pero acompañada por una creciente desocupación y subocupación de la mano de obra. Pese a la gravedad que de por sí trasunta la trayectoria seguida por la participación del ingreso, es imprescindible tener en cuenta que sus valores máximos se ubican 12 puntos por debajo de lo alcanzado en 1974 (véase Gráfico nº 2.3).

Gráfico Nº 4.1: Evolución del PBI, participación de los asalariados e inversión bruta fija, 1980-1989 (en números índices y porcentajes)

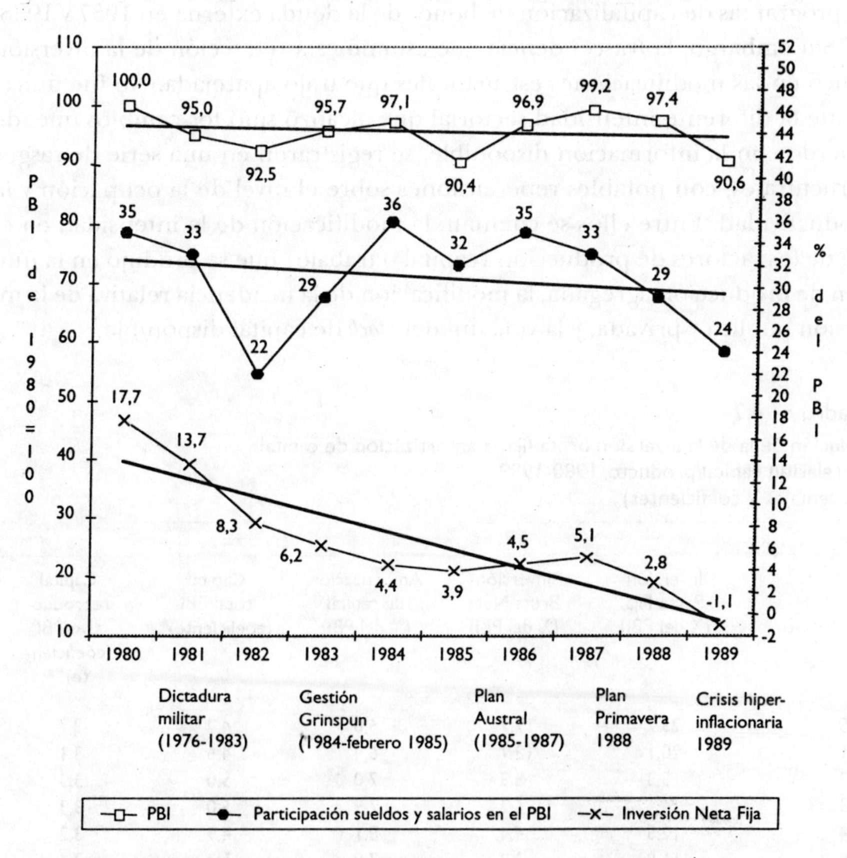

Fuente: Elaboración propia sobre la base de la información del BCRA y FIDE.

La conjunción de una declinación del PBI con deterioro de la participación de los asalariados —que indica una crisis estructural con efectos sociales desiguales— con el profundo deterioro de la formación de capital, terminó de conformar un cuadro crítico sin antecedentes. La inversión neta fija —que resulta de la diferencia entre la inversión bruta fija menos la depreciación anual del *stock* de capital— disminuyó a un ritmo vertiginoso perdiendo durante el período prácticamente 19 puntos respecto del PBI, a pesar del descenso de este último. El deterioro en la formación de capital presentó escasos desvíos respecto de la tendencia, los que se concretaron cuando, al verificarse una creciente subordinación del Estado a los sectores dominantes, se aplicaron políticas que acarrearon un alto costo fiscal (o, visto desde el otro lado, ganancias extraordinarias para las empresas oligopólicas), como es el caso de la puesta en marcha de algunos de los grandes proyectos de inversión realizados sobre la base de los regímenes de promoción industrial y la iniciación de los programas de capitalización de bonos de la deuda externa en 1987 y 1988.

Sin embargo, la trascendencia que asumió esta retracción de la inversión radicó en las modificaciones estructurales que trajo aparejada. No fue únicamente la diferente intensidad sectorial que alcanzó sino los cambios que, de acuerdo con la información disponible, se registraron en una serie de rasgos estructurales, con notables repercusiones sobre el nivel de la ocupación y la productividad. Entre ellos se cuentan: la modificación de la intensidad en el uso de los factores de producción (capital o trabajo) que se produjo en la función de producción agregada, la modificación de la incidencia relativa de la inversión pública y privada, y la vida útil del *stock* de capital disponible.

Cuadro n° 4.2

Evolución de la de la inversión bruta fija, la amortización de capital y la relación capital/producto, 1980-1989 (porcentajes y coeficientes)

	Inversión Bruta Fija (% del PBI)	Inversión Bruta Neta (% del PBI)	Amortización de capital (% del PBI)	Capital total/PBI (coeficiente)*	Capital reproductivo/PBI (coeficiente)**
1980	23,7	17,7	6,0	4,2	2,7
1981	20,1	13,7	6,4	4,6	3,1
1982	15,3	8,3	7,0	5,0	3,3
1983	14,1	6,2	7,9	5,0	3,3
1984	12,5	4,4	8,1	4,9	3,2
1985	11,8	3,9	7,9	5,2	3,4
1986	11,9	4,5	7,4	4,9	3,2
1987	13,2	5,1	8,1	4,9	3,2
1988	11,5	2,8	8,7	5,0	3,3
1989	8,9	-1,1	10,0	5,3	3,5
Taa 1980-1989	- 10,3	-	+ 5,8	+ 2,6	+ 2,9
Taa 1984-1989	- 6,7	-	+ 4,3	+ 1,6	+ 1,8

*El capital total es igual a la suma del capital reproductivo más la construcción de viviendas.

**El capital reproductivo resulta de la suma de los siguientes agregados: maquinaria y equipo, equipo de transporte y construcción reproductiva.

Fuente: Elaboración propia sobre la base de información de la Secretaría de Planificación y CEPAL.

En el Cuadro n° 4.2 se constata una retracción sumamente pronunciada de la inversión bruta fija respecto al PBI entre los años extremos de la serie (10,3% anual acumulativo), pero inferior al deterioro de la inversión neta fija.

En otras palabras, hubo un crecimiento significativo de las necesidades de amortización de los equipos existentes —resultante de la diferencia entre ambos tipos de inversión— debido a la creciente insuficiencia de la inversión realizada anualmente, en un contexto de cambio tecnológico. Las evidencias indican que, al mismo tiempo que se derrumbaba la inversión bruta fija —y más acentuadamente la inversión neta fija—, se elevó de forma sostenida la relación entre el *stock* de capital y el PBI.[11] Tal como se verifica en el Cuadro n° 4.2, la relación entre el capital total existente y el PBI se incrementó durante el período de 4,2 a 5,3 —el 26,2%— mientras que la correspondiente al capital reproductivo lo hizo de 2,7 a 3,5 —casi un 30%. Esto significa que, asumiendo que el PBI de la década analizada rondaba los 70 mil millones de dólares, para lograr un incremento del 1% del PBI (700 millones de dólares) se requerían, en 1980, 2.940 millones de dólares de inversión (4,2 veces el incremento del PBI), mientras que en 1989 fue necesario invertir 3.710 millones de pesos (5,3 veces el aumento del PBI).

Por lo tanto, durante esta década —más allá de las diferentes políticas que se ensayaron— se profundizó el deterioro de la inversión, se incrementaron las amortizaciones necesarias para reemplazar el capital obsoleto y, paradójicamente, se elevó la intensidad de capital, que era el factor de producción más escaso, disminuyendo la incidencia del trabajo, relativamente más abundante. No obstante, pese a la gravedad de la situación, las mismas evidencias señalan que durante el primer gobierno constitucional (1984-1989), en todas las variables consideradas hubo una atenuación en el ritmo seguido por el profundo deterioro en la formación de capital que caracterizó a este período.

Hay una serie de elementos que explican esa uniformidad y desmienten la posibilidad de que durante el último quinquenio se hayan modificado las tendencias imperantes en la década. El factor fundamental que incidió en dicha atenuación es que cuando se inició el primer gobierno constitucional, la inversión ya tenía un nivel sumamente reducido y los requerimientos de amortización de capital eran muy elevados. Bajo esas circunstancias, una nueva disminución de la inversión derivaría en la parálisis de numerosas plantas fabriles o el colapso en amplias áreas de la infraestructura económica, es decir que la inversión comenzó a ser crecientemente rígida a la baja (también a la alza, pero

[11] La información básica sobre el *stock* de capital en la Argentina durante el período analizado proviene de los siguientes estudios: S. Goldberg y B. Ianchilovici (octubre de 1986); S. Goldberg, B. Ianchilovici, M. Kreser, A. Zaltzman, L. Buchner y P. Tavilla (septiembre de 1991). En ellos se encuentra la metodología y las comparaciones con otros países.

por otras razones). De allí que haya declinado a un menor ritmo relativo y haya tenido una disminución más pronunciada sólo durante los últimos años de la década, especialmente ante la debacle económica que trajo aparejada la crisis hiperinflacionaria de 1989.

Por otra parte, el escaso alcance del nivel de inversión también determinó que se aminorara el ritmo de crecimiento de la relación capital/producto, aun cuando las inversiones realizadas tuvieran una notable intensidad de capital e incluso mayor que el promedio del *stock* de capital existente. El motivo fue que la incidencia de la nueva inversión era sumamente reducida respecto del *stock* de capital y por lo tanto modificó muy poco la relación capital/producto existente.

Tal como se verifica en el Cuadro n° 4.3, el profundo deterioro de la inversión bruta fija estuvo asociado a una declinación de la efectuada por el sector público y el privado, pero a ritmos notablemente diferentes. Mientras la inversión pública se derrumbó con sólo alguna leve reactivación en 1987 y 1988 —vinculada a la inversión de las empresas del Estado—, la del sector privado se retrajo a un ritmo más lento, debido, en buena medida, a la instauración de los grandes proyecto de promoción industrial con un notable subsidio estatal.

Cuadro n° 4.3
Evolución de la Inversión pública y privada y de la edad promedio del stock de capital, 1980-1989 (porcentajes)

	Inversión bruta fija		Cantidad de años de antigüedad					
	Pública*	Privada*	Maquinaria y equipo	Equipo de Transporte	Construcción Reproductiva	Stock Reproductivo	Vivienda	Stock Total
1980	9,5	14,2	9,1	8,5	17,9	14,3	24,0	17,6
1981	6,7	13,3	9,1	8,6	17,7	14,1	24,3	17,6
1982	5,8	9,4	9,3	8,8	17,7	14,2	24,5	17,8
1983	4,9	9,2	9,6	9,2	18,0	14,6	25,0	18,2
1984	3,0	9,5	9,8	9,5	18,4	15,0	25,4	18,6
1985	2,8	9,0	10,1	9,8	18,9	15,4	26,0	19,1
1986	2,5	9,4	10,5	10,1	19,4	15,9	26,3	19,5
1987	3,0	10,2	10,8	10,3	19,9	16,4	26,6	20,0
1988	2,6	8,9	11,0	10,4	20,4	16,8	26,8	20,3
1989	1,6	7,3	11,4	10,6	20,9	17,2	27,0	20,7
Taa 1980-1989	-17,9	-7,1	2,5	2,5	1,7	2,1	1,3	1,8
Taa 1984-1989	-11,8	-2,9	3,0	2,2	2,6	2,8	1,2	2,2

*La participación de los años 1988 y 1989 resulta de una estimación propia.

Fuente: Elaboración propia sobre la base de información de la Secretaría de Planificación y CEPAL.

Paradójicamente, el Estado no dispuso de recursos para sostener su aporte a la formación de capital, mientras que el sector privado instaló nuevas plantas productivas sobre la base de los recursos estatales.[12]

Por otra parte, también en el Cuadro n° 4.3, se verifica que, asociado a la trayectoria de la inversión, se registró un importante aumento en la antigüedad del *stock* de capital existente. Fue un proceso regresivo relevante que, en esas circunstancias, adquirió mayor trascendencia al indicar una escasa presencia del cambio tecnológico que se desplegó a nivel mundial durante esos años. No menos llamativo es que el incremento de la edad del *stock* total fue más atenuado que el reproductivo y que, a su vez, este último haya sido menor que el registrado por la maquinaria y equipo.

Ante una reducción del producto y un manifiesto deterioro de la inversión era esperable un aumento considerable de la desocupación y la marginación social, pero la profundidad que alcanzó no puede dejar de sorprender y conmover, no sólo debido al cuadro social que suponen, que de por sí es definitorio, sino también por el desaprovechamiento y la destrucción de los recursos más valiosos con los que cuenta una Nación.

Cuadro n° 4.4
Evolución del desempleo, subempleo, pobreza e indigencia en el Gran Buenos Aires, octubre 1980 - 1989 (% de la población)

	Desempleo	Subempleo	Pobreza	Indigencia
1980	2,3	4,5	8,3	1,8
1981	6,0	5,8	S/d	S/d
1982	3,7	5,6	S/d	S/d
1983	3,1	4,9	19,1	5,4
1984	3,6	4,7	14,9	5,0
1985	4,9	6,6	17,7	3,6
1986	4,5	6,1	12,7	3,5
1987	5,2	7,8	20,6	6,2
1988	5,7	7,4	32,3	10,7
1989	7,0	8,0	47,3	16,5
T.a.a. 1980-1989	13,2	6,6	21,3	27,9
T.a.a. 1984-1989	14,2	11,2	26,0	27,0

Fuente: Elaboración propia sobre la base de la EPH del INDEC.

[12] D. Azpiazu (1993) destaca que de los treinta proyectos de inversión asociados a la apertura de nuevas plantas fabriles que se registraron en el sexenio 1983-1988, veintinueve se efectivizaron al amparo de diferentes regímenes de promoción.

En efecto, como se constata en el Cuadro n° 4.4, a lo largo del período se registró una acelerada expansión del desempleo, el subempleo, la pobreza y la indigencia. Por lo tanto, si bien la crisis hiperinflacionaria de 1989 tiene una singular importancia en la expansión de todos estos indicadores, las evidencias disponibles también indican que las diversas formas de exclusión social (pobres por ingreso, pobres estructurales, etc.) tenían tendencia creciente desde los años anteriores.

Bajo el planteo de economía semicerrada que rigió durante la sustitución de importaciones, era esperable que se produjera una reactivación —más o menos pronunciada pero siempre significativa—, de la inversión bruta fija originada tanto en el sector público como el sector privado. Sin embargo lo que se desplegó fue un proceso diametralmente opuesto, desconociéndose el destino del excedente apropiado por los sectores de mayor poder económico.

En realidad, esta imposibilidad de explicar el proceso de los años ochenta en términos del comportamiento económico basado en la sustitución de importaciones, constituye una primera expresión de la permanencia y, más aún, de la profundización de las modificaciones en el patrón de acumulación instauradas durante la dictadura militar. Sin embargo, no se trató de una réplica lineal sino que adquirió nuevos elementos, ya que se desarrolló en un contexto internacional diferente y con transformaciones internas políticas y económicas —a nivel global y de los sectores dominantes— de singular importancia.

A diferencia de la etapa anterior, se trató de una década caracterizada por la aguda escasez de financiamiento externo para América Latina y por las crisis en el sector externo de sus economías, lo que provocó sucesivas moratorias en los pagos derivados de la deuda externa de los grandes países de la región, ciclo que inició México en 1982.

Tal como se observa en el Cuadro n° 4.5, entre 1981 y 1989, el sector público tuvo vencimientos de capital e intereses por aproximadamente 55,5 miles de millones de dólares pero, al incurrir en atrasos en el pago por 5,5 miles de millones de dólares, lo efectivamente pagado ascendió a 50 mil millones de dólares. Por otra parte, se registró una entrada de recursos, derivada de nuevo financiamiento internacional y el refinanciamiento de préstamos anteriores, que ascendió a 40 mil millones de dólares. Por lo tanto, la salida neta de divisas rondó los 10 mil millones de dólares, equivalentes a un promedio anual de 1.115 millones de dólares. Si bien el saldo entre lo efectivamente pagado y el nuevo financiamiento es relativamente modesto cuando se lo relaciona con el capital y los intereses devengados —en tanto el saldo negativo de 10 mil millones representa el 18% de los 55,5 miles de millones de dólares de los intereses y el capital devengado—, es preciso computar que el flujo anual presentó fuertes oscilaciones que generaron una alta incertidumbre en la economía interna y estuvieron vinculadas a los diferentes enfrentamientos surgidos en la negociación con los acreedores externos y sus representantes políticos —los organismos internacionales de crédito—, e incluso a las situaciones de moratoria encubierta que se produjeron a lo largo del período. De allí que los momentos de mayor saldo negativo se hayan alcanzado en 1982 (guerra de las Malvinas) y 1984 (primera gestión económica del gobierno constitucional).

Cuadro n° 4.5
Evolución anual de la fuga de capitales locales al exterior y del endeudamiento externo neto, 1981-1989 (en millones de dólares)

	Egreso de divisas por el pago del capital y los intereses de la deuda externa (millones de dólares)				Ingreso de divisas por nuevo endeudamiento y refinanciaciones (millones de dólares)	Endeudamiento externo neto (millones de dólares)	Fuga de capitales locales al exterior*** (millones de dólares)
	Pagos de capital*	Pagos de intereses y comisiones**	Atrasos de capital e intereses	Total			
	(1)	(2)	(3)	(4) = (1) + (2) - (3)	(5)	(6)=(5) -(4)	(7)
1981	1.873	3.434	0	5.307	6.374	1.067	8.086
1982	1.475	4.924	2.275	4.124	903	-3.221	6.906
1983	93	177	-248	518	3.966	3.448	2.979
1984	450	5.537	1.397	4.590	900	-3.690	1.270
1985	3.912	5.131	-1.762	10.805	8.087	-2.718	1.309
1986	1.871	4.291	-1.118	7.280	4.867	-2.413	807
1987	2.078	4.145	39	6.184	5.342	-842	4.772
1988	2.054	4.678	2.344	4.388	2.163	-2.225	-1.212
1989	3.342	6.023	2.481	6.884	7.441	557	8.794
Total	**17.148**	**38.340**	**5.408**	**50.080**	**40.043**	**-10.037**	**33.711**
Promedio anual	**1.905**	**4.260**	**601**	**5.564**	**4.449**	**-1.115**	**3.746**

* Incluye el rescate de deuda externa mediante los programas de capitalización de deuda externa.

** Incluye el pago de los intereses de la deuda pública, salvo en los años 1981 y 1982 en los cuales, además, se computan los pagados por el sector privado.

*** Resulta de aplicar el método residual de balanza de pagos y sumarle la salida de capital por subfacturación de exportaciones.

Fuente: Elaboración propia sobre la base de información del BCRA.

Sin embargo, en tanto el proceso de endeudamiento externo de la Argentina forma parte de un patrón de acumulación asentado sobre la valorización financiera, analizar únicamente la relación con los acreedores externos sería incompleto o parcial. Es imprescindible tener en cuenta la evolución de la fuga de los capitales locales al exterior, ya que la misma expresa —al menos parcialmente— la valorización financiera que realizó la fracción dominante interna, la *oligarquía diversificada.*

Los resultados que constan en el Cuadro n° 4.5 son impactantes, en tanto indican que la fuga de capitales locales al exterior alcanzó a 33,7 miles de millones de dólares equivalentes a un promedio anual de 3.746 millones de dólares. Al igual que los ingresos y egresos de capital vinculados a la deuda externa, la fuga de capital tuvo acentuadas oscilaciones, llegando incluso a registrarse, en 1988, repatriación de capital, debido al sustancial aumento de la diferencia entre las tasas de interés interna e internacional registradas a partir del lanzamiento del Plan Primavera a mediados de ese año. Al confrontar la fuga de capitales locales al exterior con la salida neta de capitales derivada de la deuda externa se comprueba que aquélla fue un 240% más elevada que los pagos netos que percibieron los acreedores externos. Por lo tanto, considerando los dos componentes en relación con el sector externo, se constata que la deuda externa implicó, durante este período, la salida de 43.748 millones de dólares, equivalente a un promedio anual de 4.861 millones de dólares, de los cuales el 78% (33.711 millones de dólares) estuvo vinculado a la fuga de capitales que llevaron a cabo las fracciones dominantes internas. El 22% restante (10.037 millones de dólares) fueron los recursos que percibieron los acreedores externos por los servicios y las amortizaciones de los préstamos otorgados.

Como resultado de los atrasos en el pago del capital y los intereses adeudados, así como por el nuevo financiamiento y refinanciamiento de deudas ya contraídas, la deuda externa del sector público se incrementó significativamente durante el período. No obstante, esos factores no fueron la única causa de la expansión de la deuda externa estatal, sino que, además, hubo otro proceso directamente relacionado con la fracción dominante interna que se puede percibir a través del análisis de las alteraciones registradas en la composición de la deuda externa a lo largo del período considerado.

Al respecto, en el Cuadro n° 4.6 se verifica que la deuda externa total aumentó de 35,7 en 1981 a 63,3 miles de millones de dólares en 1989, lo que implica una tasa de crecimiento del 6,6% anual acumulativo. Sin embargo, es imprescindible considerar que ese crecimiento no fue el resultado de una expansión uniforme de la deuda externa pública y la privada, ni tampoco de un crecimiento diferencial en una de ellas, sino de una evolución marcadamente opuesta. Mientras que la deuda externa del sector público se expandió al 12,6% anual acumulativo, la del sector privado descendió a una tasa casi equivalente, el 12,1% anual acumulativo. Más aún, mientras la deuda externa del sector público creció sistemáticamente, la correspondiente al sector privado descendió ininterrumpidamente, llegando a ser, en 1989, menos de un tercio del monto que exhibía en 1981 (4,9 contra 15,7 miles de millones de dólares).

Cuadro n° 4.6
Evolución de la deuda externa pública, privada y fuga de capitales locales al exterior, 1981-1989
(en miles de millones de dólares y porcentajes)

	Deuda externa			Fuga de capitales al exterior (acumulado)
	Total	Pública	Privada	
1981	35,7	20,0	15,7	8,1
1982	43,6	28,6	15,0	15,0
1983	45,1	31,7	13,4	18,0
1984	46,2	35,5	10,7	19,2
1985	49,3	40,9	8,4	20,6
1986	51,4	44,7	6,7	21,3
1987	58,3	51,8	6,5	26,1
1988	58,5	53,5	5,0	24,9
1989	63,3	58,4	4,9	33,7
T.a.a (%)	6,6	12,6	- 12,1	17,2

Fuente: Elaboración propia sobre la base de CEPAL y el BCRA.

El proceso de licuación de la deuda externa privada será analizado detalladamente más adelante, pero lo que es insoslayable destacar aquí para aprehender la naturaleza del proceso económico durante este período, es que las fracciones dominantes locales no solamente constituyeron el núcleo central de la fuga de capitales al exterior sino que, al mismo tiempo, se desembarazaron de su deuda externa, transfiriéndosela al Estado.

4.1.3 El nuevo comportamiento microeconómico de las grandes firmas oligopólicas durante la década de 1980

La transferencia de recursos al exterior constituyó sólo una de las expresiones de la valorización financiera durante este período. Las otras expresiones que se desplegaron dentro de la economía interna, se pueden apreciar mediante el análisis de la "revolución" que se desarrolló en el comportamiento de las grandes firmas oligopólicas a partir de la dictadura militar. De por sí, esta problemática permite confrontar los procesos macroeconómicos con los microeconómicos y el nuevo papel que adquirió el Estado durante la valorización financiera, pero durante el gobierno constitucional que sucede a la dictadura su repercusión se incrementó aún más, porque una parte considerable del excedente apropiado por las fracciones dominantes locales no culminó en la clásica fuga al exterior, tanto por la escasez de divisas que exhibía la economía local como por la ausencia de nuevo financiamiento por parte de los acreedores externos.

Pese a que es un tema poco analizado, hay una serie de estudios que lo abordan desde perspectivas diferentes.[13] A partir del análisis de los diversos indicadores que constan en el Cuadro n° 4.7 se pueden aprehender algunas de las características centrales que exhibió el comportamiento de las grandes firmas industriales oligopólicas durante esta etapa.[14]

Por otra parte, los resultados del estudio en términos de la composición del activo indican que, mientras que los activos físicos se expandieron al 6,7% anual acumulativo, los financieros lo hicieron al 9,8% anual acumulativo durante el mismo período. Si se tiene en cuenta que durante la sustitución de importaciones los activos de las grandes empresas industriales estaban compuestos en forma casi exclusiva por activos físicos, el contraste es evidente y no requiere de mayores comentarios. Más todavía, cuando los activos financieros (uno de los rasgos básicos de la valorización financiera) crecieron mucho más que los físicos.

Sin embargo, las mismas evidencias empíricas indican que, a pesar de que los activos físicos crecieron a una tasa menor, concentraron una parte mayoritaria del activo total (64%) al final del período. Por un lado, en estos resultados influye notablemente la presencia de las empresas estatales dentro de la muestra considerada, ya que al ser las mayores firmas de la economía argentina exhiben una intensidad de capital que, por sus características, se ubica muy

[13] Desde el punto de vista del análisis de los balances de las grandes firmas, véase M. Damill, y J. M. Fanelli (1988). En relación con la centralización económica y la estrategia de los grandes capitales durante este período: D. Azpiazu, E. M. Basualdo, M. Khavisse (1986); E. Basualdo, y M. Khavisse (1986); E. M. Basualdo (1987).

[14] Es pertinente realizar tres aclaraciones de distinto carácter. En primer lugar, fue mencionado que este trabajo utiliza *"una reducida fracción de la amplia y rica información"* generada en una investigación realizada por el Banco Central, la CEPAL y el CEDES titulada "Las relaciones económico-financieras de las S.A. en el período 1980-85" que, lamentablemente, nunca fue publicada. En segundo término, que el trabajo mencionado está basado de los resultados de los balances corporativos de *"un conjunto de 122 empresas privadas, 111 de las cuales pertenecen al sector manufacturero. Estas últimas representaron en 1982 alrededor de 25% del valor bruto de producción del sector. La participación en el VBP por sectores de la CIIU—a dos dígitos— osciló entre el 21 y 33% en el mismo año, con excepción del rubro "textiles", con 8,3%. Las restantes once empresas pertenecen a los sectores de producción de petróleo y gas natural (4 de ellas), construcción (3 firmas) y comercio (3 firmas)"* (p. 25). Además, es importante destacar que de una revisión del padrón de las empresas consideradas surge que lo componían no menos de una decena de empresas estatales, lo cual influye notoriamente en algunos resultados clave del estudio. Finalmente, que si bien la información básica proviene del importante trabajo realizado por M. Damill y J. M. Fanelli (1988) las conclusiones no siempre son las destacadas por esos autores, especialmente aquellas relativas al papel del Estado.

Cuadro n° 4.7
Comportamiento del activo y del pasivo de las grandes firmas, 1979-1985 (en porcentajes)

	1979-1985 Variación anual (%)	% en el respectivo total 1979	1982	1985
1. Patrimonio neto	**10,9**	**-**	**-**	**-**
2. Activo	**7,8**	**100,0**	**100,0**	**100,0**
2.1. Físico	6,7	68,3	65,9	63,6
2.1.1. Bienes de cambio	2,8	26,9	22,9	21,4
2.1.2. Bienes de uso	8,0	73,1	77,1	78,6
2.2. Financiero	9,8	31,7	34,1	36,4
2.2.1. Moneda nacional	8,3	94,9	77,3	87,5
2.2.2. Moneda extranjera	27,6	5,1	22,7	12,5
3. Deuda total	**3,6**	**100,0**	**100,0**	**100,0**
3.1. Con otras empresas	5,1	38,2	37,7	42,3
3.2. Bancaria	2,7	41,8	50,6	40,4
3.3. Financiera	1,4	5,8	1,6	5,2
3.4. Fiscales y sociales	0,6	14,2	10,1	12,0
		Millones de dólares		
4. Deudas en moneda extranjera	**0,8**	**2.244**	**3.433**	**2.362**
4.1. Con seguro de cambio	-	-	1.862	942
4.2. Sin seguro de cambio	-7,3	2.244	1.571	1.420
		Millones de dólares de diciembre de 1985		
5. Deuda neta (122 empresas)	**-21,1**	**1.844**	**1.157**	**446**
5.1. Moneda nacional		261	-648	-849
5.2. Moneda extranjera	-3,3	1.583	1.805	1.295
6. Deuda neta (57empresas que cotizan en Bolsa)	**-**	**1.104**	**439**	**-688**
6.1. Moneda nacional	-	80	-638	-1.449
6.2. Moneda extranjera	-4,8	1.024	1.077	762
7. Deuda neta (65 empresas que no cotizan en Bolsa)		**740**	**718**	**1.134**
7.1. Moneda nacional		181	10	600
7.2. Moneda extranjera		559	728	533

Fuente: Elaboración propia sobre la base de la información de M. Damill y J. M. Fanelli (1988).

por encima del promedio vigente en las firmas oligopólicas. Por el otro, teniendo en cuenta las características de la etapa, surge con claridad que la información de los balances de las corporaciones privadas subvaluaron notablemente la magnitud de los activos financieros, ya que en ellos se computaron solamente los activos financieros internos y externos que estaban en poder de la empresa que integran la muestra, pero dejando de lado los activos que estaban controlados por firmas del mismo grupo económico o conglomerado extranjero radicadas en el exterior. En otras palabras, no captaron la ingente masa de recursos de que estuvo compuesta la fuga de capitales al exterior y que se encontraba invertida en diferentes activos financieros, incluso bonos de la deuda externa argentina.

Siempre dentro del activo de las grandes firmas, no deja de llamar la atención la acelerada expansión del activo físico, aunque sea por debajo de la tasa de crecimiento de los activos financieros, sobre todo cuando los bienes de uso (bienes de capital y bienes intermedios) aumentaron al 8% anual acumulativo y representan el 79% del activo físico al final del período. Es llamativo porque, teniendo en cuenta el derrumbe generalizado de la inversión bruta fija —que entre 1979 y 1985 se redujo al -9,5% anual acumulativo—, esto indicaría que las grandes firmas canalizaban una parte significativa de sus recursos hacia la formación de capital. Otra vez influye la presencia de las empresas estatales dentro de la muestra porque, a pesar de las restricciones presupuestarias de la época, su coeficiente de capitalización (inversión/valor agregado) siguió siendo significativamente más elevado que el de las firmas privadas.

De la revisión de las firmas privadas que componen la muestra analizada surge que el 78% de éstas concretaron inversiones bajo los regímenes de promoción industrial y, más aún, muchas de ellas eran titulares de múltiples proyectos promocionados. Por lo tanto, se puede afirmar que, en realidad, las elevadas tasas de crecimiento de los activos fijos de las empresas privadas que componen la muestra no se originaron —en una proporción mayoritaria— en la utilización de capital propio, sino en las transferencias que las grandes firmas oligopólicas recibieron del Estado.[15]

Al indagar el ritmo de expansión y la composición de los activos financieros, surgen otras dicotomías dignas de tenerse en cuenta. Los activos financieros en moneda extranjera aumentaron a un ritmo notable (27,6% anual acumulativo) y muy superior a los establecidos en moneda nacional (8,3%),

[15] De acuerdo con las estimaciones realizadas por FIEL (1988), en los regímenes de promoción industrial *"por cada austral invertido por el sector privado, el Estado contribuye con la misma suma a través de menores impuestos. De esta forma en los hechos, los contribuyentes aportan la totalidad de los fondos invertidos"*. De esta estimación, al considerar el costo fiscal promedio, se infiere que algunos empresarios percibieron del Estado montos que superaban el costo del respectivo proyecto.

pero al final del período representaban solamente el 12,5% de los activos financieros totales y, lo que es más llamativo, dicha participación disminuyó significativamente entre 1982 y 1985 (pasa del 22,7% al mencionado 12,5%). El crecimiento de los activos financieros dolarizados fue acelerado pero su incidencia es modesta porque refiere a empresas privadas que, como resultado de la fuga de capitales, eran propietarias de ingentes inversiones financieras en el exterior. Tanto o más importante es que, además, sus obligaciones con el exterior se las transfirieron al Estado a partir de la vigencia del régimen de seguros de cambio puesto en vigencia en 1981 y 1982. Por eso, la importancia relativa de este tipo de activos financieros desciende acentuadamente entre 1982 y 1985.

Es probable que la elevada tenencia de activos financieros en moneda nacional haya estado influida por la presencia de las grandes empresas estatales dentro del padrón considerado, y es poco discutible que la alta tenencia de esos activos por parte de las empresas oligopólicas privadas haya estado fuertemente condicionada por la imposibilidad de realizar transferencias de fondos al exterior, debido a la acentuada carencia de monedas fuertes, más precisamente dólares. Dada esta restricción del sector externo, y en el marco de una aguda reducción del crédito por parte del sector público y el privado —el primero se redujo al -10,5% y el segundo al -5,7%, en ambos casos anual acumulativo—, cobró forma un fenómeno consistente en que las grandes firmas compitieron con el sistema financiero en el otorgamiento de créditos, pero dentro de la franja del mercado constituida por la propias empresas oligopólicas. De allí que este mercado se denominara "interempresario".[16]

Las transferencias de recursos desde el Estado hacia las fracciones internas del bloque de poder fueron crecientes pero, al mismo tiempo, la carencia de financiamiento externo debilitó el papel del Estado como proveedor de divisas que posibilita la salida de excedente al exterior por parte de dichas fracciones. Por lo tanto, el ciclo de la valorización quedó relativamente atascado, debido a las dificultades para fugar capital, y se expandió internamente. Por supuesto, no se canalizó hacia la inversión, porque para eso tenían los subsidios estatales derivados de la promoción industrial, sino que se orientaron hacia la valorización financiera, en una etapa en que la tasa de interés —por el endeudamiento del sector público— superó el nivel de las rentabilidades de las restantes actividades económicas.

[16] Los autores del trabajo (M. Damill y J. M. Fanelli, 1988), describen este fenómeno de la siguiente manera: *"Sin embargo, aun cuando el crecimiento de los activos denominados en dólares fue muy rápido, éstos no podrían explicar por sí solos el sensible crecimiento del activo financiero total, debido a que sólo representaron 16% del mismo, en promedio, en el período estudiado. La afirmación anterior pone de manifiesto la necesidad de referirse a un cuarto hecho estilizado de suma relevancia: el significativo crecimiento del crédito otorgado por estas firmas al resto de las empresas del sistema"* (p. 34).

Esta expansión interna de la valorización financiera parece ser uno de los factores por los cuales la posterior crisis hiperinflacionaria tuvo un impacto profundo, no sólo en los sectores populares y la burguesía nacional sino también —al diluir en términos del dólar el valor del excedente valorizado— en la fracción interna hegemónica de esta etapa —la *oligarquía diversificada*—, provocando la disolución de destacados grupos económicos locales.

El análisis de la composición del pasivo de estas empresas permite confirmar el proceso descrito para los activos financieros, al observarlo desde el punto de vista del pasivo. Tal como se verifica en el Cuadro n° 4.7, el endeudamiento con otras empresas fue el componente más importante, tanto desde el punto de vista de la tasa de crecimiento como de su incidencia en la deuda total al fin del período. Le sigue la contraída con los bancos, desplazada por la anterior durante el período, luego la financiera y finalmente la fiscal. Por lo tanto, así como el acelerado crecimiento del activo y del patrimonio neto cuando la producción industrial atravesaba un período de crisis, constituye la primera expresión de la independencia que adquirió la fracción dominante interna respecto del ciclo económico —o dicho de otra manera, expresa la forma en que las fracciones dominantes internas se expandieron económicamente a costa del resto del conjunto social—, la disponibilidad, por parte de las grandes firmas, de una liquidez tal que les permitió desplazar al sistema financiero de la franja del mercado constituido por las propias firmas oligopólicas, cuando rige una creciente desmonetización de la economía, constituye la segunda expresión de esa independencia del ciclo económico.

Por supuesto, ambas expresiones de la incidencia que lograron las grandes firmas respecto del ciclo económico estuvieron sustentadas en la modificación de los precios relativos que les permitió su condición oligopólica, la orientación de la política económica y las transferencias de distinto tipo que percibieron desde el Estado.

En relación con el carácter que asumió el Estado, el análisis de la deuda en moneda extranjera que mantuvieron estas empresas, provee elementos palpables y paradigmáticos. Uno de los aspectos analizados por Damill y Fanelli consiste en indagar la evolución de esta variable diferenciando entre las empresas que tuvieron seguros de cambio y aquéllas que no los tuvieron y, por lo tanto, no pudieron transferirle su deuda externa al Estado.

Como se constata en el Cuadro n° 4.7, la deuda total en dólares registró un crecimiento modesto (de 2.244 en 1979 a 2.362 millones de dólares en 1985, que equivale a una tasa anual del 0,8%), pero con una notoria alteración en su composición. A partir de la instauración del régimen de seguros de cambio, al que se incorporó una parte mayoritaria de este tipo de deuda —representando el 54% del total en 1982 (1.862 millones de dólares)— se generó una acentuada reducción de la deuda sin seguro de cambio, que hasta ese momento era la única que existía. A partir de allí descendió sistemáticamente, a medida que se la transfería al Estado y se registraban los vencimientos. A pesar de la modificación en la composición, no deja de llamar la atención que la deuda en dólares con seguro de cambio no haya asumido mayor importancia relativa a mediados del período, ya que los vencimientos de la deuda externa privada eran de corto plazo, muy concentrados en determinadas fechas, y el BCRA puso en marcha dos regímenes sucesivos (en 1981 y 1982). Todo parece indicar que, nuevamente, la presencia de las sociedades estatales dentro de la muestra considerada atenúa sensiblemente la participación de la deuda con seguros de cambio en el respectivo total, ya que dichas empresas tenían fuertes pasivos en dólares y no apelaron al seguro de cambio para transferírselos al Estado Nacional. Por eso el nivel del endeudamiento neto de las 65 firmas que no cotizaban en la Bolsa es tan elevado (punto 7 del Cuadro nº 4.7).

La información disponible permite realizar una evaluación del impacto de todos estos cambios sobre la situación económica y financiera de las grandes firmas. Ésta se hará sobre la base de la evolución de la deuda neta, considerando dos muestras de empresas. La primera, compuesta por 122 firmas, es la analizada hasta ahora, mientras que la otra está compuesta por un subconjunto de 57 empresas que cotizaban en Bolsa y formaban parte del padrón anterior.[17]

La deuda neta de las primeras se redujo muy acentuadamente durante el período (disminuyó al 21,1% anual acumulativo) pero seguía siendo positiva en 1985 (446 millones de dólares de diciembre 1985). La evolución de su composición indica que esa notable contracción del pasivo neto se originó, principalmente, en la establecida en moneda nacional, que se convirtió en acreedora en 1982, incrementándose de allí en más para culminar con un importante saldo acreedor al final del período (-849 millones de dólares de diciembre de 1985). Por su parte, la deuda neta en moneda extranjera se redujo durante esos años, pero lo hizo en forma atenuada, muy por debajo de la tasa total.

Antes de analizar los factores que provocaron esa reducción de la deuda neta, es oportuno analizar brevemente su evolución considerando el subconjunto de las firmas que cotizaban en Bolsa. Su importancia radica no solamente en que no fue afectada por los revalúos contables sino también en que, al estar compuesta únicamente por grandes firmas privadas, la trayectoria e intensidad de las transformaciones no se vieron alteradas por el comportamiento específico y diferente de las empresas estatales, que sí influye en el padrón ampliado.

[17] En relación con este subconjunto, M. Damill y J. M. Fanelli (1988) destacan que su importancia radica en que sus resultados no están afectados por los revalúos contables, como es el caso de la muestra ampliada. En relación con su importancia económica, señalan que: "*... representaron, en 1982, alrededor del 12% del valor agregado bruto de la producción del sector manufacturero. Se trata, en todos los casos, de firmas de gran tamaño en términos de participación de sus ventas en el VBP sectorial*" (p. 25).

Las evidencias disponibles indican que la diferencia fundamental entre los resultados de ambas muestras de empresas, no radica en la tendencia seguida por la deuda neta sino en la intensidad que asumieron los cambios en cada una de las variables consideradas. En efecto, la deuda neta se reduce en ambas estimaciones pero entre ellas media una diferencia de, nada menos, 1.134 millones de dólares en diciembre de 1985, ya que las que cotizaban en Bolsa terminaron con un *saldo acreedor* de 688 millones de dólares en la misma fecha, cuando la muestra ampliada culmina con un *saldo deudor* de 446 millones de dólares de la misma fecha. Tal como se constata en el Cuadro n° 4.7, este resultado es producto de un incremento del saldo acreedor de 600 millones de dólares en la deuda neta en moneda nacional (-1.449 contra -849 millones de dólares de diciembre de 1985) y de una disminución en el saldo deudor en el pasivo neto en moneda extranjera de 534 millones de la misma moneda (762 contra 1.296 millones de la misma moneda).

Si bien, los resultados obtenidos por el subconjunto de empresas que cotizaban en Bolsa expresan más ajustadamente la trayectoria seguida por las grandes firmas oligopólicas durante la valorización financiera, en ambos casos las evidencias son contundentes en indicar que son notables bajo cualquier contexto macroeconómico, pero son más espectaculares aún por tratarse de una etapa de una crisis económica signada, entre otras características, por la reducción del PBI, el estrangulamiento en el sector externo, la desmonetización de la economía, un fuerte acentuamiento de la inflación, el derrumbe de la inversión, la desindustrialización y el incremento de la desocupación y subocupación de la mano de obra.

Cabe preguntarse acerca de los factores que determinaron que las grandes firmas culminaran el período con un abultado saldo acreedor o, el peor de los casos, con su saldo deudor fuertemente reducido. Así como en la disminución de la deuda neta en moneda extranjera, los regímenes de seguros de cambio tuvieron una importancia decisiva en el proceso por el cual el saldo de la deuda neta en moneda nacional se transformó de deudor a acreedor, fue igualmente determinante la transferencia de la deuda interna del sector privado al Estado.

Respecto de la licuación de la deuda interna, en 1982, siendo D. Cavallo presidente del BCRA, se puso en marcha la estatización de la deuda en moneda nacional del sector privado, a través de la refinanciación de sus pasivos con créditos a tasa de interés regulada por el BCRA, la cual evolucionó muy por debajo de los restantes precios de la economía, de allí que se tornara fuertemente negativa, con el consiguiente beneficio para los deudores. Así, la licuación de la deuda de las empresas con los bancos y de estos últimos con el Banco Central se convirtió en deuda interna pública. La importancia que asumió se hace palpable si se tiene en cuenta que los redescuentos otorgados por el Banco Central con ese objetivo representaron casi el 24% del PBI en 1982.[18]

El análisis de los acontecimientos de la época indica, por un lado, que ambas licuaciones de deuda (interna y externa) se pusieron en marcha durante la dictadura militar y que, al ser convalidadas plenamente por el primer gobierno constitucional, condicionaron el desarrollo económico local. Por otro lado, que el propósito buscado fue potenciar la expansión de las grandes firmas oligopólicas, una vez consumada la primera gran fuga de capitales al exterior entre 1979 y 1981. De esta manera, la conversión en unos pocos años de un saldo de la deuda neta de deudor en acreedor no parece haber estado asociada a un "eficiente" manejo económico-financiero sino, más bien, a la influencia que ejercieron sobre la política económica, por ser la base social y económica de la dictadura militar y, a partir del primer gobierno constitucional, haber logrado subordinar al sistema político bipartidista a través del *transformismo argentino.*

4.2 Notas acerca de las políticas económicas y su vinculación con las fracciones del capital dominante durante el primer gobierno constitucional

4.2.1 La etapa de Grinspun en el Ministerio de Economía

Al igual que en el análisis de las tendencias económicas, para realizar una somera revisión de las características y el contenido de las políticas económicas implementadas por el primer gobierno constitucional es conveniente tener en cuenta los últimos años de la dictadura militar.

La moratoria de la deuda externa declarada por México en agosto de 1982 y la comprometida situación externa de varios países de la región —en-

[18] Según M. Bekerman (1990): *"Otro cambio fundamental que tuvo lugar en 1982 fue en relación con el rol del Banco Central. A principios de julio de 1982 se dispuso un reordenamiento del sistema financiero por el que se acordó a los bancos un préstamo para financiar sus carteras activas locales (que luego se conoció como 'préstamo consolidado'), al mismo tiempo que se fijó un efectivo mínimo del 100% sobre los depósitos sujetos a encaje. Esto fue en la práctica un subsidio a los titulares de crédito, ya que las tasas a las que fueron refinanciadas sus deudas fueron menores a las pagadas por el Banco Central. Puede verse que el conjunto de los redescuentos otorgados por el Banco Central en 1982 alcanza a casi el 24% del PBI, aunque parte del efecto expansivo es contrarrestado por los depósitos de las entidades financieras en cuentas especiales. En los hechos se sustituye la capacidad prestable de los depósitos por los redescuentos otorgados por el Banco Central en 1982. Podemos ver entonces que a partir de 1982 tanto los redescuentos como el déficit público pasan a ser financiados vía expansión de la base monetaria y de los depósitos indisponibles de las instituciones financieras en el Banco Central. Puede decirse entonces que a partir de 1982 los fuertes subsidios al sector privado —otorgados a partir del redescuentos a largo plazo— contribuyeron a reforzar el déficit consolidado del sector público"* (p. 538).

tre ellos la Argentina—, funcionaron como un catalizador de los cambios en la estrategia de los acreedores externos y la administración gubernamental norteamericana. De esta manera, el FMI devino en el representante político y técnico de los acreedores externos, encargado de elaborar los programas de ajuste y de controlar su evolución. El nuevo financiamiento de los bancos privados acreedores se concedió una vez que dicho organismo implementó el programa de ajuste y se fueron liberando sus distintos tramos, a medida que el FMI aprobaba lo actuado por el país deudor en términos de política económica.

El diagnóstico básico que respaldó los planes de ajuste ortodoxo consistió en asumir que los países deudores exhibían problemas de iliquidez que se superarían mediante la contracción de la demanda agregada interna, es decir, a través de la reducción del consumo de los sectores populares mediante la disminución del salario real, para de esta forma aumentar el superávit en la balanza comercial y pagar los intereses devengados por la deuda externa. Sin embargo, al diagnóstico de la iliquidez transitoria se le agregó, a partir del *Plan Baker* de mediados de los años ochenta, la problemática de la insolvencia, de la cual se dedujo la necesidad de introducir reformas estructurales en las economías de los países deudores. A partir de la incorporación de esta nueva problemática se desataron pugnas entre el FMI y el Banco Mundial para determinar la importancia relativa de cada uno de estos dos factores en las políticas imperiales, pero los acontecimientos indican, que para los acreedores externos, ambos fueron complementarios e innegociables, porque el argumento de la iliquidez estaba dirigido a garantizar el pago de los intereses y el de la insolvencia a hacer lo propio con la amortización del capital adeudado.

En la economía interna, el agotamiento en 1981, todavía durante la dictadura militar, de la política sustentada en el *enfoque monetario de Balanza de Pagos* —que instaló la valorización financiera como núcleo central de la economía argentina— dio lugar a una crisis estructural en el sector externo, debido a la magnitud que alcanzaron la deuda externa y su contracara, la fuga de capitales locales al exterior. A esto se le agregaron las dos grandes transferencias de pasivos al Estado, que desequilibraron definitivamente las finanzas. La situación que se agravó aún más a raíz del conflicto de las Islas Malvinas, el cual, entre otras cuestiones, trajo aparejada una nueva dilapidación de recursos con cargo a la deuda externa. No es sorprendente, entonces, que cuando asumió el nuevo gobierno constitucional, la situación económica fuese crítica, con signos evidentes de un marcado descontrol en las variables macroeconómicas.

Bajo estas circunstancias iniciales, durante el primer gobierno constitucional se desplegaron dos grandes políticas económicas: la breve gestión de Grinspun y la más prolongada de Sourrouille, basada en el denominado *Plan Austral* y sus derivaciones posteriores, que culminaron con el *Plan Primavera*.

Conviene, entonces, analizar las características y contenidos centrales de cada política, articulando sus propuestas en el sector externo —en especial la problemática del endeudamiento externo—, y en la economía interna.

Respecto de la negociación de la deuda externa, es preciso recordar que la nueva gestión económica debía iniciarla en forma inmediata, ya que el acuerdo previo se había interrumpido pocos meses antes debido a la impugnación política, social y finalmente judicial, a los acuerdos establecidos por la dictadura.[19] En ese momento, el nuevo gobierno asumió una posición de confrontación, al sostener que los acreedores externos eran corresponsables y que, en consecuencia, debían establecerse quitas en el capital adeudado, una extensión del plazo para la amortización del capital y una disminución de las tasas de interés nominal, de forma que, en términos reales, se equipararan a las vigentes antes de la crisis del petróleo. Por otra parte, postulaba que no era de un mero problema financiero sino —debido a su origen, características y consecuencias sobre los países endeudados— fundamentalmente político, que debía ser negociado directamente con los bancos acreedores, sin la intermediación del FMI, y con el respaldo político de los países sede de las casas matrices.

En la búsqueda de acuerdos, el titular de la cartera económica realizó exposiciones ante diversos auditorios —el Consejo de la Américas (Nueva York), en la Asamblea Anual del BID, en el Comité Interino del FMI, e incluso el Club de París—, aunque sin éxito, porque la banca acreedora, los organismos internacionales y las autoridades norteamericanas reclamaban el acuerdo previo del FMI y que se afrontara el pago de los intereses adeudados. Las partes intercambiaron propuestas que tenían diferencias insalvables,[20] sobre todo teniendo en cuenta que faltaban pocos días para el 31 de marzo de 1984, fecha en que vencía el plazo para que los bancos acreedores, de acuerdo con las reglamentaciones de la Reserva Federal de EE.UU., declararan en mora la deuda externa argentina. Poco antes de que venciera el plazo, y por las intensas gestiones que

[19] El acuerdo con el Fondo Monetario Internacional firmado en enero de 1983 por Whebe, el último ministro de Economía de la dictadura, se interrumpió en septiembre de ese año cuando el juez de Santa Cruz Pinto Soaje consideró que una cláusula del contrato de refinanciación de la deuda de Aerolíneas Argentinas —la que establecía la jurisdicción de los juzgados de Nueva York para dirimir eventuales diferencias entre las partes— era anticonstitucional, dictaminando en consecuencia la medida de no innovar.

[20] Según el estudio realizado por A. García y S. Junco (1987), que participaron como técnicos en las negociaciones durante esa década: *"Para efectuar el pago de intereses la banca proponía utilizar las reservas que el país venía acumulando a partir de los ingresos por la venta de la cosecha, desde principios de 1984. Una estrategia alternativa era cerrar los contratos pendientes de refinanciación de las deudas de empresas públicas, a partir de lo cual recibiría los 1.000 millones de dólares del préstamo de mediano plazo que aún restaban por desembolsar. Con este dinero se podría cubrir el pago de los intereses sobre la deuda pública más 350 millones de amortización del préstamo puente [...] En pocas palabras, la propuesta Grinspun consistía en pagar los intereses a partir de recibir de la banca los desembolsos pendientes sin un previo acuerdo con el Fondo y sin tener refinanciada la deuda pública en función de los acuerdos de 1983, desenganchando ambos conceptos"* (pp. 43-44).

desarrollaron tanto el FMI como el Secretario del Tesoro de Estados Unidos, se concretó el denominado "salvataje", que solucionó el problema contable de la banca acreedora. Se trató de un acuerdo en el que cuatro países latinoamericanos aportaban fondos (por un lado, México y Venezuela, con 100 millones de dólares cada uno y, por otro, Brasil y Colombia, con 50 millones de dólares en cada caso), la banca extranjera 100 millones de dólares y la Argentina idéntica suma, proveniente de sus reservas de divisas. Al mismo tiempo, la Argentina se comprometía a iniciar, dentro de los 30 días, negociaciones con el FMI para concretar un eventual acuerdo. Se abrió así una etapa de creciente conflicto, durante la cual el gobierno envió una carta de intención unilateral al FMI,[21] e intentó concretar un "club de deudores" con los restantes países latinoamericanos en el llamado Consenso de Cartagena, que se firmó el 23 de junio. La carta de intención fue rechazada por el organismo pero, a fines de junio, nuevamente vencía el plazo para que los bancos acreedores declararan en mora la deuda argentina. Para salvar su situación, la banca extranjera aportó 125 millones de dólares y el gobierno argentino 275 millones de la misma moneda. Aun cuando el acuerdo se firmó en diciembre de 1984 y el ministro fue reemplazado en febrero del año siguiente por Juan V. Sourrouille, la suerte de Grinspun quedó sellada cuando en septiembre de 1984 se vio obligado a remitir una nueva carta de intención al FMI. En esta ocasión sí se obtuvo el visto bueno de los técnicos del organismo.

Esta apretada síntesis de ese año tan decisivo permite entrever la ríspida negociación que se desarrolló entre la administración argentina y los acreedores externos integrados por los organismos de crédito, la administración norteamericana y la banca transnacional. La estrategia confrontativa adoptada desde el comienzo por el ministro Grinspun ha sido calificada en repetidas ocasiones, por propios y ajenos, como anacrónica e inexorablemente destinada a la derrota.[22] Para una evaluación de esta estrategia que esté en línea con la naturaleza del proceso en que se desarrolló, es necesario indagar la situación de los acreedores externos, para poder sopesar las relaciones de fuerza entre los acreedores y deudores durante esos años.

La crisis de la deuda externa de los primeros años de la década de los

[21] En el trabajo de A. García y S. Junco (1987) se reproducen algunos párrafos de esa carta de intención que ilustran la concepción y los criterios de la administración económica: *"Refiriéndose a la deuda externa se señala que la misma 'fue contraída a través de la aplicación de una política económica autoritaria y arbitraria, en la cual los acreedores tuvieron una activa participación sin beneficio alguno para el pueblo argentino, el gran ausente en todo este proceso...' Más adelante dice el texto: 'Es decisión del Gobierno argentino limitar la magnitud de los pagos a la disponibilidad de recursos que pueda obtener mediante sus exportaciones, sin reducir sus importaciones más allá de lo que fuera imprescindible para mantener el nivel de actividad compatible con las proyecciones de crecimiento del PBI' "* (pp. 44-45).

[22] En este sentido véase, por ejemplo, J. Nun (1987) y Damill y Frenkel (1983).

ochenta, también involucró a los países del Este europeo. De hecho, antes de la moratoria mexicana de mediados de 1982, se registró el incumplimiento de Polonia en 1981 y tuvo un fuerte impacto sobre la situación económica y financiera de las entidades bancarias acreedoras[23] y, obviamente, constituyó un elemento de juicio fundamental para definir la estrategia de negociación por parte de los diferentes países deudores.

Cuadro n° 4.8

Grado de exposición de los 10 mayores bancos norteamericanos con los países latinoamericanos con atrasos en el pago de sus servicios de la deuda externa, diciembre 1982
(en porcentajes y millones de dólares)

	Argentina	Brasil	México	Venezuela	Chile	Total	Capital * (mill. de dól.)
1. Deuda Externa (miles de millones de dólares)	25,2	55,3	64,4	27,2	11,8	-	-
2. % Servicios de la deuda/ Exportaciones	102,9	87,1	58,5	20,7	60,4	-	-
3. Tasa de exposición de los Bancos (% servicios de la deuda/capital bancario)							
3.1 Citibank	18,2	73,5	54,6	18,2	10,0	174,5	5.989
3.2 Bank of America	10,2	47,9	52,1	41,7	6,3	158,2	4.799
3.3. Chase Manhattan	21,3	56,9	40,0	24,0	11,8	154,0	4.221
3.4. Morgan Guaranty	24,4	54,3	34,8	17,5	9,7	140,7	3.107
3.5. Manufacturer Hanover	47,5	77,7	66,7	42,4	28,4	262,8	2.592
3.6. Chemical	14,9	52,0	60,0	28,0	14,8	169,7	2.499
3.7. Continental Illinois	17,8	22,9	32,4	21,6	12,8	107,5	2.143
3.8. Bankers Trust	13,2	46,2	46,2	25,1	10,6	141,2	1.895
3.9. First National Chicago	14,5	40,6	50,1	17,4	11,6	134,2	1.725
3.10. Security Pacific	10,4	29,1	31,2	4,5	7,4	82,5	1.684

* Incluye las reservas constituidas por los bancos para enfrentar eventuales incumplimientos de los deudores.

Fuente: Elaborado sobre la base de W. R. Cline (1983).

[23] Véase W. R. Cline (1983).

En el Cuadro n° 4.8, se expone el grado de vulnerabilidad de 10 entidades bancarias norteamericanas en los 5 países latinoamericanos que incumplieron —en mayor o menor medida— sus obligaciones financieras durante 1982. En términos generales, estas evidencias indican que los compromisos financieros de esos países (Argentina, Brasil, México, Venezuela y Chile) superaban el capital de las entidades bancarias acreedoras, salvo en el caso de Security Pacific, en la que eran equivalentes a poco más del 82% de su capital, incluidas las reservas para enfrentar eventuales incumplimientos de sus deudores.

Desde el punto de vista de las entidades específicas, se encuentran casos cuyo riesgo de quiebra era sumamente elevado, como el de Manufacturer Hannover, no sólo porque los servicios financieros de los países considerados eran equivalentes a 2,6 veces su capital, sino porque las obligaciones de algunos países comprometían seriamente la sustentabilidad de la entidad —los de Brasil representaban el 78% de su capital y los de México y Argentina el 68 y el 48%, respectivamente. En el otro extremo, estaba Security Pacific, y el resto estaba en una situación intermedia, en la que asiduamente los servicios de uno sólo de los países considerados tenía una significativa representatividad sobre su capital.

En consecuencia, fue una etapa en la que la banca acreedora de los países latinoamericanos exhibió una notable vulnerabilidad y, por lo tanto, habilitó a que los deudores tomaran posiciones intransigentes, como las del caso argentino, porque los acreedores externos son más concesivos cuando se encuentran en una situación de debilidad y no a la inversa, más aún cuando en ese momento no había posibilidades de eludir la quiebra mediante fusiones o absorciones.[24] Esta situación no fue permanente pero, a juzgar por las propias acciones de los acreedores, siguió vigente y no se revirtió hasta mediados de 1985, cuando las reservas para enfrentar potenciales quebrantos estuvieron ya constituidas, dando lugar a nuevas exigencias mediante lo que se conoció como el Plan Baker.

Sin embargo, además de la extrema debilidad de los acreedores privados externos, hay otro elemento sumamente importante que reforzó las posibilidades de éxito de una estrategia de confrontación: las reglamentaciones de la Reserva Federal que regulaban el funcionamiento de los bancos norteamericanos en esos años y que estaban orientadas a prevenir quebrantos que perjudicaran a los numerosos depositantes locales que operaban con ellos. En primer lugar, los ban-

[24] Tanto sobre las posibilidades de posibles fusiones, como de la densidad que adquiere el problema en los países centrales, son reveladoras las siguientes afirmaciones de W. R. Cline (1983): *"En síntesis, dado que la exposición de los países en desarrollo y del este europeo es tan significativa respecto del capital bancario, cualquier quita de la deuda en gran escala tendría efectos dramáticos sobre los bancos, disminuyendo acentuadamente su capital y ejerciendo una fuerte presión sobre ellos para reducir la magnitud de sus préstamos. Podría resultar, asimismo, una seria crisis interna de los EE.UU., con consecuencias inflacionarias y pérdidas cuantiosas en la porción de los depósitos no cubiertos por los seguros. Por estas razones, la mayoría de los funcionarios consideran muy seriamente la deuda del Tercer Mundo".* (pp. 39-40) (traducción propia).

cos acreedores debían considerar como morosa cada una de las obligaciones cuyos servicios no hubiesen sido saldados dentro de los noventa días a partir de su vencimiento. Asimismo, ante un atraso generalizado en el pago de los servicios de un determinado país, los bancos debían constituir reservas, afectando de esa manera el nivel de su rentabilidad. Finalmente, otra restricción vigente en esos años anulaba la posibilidad de que los intereses adeudados pudiesen capitalizarse, es decir que los bancos los convirtieran en capital adeudado.

Ciertamente, estas regulaciones podían afectar a los acreedores o a los deudores en sus negociaciones, de acuerdo con las circunstancias económicas y financieras que enfrentaban en ese momento. Durante la etapa analizada, la grave situación de los acreedores se acentuó en el corto plazo por la aplicación de las reglamentaciones mencionadas. Esto no se replicó con la administración económica del primer gobierno constitucional, siempre y cuando pudiese controlar la evolución de las variables macroeconómicas, a lo cual podía contribuir su atraso en el pago de los servicios de la deuda externa.

Todos estos factores —la crisis de los bancos acreedores y la regulación norteamericana— indican que la estrategia de la confrontación podía tener éxito en mejorar la acuciante situación externa de la Argentina si se lograba un adecuado manejo de la situación interna y un sólido frente ante los acreedores y organismos internacionales. De hecho, una revisión de los acontecimientos que se sucedieron durante la negociación indica que efectivamente se lograron avances parciales que, incluso, no dejaron de sorprender a los propios detractores de esta estrategia. El "salvataje" financiero de marzo de 1984 no fue el resultado de la solidaridad latinoamericana con la Argentina, no porque ésta no existiera sino porque no se la buscó; fue una operación política desesperada del Tesoro norteamericano, los organismos internacionales y los bancos acreedores para cubrir las formas e impedir que funcionara la legislación regulatoria norteamericana. La misma situación se repitió meses después, obligando a los bancos acreedores a conceder préstamos garantizados para que la Argentina saldara los servicios de la deuda externa. Más aún, pese a los errores que se pueden encontrar en su implementación, la evolución de los acontecimientos no parece indicar que la renuncia del ministro Grinspun haya estado directamente relacionada con el fracaso en las negociaciones externas sino que, por el contrario, los avances logrados en las negociaciones externas postergaron la renuncia, porque, en realidad, su fracaso se concretó en la convulsionada evolución de la economía interna, donde las fracciones dominantes —locales y externas— dieron la batalla definitiva.

En relación con la estrategia orientada a la economía interna, hay pleno consenso en que la nueva administración económica planteó la imperiosa necesidad de mejorar la participación de los asalariados a través de un incremento en el salario real y una disminución de la desocupación y subocupación de la mano de obra. A su vez, este incremento de la demanda traería aparejado un aumento en el nivel de producción y, a mediano plazo, una reversión del ya deteriorado nivel de la inversión bruta fija. Sin embargo, el principal desafío era reducir la virulenta expansión del nivel de precios que en 1983 se ubicaba en el 343,8% anual (Cuadro n° 4.9), por lo cual se implementó un control sobre las grandes firmas formadoras de precios.

A partir de las cifras disponibles, surge claramente que durante 1984 hubo un notable incremento relativo del salario real (Cuadro n° 4.9), que fue acompañado por un ligero incremento de la desocupación y una reducción del subempleo, la pobreza y la indigencia (Cuadro n° 4.4). Al mismo tiempo, se mantuvo la productividad y se aumentó el costo salarial, lo cual indica un incremento en la participación de los asalariados en el valor agregado industrial que replicaba, de esta forma, lo que ocurría en el conjunto de la economía. Sin embargo, igual contundencia exhibió la aceleración de la inflación, al incrementarse un 82% entre 1983 y 1984 e, incluso, acelerarse a medida que corrían los meses de este último año. Dada la razonable evolución de la mayoría de las variables macroeconómicas, caben pocas dudas de que el fracaso de esta gestión ministerial estuvo estrechamente vinculado a la expansión del nivel de los precios, que se acercó peligrosamente a una situación que puede caracterizarse como un proceso hiperinflacionario.

Cuadro n° 4.9
Evolución de la inflación, el salario real industrial, el costo salarial y la productividad industrial, 1980-1988
(en números índices)

	Inflación (IPM)	Salario real industrial *	Productividad industrial	Costo salarial industrial**
1980	100,8	100,0	100,0	100,0
1981	104,5	89,2	96,1	86,0
1982	164,8	80,9	100,5	61,6
1983	343,8	102,6	105,9	75,7
1984	626,7	124,3	105,3	96,7
1985	672,2	99,4	97,6	75,9
1986	90,1	101,4	116,6	93,2
1987	131,3	95,4	119,4	90,9
1988	312,9	90,8	109,2	74,4
1989		81,9	108,3	61,3

*El salario real industrial resulta de deflacionar el salario nominal por el índice de costo de vida.
**El costo salarial es el resultado de deflacionar el salario nominal por el índice de precios mayoristas nacionales no agroecuarios.

Fuente: BCRA y Ministerio de Economía de la Nación.

El fracaso en el control de la inflación respondió a un complejo conjunto de factores. Entre los más destacables, se encuentran: la concepción distorsionada que esgrimió la conducción económica acerca de las condiciones estructurales que regían el comportamiento económico, la notable incidencia de las licuaciones con cargo al Estado, de la deuda interna y externa del sector privado asumidas plenamente por las autoridades constitucionales, y la confluencia de las presiones de los acreedores y las fracciones internas dominantes para alterar el curso de acción y acotar los instrumentos a disposición de la conducción económica (Grinspun).

El contenido de algunas de las políticas aplicadas en el primer año del nuevo gobierno trasuntaba la vigencia de una concepción inscripta en los rasgos estructurales de la segunda etapa de sustitución de importaciones, por lo que ignoraba las transformaciones introducidas durante el período dictatorial. La primera de esas omisiones consistió en desechar la importancia del proceso de centralización de capital y, especialmente, que éste traía aparejada una modificación sustancial de la unidad económica predominante. La empresa oligopólica dejó de cumplir el papel protagónico al quedar subsumida en el grupo o conglomerado económico que, de esta manera, pasó a ser la unidad económica dominante. Por otra parte —aunque vinculado con lo anterior—, estos grupos y conglomerados económicos reconocieron como decisiva la valorización financiera que culminó con la fuga de capitales al exterior. Es decir, eran unidades económicas cuyo ciclo del excedente económico ya no estaba restringido a las fronteras nacionales, sino que exhibía una internacionalización financiera sustentada en la fuga de capitales locales al exterior.

Esta omisión tuvo una sensible influencia en el fracaso de la política antiinflacionaria. En tanto los grupos económicos y los conglomerados extranjeros controlaban una parte decisiva de las grandes firmas oligopólicas, y su estructura respondía a la integración vertical u horizontal de sus actividades económicas, el control de precios de las empresas oligopólicas fue relativamente fácil de eludir, mediante el reconocimiento de mayores costos que eran ficticios porque provenían de los incrementos de precios de empresas proveedoras de insumos o servicios —incluidos los financieros—, que formaban parte de la misma unidad económica (grupo o conglomerado económico). Alternativamente, en repetidas ocasiones esos mayores costos respondían a la colusión de intereses entre los grupos económicos y conglomerados extranjeros, mediante el incremento de los precios de sus empresas controladas, proveedoras o demandantes de insumos o servicios entre sí.

Por otra parte, el supuesto de que un incremento de la demanda agregada —por la redistribución del ingreso— provocaría una reactivación de la formación de capital no se vio convalidado en los hechos. Una parte de estos grupos, a diferencia de lo que había ocurrido durante la sustitución, tenía una inserción financiera externa y la inversión no se realizaba si su rentabilidad —habida cuenta del coeficiente de riesgo que se asignara— no era superior a la valorización financiera externa o interna; a su vez, en las actividades promovidas, el Estado subsidiaba la inversión, lo cual permitió a los grupos minimizar la utilización de capital propio y, finalmente, en buena parte de las actividades existía capacidad ociosa y pocas perspectivas de un incremento sostenido de la demanda, dados los niveles de inflación, y la situación externa y fiscal.

En estas condiciones, la inversión no podía resultar de la mera reactivación de un mercado interno que, aun luego del impulso otorgado a la demanda, continuaba siendo notoriamente más restringido que el previo a la dictadura. Su activación exigía una política de direccionamiento de los excedentes en el marco de una estrategia de reindustrialización orientada, sobre todo, a la reconstitución de sectores ligados al consumo masivo y a algunas líneas de exportaciones industriales diferenciadas.

Por la ausencia de estas condiciones, y de un severo control de la fuga de capitales, la brecha entre el ahorro interno y la inversión se amplió considerablemente, porque sobre ella impactó no solamente el pago de los servicios derivados de la deuda externa sino la transferencia de divisas al exterior por parte de los residentes locales. Cualquier política que pretendiera mejorar la distribución del ingreso y expandir la demanda mediante el crecimiento conjunto del consumo y la inversión sin generar tensiones inflacionarias aún mayores, obligaba a rever la situación fiscal y el impacto que sobre ella ejercían las licuaciones de deuda privada implementadas por la dictadura militar en 1982. Dado que durante esta etapa se registró una disminución del endeudamiento externo y de la fuga de capitales —por la crisis de la deuda latinoamericana—, es pertinente señalar que estas restricciones a la inversión persistieron aun cuando las crisis en el sector externo y de ausencia de financiamiento internacional operaron como una restricción a la salida de capitales locales al exterior porque la valorización financiera continuó dentro del sistema financiero interno, sin canalizarse esos recursos hacia la inversión productiva.

Si bien la deficiente caracterización estructural de la conducción económica incidió en el fracaso de su política económica —provocado por un acentuado recrudecimiento del proceso inflacionario—, es indudable que no fue el único factor determinante. Un somero examen es suficiente para concluir que otro elemento decisivo para ese recrudecimiento y ese fracaso fue la permanencia —e incluso la expansión— de las licuaciones de deudas impulsadas por la dictadura militar en 1981 y 1982.

Ambas transferencias sobrevivieron como un problema candente e insoluble en las finanzas públicas, auque por motivos diferentes. De la evaluación que algunos años después realizara el propio ministro sobre su gestión, se desprende que la estatización de la deuda externa se consideró como un hecho natural e irreversible que no debía ser replanteado, ignorando que era un régimen puesto en marcha por el gobierno dictatorial sobre la base de una comunicación del BCRA. Incluso entendió que su concreción mejoraba el perfil de vencimiento de la deuda externa pública —olvidando que la incrementó en cifras significativas— y que no permitía que siguiera creciendo el subsidio que implicaba el seguro de cambio, dejando de lado el hecho de que ya rondaba el 80% del monto asegurado. Finalmente, terminó estatizando el remanente de la deuda externa privada con seguro de cambio mediante el primer programa de capitalización de la deuda externa. Por cierto, esta "naturalidad" no parece inscribirse en la subordinación de la gestión a los intereses dominantes, sino en que, nuevamente, sus concepciones surgían de la tradición vigente en la sustitución de importaciones, en la cual una de las funciones del Estado era apoyar el saneamiento económico y financiero de las empresas productivas, en tanto constituían un motor fundamental de la formación de capital.[25]

La persistencia y expansión de la incidencia de la licuación de la deuda interna de las fracciones dominantes presenta diversas aristas. A juzgar por el análisis del propio ministro de Economía posterior a su gestión, la conducción económica de ese momento, tenía plena conciencia de que la contracción de estas licuaciones —que se canalizan mediante la cuenta "Regulación Monetaria" del BCRA— asumía una importancia decisiva para el éxito de toda la política económica, pero ésta no se concretó debido a la política desplegada por el BCRA, conducido por Enrique García Vázquez[26] o, en palabras más llanas, por el boicot de las autoridades del BCRA, lo que nos remite al análisis del último factor desencadenante del fracaso de la política económica que inauguró la fase constitucional.

La revisión de la breve gestión económica que inició la vigencia de las

[25] Al respecto B. Grinspun (1989) sostiene que durante su mandato: *"Continuó la operatoria de reconversión de la deuda externa en pública dispuesta por el gobierno militar, transformando los vencimientos con seguro de cambio operados en 1982 y 1983 mediante la entrega de 'bonods' y* 'promisory notes' *por un monto de 2.358 millones de dólares. Esta transformación no sólo mejoró el perfil de vencimientos de una parte de la deuda externa sino que impidió que creciera el subsidio implícito en el sistema de seguros de cambio* y swaps." (p. 42).

[26] En el austero análisis de su gestión, B. Grinspun (1989) indica, en relación con esta problemática, que: *"Los esfuerzos dirigidos hacia la desaceleración de la inflación —régimen de control de precios, reducción del déficit fiscal— resultaron insuficientes y los precios continuaron mostrando altas tasas de crecimiento. La necesidad de impulsar el incremento de los salarios reales y de los precios y tarifas públicas también gravitaron negativamente. Los precios al consumidor se incrementaron en 688,0%, desde el 1º de enero al 31 de diciembre, siendo el promedio anual de 626,7. No hubo tampoco el necesario equilibrio en el esfuerzo fiscal y el monetario para contener gastos, que no fue acompañado desde el Banco Central con restricciones a la expansión de base monetaria. El aumento de los 'Adelantos para la Cuenta Regulación Monetaria' registró el 1.345,8%, mientras que los adelantos a Tesorería que en 1983 había sido del 58,7% del total del gasto, se redujeron en 1984 al 28,4%. Así, en una economía fuertemente indexada con un desequilibrado sector público y falto de competencia externa, la inflación tomó curso propio, agravándose a mediados de año con el incremento real del precio de la carne."* (pp. 43-44).

normas constitucionales permite constatar que, a medida que se agudizaban los conflictos con los acreedores externos y se aceleraba el ritmo inflacionario, se acentuó la hostilidad y los ataques provenientes de los representantes del *establishment* económico, y también de un sector del partido de gobierno, algunos de cuyos integrantes ocupaban relevantes cargos públicos, como Enrique García Vázquez —Presidente del BCRA— o Raúl Prebisch, asesor del Presidente de la Nación. Sin embargo, no fue únicamente una pugna dentro del partido de gobierno encarnada en una disputa entre el Ministerio de Economía y el Banco Central, ni tampoco que los opositores a esa política económica fueran meros intérpretes de los intereses de los acreedores externos. Se trató de la primera expresión de un proceso complejo en el que convergieron las presiones ejercidas por los representantes políticos de los acreedores externos —los organismos internacionales de crédito— con la cooptación del partido de gobierno por parte de las fracciones internas dominantes, y que luego incluirá al sistema bipartidista en su conjunto.

Dentro de las concepciones del ministro Grinspun tampoco estaba presente uno de los rasgos básicos de la vigencia del régimen de valorización financiera: la confluencia de los acreedores externos y las fracciones del capital internas como núcleo del nuevo sistema de dominación. Ciertamente, entre ambos integrantes del nuevo *establishment* económico se desplegaron contradicciones pero, al mismo tiempo, coincidían en vetar toda política que se propusiera como objetivo prioritario revertir la concentración del ingreso y aminorar el predominio de la valorización financiera.[27]

Respecto del proceso de cooptación del partido de gobierno que llevó a cabo la *oligarquía diversificada*, las evidencias disponibles indican que, ante el derrumbe de la dictadura, esta fracción del capital visualizó la necesidad de generar propuestas alternativas que se distanciaran de las políticas de la dictadura y tomaran distancia de las organizaciones como el Consejo Empresario Argentino (CEA), que eran sustento fundamental del proceso en marcha. Se lanzó entonces el denominado Grupo de los 9, que reunió grupos económicos que habían sido originariamente parte de la burguesía nacional y a partir de la dictadura pasaron a formar parte de la *oligarquía diversificada* (Grupo Fate-Madanes, Laboratorios Bagó, Impsa-Pescarmona), con tradicionales integrantes de la *oligarquía diversificada* (Astarsa, Ing. Ledesma, Alpargatas y

[27] Al respecto, E. Basualdo (2001) señala que: "*En este sentido, todo parece indicar que, agotada la represión e interrumpida la industrialización sustitutiva, la opción de los sectores dominantes fue avanzar en la redefinición del sistema político y de la sociedad civil mediante una estrategia negativa que continúa la tarea dictatorial, pero a través de otros medios. Ya no se trata de hacerlo mediante la represión y el aniquilamiento sino mediante un proceso de integración de las conducciones políticas y sociales de los sectores populares. De esta manera, los sectores subalternos son inmovilizados no pudiendo generar una alternativa política y social que cuestione las bases de sustentación del nuevo patrón de acumulación*" (pp. 15-16).

Bagley) y, con empresas que estaban en proceso de integrar la fracción hegemónica de los sectores dominantes (Mastellone y Celulosa Jujuy). Aunque por el momento ninguno participaba en forma directa del Consejo Empresario Argentino, caben pocas dudas de que al menos Alpargatas lo hacía indirectamente a través del grupo Roberts, propietario mayoritario del capital de la empresa y, en consecuencia, de las firmas que ésta controlaba.

Para el nuevo gobierno constitucional, la emergencia de un agrupamiento corporativo constituido por grandes capitales industriales con una concepción opuesta al enfoque liberal, constituía una señal inequívoca de la posibilidad de implementar una alternativa política sustentada en bases estructurales firmes. Por supuesto, esa relación potencial tuvo acentuadas resonancias históricas por el papel que había cumplido la CGE durante el peronismo y el Consejo Empresario Argentino en las dictaduras militares.[28] Pero las profundas diferencias entre estos procesos parecen señalar que las similitudes eran formales, vaciadas de contenido específico. Mientras la CGE era una organización generada por el peronismo, quienes integraban el CEA eran los sectores generados por las dictaduras y que habían abastecido con sus *intelectuales orgánicos* a esos gobiernos y el Grupo de los 9 era un bastión de la *oligarquía diversificada* que estableció variados contactos con el partido de gobierno, cooptó su conducción, y terminó distanciándose de su base social y defendiendo el orden instaurado por la dictadura.

La diferenciación que asumió inicialmente el Grupo de los 9 respecto del CEA fue coyuntural y tuvo como propósito no cargar con las connotaciones políticas de una dictadura en plena retirada (haber llevado a cabo una represión basada en la desaparición de personas, la tortura y el asesinato, haber interrumpido la industrialización y haber concretado una inédita concentración del ingreso). De hecho, una vez ubicado como interlocutor del partido de gobierno, la agrupación desembocó, en 1985, en los denominados "Capitanes de la Industria", que confluyeron con otros grupos económicos, mayoritariamente pertenecientes al CEA. Los nuevos integrantes —e interlocutores privilegiados del partido de gobierno— eran el núcleo central de la *oligarquía diversificada* (Acindar, Astra, Bunge y Born, Loma Negra, Pérez Companc), acompañados por algunos grupos y conglomerados de reciente integración a esta fracción hegemónica del bloque dominante (Bridas y Macri por el lado local y Techint por el extranjero) y

[28] La existencia de una expresión empresarial en los diferentes regímenes políticos es señalada por P. Ostiguy (1990) de la siguiente forma: *"Hay una constante del poder político en la Argentina: asegurarse un sostén político por parte de una entidad o de un agrupamiento, que aparece de manera* ad hoc *—el CEA en 1967; la CGE en 1945 y en 1973; el grupo de los 9 en 1983 y el grupo de los Capitanes de la Industria al año siguiente— y que sirve de interlocutor y asesor para los dirigentes del Estado en lo que hace a su relación, crucial, con el poder económico."* (p. 91).

otros grupos económicos locales de menor tamaño y, en algún caso, regional (Massuh, BGH y Cartellone).[29] No parece casual que la constitución de los "Capitanes de la Industria" se haya concretado en 1985, cuando Grinspun ya no ocupaba la cartera económica, porque la relación con el Grupo de los 9 estaba en manos de los que comenzaron a instalarse como "operadores políticos", en tanto el ex ministro tenía una concepción institucional, y no informal, de los interlocutores corporativos. También, es plausible suponer —aunque no hay evidencias— que la integración de nuevos grupos económicos haya sido entendida por el partido de gobierno como un triunfo por haber "quebrado" la base económica y social de la dictadura militar, lo cual era una expresión de la consolidación de su liderazgo político.

4.2.2 Auge y ocaso del Plan Austral

Visto el proceso con la perspectiva del tiempo transcurrido, parece innegable que, con la remoción del ministro quedaban atrás las concepciones básicas del sector del radicalismo más cercano a las reivindicaciones e intereses populares, que había accedido al control del partido de gobierno. De allí en más, no se registró una actualización de las concepciones y de las políticas necesarias para revertir las transformaciones estructurales introducidas por la dictadura militar sino que, a la inversa, desapareció de la agenda del partido de gobierno la problemática de la distribución regresiva del ingreso, convalidándose el reducido nivel instaurado por la dictadura militar. La nueva tónica fue una negociación "amigable" con los acreedores externos y una subordinación a los sectores dominantes internos. En otras palabras, comenzó un largo período en que el sistema político se adecuó, con sus más y sus menos, a las nuevas condiciones estructurales que presentaba la dominación en la Argentina.

La primera crisis de gabinete del gobierno constitucional, en febrero de 1985, dio lugar al reemplazo del ministro de Economía y del presidente del Banco Central. El hasta entonces Secretario de Planificación (J. V. Sourrouille) asumió la cartera económica y modificó drásticamente la política econó-

[29] Sobre este particular, P. Ostiguy (1990) señala: *"Las empresas o grupos económicos que componen el grupo de los Capitanes de la Industria pero que no formaron parte del grupo de los 9 formaron prácticamente todos parte del Consejo Empresario Argentino. En otras palabras, el conjunto de empresas tan opuestas al Consejo Empresario Argentino, así como a las connotaciones políticas —que habían resultado de la historia reciente (y no tan reciente)— de ciertos grupos económicos argentinos, se unió con esas mismas empresas o grupos económicos para formar el grupo de Capitanes de la Industria, a comienzos de 1985."* (p. 95).

mica, tanto en términos del sector externo como de la economía interna. Mantuvo el diagnóstico inicial, asumiendo que la principal restricción que se enfrentaba era la deuda externa, pero sostuvo que para eliminarla no se requería de un enfrentamiento con los acreedores externos y sus representantes políticos, —los organismos internacionales de crédito—, sino de plasmar un modelo exportador que, basado en una reactivación de la inversión, generara las divisas necesarias para superar el estrangulamiento externo derivado de los servicios de la deuda.[30]

La nueva estrategia económica se propuso, para hacer posible el incremento de la inversión, aumentar el ahorro en términos absolutos y relativos, pero excluyó toda medida orientada a retener el ahorro interno interrumpiendo la fuga de capitales locales. Dado que el nuevo equipo económico era plenamente conciente de este fenómeno y sus consecuencias,[31] y que los fondos fugados anteriormente habían sido una pieza de negociación de los grupos económicos reiteradamente utilizada pero nunca concretada, es plausible asumir que la conducción económica entendía que las negociaciones con la fracción interna dominante y la modificación de las condiciones económicas impulsarían una repatriación de capitales destinada a reactivar la formación de capital en las producciones de bienes exportables.

Sobre estos lineamientos, se puso en marcha la etapa preparatoria del Plan Austral que enfrentó severas dificultades para su implementación debido a una aceleración del proceso inflacionario y a la negociación con los sectores dominantes acerca de las características que debía asumir.[32]

El 14 de junio de 1985 comenzó el nuevo plan, que contemplaba un amplio conjunto de medidas económicas que aludían a los precios relativos —y definía

[30] Esta nueva concepción se expresa claramente en el documento de la Secretaría de Planificación de la Presidencia de la Nación (1985) que fundamenta la estrategia del Plan Austral.

[31] Esta omisión no se originó en el desconocimiento de la ingente salida de capital local al exterior por ya que en el documento citado, al analizar los factores que condicionan la viabilidad de la estrategia en el mediano plazo, se afirma: "... *La primera de ellas es la fuga de capitales. Este drenaje de recursos se agrega al de los pagos de intereses de la deuda. La política de largo plazo puede contribuir a moderar estas transferencias de capitales en la medida en que proporcione un horizonte de inversión, crecimiento y rentabilidad a los capitales internos y externos.*" (Secretaría de Planificación de la Presidencia de la Nación, 1985).

[32] Respecto de las relaciones entre el gobierno y los Capitanes de la Industria durante esa época, P. Ostiguy (1990) sostiene: "'*La primera aparición del grupo en la escena pública corresponde, por lo demás, al viaje presidencial a los Estados Unidos, en marzo de 1985, para el Houston 1'. El otro componente fundamental del grupo debe relacionarse con la gestión del Plan Austral, así como con las presiones que lo precedieron y que apuntaban a que se pusiera un término a la situación económica prevaleciente en ese entonces* (stangflación: *casi hiperinflación). Esto colocó al ministro de Economía, J. V. Sourrouille, en una posición más acentuada de interlocutor del reciente grupo de los Capitales de la Industria: primero en términos de las presiones pre Plan Austral —las que, del lado del poder económico, provinieron tanto de parte de los acreedores extranjeros como (en distintos grados) de varios de los grandes empresarios económicos—, y segundo, en términos de conseguir el apoyo necesario para el éxito y la sobrevivencia del mencionado Plan Austral.*" (p. 112).

los ingresos percibidos por los distintos sectores—, las finanzas públicas, la situación monetaria y la renegociación de la deuda externa. En este sentido, cabe mencionar que se congelaron los precios y tarifas de la economía, al mismo tiempo que se redujo drásticamente el déficit fiscal —del 8 al 2,5 % del PBI, aproximadamente— mediante un incremento de las retenciones a las exportaciones, del impuesto a los combustibles y la aplicación de un "ahorro forzoso" paras los sectores de mayores ingresos relativos. Al mismo tiempo, se estableció que el Estado no recurriría a la emisión para financiar el déficit fiscal, se redujo drásticamente la tasa de interés regulada, se estableció un nuevo signo monetario (el austral) y se instauró una tabla de conversión para los contratos financieros acordados en pesos argentinos, en la cual el austral se actualizaba diariamente, aplicándole la inflación anterior a estas medidas. El objetivo fue evitar bruscas redistribuciones de ingresos entre deudores y acreedores financieros, así como inducir que en el resto de los contratos entre particulares ocurriera lo mismo.

Si bien el plan tuvo un éxito contundente como instrumento antiinflacionario en el corto plazo, y contenía elementos heterodoxos en relación con los ingresos, éstos no se tradujeron en el corto plazo en un beneficio para los trabajadores pero tampoco agravaron su situación previa, tal como se desprende del Cuadro n° 4.3.

Desde el Plan Austral en adelante, cobró forma la estrategia de negociación económica que adoptó la fracción dominante local. Todo parece indicar que la *oligarquía diversificada* subordinó la política económica mediante la conjunción de dos instancias de acción: el diálogo directo con las autoridades económicas y con el partido de gobierno, a través del agrupamiento denominado "Capitanes de la Industria" —por el que la mencionada "extorsión" de reactivar la inversión con los fondos fugados durante la dictadura cobró mucha importancia—, y la presión generada a través de agrupamientos informales constituidos por los diversos sectores de la producción, incluyendo la máxima representación gremial. Así fue posible que los grupos económicos locales y algunos conglomerados extranjeros fueran los capitales privilegiados del proceso económico, no sólo porque mantuvieron las prebendas obtenidas durante la dictadura militar (promoción industrial, transferencia de su deuda externa e interna al Estado, sobreprecios en las compras estatales, etcétera), sino porque también le agregaron otras vinculadas a la nueva etapa (como diversos incentivos a las exportaciones, avales estatales, etcétera).

Es interesante destacar que a lo largo del primer gobierno constitucional se generaron múltiples agrupamientos entre las organizaciones empresarias e incluso de éstas con aquella que congregaba, en ese momento, al conjunto de los trabajadores, la CGT. En 1984, fracasado el intento oficial por aprobar una nueva ley sindical, la central sindical comenzó una serie de reuniones con organizaciones empresarias de la industria (UIA), el agro (SRA y CONINAGRO), la construcción (Cámara Argentina de la Construcción), el comercio (CAME), y las finanzas (ADEBA), que culminó en la conformación de lo que se denominó el "grupo de los 11", que luego se amplió y dio lugar al denominado "grupo de los 20". En 1987, cuando arreciaba la oposición empresaria a los efectos del Plan Austral, se constituyó, en este caso por iniciativa de las organizaciones rurales, un nuevo nucleamiento que se denominó el "grupo de los 8".[33]

La llamativa convergencia entre organizaciones empresarias —y con la CGT— estuvo orientada a enfrentar los diversos intentos de política económica, y fue, sin duda, un factor que desgastó al gobierno. Estos inusuales acuerdos son aún más sorprendentes si se tiene en cuenta que se plantearon sobre una situación estructural heterogénea, por el avance de la concentración económica y la centralización del capital vinculada a la valorización financiera. Sin embargo, se puede percibir que estas condiciones los facilitaban, en tanto los sectores empresarios con creciente incidencia en el proceso económico eran grupos económicos locales y conglomerados extranjeros caracterizados por su inserción multisectorial y, por lo tanto, contaban con una presencia destacada en diversas organizaciones empresariales, lo que les permitió impulsar la convergencia.[34]

Esta estrategia de la fracción dominante local no se restringió solamente a situar la política económica como un instrumento de su proceso de acumulación, sino que llegó a ese resultado por la cooptación que llevó a cabo sobre el propio partido de gobierno. Es decir, se puso en marcha el *transformismo argentino*, donde la cooptación ideológica de la conducción del partido radical se enlazó con los negocios políticos y económicos.[35]

[33] Sobre los la primera gestión constitucional y su vinculación con las corporaciones empresarias, véase, entre otros: C. Acuña y L. Golbert (1990); M. L. Acuña (1995); P. Birle (1997) y P. Ostiguy (1990).

[34] Al respecto, Peter Birle (1997) plantea una interpretación diferente. Afirma que la creciente heterogeneidad en las asociaciones impidió posiciones consensuadas dentro de cada una de ellas, por lo cual algunos grandes empresarios tomaron contacto directo con las instancias políticas para asegurar sus intereses específicos, mientras que los agrupamientos informales (grupo de los 17, etc.) sirvieron para establecer consensos mínimos frente al gobierno a corto y mediano plazo. Sin embargo, parece incongruente afirmar que las asociaciones que no pueden acordar posiciones internamente sean las mismas que establezcan alianzas con otras asociaciones para enfrentar la política económica.

[35] Tiempo después, en una serie de artículos H. Verbitsky ("De eso no se habla", *Página 12*, 5/12/93) analiza el primer caso documentado de soborno, indicando: *"El negocio del acuerdismo no implica sólo poder político, sino también beneficios económicos. El modelo que hace años sedujo a Enrique Nosiglia y a su hermano mellizo José Luis Manzano es el de Italia, donde la democracia cristiana afirmó su hegemonía cediendo parcelas de poder al socialismo y a otros partidos menores. Durante la presidencia de Alfonsín este esquema comenzó a funcionar aquí, pero la conclusión traumática de ese gobierno, la retórica confrontativa que envolvió a ambos partidos y la avidez de los recién llegados, imantó la brújula. El abrazo de Olivos y la resurrección de Nosiglia y sus operadores económicos son indicios firmes sobre la recuperación del rumbo. El 21 de marzo*

Comenzó entonces lo que en términos "gramscianos" puede considerarse la etapa de "*absorción gradual pero continua*" de los intelectuales orgánicos del resto de los sectores sociales por parte de la fracción dominante interna. Es decir, la decapitación de los sectores subalternos como forma de inmovilizar a los sectores populares y ubicarse como fracción dominante central. Es un proceso que por cierto presenta aristas contradictorias ya que, por ejemplo, los integrantes del partido de gobierno, en la búsqueda de cierta autonomía relativa y de otras fuentes económicas, afianzaron sus relaciones con empresarios locales que, por el momento, no integraban la cúpula económica pero aspiraban a hacerlo sobre la base de una expansión también sustentada en prebendas estatales. Tal es el caso de Yabrán, quien a partir de sus contactos con el partido de gobierno —iniciados durante la dictadura militar—, prosiguió su crecimiento al subordinar la empresa estatal de correo y expulsar a sus competidores.[36]

Durante esta etapa, en el sistema político creció la trascendencia de los denominados *operadores políticos,* caracterizados por su pragmatismo y una supuesta falta de ideología, que en realidad escondía su ruptura con las concepciones y la historia de los grupos sociales a los que supuestamente representan, subordinándose al poder establecido. La *transformación* de los denominados *operadores políticos* no tuvo como consecuencia su desjerarquización en la estructura partidaria sino todo lo contrario: fueron depositarios de los negocios políticos y económicos, y se ubicaron en posiciones decisivas de la vida partidaria.

---

de 1993 este diario publicó el primer documento que se haya conocido acerca de esos negocios, a propósito del gasoducto Loma de la Lata, entre Neuquén y Buenos Aires, construido por los tres mayores grupos económicos del país: Techint, SADE (de Pérez Companc) y Macri, reunidos en el consorcio Neuba. La financiera cautiva de Techint, Santa María, se encargaba cada mes de recaudar los aportes, proporcionales a la participación de cada grupo en el consorcio. Luego, la misma financiera pagaba las contribuciones, que en las notas internas se identificaban con el eufemismo Prestaciones de sede. La nómina de pagos incluía a funcionarios y políticos, tanto radicales como peronistas, y empresas competidoras excluidas del negocio, para que no protestaran. En total se pagaron por esa obra en el año 1987 más de once millones y medio de dólares en tangenti. Con exactitud: 11.527.000 dólares, o expresado con la técnica financiera de las planillas de Santa María: 11.527 U$S x10 a la tercera. El más alto porcentaje de las contribuciones, casi 3 millones de dólares, se pagaron en agosto de 1987, es decir el mes previo a las elecciones del 6 de septiembre, en el que se adelantaron parte de las cuotas de los meses siguientes".

[36] Al respecto, Miguel Bonasso (1999) dice: *"El 24 de mayo de 1979, el joven ambicioso que había llegado de los sesenta de Larroque, tuvo motivos de sobra para estar contento y festejar con sus socios de OCASA, el Cazador Andrés de Cabo y el Duque Rodolfo Balbín. Ese día, el dictador militar Jorge Rafael Videla firmó el decreto ley 22.005 por el cual reformaba el artículo 4 de la Ley de Correos (20.216), promulgada en el último gobierno de Juan Perón, que reservaba para el correo oficial el monopolio total del mercado postal. [...] El decisivo decreto que reformaba el artículo 4 de la Ley de Correos tenía la fundamentación firmada por el cazador Martínez de Hoz pero, según las malas lenguas del gremio, el propio Duque Rodolfo Balbín (secundado por el abogado de OCASA Pablo Rodríguez de la Torre) había intervenido en su redacción. Como otros correligionarios, el sobrino del líder radical Ricardo Balbín tenía excelentes relaciones con ciertos jefes militares, en buena medida adquiridas a través de su tío y de su padre, Armando."* (pp. 155-156).

La brusca detención de la inflación que produjo el Plan Austral, inició su deterioro a medida que se acrecentó el conflicto social por la distribución del ingreso, en un contexto de estancamiento productivo y reducción de la inversión.[37] Hay, como mínimo, tres factores que convergieron para impulsar un recrudecimiento del proceso inflacionario y que estuvieron vinculados al comportamiento estatal, la política de influencias, y el ejercicio oligopólico de las fracciones dominantes, y la modificación de las condiciones externas.

En 1986 hubo una importante reducción del déficit fiscal, pero se logró recortando acentuadamente las jubilaciones, los salarios de la administración pública y la inversión bruta fija de la administración estatal. Sin embargo, al mismo tiempo, las transferencias vía precio y los subsidios indirectos a las fracciones dominantes internas se mantuvieron o, incluso en algunos casos, se incrementaron. También recrudecieron las transferencias canalizadas a través del Banco Central, referentes tanto a la cuenta Regulación Monetaria como vinculadas a la política de impulsar las exportaciones. Por otra parte, cobró forma la política de influencia que ejercieron las fracciones dominantes en múltiples aspectos: sobre la propia política estatal, en términos de subsidios y transferencias, pero también sobre la evolución que adoptó la flexibilización de la política antiinflacionaria; sobre el partido de oposición —el partido peronista (relación que no está documentada pero que es indudable que existió)— para vetar en la instancia legislativa los proyectos de reforma impositiva o de recorte de subsidios que las involucraban; sobre el nivel de precios, a partir del control oligopólico que ejercían en diferentes y estratégicos mercados; finalmente, sobre el progresivo recrudecimiento de la inflación la situación del sector externo. A los compromisos derivados del endeudamiento externo y el acuerdo establecido con los organismos internacionales de crédito, se le agregó el incremento del déficit de la balanza comercial (por el deterioro de las exportaciones) y el incremento de las importaciones (como consecuencia de la reactivación económica en los primeros meses del Plan Austral).

En ese contexto, desde mediados de 1987 en adelante, el diagnóstico oficial acerca de las dificultades que enfrentaba la economía argentina sufrió un cambio drástico: ya no se trataba de una crisis vinculada al pago de los servicios del espectacular endeudamiento generado durante la dictadura militar, sino

[37] Es la caracterización que el Instituto de Estudios y Participación de la Asociación de Trabajadores del Estado (1985) hace de la reducción de la inflación que trajo aparejado el lanzamiento del Plan Austral: *"La inflación es expresión del conflicto social, de demandas sociales encontradas, que no hallan cauce orgánico de resolución ni acuerdos institucionales que las contengan. Es, en suma, una manifestación de la puja en los diferentes sectores sociales por la distribución del ingreso. Resulta de la lucha por la apropiación del ingreso social."* (p. 4).

del agotamiento de una economía que exhibía un marcado estatismo de carácter populista (distribucionista), en obvia alusión a la gestiones de gobierno del peronismo. Más increíble aún, no se hacía referencia a cualquier comportamiento sino a la impronta populista que le había impreso el peronismo, y de la que no quedaban ni rastros después de las modificaciones realizadas por la dictadura militar, con una orientación diametralmente opuesta.[38]

La importancia que asumió esta mutación en el diagnóstico y en la política económica del gobierno, exige indagar las causas que lo motivaron. Teniendo en claro que estaba desligado de los intereses o reclamos de los sectores populares, una primera hipótesis de trabajo es que las nuevas políticas, que apuntaban a un desmantelamiento de la intervención estatal, eran impulsadas por las fracciones dominantes internas —encarnadas en los denominados "Capitanes de la Industria"— a través de su relación privilegiada con la conducción estatal. Sin embargo, esta hipótesis parece poco plausible ya que esa fracción era la principal beneficiaria del proceso económico y de ese aparato estatal "caduco, ineficiente y tildado de populista". Recuérdese que la *oligarquía diversificada* era, en ese momento, el núcleo central de los contratistas del Estado (Techint y Pérez Companc), los principales beneficiarios de las monumentales licuaciones de la deuda externa e interna con cargo al Estado, los capitales privilegiados beneficiados por las transferencias canalizadas a través de los regímenes de promoción industrial, los agentes económicos centrales en el proceso de valorización financiera y —en consecuencia— los principales propietarios de los capitales fugados al exterior, quienes tenían la garantía estatal (avales) para su endeudamiento, etcétera. No ocurre lo mismo con la otra fracción de los sectores dominantes (los acreedores externos) que, a pesar de que había dejado atrás su etapa de mayor debilidad para imponer condiciones, constataba cotidianamente el sistemático atraso en el pago de los servicios derivados del endeudamiento externo.

La crítica situación de los bancos acreedores de los primeros años de la década de los años ochenta, fue progresivamente revertida por la convergencia de dos procesos simultáneos: el alejamiento de una moratoria masiva de los países deudores y la constitución de reservas por parte de los propios bancos acreedores, destinadas a enfrentar eventuales moratorias de los países latinoamericanos o del Este europeo.

Durante el primer quinquenio de la década de 1980, la exitosa estrategia

[38] El ministro de Economía, cuando anunció el denominado "Programa de Julio", afirmó: "*ni las tendencias inflacionarias ni los obstáculos al crecimiento son resultados de episodios o de fenómenos aislados y coyunturales, como tampoco son responsabilidad de un sector en particular. [...] Lo que los argentinos experimentamos... es la crisis de un modelo populista y facilista, de un modelo cerrado, en fin, de un modelo centralizado y estatista*" (*La Nación*, 21/7/87, citado por C. Acuña y L. Golbert, 1990).

de los bancos acreedores y sus representantes políticos, basada en entablar negociaciones unilaterales con los países de la región, permitió que la situación externa de estos países, sin dejar de ser crítica, alejara la posibilidad de que se produjeran moratorias simultáneas en varios de ellos. Por otra parte, en los Estados Unidos se puso en marcha una serie de iniciativas tendiente a elevar las reservas de los bancos para enfrentar situaciones críticas con sus deudores externos en el mediano plazo. Estas reservas eran realmente escasas, y significativamente menores que las constituidas para enfrentar posibles situaciones de insolvencia de los deudores internos del sistema financiero norteamericano, porque, hasta ese momento, se consideraba que los países "no quiebran".[39]

Indudablemente, fue una línea regulatoria sumamente conflictiva, porque la constitución de reservas afecta la rentabilidad bancaria y, por lo tanto, se orienta a determinar el punto de equilibrio entre garantizar cierto grado de seguridad para los depositantes en el sistema financiero y la rentabilidad de las firmas bancarias. En ese contexto, las distintas agencias gubernamentales norteamericanas con competencia en el tema, lanzaron propuestas para mejorar la transparencia y el nivel de las reservas bancarias para esos fines. Incluso, dada la escasez de nuevos préstamos, en el congreso norteamericano se elaboró un proyecto para obligar a los bancos con préstamos externos a constituir un nivel de reservas para los préstamos externos reprogramados igual al que debían establecer para los internos (15% del monto).

La convergencia de ambos procesos —el alejamiento de la posibilidad de moratorias masivas y el incremento de las reservas para enfrentar eventuales procesos de "no pago" impulsado por la regulación estadounidense—, permitió que los bancos superasen la crítica situación de principios de la década de los ochenta. A mediados de la década, ya avanzado el proceso de fortalecimiento de los bancos acreedores, éstos actuaron en consecuencia. En la asamblea anual del FMI de octubre de 1985, se lanzó el denominado Plan Baker, en el cual los acreedores externos y sus representantes políticos plantearon las reformas estructurales que debían realizar los países deudores. Sin duda, el núcleo central de esta nueva política impulsada por los acreedores externos, reconoció dos aspectos complementarios para los intereses de los países centrales. La primera consistía en remover el factor que, supuestamente, bloqueaba el desa-

[39] Al respecto, W. R. Cline (1983) sostiene: "*... parece que el sistema norteamericano ha generado en la actualidad provisiones relativamente modestas, así como poco ahorro de reservas, para créditos a países en dificultades. Así, en 1982 los nueve bancos más grandes de los Estados Unidos tenían una provisión total estimada de US$ 614 millones para préstamos externos, lo que representaba el 1,7 por ciento del valor de sus préstamos totales a países que habían experimentado interrupciones significativas en el pago de sus deudas*" (p. 98) (traducción propia).

rrollo de las fuerzas productivas de los países deudores: las empresas públicas. Sin embargo, no se trataba de otorgar un nuevo flujo de financiamiento destinado a revertir el deterioro de la inversión de estas empresas, ni de mejorar su estructura económica-financiera, sino de implementar su privatización, transfiriendo su propiedad o gestión —dependiendo de la actividad privatizada— al sector privado. La segunda, está relacionada con el creciente déficit en la balanza comercial norteamericana vinculado, al menos en parte, con las crisis de los países latinoamericanos. Se intentaba, entonces, reconstituir la capacidad de compra de las economías de la región, especialmente a través de la apertura comercial de las mismas.

Estos antecedentes permiten comprender el notable cambio en la concepción oficial que, tergiversando el problema de fondo, aceptó el diagnóstico del bloque acreedor (organismos internacionales y acreedores externos), relegando su postura inicial. En el principio de su gestión, el gobierno constitucional planteó, en la mesa de negociaciones, que el problema de la deuda externa de los países latinoamericanos no era la carencia de liquidez sino una situación de insolvencia, es decir, no era una escasez transitoria de divisas, sino una desproporción entre la deuda y la capacidad de generar valor agregado por parte de la economía local. La gestión económica que se inició en 1985, a partir de 1987 aceptó implícitamente que la deuda era un problema de iliquidez y, además, focalizó el problema en las reformas estructurales y, específicamente, en la existencia de empresas públicas altamente ineficientes.[40]

El planteo de reformas estructurales que realizan los acreedores, y la conducción económica acepta, es un recurso retórico destinado a ocultar la cuestión de fondo. Durante la etapa de mayor debilidad, la preocupación central de los acreedores externos fue impedir un proceso masivo de moratorias de los países deudores e intentar el mayor pago posible de los servicios derivados, pero una vez superada esa situación crítica, el objetivo fue que, además de los intereses, los países latinoamericanos saldaran también el principal (capital adeudado). No obstante, había un escollo fundamental para que esa alternativa pudiese concretarse: los países latinoamericanos no disponían de las divisas necesarias para cumplir con el pago de los intereses, y menos aún para saldar el total o apenas una parte del principal. De allí que los acreedores externos, mediante el

[40] Esta interpretación se desprende del análisis realizado por J. M. Machinea y J. Sommer (1990), sobre la gestión del primero como presidente del BCRA durante esos años, cuando indican que: "*... la mayor participación del Banco Mundial refleja un cambio de diagnóstico respecto de las características de la crisis en los países endeudados. Este cambio de diagnóstico tiene dos características. En primer lugar, que se requiere mayor financiamiento para hacer posible el ajuste de los países endeudados. Ello se hace explícito en el Plan Baker aunque sin abandonar la idea que la crisis de la deuda es básicamente un problema de liquidez. En segundo lugar, que para superar las restricciones al crecimiento, además de persistir en el ajuste de corto plazo era necesario realizar reformas estructurales en los países en desarrollo.*" (pp. 17-18).

Plan Baker, indicaran a sus deudores que el pago del capital adeudado se realizaría mediante la venta de activos públicos. Como los activos más valiosos que poseen los países latinoamericanos son sus empresas públicas, lo que debían hacer es privatizarlas, reconociendo como forma de pago el rescate de los bonos de la deuda externa y, de esa manera, saldar parte del capital adeudado.

Éste es el arcano de la política que los acreedores externos impulsaron a mediados de la década de los ochenta y que la conducción económica asumió a partir del nuevo diagnóstico sobre las causas de la crisis que explicitó en 1987. De este diagnóstico, se desprendía que la superación de las restricciones estructurales que enfrentaba la economía argentina dependía, por una parte, de una reestructuración estatal a través de la privatización de empresas públicas y, por otra parte, de una apertura de la economía interna a las importaciones para, de esta manera, desplazar a las empresas privadas "ineficientes" a nivel internacional.

En febrero de 1987, la conducción económica y el Banco Mundial pusieron en marcha un acuerdo ("*business plan*") que contemplaba préstamos por 2 mil millones de dólares para 1987 y 1988 destinados a modificar la política comercial, reforma del sector financiero, privatizaciones, racionalización del sector público, etcétera. De esta manera se consolidó la nueva relación con este organismo, que había concedido un crédito en 1986 para reemplazar las retenciones a los productos primarios por un nuevo régimen impositivo a la propiedad de la tierra, que, como suele ocurrir, nunca fue aprobado por el Congreso Nacional. Así, durante 1987 se pusieron en marcha medidas que respondían a estos acuerdos: un nuevo régimen de importaciones para productos siderúrgicos y petroquímicos, la reducción de protecciones arancelarias, eliminación o disminución de las retenciones agropecuarias, devolución de impuestos internos para las exportaciones de manufacturas industriales, etcétera.[41]

Con esta misma orientación, en julio y agosto de 1987 se creó el Programa de Conversión de la Deuda Pública Externa que formó parte del Programa Financiero de 1987 y que reglamentaba el BCRA. En forma simultánea y en los meses siguientes, se pusieron en marcha la capitalización de represtamos ("*on lending*") y el régimen de cancelación de préstamos y redescuentos. Estos programas, si bien comenzaron a rescatar bonos de la deuda externa —por lo tanto pagaban capital adeudado— tenían un alcance limitado (en conjunto representaban 2.276 millones de dólares) y debían continuar con la privatización de las empresas estatales.

Sin embargo, la evolución de los acontecimientos internos y externos volvieron más compleja la situación. Por un lado, a comienzos de 1988, el gobierno —a través del Ministerio de Obras y Servicios Públicos— lanzó un plan pa-

[41] Sobre estas medidas, véase S. Keifman (abril-junio de 1988).

ra privatizar algunas empresas estatales que fue vetado en el Congreso Nacional debido a la posición que adoptó el partido peronista.[42] Por otro lado, a partir de mayo de 1988, el país entró en una moratoria "de hecho" en el pago de los servicios derivados de su endeudamiento externo.[43]

A mediados de 1988, la situación presentaba una serie de paradojas que, por su importancia histórica y actual, merece ser tenida en cuenta. En primer término, no puede dejar de llamar la atención la situación de los acreedores externos, porque en el momento en que les plantearon a sus deudores externos que debían saldar no sólo los servicios de la deuda externa sino también el capital adeudado mediante la privatización de las empresas públicas, la Argentina no sólo no concretó este último sino que además interrumpió los pagos de los intereses, que hasta ese momento se estaban realizando. En segundo lugar, también es sorprendente que un partido político y, específicamente, una conducción económica que criticaba severamente la negociación conflictiva con los acreedores externos durante la gestión del anterior ministro, y hacía un culto de la negociación amistosa y consensuada, terminara asumiendo una moratoria de la deuda externa y, más aún, lo hiciera en el momento en que los acreedores externos estaban superando la crítica situación de principios de la década de los años ochenta, cuando se había desplegado la política externa del ministro Grinspun. Finalmente, también es sorprendente que las fuerzas políticas opositoras —incluidas las fuerzas de la izquierda política—, no revean su caracterización sobre la gestión económica —a la que tildan como una mera correa de transmisión de los dictámenes de los acreedores externos y sus representantes políticos—, cuando esa gestión culminó su mandato con una interrupción de los pagos a quienes, supuestamente, delimitaban la política económica del país.

Si bien los sectores populares eran claramente perjudicados por la política económica adoptada por el gobierno durante esos años —como lo pone de manifiesto la evolución de la distribución del ingreso, la desocupación, la pobreza y la indigencia—, tampoco los acreedores externos fueron los principales receptores de la redistribución del ingreso —menos aún a partir de

[42] El Poder Ejecutivo proponía transferir el 40% de Aerolíneas Argentinas y ENTEL a las empresas SAS (escandinava) y la Cía. Telefónica Nacional de España, respectivamente. Además, entre otras cuestiones, planteaba, la participación privada en la exploración y explotación petrolífera, la privatización de las empresas petroquímicas estatales, así como la reestructuración de Fabricaciones Militares y de los ferrocarriles.

[43] Sobre esta moratoria, véase R. Bouzas y S. Keifman (1990). También, J. L. Machinea y J. Sommer (1990), donde el ex presidente del BCRA describe sus características de la siguiente manera: "*A diferencia de otros países, esta moratoria no fue declarada en forma abierta, sino que se convirtió en una moratoria de hecho. Más aún, en las declaraciones públicas el Gobierno trató, en todo momento, de aclarar que la falta de pago se debía a la escasez de recursos y no a una decisión política...*" (p. 19).

la moratoria que se inicia en 1988. Por lo tanto, resulta obvio que hubo otra fracción dominante que ocupó ese lugar y que, al no ser tenida en cuenta, generó algunas de esas situaciones paradójicas. Ésta fue la *oligarquía diversificada,* que operó sobre el sistema político y subordinó a la política económica, convirtiéndose en el principal receptor de la redistribución del ingreso de ese período.

Es insoslayable señalar que los acreedores externos no tomaron medidas punitivas inmediatas, debido a las pugnas de poder que produjo la exigencia de saldar el capital adeudado que puso en marcha el Plan Baker y que la conducción económica intentó, y logró, usufructuar en el corto plazo. En efecto, por una política expresa, aunque no escrita, del Tesoro norteamericano, el lanzamiento del mencionado plan jerarquizó la importancia del Banco Mundial, que tomaba a su cargo las "reformas estructurales", mientras que el FMI continuaba con su política de ajuste en el corto plazo, apoyado tanto por los acreedores externos como por el "Club de París".

Los elementos disponibles, y la evolución posterior de los acontecimientos, permiten entender que la pugna entre ambos organismos estaba centrada, dejando de lado las pujas institucionales por el poder, en el orden de prelación de las problemáticas que cada una asumió, y no en sostener concepciones contrapuestas. Mientras que el Departamento del Tesoro y el Banco Mundial sostenían que era necesario que los países deudores avanzaran en la apertura comercial, y fundamentalmente en la privatización de las empresas estatales —es decir en el pago del capital adeudado—, el resto del bloque acreedor enfatizaba la necesidad de cumplir con las políticas de ajuste para saldar los servicios devengados por la deuda externa.[44]

Más allá de que este nuevo esquema dual implicaba la superposición de condiciones que, en muchas oportunidades, resultaban contradictorias e imposibles de cumplir,[45] es necesario destacar que, a partir del Plan Brady comenzó a erosionarse el funcionamiento de los organismos internacionales que establecía que toda negociación debía comenzar por un acuerdo con el FMI. Es lo que ocurrió en el caso argentino, a partir de la moratoria de hecho que se inició en mayo de 1988. A pesar de que un acuerdo con el FMI se volvía cada vez más irrealizable, los programas y las negociaciones con el Banco Mundial

[44] Sobre este tema, véase el importante trabajo realizado por M. Botzman y D. Tussie (enero-marzo de 1991). También A. García y S. Junco (enero-febrero de 1989).

[45] Al respecto, es interesante lo que sostienen M. Botzman y D. Tussie (1991): *"Someramente se podría decir que el Banco prioriza los instrumentos de política que conduzcan a incrementar la oferta y la utilización más eficiente de los recursos; mientras que el Fondo insiste en el manejo de la demanda. Esto conduce muchas veces a la superposición de la condicionalidad exigida, pero también a diferencias de criterios, entre ambas instituciones, respecto al alcance, intensidad y duración temporal del ajuste."* (p. 67)

continuaban. En ese contexto, en agosto de 1988 se lanzó el denominado "Plan Primavera", mediante el cual se buscaba llegar a las elecciones de mayo de 1989, sin un colapso económico.[46] Nuevamente, aun sin el acuerdo con el FMI, el Tesoro norteamericano organizó un crédito puente, el Banco Mundial comunicó su apoyo y el envío de una misión para ultimar los detalles de un nuevo préstamo, y también la fracción dominante local dio su consentimiento, accediendo a la discusión directa de la política económica a través de una Comisión conformada por el ministro de Economía, el presidente y representantes de la Unión Industrial Argentina.

En un contexto económico en el que recrudecía la valorización financiera a partir de las altas tasas de interés vigentes en el mercado local —que provocaban la repatriación de fondos fugados (Cuadro n° 4.5) y la entrada de recursos extranjeros— quedaba cada vez más claro que la situación se hacía insostenible para ambas propuestas externas, ya que se acababa el tiempo y la Argentina no iniciaba ni el pago de los servicios devengados ni del capital adeudado a través de la privatización de las empresas públicas.

4.3 Los primeros programas de capitalización de la deuda externa (1985-1989)

Con posterioridad al auge inicial del endeudamiento externo y la fuga de capitales, se abrió otra etapa de la deuda externa que incluyó dos procesos de importancia: la estatización de la deuda externa privada y los programas para capitalizar los títulos emitidos.

Como fue analizado, los acreedores externos, mediante el Plan Baker, agregaron una nueva problemática en la negociación. Ésta fue la exigencia de rescatar el capital adeudado por los países de la región. En ese momento nadie podía ignorar que los deudores externos carecían de las divisas necesarias para saldar la totalidad de los servicios devengados de dicho endeudamiento, e incluso proliferaron diversos bonos de la deuda externa como paliativo a dicha carencia. En esa situación resultaba impensable que comen-

[46] A. Canitrot (1992) afirma: *"En agosto de 1988 se lanzó el Plan Primavera, un programa de estabilización concebido con el modesto propósito de evitar el estallido hiperinflacionario antes de la elección presidencial de mayo de 1989 [...] Visto en retrospectiva, la única chance del Plan Primavera de alcanzar su meta residía en la remota posibilidad de una reversión de las encuestas preelectorales en favor del candidato radical. De otro modo, con un candidato opositor previsiblemente triunfante anunciando una plataforma populista y nacionalista, era inevitable una abrupta salida de fondos hacia el dólar. El momento llegó cuando en enero de 1989 el gobierno de EE.UU., dejó trascender el retiro de su apoyo al gobierno de Alfonsín. La corrida cambiaria se inició a principios de febrero y fue seguida por la hiperinflación que no terminaría sino después de la asunción del nuevo gobierno en el mes de julio."* (p. 44).

zaran a pagar el capital adeudado y, por esa razón, los acreedores externos les plantearon a sus deudores la necesidad de hacerlo con activos, específicamente con las empresas públicas, que constituyen los activos más relevantes de los Estados latinoamericanos.

También se mencionó que esta nueva política implicó una drástica modificación en el diagnóstico gubernamental acerca de las restricciones que exhibía la economía local, del que se derivó el intento de privatizar algunas empresas públicas.

Si bien durante esos años dichas iniciativas se frustraron por la oposición parlamentaria, se avanzó en el rescate de deuda externa mediante otros programas desligados de la privatización de las empresas estatales.

Como consta en el Cuadro n° 4.10, el primero fue atípico —en realidad, una primera experiencia exploratoria— porque no involucró el rescate de bonos emitidos por el sector público sino que consistió en la capitalización de deuda externa privada con seguros de cambio. Este régimen, que se puso en marcha mediante la Comunicación "A" 532 del BCRA de 1984, dio por terminado el largo proceso de transferencia de la deuda externa de la fracción dominante local a las finanzas públicas. Durante su vigencia —1986 y 1987—, se capitalizaron deudas externas privadas por un monto de 489 millones de dólares. La operatoria no comprometía la utilización de divisas ni la emisión de bonos o títulos, ya que —al menos teóricamente— el acreedor externo capitalizaba la deuda externa de una determinada firma local. Esta operatoria se aplicó cuando el acreedor externo aceptaba capitalizar el crédito en una empresa local que, de acuerdo con la mencionada comunicación, no necesariamente tenía que ser la firma que cancelaba la deuda. Sin embargo, en tanto los beneficios de la norma recaían en las empresas que capitalizaban la deuda con seguro de cambio, estaba implícito que si no capitalizaba la que había contraído la deuda, lo hacía otra empresa controlada por el mismo grupo económico o conglomerado extranjero, salvo que mediaran negociaciones entre empresas, grupos o conglomerados para realizar acuerdos cruzados.[47]

[47] La comunicación 532 del BCRA en el segundo requisito mínimo para considerar la posible capitalización de deudas externas con seguro de cambio, establecía: "2. *Que el acreedor del exterior acepte capitalizar el crédito en empresas dedicadas a actividades económicas, de acuerdo con las normas de la Ley de Inversiones Extranjeras nº 21.382 (t.o. en 1980)*".

Cuadro N° 4.10
Evolución de la capitalización de deuda externa según los distintos programas de conversión de la deuda externa, 1986-1989
(en millones de dólares)

Programas de Capitalización	Comunicación del BCRA	Montos capitalizados (en millones de dólares)				
		1986	1987	1988	1989	Total
Capitalización de deuda externa privada con seguro de cambio*	"A" 532, septiembre 1984	469,0	20,0	-	-	489,0
Capitalización de deuda externa pública**	"A" 1035 y 1059, julio y agosto de 1987	-	-	782,0	416,3	1.198,3
Capitalización de représtamos ("on lending") al sector privado **	"A" 1056, julio de 1987		-	100,8	-	100,8
Cancelación de préstamos y redescuentos del BCRA **	"A" 1194, mayo de 1988	-	-	488,0	-	488,0
Total		469,0	20,0	1.370,8	416,3	2.276,1

*Operaciones efectivamente autorizadas por el BCRA hasta marzo de 1989.
**Se considera el valor nominal de la deuda externa capitalizada.

Fuente: Elaboración propia sobre la base de E. Basualdo y M. Fuchs (1989).

Los regímenes de capitalización de deuda externa inspirados en el Plan Baker comenzaron en 1987 con el de deuda externa pública. Era un programa basado en el rescate de los diversos bonos y títulos emitidos por el sector público desde 1982 en adelante. Básicamente, la operatoria consistía en que las empresas privadas presentaran proyectos de inversión en las licitaciones convocadas por la autoridad monetaria. En su presentación debían consignar, además de las características del proyecto y su costo total, el valor de la deuda externa que estaban dispuestas a aceptar. Posteriormente, el BCRA definió el valor mínimo de las obligaciones externas que estaba dispuesto a pagar en australes. Finalmente, se aceptaban las propuestas que igualaban o superaban el valor establecido por la institución financiera.

Es pertinente aclarar que la capitalización de deuda externa no abarcaba el costo total del proyecto. El monto máximo que podía cubrir se determinaba deduciendo el 10% del costo total en concepto de inmuebles y capital de evolución, así como el costo de la maquinaria y equipo importado que requería el proyecto en cuestión. Del costo resultante al excluir los rubros mencionados, se podía cubrir hasta el 70% con la capitalización de deuda externa, mientras que el 30%

restante debía afrontarlo el titular del proyecto con recursos propios. Este régimen fue el más relevante de los implementados durante los años ochenta, comprometiendo 1.193 millones de dólares entre 1987 y 1989.

Contemporáneamente, se puso en marcha el régimen de capitalización de représtamos ("*on lending*") que estableció que los deudores externos privados podían adquirir los créditos a los bancos acreedores siempre que fueran capitalizados, cancelando, de esta forma el représtamo que daba origen a la capitalización. Este programa, al igual que todos los demás, comprometía un subsidio estatal que resultaba de la diferencia entre el représtamo que recibía la empresa en australes y el pago que efectuaba, por un lado, al acreedor externo cuando efectivizaba la capitalización y, por otro, la comisión que cobraba el BCRA por aprobarle la operación. Debe tenerse en cuenta que estas obligaciones también cotizaban en el exterior a un valor sensiblemente más reducido que el de paridad, y que el régimen registró modificaciones entre las que se cuenta la decisión del BCRA de aceptar solicitudes para esta operatoria sin que cumpliera con el requisito de fondos adicionales. Como se verifica en el Cuadro n° 4.10, este régimen fue el de menor monto (100,8 millones de dólares) dentro de los programas de capitalización de deuda externa puestos en marcha durante esta década.

Finalmente, en 1988 se puso en funcionamiento el último régimen de este tipo, dirigido a la cancelación de préstamos y redescuentos del BCRA, que alcanzó un monto de 488 millones de dólares, siendo el único en el que la participación de las empresas de menor tamaño alcanzó cierta relevancia. En conjunto, todos estos programas comprometieron 2.276 millones de dólares, monto que, aun siendo elevado, estaba muy alejado del que potencialmente podría resultar de la privatización de las empresas públicas.

El análisis de los resultados obtenidos por estos regímenes, discriminando los diversos tipos de empresas —dejando de lado el de cancelación de préstamos y redescuentos del BCRA, por falta de información desagregada—, permite aprehender una serie de características relevantes acerca del comportamiento de las fracciones locales dominantes y el capital ologopólico durante este período (Cuadro n° 4.11).

Todo parece indicar que la capitalización de deuda externa con seguros de cambio fue un régimen ideal para que las subsidiarias extranjeras iniciaran su saneamiento financiero mediante aportes de las casas matrices.[48] También fue apropiado para que regularizaran los aportes de capital encubiertos bajo la forma de endeudamiento externo —que era un patrón de comportamiento generalizado debido al auge de la deuda externa impuesto por la dictadura militar—, percibiendo el correspondiente subsidio estatal. Los resulta-

[48] En esta línea de pensamiento se inscribe la opinión de R. Bouzas y S. Keifman (1990).

dos cuantitativos de este programa indican que las empresas transnacionales —es decir, las controladas por casas matrices con menos de seis subsidiarias en el país concentraron el 36,6% del monto total, mientras que la participación de los conglomerados extranjeros —las firmas controladas por casas matrices con 6 o más subsidiarias locales— sólo alcanzó el 8,2 por ciento.[49]

Sin embargo, lo más llamativo es que, pese al liderazgo que ejercían las empresas transnacionales, el conjunto de las firmas extranjeras exhibió una participación en el monto total capitalizado (44,8%) inferior al correspondiente a los capitales locales (55,2%). Más sorprendente aún es que, pese a las interpretaciones efectuadas en esos años, no existen evidencias significativas de que se haya desplegado un proceso de desnacionalización, sino que las asociaciones que se efectuaron estaban vinculadas a otros procesos.

Cuadro n° 4.11

Montos capitalizados mediante los diferentes regímenes según el origen de capital de las empresas participantes*, 1984-1989 (en millones de dólares y porcentajes)

	Regímenes de capitalización de deuda externa											
	Con seguro de cambio			Deuda externa pública			Représtamos			Total		
	Cantidad de firmas	Monto	%	Cantidad de firmas	Monto	%	Cantidad de firmas	Monto	%	Cantidad de firmas	Monto	%
Total	183	489,9	100,0	102	1.198,3	100,0	25	100,8	100,0	310	1.789,00	100,0
1. Capital local	132	270,4	55,2	52	302,2	25,2	15	59,9	59,5	199	632,50	35,4
1.1. Grupos económicos	12	119,2	24,3	14	194,0	16,2	8	49,3	49,0	34	362,50	20,3
1.2. Empresas independientes	120	151,2	30,9	38	108,1	9,0	7	10,6	10,5	165	269,90	15,1
2. Capital extranjero	51	219,5	44,8	25	457,9	38,2	10	40,8	40,5	86	718,20	40,1
2.1. Conglomerados extranjeros	13	40,4	8,2	15	274,7	22,9	5	26,2	25,9	33	341,30	19,1
2.2. Empresas transnacionales	38	179,1	36,6	10	183,2	15,3	5	14,7	14,6	53	377,00	21,1
3. Sin identificar	-	-	-	25	438,1	36,6	-	-	-	25	438,1	24,5

*En consonancia con los criterios utilizados en este trabajo, los grupos económicos están constituidos por los capitales locales que controlan seis o más empresas, mientras que las empresas independientes pertenecen a capitales que tienen por debajo de esa cantidad de firmas controladas. Asimismo, dentro del capital extranjero, las casas matrices que participan en la propiedad de seis o más subsidiarias se consideran como conglomerados extranjeros, mientras que los que controlan menos cantidad de subsidiarias se clasifican como empresas transnacionales.

Fuente: Elaboración propia sobre la base de D. Azpiazu (1995) y E. Basualdo y M. Fuchs (1989).

[49] En relación con la nacionalidad de las firmas extranjeras, E. Basualdo y M. Fuchs (1989) indican que: *"La distribución de los montos capitalizados por dichas firmas, según el origen de su capital, permite determinar que las empresas de origen norteamericano concentran casi el 80% del monto total. Le siguen las empresas de origen suizo (Productos Roche SA, Rovafarm SA y Suchard SA) con 12 millones de dólares y luego la empresa italiana Pirelli Cia. Platense de Neumáticos SA"* (p. 60).

Al prestarle atención al capital local, se comprueba que la mayor participación en este régimen es la correspondiente a las empresas independientes —aquellas controladas por capitales locales, con menos de seis empresas—, generalmente oligopólicas en sus respectivos mercados (30,9%), mientras que las correspondientes a los grupos económicos —las empresas controladas por capitales con más de seis empresas propias— alcanza al 24,3% del total capitalizado, pero exhiben un promedio por empresa notablemente más elevado que las empresas independientes (9,9 millones de dólares contra 1,3 millones de estas últimas), e incluso que el de las firmas extranjeras (3,1 y 4,7 millones de dólares de los conglomerados y las empresas transnacionales, respectivamente). Sin embargo, teniendo en cuenta la ausencia de ventas o asociaciones con el capital extranjero por este motivo, la participación mayoritaria que ostentan las empresas locales indica que se trató, en la mayoría de los casos, de capitalizaciones ficticias destinadas a percibir los subsidios implícitos en los regímenes de seguro de cambio y a saldar sus deudas con los acreedores, transfiriéndoles, eventualmente, una parte.

Los resultados del programa de capitalización de deuda externa pública muestran una notable importancia —36,6% del total— de las firmas cuya propiedad no pudo identificarse. Este resultado está influenciado por la construcción de nuevos hoteles, cuya participación fue aceptada por el BCRA a partir de su capacidad potencial de generar divisas vinculadas al crecimiento del turismo internacional. Excluyendo esos casos, los resultados indican un claro predominio de los dos tipos de capital extranjero, tanto en términos de su participación en el monto como en la capitalización media por empresa. A diferencia de lo que ocurre con los demás regímenes de capitalización, en éste la información disponible permite evaluar la importancia de los subsidios estatales percibidos por las empresas privadas.[50] Aunque éstos son relevantes —especialmente en relación con el monto de la deuda externa capitalizada—, su importancia relativa se ubica muy por debajo de las otras formas de transferencias de recursos estatales a los sectores dominantes, como la licuación de deuda externa o los regímenes de promoción industrial.

Finalmente, los resultados obtenidos en el programa de capitalización de représtamos son tan claros como los del programa anterior, pero de sentido

[50] Sobre el subsidio implícito en el programa de capitalización de deuda externa pública, E. Basualdo y M. Fuchs (1989), indican: "*... la aprobación de los proyectos trae aparejado el rescate de diferentes obligaciones externas cuyo valor nominal alcanza a los 1.200 millones de dólares y por los cuales el BCRA les reconoce a los inversores un valor efectivo de 395 millones de dólares. La diferencia entre el valor de mercado de las obligaciones externas argentinas y el valor nominal de las mismas que le reconoce el BCRA a los inversores, determina que el subsidio que reciben estos últimos alcance a 122 millones de dólares. Por lo tanto, este último representa el 31 % del valor efectivo reconocido por el BCRA y el 45 % del valor de mercado de las obligaciones externas que llega a 273 millones de dólares*" (p. 63).

inverso, ya que en ese caso los grupos económicos ejercen una influencia definitoria, tanto por el monto que concentran como por el promedio por empresa que exhiben. En los resultados totales de los tres regímenes —y excluyendo los proyectos en que sus propietarios no se pueden identificar— los dos tipos de capital extranjero y los grupos económicos locales son las formas de propiedad más relevantes y exhiben una participación similar en el monto —entre el 19 y el 21 % del total—, pero con diferencias en el promedio de capitalización por empresa a favor de los grupos económicos y los conglomerados extranjeros. Complementariamente, en el Cuadro n° 4.12 consta la importancia de las empresas industriales y no industriales, en los tres regímenes analizados.

Cuadro n° 4.12
Montos capitalizados según la actividad económica de las empresas participantes*, 1984-1989
(en millones de dólares)

	Firmas Industriales					Otras actividades económicas				
	Cantidad de firmas	Monto	%	% total capitalizado	Promedio por firma	Cantidad de firmas	Monto	%	% total capitalizado	Promedio por firma
Total	156	1.093,4	100,0	61,1	7,0	154	695,60	100,0	38,9	4,5
1. Capital local	78	349,8	32,0	55,3	4,5	121	282,70	40,6	44,7	2,3
1.1 Grupos económicos	24	228,4	20,9	63,0	9,5	10	134,10	19,3		
1.2 Empresas independientes	54	121,3	11,1	44,9	2,2	111	148,60	21,4	55,1	1,3
2. Capital extranjero	72	685,8	62,7	95,5	9,5	14	32,40	4,7	4,5	2,3
2.1 Conglomerados	28	331,5	30,3	97,1	11,8	5	9,80	1,4	2,9	2,0
2.2 Empresas transnacionales	44	354,5	32,4	94,0	8,10	9	22,50	3,2	6,0	2,5
3. Sin identificar	6	57,8	5,3	13,2	9,6	19	380,30	54,7	86,8	20,0

* En consonancia con los criterios utilizados en este trabajo, los grupos económicos están constituidos por los capitales locales que controlan seis o más empresas, mientras que las empresas independientes pertenecen a capitales que tienen por debajo de esa cantidad de firmas controladas. Asimismo, dentro del capital extranjero, las casas matrices que participan en la propiedad de seis o más subsidiarias se consideran como conglomerados extranjeros, mientras que los que controlan menos cantidad de subsidiarias se clasifican como empresas transnacionales.

Fuente: Elaboración propia sobre la base de D. Azpiazu (1995) y E. Basualdo y M. Fuchs (1989).

Los resultados presentan dos rasgos interesantes. El primero es que la participación de las empresas industriales en los montos capitalizados es mayoritaria en el total y también, aunque con variaciones ostensibles, en las tres formas de propiedad más relevantes. El segundo, que el capital local se diversifica hacia actividades no industriales pero con características específicas en las fracciones del capital que lo integran. Mientras en los grupos económicos la participación de los *holdings* era definitoria, porque eran centrales en el control accionario de sus empresas controladas, las empresas locales independientes eran firmas que actuaban en el ámbito de la comercialización.

4.4 El afianzamiento de los grupos económicos locales en la economía real durante la década de 1980

Las transformaciones estructurales que se produjeron durante la década tratada indican la necesidad de profundizar el análisis de dos procesos de gran relevancia para constatar y comprender las razones que ubicaron a las fracciones dominantes locales en el núcleo de la concentración económica y la centralización del capital: las políticas encaminadas a promover la formación de capital, es decir la promoción industrial y la evolución de la incidencia que asumieron las diferentes fracciones del capital en las empresas de mayor facturación de la economía argentina.

4.4.1 El impacto concentrador de la promoción industrial sobre la producción sectorial en el marco del proceso de desindustrialización

La promoción industrial fue un instrumento de la política económica que acompañó la consolidación de la producción industrial en la economía argentina desde mediados del siglo XX.[51] La década analizada no fue una excepción ya que en esos años, el sistema de promoción industrial conjugó regímenes originados durante la sustitución de importaciones con otros puestos en marcha durante la dictadura militar, que continuaron durante el primer gobierno constitucional hasta 1989, momento en que surgió un replanteo.[52] Fue un sistema de promoción ambicioso y extremadamente generoso concebido bajo el supuesto de que la economía local seguiría expandiéndose a la elevada tasa de

[51] Al respecto, véase F. Herrero (1966). También O. Altimir, H. Santamaría y J. V. Sourrouille (1966).

[52] Sobre las características de este sistema de promoción, véase D. Azpiazu (1989). Sobre la promoción industrial desde la segunda etapa de la sustitución de importaciones, J. Schvarzer (1987).

crecimiento anterior a la dictadura militar. Como esto no ocurrió y la producción excedió la demanda interna, las nuevas plantas industriales se convirtieron en la base exportadora de la década de los ochenta, recibiendo, además, reembolsos por esas exportaciones y cimentando la reconfiguración industrial que se desplegó durante el período.

Desde el punto de vista de sus alcances geográficos, incentivos y autoridad de aplicación, se pueden diferenciar tres grandes subsistemas de promoción industrial (no exentos de superposiciones y contradicciones):

a) El aprobado en 1972 para el entonces Territorio Nacional de Tierra del Fuego (ley 19.640) cuya autoridad de aplicación era la autoridad provincial.

b) El establecido en 1974 (Ley 20.560) y modificado en 1977 (Ley 21.608)[53] para el ámbito nacional, que contaba con la Secretaría de Industria y Comercio como autoridad de aplicación.

c) Los implementados entre 1979 y 1982 para las provincias de La Rioja (ley 22.021/79), Catamarca-San Luis (ley 22.702/82) y San Juan (22.973/83), cuya autoridad de aplicación era, hasta determinados montos, la respectiva administración provincial.

Las principales diferencias entre ellos, además de la autoridad de aplicación, consistió en los beneficios concedidos. Los otorgados por el régimen fueguino —liberación del IVA sobre las compras y las ventas, y la exención de derechos de importación sobre los insumos— atrajeron la radicación de firmas que actuaban en la producción de bienes altamente protegidos pero que contaban con insumos con un alto coeficiente de bienes importados. Es el caso de la denominada electrónica de consumo, textiles sintéticos, etcétera.[54]

Por su parte, en las cuatro provincias que contaban con regímenes especiales, el incentivo más relevante consistió en la desgravación del IVA a las compras de insumos y la venta de bienes finales, así como los diferimientos impositivos de hasta el 75% de la inversión. Dado que el subsidio implícito estaba asociado al monto de las compras y a la facturación —y no al valor agregado generado por la firma— estos regímenes atrajeron a las industrias con un escaso procesamiento y una ínfima integración en el área de producción. De allí que hayan promovido la desintegración de procesos productivos en los centros industriales tradicionales, mediante la relocalización de la etapa final en las áreas promocionadas. Finalmente, el régimen nacional se superpuso geográficamente con los anteriores y aunque sus incentivos eran inferiores, asumían características diferentes según se tratara de sectores y/o regiones.

[53] En rigor, el establecido por la ley 21.608/77, sus respectivos decretos reglamentarios y las modificaciones introducidas por la ley 22.876/83. En la normativa de 1974, las empresas extranjeras no podían acogerse al régimen, aspecto que se modifica en 1977. Al respecto, véase D. Azpiazu (1989).

[54] Sobre los efectos de este régimen sobre la industria electrónica, véase H. Nochteff (1984).

La importancia de este sistema de promoción industrial en la inversión privada —así como en las finanzas públicas, ya que el monto de los subsidios otorgados se movió en la misma dirección— fue creciente y exhibió una notable importancia desde mediados de la década en adelante. Las evidencias disponibles (Cuadro n° 4.13) son contundentes en indicar que la inversión privada con promoción industrial representó en 1985 el 31,7% de la inversión privada bruta y el 91,1% de la neta, como resultado de dos movimientos contrapuestos: la declinación de la inversión privada y la expansión de la realizada con promoción industrial, en un contexto en el que la amortización de capital demandaba una proporción de recursos crecientes. De esta manera, la inversión privada efectuada con recursos propios de la firma declinó a un ritmo vertiginoso (23,9% anual acumulativo).

Al vincular esta evolución con el comportamiento macro y microecómico de la década, resulta plausible afirmar que las fracciones dominantes locales destinaron una proporción creciente del excedente apropiado a la valorización financiera, afectando severamente el nivel de la inversión que realizaron con recursos propios, a pesar de que sólo podían remitir al exterior una parte de ese excedente, debido a las restricciones del financiamiento internacional. No obstante, dichas fracciones incrementaron su control sobre la producción industrial debido, principalmente, a la convergencia de dos procesos de singular importancia: la desindustrialización provocada por el desarrollo del nuevo patrón de acumulación y la instalación de nuevos emprendimientos productivos realizados mediante los ingentes, y crecientes, subsidios estatales percibidos a través de los regímenes de promoción industrial. De esta manera, mientras se registraba la debacle en la inversión pública, el propio Estado le transfería recursos a las fracciones dominantes locales para que consolidaran su situación estructural, mientras que valorizaban el excedente apropiado en el mercado financiero interno e internacional.

Este seudosistema de promoción industrial no sólo tuvo repercusiones sobre el comportamiento de las fracciones del capital sino que también afectó profundamente el mundo del trabajo, al potenciar la heterogeneidad de la clase trabajadora.

Como estos regímenes de promoción industrial subsidiaban únicamente al capital y no al trabajo, produjeron una doble fractura en la clase trabajadora industrial. Por un lado, surgió un nuevo estrato de trabajadores industriales constituido por los nuevos operarios que ocuparon las plantas manufactureras radicadas en las regiones promocionadas. Los empresarios beneficiados por la promoción industrial prohibían la sindicalización y los trabajadores percibían, para igual calificación, salarios sensiblemente más reducidos que los trabajadores de los centros industriales tradicionales. Por otra parte, como en gran medida las nuevas plantas industriales eran el resultado del traslado de los establecimientos que estaban radicados en las zonas tradicionales (Gran Buenos Aires, Rosario o Córdoba), estas políticas tendieron a consolidar el proceso de desocupación y marginalidad social producido por el proceso de desindustrialización, ya que, si bien se trasladan las plantas industriales no ocurría lo mismo con los trabajadores. Por lo tanto, la conjunción de ambos procesos —desindustrialización y promoción industrial— dio lugar al surgimiento de otro estrato dentro de la clase trabajadora: los desocupados, los que tenían obvias diferencias con los anteriores, tanto como las que ambos —desocupados y nuevo proletariado industrial— tenían con los trabajadores industriales tradicionales.

Cuadro n° 4.13
Incidencia de la promoción industrial sobre la inversión privada, 1980-1985
(en millones de dólares de diciembre de 1985 y porcentajes)

	Inversión privada						
	Bruta (1)	Neta (2)	Amortización (3)= (1)-(2)	Con promoción industrial (4)	% de la inversión bruta (5)=(4)/(1)	% de la inversión neta (6)=(4)/(2)	Sin promoción industrial (7)=(1)-(4)
1980	4.069,0	3.281,6	787,4	365,9	9,0	11,2	3.703,1
1981	2.759,8	1.932,4	827,4	388,3	14,1	20,1	2.371,5
1982	2.178,0	1.322,9	855,1	494,8	22,7	37,4	1.683,2
1983	1.885,4	1.012,5	872,9	279,9	14,8	27,6	1.605,5
1984	1.524,7	632,5	892,2	542,9	35,6	85,8	981,8
1985	1.387,2	482,1	905,1	439,1	31,7	91,1	948,1
T.a.a 1980-85	-19,4	-31,9	2,8	3,7	-	-	-23,9

Fuente: Elaboración propia sobre la base de D.Azpiazu y E. Basualdo (1989) y el FMI (1986).

En este contexto, es insoslayable analizar la incidencia de las distintas fracciones del capital en la promoción industrial. Esta indagación se realiza sobre la base de los proyectos aprobados e iniciados por el régimen nacional, que llegaron a 693, con una inversión de 7.287,9 millones de dólares, y crearon 53.772 puestos de trabajo. Además, como uno de los rasgos característicos de la promoción industrial fue su elevada concentración en unos pocos proyectos, se consideran los 50 más grandes, que concentraron el 70,1% de la inversión total, es decir 5.106,4 millones de dólares.[55]

Sobre esta base, en el Cuadro n° 4.14 se constata la participación de las diferentes fracciones del capital en la cantidad de proyectos, el monto de la inversión y la ocupación generada por los 50 proyectos más grandes presentados entre 1974 y 1987. La contundencia de los resultados obtenidos evita mayores comentarios, ya que los grupos económicos locales, solos o asociados con capitales extranjeros o empresas estatales, participaron en el 66% de los grandes proyectos, concentrando el 70% de la inversión comprometida y el 72,9% de los puestos de trabajo. Un aspecto a tener en cuenta es que la promoción industrial —a diferencia de la capitalización de deuda externa con seguros de cambio— fue una de las principales vías para la asociación entre la *oligarquía diversificada* y las firmas extranjeras y estatales, en tanto esa forma de propiedad concentró casi el 30% de la inversión comprometida en la instalación de los 50 proyectos de mayores dimensiones.

Cuadro n° 4.14

Distribución de la Inversión y la ocupación de los 50 mayores proyectos aprobados con promoción industrial según el tipo de empresa patrocinante, 1974-1987 (en cantidad, millones de dólares y porcentajes)

	Proyectos		Inversión		Ocupación	
	Cantidad	%	Monto	%	Cantidad	%
1. Grupos económicos locales	18	36,0	2.064,5	40,4	6.736	53,7
2. Asociaciones entre grupos económicos con firmas extranjeras y/o estatales	15	30,0	1.510,0	29,6	2.411	19,2
3. Empresas locales independientes	5	10,0	551,7	10,8	1.060	8,5
4. Empresas extranjeras	3	6,0	338,3	6,6	632	5
5. Empresas estatales	1	2,0	80,0	1,6	214	1,7
6. Otras asociaciones	2	4,0	234,9	4,6	374	3
7. Sin información	6	12,0	327,0	6,4	1.110	8,9
Total	50	100,0	5.106,4	100,0	12.537	100,0

Fuente: Elaborado sobre la base de D. Azpiazu y E. Basualdo (1989).

[55] Sobre la concentración de la producción y la centralización de la propiedad del capital inducido por la promoción industrial, D. Azpiazu y E. Basualdo (1989) destacan: "*La acentuada concentración de los beneficios promocionales en un núcleo reducido de proyectos y, en un número más escaso de agentes económicos constituye, sin duda, uno de los resultados decisivos de la política de promoción industrial, tal como fuera implementada en los últimos años. En correspondencia con ello y, al igual que sucediera con otras muchas políticas, la centralización del capital en la industria y el creciente poder económico de algunos pocos actores sociales emergen como las resultantes fundamentales de tal política*" (p. 139).

El análisis del destino sectorial de la promoción industrial permite aprehender otra de las consecuencias regresivas que ésta le imprimió a la estructura industrial y a la generación de empleo. En el Cuadro n° 4.15 se verifica que el 92% de la inversión comprometida por los grandes proyectos —y los pertenecientes a los grupos económicos—, se localizó en la producción de bienes intermedios, especialmente petroquímicos, papel, cemento y siderurgia.

En todos los casos, eran actividades industriales que, con sus más y sus menos, exhibían una muy elevada intensidad de capital y, en consecuencia, una igualmente reducida capacidad relativa para generar nuevos puestos de trabajo. Por lo tanto, teniendo en cuenta el sesgo que presenta la evolución del *stock* de capital reproductivo durante esta década, que consiste en una creciente intensidad en el

Cuadro n° 4.15

Distribución de los cincuenta mayores proyectos
de promoción industrial aprobados según tipo de bien y tipo de empresa patrocinante,
1974-1987 (en cantidad, millones de dólares y porcentajes)

	Total					Grupos económicos locales solos o asociados				
	Proyectos		Inversión		Ocupados por millón de dólares	Proyectos		Inversión		Ocupados por millón de dólares
	Cantidad	%	Monto	%	%	Cantidad	%	Monto	%	
1. Bienes de consumo no durable	**11**	**22,0**	**429**	**8,5**	**8,9**	**8**	**25,0**	**301**	**8,4**	**10,1**
1.1 Alimentos	6	12,0	239	4,7	7,9	4	12,5	140	3,9	10,7
1.2 Textiles y calzado	4	8,0	161	3,2	10,0	4	12,5	161	4,5	10,0
1.3 Otros	1	2,0	30	0,6	11,4	-	-	-	-	-
2. Bienes Intermedios	**39**	**78,0**	**4.677**	**91,5**	**2,4**	**25**	**78,1**	**3.274**	**91,6**	**2,2**
2.1 Químico y petroquímico	17	34,0	1.908	37,4	1,8	13	40,6	1.391	38,9	2,2
2.2 Papel	3	6,0	987	19,3	1,3	3	9,4	987	27,6	1,3
2.3 Cemento	8	16,0	963	18,9	2,0	5	15,6	463	12,9	2,8
2.4 Siderurgia	3	6,0	434	8,5	4,3	2	6,3	291	8,2	4,3
2.5 Otros	8	16,0	385	7,5	6,0	2	6,3	141	3,9	4,4
3. Bienes de Consumo Durable	-	-	-	-	-	-	-	-	-	-
4. Bienes de Capital	-	-	-	-	-	-	-	-	-	-
Total	**50**	**100,0**	**5.106**	**100,0**	**2,9**	**33**	**100,0**	**3.573**	**100,0**	**3,4**

Fuente: Elaborado sobre la base de D. Azpiazu y E. Basualdo (1989).

uso del capital, se puede afirmar que, muy probablemente, la promoción industrial fue uno de los factores que determinó esa tendencia, especialmente si se tiene en cuenta la notable importancia que asumió en la inversión privada.

Asimismo, la identificación del perfil manufacturero que formó parte de la promoción industrial permite identificar las variadas estrategias empresarias que adoptaron las fracciones dominantes locales para realizar inversiones promocionadas. Las evidencias presentan cuatro tipos:

I) Las orientadas a *consolidar el control oligopólico* sobre determinadas actividades industriales, al instalar nuevas firmas controladas por empresas o grupos económicos que ya eran propietarios de una empresa líder en esa actividad.
II) Las inversiones destinadas a *mantener una posición competitiva* por parte de capitales que ya estaban presentes en dicha actividad pero sin detentar una posición oligopólica.
III) Las inversiones realizadas por determinado capital local o extranjero sobre actividades en las que no actuaban sus empresas controladas, para *avanzar en la integración vertical* del conjunto económico.
IV) Las inversiones en actividades en que no actuaba la empresa o grupo que la controlaba, y que estaban orientadas a plasmar una *diversificación de las actividades económicas* del conjunto económico.

En el Cuadro n° 4.16 se expone una síntesis de las estrategias a las que responden los grandes proyectos que ya estaban en funcionamiento cuando se realizó el Censo Industrial de 1985. Una característica destacable consiste en que 11 de los 22 casos relevados están relacionados con estrategias de grandes empresas que realizaban esa inversión para consolidar el poder oligopólico que ejercían en diferentes mercados. Si bien es un resultado esperable, merece ser destacado en tanto constituye un indicador del elevado grado de concentración que exhibía la estructura de esta actividad económica. Por esa misma razón es que la estrategia de diversificación de actividades es tan escasa y se ubica en el otro extremo (2 casos sobre los 22 analizados).

De hecho, el grupo económico Bridas (que controlaba dos casos de diversificación de actividades a partir de la propiedad Papel del Tucumán, fabricante de papel prensa del bagazo de la caña de azúcar) debió enfrentar un conflicto con los grupos económicos que constituían el oligopolio papelero (Celulosa Argentina, Ingenio Ledesma, Massuh), conflicto que se prolongó durante una década hasta que finalmente el grupo Bridas fue expulsado de la actividad.

Otro aspecto importante y llamativo es que en una cantidad tan reducida de proyectos implementados (19) figuran varios grupos económicos que controlaban más de un proyecto. Así, por ejemplo, el grupo Celulosa Argentina y

Cuadro n° 4.16
Características de los grandes proyectos operativos y estrategia empresarial predominante de las firmas controlantes, 1983-1987

Sector	Proyecto	Rama (a)	Importancia sectorial (b)		Empresa controlante	Tipo de empresa (c)	Estrategia empresarial
			Valor de producción	Ocupación			
Papel	Alto Paraná	34.111	1	1	Celulosa Argentina	GG.EE. Celulosa	Consolidar el control oligopólico
		34.112	2	2	Massuh	GG.EE. Massuh	Integración vertical
	Papel de Tucumán	34.111	2	2	Bridas	GG.EE. Bridas	Diversificación económica
		34.112	10	7	Bridas	GG.EE. Bridas	Diversificación económica
Siderurgia	Acindar (2 proyectos)	37.100	6	6	Acindar	GG.EE. Acindar	Integración vertical
Cemento	J. Minetti	36.921	3	6	Juan Minetti	E.L.I.	Consolidar el control oligopólico
	Loma Negra	36.921	8	9	Loma Negra	GG.EE. Loma Negra	Consolidar el control oligopólico
	Pet. Cdro. Rivadavia	36.921	9	13	Decavial	GG.EE. Decavial	Integración vertical
Textil y Calzado	Tejidos Argentinos	32.116	12	12	Alpargatas	GG.EE. Alpargatas	Consolidar el control oligopólico
	Tejidos Arg. del NE	32.116	8	11	Alpargatas	GG.EE. Alpargatas	Consolidar el control oligopólico
	Cia. Fabril Financiera	32.116	16	16	Cia. Fabril Financiera	GG.EE. Celulosa	Sostener posición competitiva
	Calzar	32.401	3	4	Alpargatas	GG.EE. Alpargatas	Consolidar el control oligopólico
Alimentos	Alimentaria San Luis	31.172	3	1	Bagley	GG.EE. Bagley	Consolidar el control oligopólico
	Glucovil	31.131	1	4	Ing. Ledesma	GG.EE. Ledesma	Diversificación económica
	API	31.140	2	5	API	E.T. (española)	Consolidar el control oligopólico
Química y petroquímica	Polisur	35.131	1	3	Ipako	GG.EE. Garovaglio	Consolidar el control oligopólico
	Petroquímica a Río III	35.400	2	1	Atanor	GG.EE. Bunge y Born	Integración vertical
	Petroquímica a Bahía Blanca	35.119	S/d	s/d	Ipako	GG.EE. Garovaglio	Integración vertical
					Indupa	GG.EE. Richard	Integración vertical
					Electroclor	GG.EE. Celulosa	Integración vertical
	Vialorenz	35.232	7	5	Vía Valrosa	E.L.I.	Consolidar el control oligopólico
	Monsanto	35.131	4	5	Monsanto	E.T. (de EE.UU)	Consolidar el control oligopólico
	Atanor	35.221	(d)	(d)	Atanor	GG.EE. Bunge y Born	Consolidar el control oligopólico

(a) Alude al código de la rama de actividad industrial (CIIU, Rev. 2). De acuerdo al orden del cuadro, las equivalencias son las siguientes: 34111= pasta para papel; 34112 = papel y cartón; 37100= hierro y acero; 36921= cemento; 32116= Tejido; 32401= calzado de cuero; 31172= galletitas; 31131= dulces; 31140= elaboración de pescados; 35131= plásticos; 35400= derivados del petróleo (excepto combustibles); 35119= resto de químicos básicos; 35232= jabones; 35221= medicamentos.

(b) La importancia sectorial del proyecto se evalúa en términos del valor de producción y de la mano de obra ocupada de acuerdo a la información de Censo industrial de 1985. Para cada una de estas variables se consigna la ubicación del proyecto en su respectiva actividad industrial.

(c) De acuerdo a la tipología utilizada en este trabajo: GG.EE. = grupo económico local; E.L.I. = empresas local independiente; E.T. = empresa transnacional.

(d) Ingresó a su fase operativa con posterioridad al Censo Industrial de 1985.

Fuente: Elaborado sobre la base de D. Azpiazu y E. Basualdo, 1989.

Alpargatas están presentes en tres proyectos mediante diversas empresas controladas, al mismo tiempo que los grupos económicos Bunge y Born y Garovaglio y Zorraquín figuran en dos proyectos cada uno.

En realidad, al ampliar el campo de análisis y considerar los 50 proyectos más grandes, se constata que esos mismos capitales incrementaron la cantidad de emprendimientos que controlaban.[56] Lo mismo ocurre cuando se consideran los proyectos de menor tamaño e incluso cuando se analiza —pese a las evidencias fragmentarias de las que se dispone— la propiedad de los proyectos aprobados por las administraciones provinciales en este régimen y en la promoción industrial para La Rioja, Catamarca, San Luis y San Juan.

Sin duda, el caso paradigmático en este sentido es el grupo económico Arcor que mediante el usufructo de ambos regímenes definió una estructura empresaria de una notable integración vertical que lo ubicó como uno de los mayores productores de alimentos del país.[57] De esta manera, este rasgo pone una vez más de manifiesto la reducida cantidad de capitales que se beneficiaron con este sistema promocional e indica, al mismo tiempo, que el proceso de centralización de capital en manos de la fracciones dominantes locales no sólo avanzó mediante la adquisición de establecimientos o empresas en funcionamiento, sino que la instalación de grandes emprendimientos industriales con subsidio estatal cumplió un papel insustituible en dicho proceso.

No obstante, la abrumadora presencia de los grupos económicos locales en la promoción industrial no debe ocultar el hecho de que por debajo de los 50 proyectos más grandes hubo una cantidad muy considerable de proyectos que eran propiedad de empresas locales independientes que, en conjunto, tienen relevancia. Sin duda, esta característica tiene importancia eco-

[56] Desde esa perspectiva, el grupo Celulosa Argentina es propietario de 6 de esos proyectos (Celulosa Puerto Piray, Alto Paraná, Garumi, Monómetros Vinílicos, Petroquímica Bahía Blanca, Cia. Fabril Financiera), Bunge y Born de otros tres (Revestimientos Neuquén, Atanor y Petroquímica Río III) al igual que Garovaglio y Zorraquín (Polisur, Petropol y Petroquímica Bahía Blanca).

[57] Al respecto, véase D. Azpiazu y E. Basualdo (1989) el recuento de los proyectos controlados por el grupo económico Arcor: "... *el grupo Arcor es uno de los ejemplos más notables, en tanto gran parte de las numerosas empresas que conforman el grupo en la actualidad fueron instaladas al amparo de los beneficios promocionales, tanto de aquellos vigentes en todo el ámbito nacional como de los correspondientes a las cuatro provincias con regímenes especiales de promoción. En el primer caso, las firmas promocionadas patrocinadas por Arcor son: Vitopel SA (films plásticos, dos proyectos = 28,7 millones de dólares), Cartocor SA (cartón corrugado, dos proyectos = 21,7 millones de dólares), Pancrek SA (galletitas =6,4 millones de dólares), Misky SA (golosinas = 2,7 millones de dólares), Millar SA (enzimas = 2,5 millones de dólares). De la conjunción de tales proyectos surge que la formación de capital del grupo que goza de los beneficios promocionales derivados del régimen vigente en el ámbito nacional asciende a 78, 3 millones de dólares. Por su parte, en el segundo caso, los proyectos patrocinados por el grupo Arcor son los siguientes: Candy SA (golosinas depositadas en almidón), Alica SA (gelatinas y helados en polvo), Flexiprin SA (laminado de películas, papeles y aluminio), Carlisa SA (galletitas, alfajores y budines), Frutos de Cuyo SA (conservas y envases de hojalata), Indal San Juan SA (embutidos, fiambres y chacinados), Dulciora SA (mermeladas y dulces), Metalbox SA (envases de hojalata), Plastivil SA (productos de PVC), Productos Naturales SA (productos enlatados), Carbox SA (cartón corrugado), Converflex SA (films plásticos)*" (p. 159).

nómica porque hizo que la participación de esta fracción en la producción sectorial no disminuyera a niveles catastróficos, pero también expresa la manera en que los sectores dominantes locales desplegaron la "ingeniería sociopolítica" que sustenta al *transformismo argentino*, incorporando a las conducciones empresarias del interior mediante modestas concesiones económicas que hicieron posible, en general, la viabilidad del régimen y, en particular, una desmesurada concentración de la promoción industrial en manos de la *oligarquía diversificada*, así como una creciente dispersión y heterogeneidad de la clase trabajadora.

Teniendo en cuenta la importancia que asumió la promoción industrial en la inversión realizada por el sector privado y la participación de los grupos económicos locales en los proyectos promocionados, se puede plantear la hipótesis de que esa fracción del capital tuvo una presencia protagónica en el conjunto de la inversión realizada por las empresas privadas. Para constatarla, se consideran algunos de los resultados obtenidos en la amplia encuesta de la CEPAL sobre la inversión privada realizada para el período 1983-1989. Éstos se presentan en el Cuadro n° 4.17.[58]

Cuadro n° 4.17
Distribución de las inversiones en activos fijos en la industria
según tipo de empresa, 1983-1989
(cantidad, millones de dólares y porcentajes)

	Inversión total				Inversiones en otras firmas			
	Cantidad de firmas	Monto	%	Monto por firma	Cantidad de firmas	Monto	%	% del total
Empresas estatales	7	1.279,7	13,4	182,8	-	-	-	-
Capital local	365	4.693,0	49,2	12,9	259	766,6	72,8	16,3
Grupos económicos	119	3.568,9	37,4	30,0	173	670,9	63,7	18,8
Empresas locales independientes	246	1.124,1	11,8	4,6	86	95,7	9,1	8,5
Capital extranjero	219	3.611,0	37,8	16,5	126	286,7	27,2	7,9
Conglomerados extranjeros	84	2.331,3	24,4	27,8	75	200,8	19,1	8,6
Empresas transnacionales	135	1.279,7	13,4	9,5	51	85,9	8,2	6,7
Total	591	9.583,7	100,0	16,1	385	1.053,3	100,0	11,0

Fuente: Elaboración propia sobre la base de D. Azpiazu (1993).

[58] Se trata de una encuesta que abarca 632 firmas a partir de considerar las siguientes fuentes de información: las 300 empresas industriales de mayores ventas en 1986 y 1987; las empresas que controlaban los 5 establecimientos de mayor valor de producción de las 100 ramas industriales (cin-

Estas evidencias corroboran la presunción anterior, ya que la participación de los grupos económicos locales en la inversión industrial es excepcionalmente elevada y superior a la que exhiben las restantes fracciones del capital, incluida la correspondiente a las empresas estatales que, como también era esperable, son las de mayor monto de inversión por empresa. En el ámbito del sector privado, los grupos económicos son nuevamente los que encabezan la lista, aunque seguidos a corta distancia por los conglomerados extranjeros.

Otro rasgo interesante, por su relación con el proceso de centralización del capital, es el alcance del proceso de asociación, absorción y/o fusión de otras firmas en la inversión de las diferentes fracciones empresarias. Nuevamente, los grupos económicos son los más relevantes —concentran, prácticamente, el 64% de este tipo de inversiones— a partir de la obtención de participaciones accionarias minoritarias.[59]

En conclusión, el conjunto de los elementos disponibles acerca de la evolución y la composición de la promoción industrial señalan, de una manera incontrovertible, que la remozada *oligarquía diversificada* ocupó un lugar determinante en ella y, sobre esa base, también en la formación de capital que tuvo lugar en los años ochenta. Vinculando ese proceso con la evolución de las variables macroeconómicas, se puede concluir que en el comportamiento de esta fracción del capital convergieron, al mismo tiempo, dos dinámicas que definieron su consolidación económica. La primera y principal fue el ciclo de la valorización financiera que culminó en la fuga de capitales al exterior y, parcialmente —ante la restricción externa—, en la valorización financiera interna del excedente. La segunda, es su consolidación en la producción interna mediante la instalación de nuevas plantas industriales basada en subsidios estatales y, como parte del mismo proceso, la fractura de la clase trabajadora como forma de disciplinar la fuerza de trabajo en el largo plazo.

---

co dígitos de la CIIU Rev. 2) de mayor valor agregado en el Censo de 1985; las 100 empresas industriales de mayor valor de exportaciones en 1986 y 1987; las firmas patrocinantes de proyectos de inversión con promoción industrial que hubieran concretado su puesta en marcha antes de diciembre de 1988; firmas industriales que, de acuerdo con informantes calificados, adquirieron equipos automatizados o incorporaron/desarrollaron progreso técnico en ese decenio. El análisis de los resultados obtenidos dieron lugar a un trascendente, y poco difundido, trabajo de D. Azpiazu (1993).

[59] Al respecto, D. Azpiazu (1993) destaca que: *"mientras en los grupos económicos, las dos terceras partes de las inversiones devienen en tenencias minoritarias, en el caso de los conglomerados transnacionales, casi las tres cuartas partes —73,2%— de los recursos se canalizaron hacia la adquisición del control accionario de las empresas receptoras"* (p. 87).

4.4.2 La profundización de las tendencias vigentes en la economía real

En tanto la evolución y la composición de la inversión analizadas se desplegaron en el marco de una considerable reducción del valor agregado generado anualmente por la economía local, es presumible que la participación de los grupos económicos haya aumentado su importancia relativa en la economía real.[60] Con el propósito de confrontar esta nueva hipótesis con la realidad, en el Cuadro n° 4.18 consta la evolución y composición de las ventas de las 200 firmas de mayor facturación entre 1981 y 1989, discriminando los distintos tipos de capital.

De estas evidencias surge que, efectivamente, *la oligarquía diversificada* (grupos económicos) incrementó su incidencia, tanto en términos de la cantidad de empresas como de su participación relativa en las ventas de las grandes firmas. No obstante, el incremento de su participación en las ventas estuvo signado por alteraciones significativas y, en consecuencia, parece haber sido menos acentuada que su incidencia en la formación de capital. Es indudable que los altibajos en su participación estuvieron influidos por las dos grandes crisis que se desplegaron al comienzo y al final de la década que, si bien no detuvieron su expansión relativa sí la aminoraron, al no permitir el despliegue de toda su capacidad potencial de producción y apropiación de excedente.

Por otra parte, las evidencias analizadas indican que el tránsito de la dictadura militar al régimen constitucional tuvo inicialmente un impacto negativo en el desenvolvimiento de la *oligarquía diversificada* (su participación en las ventas totales se redujo del 25,0 al 22,9 % entre 1983 y 1984), para luego expandirse durante el Plan Austral y con los distintos paquetes de medidas posteriores, alcanzando en 1988 su mayor participación (el 27,5% de las ventas totales, que implica un incremento de casi 6 puntos respecto de 1981). De hecho, entre 1984 y 1989 se ubicó como la forma de propiedad más importante detrás de las empresas estatales. Finalmente, la reducción de su participación al 25,9% de las ventas de las grandes firmas en 1989 expresa el impacto de la crisis hiperinflacionaria de ese año.

La contracción de la participación de las formas de propiedad extranjera constituye la contracara de la expansión de la *oligarquía diversificada.* En ambos tipos de capital extranjero, con sus modalidades específicas, la reducción de su participación y/o de la cantidad de empresas en la cúpula es muy acentuada y parece estar vinculada a la sensible contracción que se registró en el complejo metalmecánico en general, y en la producción automotriz en particular. En este sentido, es pertinente señalar que, dentro de un panorama industrial crítico, durante el período analizado la producción de maquinaria y equipo se re-

[60] De acuerdo con las cifras oficiales, el PBI se redujo el 9,4% entre 1980 y 1990, lo cual equivale a una tasa anual del –1,0% y del –2,6 % si se considera el PBI *per cápita.*

Cuadro n° 4.18
Evolución de la cantidad de firmas y la composición de las ventas de las doscientas empresas de mayor facturación diferenciando los distintos tipos de capital (*), 1976-1983 (en cantidad y porcentajes)

	1981	1982	1983	1984	1985	1986	1987	1988	1989	Diferencia 1981-89	Diferencia 1984-89
1. Cantidad de empresas											
Estatales	24	22	21	21	17	19	16	18	18	-6	-3
Grupos económicos	57	55	61	62	70	62	68	70	68	11	6
Conglomerados extranjeros	26	29	37	34	30	33	31	32	35	9	1
Empresas locales independientes	42	46	35	29	32	35	39	38	38	-4	9
Empresas transnacionales	48	46	42	49	48	47	41	34	34	-14	-15
Asociaciones	3	2	4	5	3	4	5	8	7	4	2
Total	200	200	200	200	200	200	200	200	200	-	-
2. Porcentajes de las ventas											
Estatales	34,5	31,2	31,5	31,5	33,6	31,3	28,4	29,2	32,0	-2,5	0,5
Grupos económicos	21,6	24,3	25,0	22,9	23,6	24,1	25,0	27,5	25,9	4,3	3,0
Conglomerados extranjeros	20,2	19,5	22,7	24,8	19,3	20,1	19,3	17,8	17,4	-2,9	-7,4
Empresas locales independientes	8,9	9,9	7,0	5,3	8,6	10,5	12,2	11,4	10,7	1,8	5,5
Empresas transnacionales	14,3	14,8	13,1	14,8	14,3	13,3	12,4	10,4	10,9	-3,4	-3,9
Asociaciones	0,5	0,4	0,7	0,8	0,6	0,7	2,7	3,7	3,1	2,6	2,3
Total	100,0	100,0	100,0	100,0	100,0	100,0	100,0	100,0	100,0	-	-

(*) Las empresas estatales incluyen a YPF.

Fuente: Elaboración propia sobre la base de la información de las revista *Mercado* y *Prensa Económica*.

dujo un 45,5%, equivalente a una tasa del 5,9% anual acumulativo, registro superado únicamente por la contracción de la producción de minerales no metálicos, consecuencia de la inédita crisis de la construcción.

No obstante la importancia que asumió el incremento de la participación de los grupos económicos y la contracción de la participación de capital extranjero, lo más sorprendente es la expansión que registraron las empresas locales independientes en la participación de las ventas de las grandes firmas. Si bien entre 1981 y 1989 su evolución se ubicó muy por debajo de la de los grupos económicos, fue positiva y superó la de los grupos económicos entre 1984 y 1989. Obviamente, tal crecimiento no fue resultado de las políticas de cooptación de las conducciones regionales de la burguesía nacional que desplegaron los intelectuales orgánicos de los sectores dominantes, sino de la influencia de otros factores estructurales.

En el Cuadro n° 4.19, en el que consta la participación relativa de las diferentes actividades económicas en las ventas de las diversas formas de propiedad, se observa que la trayectoria de las empresas locales independientes fue el resultado de una transformación acelerada de la burguesía nacional en eminentemente comercial. Por esta razón, es que en 1989 casi el 50% de las firmas de esta fracción del capital (12 empresas sobre un total de 25) se ubicó en la actividad comercial —donde los supermercados ocupaban un lugar relevante—, mientras que en 1984 no había empresas locales independientes que desarrollasen esa actividad dentro de las que integraban las 200 empresas de mayor facturación. La contrapartida de este proceso es una notoria disolución del carácter industrial de esta fracción del capital que de esta manera, en términos del largo plazo, no sólo disminuyó su importancia sino que perdió la impronta productiva que la había distinguido desde los primeros gobiernos peronistas.

Cuadro n° 4.19
Distribución de las firmas y las ventas de las grandes firmas según la actividad económica y el tipo de empresa, 1984 y 1989
(en cantidad y porcentajes)

	Cantidad de empresas						% de las ventas					
	Ind.	Petr.	Const.	Com.	Serv.	Total	Ind.	Petr.	Const.	Com.	Serv.	Total
1984												
Estatales	7	2	0	0	12	21	10,1	47,9	0,0	0,0	42,0	100,0
Grupos económicos	50	5	4	1	2	62	78,9	12,5	6,4	0,7	1,5	100,0
Conglomerados extranjeros	30	2	1	1	0	34	47,8	46,7	0,9	4,6	0,0	100,0
Empresas locales independientes	27	0	2	0	0	29	95,5	0,0	4,5	0,0	0,0	100,0
Empresas transnacionales	41	2	0	4	2	49	76,8	3,7	0,0	17,4	2,1	100,0
Asociaciones	5	0	0	0	0	5	100,0	0,0	0,0	0,0	0,0	100,0
Total	160	11	7	6	16	200	50,2	30,1	1,9	3,9	13,9	100,0
1989												
Estatales	5	1	0	0	12	18	11,1	35,6	0,0	0,0	53,3	100,0
Grupos económicos	47	5	8	4	4	68	73,4	10,7	9,9	3,5	2,5	100,0
Conglomerados extranjeros	30	2	1	2	0	35	68,7	26,0	0,8	4,5	0,0	100,0
Empresas locales independientes	25	0	0	12	1	38	68,1	0,0	0,0	30,8	1,1	100,0
Empresas transnacionales	27	2	0	4	1	34	83,5	8,0	0,0	6,9	1,6	100,0
Asociaciones	6	0	0	1	0	7	85,0	0,0	0,0	15,0	0,0	100,0
Total	140	10	9	23	18	200	53,5	19,6	2,7	6,2	18,0	100,0

Fuente: Elaboración propia sobre la base de la información de las revistas *Mercado* y *Prensa Económica*.

Teniendo en cuenta que la actividad industrial concentraba una parte mayoritaria de las ventas de las grandes firmas, resulta imprescindible profundizar el análisis de la situación y transformaciones que registraron estas mismas fracciones del capital en dicha actividad a partir de una fuente de información que permita una visión más amplia y detallada de esta problemática, como es el caso de los Censos Industriales de 1973 y 1984.

En el Cuadro n° 4.20 consta la participación de las diferentes fracciones del capital en la cantidad de establecimientos, valor de producción y ocupación en los establecimientos de 100 o más ocupados en los Censos de 1973 y 1984.[61] La comparación de los resultados agregados de los grandes establecimientos expresa los primeros síntomas de un achicamiento industrial en términos absolutos, ya que el personal ocupado se reduce en la cuarta parte (133 mil personas) y las plantas industriales se reducen en algo más de la décima parte (81 establecimientos). No llama la atención que la desindustrialización sea el resultado de un descenso desigual de las distintas fracciones empresarias —muy pronunciado en las dos formas de propiedad del capital extranjero radicado en el país—, pero lo que sí es llamativo es que los grupos económicos incrementaran tan acentuadamente la cantidad de establecimientos que controlaban y de la mano de obra que ocupaban —79 y 63 %, respectivamente— cuando el agregado total es claramente negativo. Tales incrementos preanunciaban un aumento en la participación de esta fracción dominante en el valor de la producción total, lo cual efectivamente ocurrió y fue aún más pronunciado que el registrado por las dos variables anteriores.

Entre 1973 y 1984, tal como se observa en el Cuadro nº 4.20, la incidencia de los grupos económicos en el valor de la producción industrial de los establecimientos con 100 o más ocupados se incrementó en 10 puntos, equivalentes a un aumento de su participación del 85% en el valor de producción de los mismos. En realidad, mientras todas las formas de propiedad redujeron su participación, la única que la expandió fueron los grupos económicos, a los que se les agregan las empresas estatales cuyas ventas fueron influenciadas por el aumento del precio del petróleo, aunque de todas maneras en esa etapa fueron funcionales a la expansión de la propia *oligarquía diversificada.*

La acentuada expansión en la incidencia de los grupos económicos en los grandes establecimientos industriales, se sustentó en una notoria diversificación de sus actividades en tanto involucraba más del 15% de su valor de producción. En el Cuadro n° 4.21 se verifica que la producción de bienes intermedios (siderurgia, papel, cemento, etcétera) era el núcleo central de su inserción sectorial pero la importancia de los bienes de consumo no durable,

[61] Véase F. Gatto, G. Gutman y G. Yoguel (1988).

Cuadro N° 4.20

Cantidad de establecimientos, valor de producción y ocupación de las plantas industriales con 100 o más ocupados en los Censos Industriales según tipo de empresa, 1973 y 1984 (en porcentajes y valores absolutos en cantidad, millones de pesos de 1973 y millones de pesos argentinos de 1984)

	1973			1984			Variación 1984-1973 (%)		
	Establec.	Producción	Ocupación	Establec.	Producción	Ocupación	Establec.	Produccción	Ocupación
A) Valores absolutos									
Estatales	82	18.549	94.816	60	525.579	57.016	-22	-	-37.800
Grupos económicos	92	17.508	65.127	165	559.763	105.941	73	-	40.814
Conglomerados extranjeros	104	24.348	87.591	63	366.430	38.335	-41	-	-49.256
Empresas locales independientes	359	28.798	183.476	304	427.812	131.651	-55	-	-51.825
Empresas transnacionales	124	19.462	86.996	87	247.161	51.401	-37	-	-35.595
Asociaciones	1	121	566	2	5.203	874	1	-	308
Total	762	108.787	518.572	681	2.131.948	385.218	-81	-	-133.354
B) Porcentajes									
Estatales	10,8	17,1	18,3	8,8	24,7	14,8	-2,0	7,6	-3,5
Grupos económicos	12,1	16,1	12,6	24,2	26,3	27,5	12,2	10,2	14,9
Conglomerados extranjeros	13,6	22,4	16,9	9,3	17,2	10,0	-4,4	-5,2	-6,9
Empresas locales independientes	47,1	26,5	35,4	44,6	20,1	34,2	-2,5	-6,4	-1,2
Empresas transnacionales	16,3	17,9	16,8	12,8	11,6	13,3	-3,5	-6,3	-3,4
Asociaciones	0,1	0,1	0,1	0,3	0,2	0,2	0,2	0,1	0,1
Total	100,0	100,0	100,0	100,0	100,0	100,0	-	-	-

Fuente: Elaboración propia sobre la base de tabulados especiales sobre los Censos Industriales de 1973 y 1984 del INDEC.

de los bienes de capital y, especialmente, de los bienes de consumo durable era considerablemente importante, en especial a partir de la incorporación de algunos grupos económicos a la producción automotriz.

Si bien el capital extranjero parece haber mantenido sus características estructurales —de acuerdo con la información agregada disponible en los Cuadros—, en las empresas estatales y en las locales independientes se registraron algunas alteraciones de consideración. El valor de producción de las empresas públicas realizó un movimiento inverso al de los grupos económicos, ya que se especializó en la producción de bienes intermedios, específicamente en la refinación de petróleo y la producción siderúrgica que realizaban sus dos grandes firmas industriales (YPF y Somisa). Por su parte, las empresas locales independientes (la burguesía nacional) también incrementaron su grado de especialización, pero sobre la base de la producción de bienes de consumo no durable.

Cuadro n° 4.21

Distribución del valor de producción de los establecimientos con 100 o más ocupados según tipo de empresa y bien elaborado, 1984 (en miles de millones pesos argentinos de 1984 y porcentajes)

	Bienes de consumo no durable		Bienes de consumo durable		Bienes intermedios		Bienes de capital		Total	
	Monto	%	Monto	%	Monto	%	Monto	%	Monto	%
Estatales	7,9	1,3	9,3	4,0	488,3	42,0	20,1	15,9	525,6	24,7
%	1,5		1,8		92,9		3,8		100,0	
Principales actividades	*Frigoríficos; imprenta*		*Armamento*		*Refinerías; hierro y acero*		*Equipo ferroviario y naval*			
Grupos económicos	184,0	30,2	52,1	22,4	293,9	25,3	29,7	23,4	559,8	26,3
%	32,9		9,3		52,5		5,3		100,0	
Principales actividades	*Tejido sintético; azúcar; galletitas; aceite; chocolate; diarios y revistas*		*Automotores*		*Hierro y acero; papel y cartón cemento; cubiertas*		*Equipo ferroviario; maquinaria y equipo; aparatos eléctricos*			
Conglomerados extranjeros	80,2	13,2	98,0	42,2	172,6	14,8	15,7	12,3	366,4	17,2
%	21,9		26,7		47,1		4,3		100,0	
Principales actividades	*Cigarrillos*		*Automotores*		*Refinerías y autopartes*		*Tractores, conductores eléctricos*			
Empresas locales independientes	277,0	45,5	27,2	11,7	100,1	8,6	23,4	18,5	427,8	20,1
%	64,8		6,4		23,4		5,5		100,0	
Principales actividades	*Azúcar; lácteos; frigoríficos; aceite*		*Radio y TV; heladeras; plásticos, cocinas*		*Hilado textil; autopartes; metales no ferrosos; vidrio*		*Maquinaria agrícola; tractores*			
Empresas transnacionales	58,4	9,6	45,8	19,7	105,2	9,0	37,8	29,8	247,2	11,6
%	23,6		18,5		42,6		15,3		100,0	
Principales actividades	*Medicamentos; lácteos; jabones; frigoríficos*		*Automotores*		*Químicos, motores cuero, fibras sintéticas; autopartes*		*Herramientas; máquinas de oficina; aparatos eléctricos; maquinaria agrícola; maq. y equipo*			
Total *	608,9	100,0	232,4	100,0	1.164,0	100,0	126,6	100,0	2.132,0	100,0
%	28,6		10,9		54,6		5,9	100,0		100,0

* Incluye las asociaciones.

Fuente: Elaboración propia sobre la base de tabulados especiales sobre el Censo Industrial de 1985 del INDEC.

En conclusión, en la evolución de la estructura de los grandes establecimientos industriales se expresa nítidamente la notable expansión relativa de la *oligarquía diversificada* (grupos económicos) que amplió el espectro de los bienes producidos, aun cuando los bienes intermedios siguieron siendo su eje central. Asimismo, se registró una importante contracción relativa de la participación relativa de la burguesía nacional (empresas locales independientes) y del capital extranjero (los conglomerados extranjeros y las empresas transnacionales) que aparecía parcialmente desdibujada en el análisis anterior de las ventas de las 200 empresas de mayor facturación en todos los sectores que conforman la economía real.

4.5 Notas acerca de la importancia de la oligarquía agropecuaria en la propiedad de la tierra de la zona pampeana durante la década de 1980

La interrupción de la sustitución de importaciones y la consolidación de la valorización financiera a partir de la dictadura militar provocaron, al conjugarse con alteraciones significativas en la demanda externa de los productos agropecuarios, cambios de una importancia equivalente en el ámbito de la producción primaria pampeana. En tanto se trataba de la base material de la oligarquía agropecuaria, y sus modificaciones estructurales fueron sustantivas, resulta inevitable comprobar la manera en que afectaron a esta fracción del capital dominante.

La primera tendencia de esta tradicional actividad fue que, en franca oposición a lo que se registraba en la producción industrial, se incrementó la producción y la productividad agropecuaria, pero sobre la base de un comportamiento que ya no respondía al típico "ciclo ganadero" que había regido las alternativas productivas durante la sustitución de importaciones.[62] A partir de 1977 (año en que se implementó la Reforma Financiera) se puso en marcha una excepcional, por lo prolongada, liquidación de ganado vacuno sin que se produjera el consecuente incremento en la superficie agrícola, alternancia que era uno de los rasgos básicos del "ciclo ganadero" durante la industrialización sustitutiva.

Asimismo, otro de los procesos peculiares del nuevo comportamiento pampeano también se inició en 1977 y consistió en la acentuada y sistemática reducción de la inversión en maquinaria y equipo que, de esta forma, se anticipó a la profunda caída de la inversión bruta fija total y llegó, a fines de la década de los ochenta, a ser más intensa que su retracción en el conjunto de la economía local. Tal disminución en la formación de capital sectorial fue posible por-

[62] Sobre el funcionamiento del "ciclo ganadero", véase L. Cuccia, P. Nicholson, A. Fracchia, D. Heyman y otros (1988).

que irrumpieron nuevas formas de producción que permitieron optimizar la utilización de la maquinaria rural, específicamente, el fenómeno del "contratismo" que consiste en empresas con una fuerte dotación de maquinarias y equipos que se especializan en las tareas de siembra y cosecha cobrándole al productor por este servicio.[63]

A pesar de esa notable reducción de la inversión en maquinaria y equipo, hubo un incremento en la productividad física, ya que el cambio tecnológico se localizó en la incorporación de un conjunto de insumos que forman parte del costo variable de producción (herbicidas, plaguicidas, fertilizantes, semillas, etcétera).

Finalmente, algunas evidencias relacionadas con el endeudamiento bancario de la actividad indican que los créditos contraídos por los productores pampeanos, al igual que en el conjunto de la economía, crecieron aceleradamente. Todo parece indicar que durante la disolución del "ciclo ganadero" los productores agropecuarios, especialmente los de mayor superficie, se endeudaron para recomponer su capital de trabajo y a la vez poder canalizar sus recursos propios —provenientes de la liquidación ganadera— hacia otros propósitos.[64]

Estas tendencias parecen indicar que, desde la Reforma Financiera en adelante, se produjo un replanteo del comportamiento sectorial, porque se diluyó el "ciclo ganadero" para dar lugar a una voluminosa salida de recursos del sector que comprometió los originados en la liquidación ganadera y en buena parte de la renta agrícola, en tanto disminuyó la inversión y una parte significativa del capital de trabajo provino del endeudamiento financiero. Dado que estos fenómenos se desplegaron durante el predominio de la valorización financiera, es plausible asumir que el destino de esos recursos fue su colocación en el sistema financiero.[65] En otras palabras, el comportamiento del agro pam-

[63] Respecto de la reducción de la inversión sectorial en bienes de capital y las nuevas formas de producción se puede consultar: B. Pizarro y A. R. Cascardo (1991). Entre otras cuestiones allí se señala respecto de las nuevas formas de producción que: *"Si bien en todas las épocas se han detectado productores que no disponían de maquinarias, en los últimos años esa cantidad resulta ser sensiblemente mayor que en el pasado... La falta de maquinaria en establecimientos de mayor tamaño, tradicionalmente con orientación mixta, en gran medida se parece más a una estrategia de gestión productiva que a una limitación de tipo económico. La compra de maquinaria además de representar una inversión considerable, restaría flexibilidad para modificar la combinación de actividades ante un cambio en la relación de precios carne-granos"* (pp. 55 y 56).

[64] Respecto del endeudamiento bancario del sector agropecuario durante esos años, véase L. Cuccia (1983).

[65] Uno de los pocos trabajos que destaca la importancia de la tasa de interés en el comportamiento sectorial es el publicado por la CEPAL (L. Cuccia, P. Nicholson, A. Fracchia, D. Heyman y otros, 1988) donde se sostiene: *"La importante liquidación de ganado vacuno operada en el período 1977-1982 (de una amplitud y duración mayores que lo usual) estuvo asociado, como en circunstancias anteriores, con un cambio en la rentabilidad relativa ganadería/agricultura. En este caso jugó un papel importante el aumento de la productividad agrícola. Pero adicionalmente, influyó el aumento de la tasa real de interés a partir de la reforma financiera de 1977"* (p. 126).

peano, especialmente de los grandes productores, ya no se definió sobre la base de la relación entre los precios agrícolas y los ganaderos sino que se les agregó la tasa de interés hacia donde se canaliza una parte sustancial de la renta agropecuaria.[66]

La trascendencia de la disolución del "ciclo ganadero", por la influencia que ejercían ya no dos sino tres precios claves (precios agrícolas, ganaderos y tasa de interés) es indiscutible. No obstante, para los propósitos de este trabajo es igualmente decisivo identificar las fracciones sociales agrarias que llevaron a cabo estas transformaciones para, de esa manera, poder aprehender la situación estructural de la oligarquía agropecuaria y las características particulares de la *oligarquía diversificada*, que conducía el nuevo patrón de acumulación.

Dando por demostrado que propietarios rurales fueron los portadores de dichas transformaciones,[67] la problemática planteada alude al análisis de la concentración de la propiedad rural en la zona pampeana durante la década de 1980. Para ello, se toma en cuenta la provincia de Buenos Aires —núcleo central de la pampa húmeda argentina—, así como la compleja trama de formas de la propiedad rural. La concepción tradicional en el análisis de la propiedad agropecuaria parte del supuesto de que existen sólo dos formas de propiedad: la individual y las sociedades. Sostiene, asimismo, que los propietarios pampeanos —más allá de la extensión de sus tierras y del tipo de producción que realizan—, controlan la propiedad de sus campos personalmente, y que sólo los grandes terratenientes recurren a las sociedades. Esta creencia, que ya es parte del sentido común de los argentinos, es reforzada por los estudios que se efectuaron sobre el tema durante las últimas décadas, en los que, a pesar de las diferencias metodológicas que se introdujeron, se sigue señalando, con mayor

[66] Destacados analistas sectoriales (E. Obschatko, F. Solá, M. Piñeiro y G. Bordelois, 1984) parecen asumir una interpretación contraria a la que aquí se sostiene: "*No pretendemos afirmar que el sector deja de ser alternativa para el inversor, sino que hay indicios suficientes como para que un número importante de productores agrarios y especialmente empresarios grandes con permanentes necesidades de inversión, decidieran liquidar parcialmente sus existencias bovinas y destinar esos, y otros fondos líquidos, al negocio de la siembra. En ese sentido puede hablarse de una quiebra del modelo histórico de comportamiento, ya que la nueva decisión implicaba una especialización en un tipo de actividad que requería inversiones en maquinaria y gastos de operación relativamente elevados*" (p. 40).

[67] No es ocioso recordar que la propiedad constituye el principal sustento estructural del comportamiento productivo del sector agropecuario. Así, por ejemplo, una somera revisión del Censo Nacional Agropecuario de 1988 indica que de las 27,3 millones de hectáreas de la provincia de Buenos Aires hay 21,3 millones de hectáreas (el 78% del total) que son trabajadas directamente por sus propietarios. Pero además, una parte de esos propietarios combina la propiedad de la tierra con otras formas de tenencia (arrendamiento, contrato, aparcería, etc.) que suman otros 3,8 millones de hectáreas. Es decir, que sólo el 8% de la superficie agropecuaria provincial (2,2 millones de hectáreas) se trabaja mediante formas de tenencia que están totalmente desvinculadas de la propiedad de la tierra.

o menor énfasis, que el dominio de las tierras pampeanas se ejerce mayoritariamente sobre la base de la propiedad individual.[68]

Por el contrario, los resultados obtenidos en investigaciones recientes modifican drásticamente esta visión.[69] No hay dos sino múltiples formas de propiedad en el agro pampeano. Ellas son:

a) persona física, que consiste en la propiedad de la tierra por parte de un solo individuo;

b) persona jurídica, que se verifica cuando el dominio de la tierra la ejerce algún tipo de sociedad (anónima, en comandita por acciones, de responsabilidad limitada, etcétera), fundación o entidad pública;

c) condominio, que se constituye cuando varios individuos, generalmente de una misma familia, ejercen la propiedad conjunta sobre un inmueble rural;

d) grupo societario, que en términos generales comprende a todos los tipos de agrupamiento de sociedades que pertenecen a los mismos accionistas, incluyendo la conjunción de ellas con las otras formas de propiedad. Esta categoría general comprende en la realidad tres formas de propiedad diferenciadas: el grupo económico, el grupo agropecuario, y la forma mixta de propiedad.

d.1) El *grupo económico* está constituido por empresas con distinta razón social y con diferentes actividades económicas que actúan articuladamente, debido a que pertenecen a los mismos accionistas y son coordinadas por un mismo conjunto de directores.

d.2) El *grupo agropecuario* (o de sociedades agropecuarias) comparte todas las características fundamentales del grupo económico con la excepción de la inserción multisectorial. En estos grupos la producción agropecuaria siempre ostenta una centralidad indiscutible, aun cuando, marginalmente, alguna de sus firmas puede encarar otras actividades.

[68] Adoptan este enfoque, entre otros, los siguientes trabajos: Junta de Planificación Económica de la Provincia de Buenos Aires (octubre-diciembre de 1958); Ministerio de Economía de la Provincia de Buenos Aires, Dirección de Recursos de la Subsecretaría de Finanzas (1973); O. Barsky, M. Lattuada e I. Llovet (1987, mimeo).

[69] Se hace referencia al Programa de Investigación sobre la propiedad y producción agropecuaria en la provincia de Buenos Aires realizado en el Área de Economía y Tecnología de FLACSO. Como parte de este programa se realizaron varios proyectos de investigación de los que surgieron de diversos trabajos, entre ellos: E. M. Basualdo y M. Khavisse (1993); E. M. Basualdo y M. Khavisse (1994); E. M. Basualdo y J. H. Bang (1998).

d.3) Finalmente, la *forma mixta de propiedad* se caracteriza, fundamentalmente, por controlar la propiedad de la tierra mediante la combinación de unas pocas sociedades de distinto tipo con la propiedad individual y el condominio.

La introducción de todas las formas de propiedad que coexisten en la producción agropecuaria afecta la comprensión de la distribución de la propiedad de la tierra. Las distorsión que acarrea la visión tradicional radica en que la superficie de tierra que les pertenece a las formas de propiedad a las que excluye arbitrariamente (condominio, grupo económico, grupo agropecuario, forma mixta de propiedad) se las atribuye a sólo dos formas de propiedad (propiedad personal y sociedades), con lo que termina atomizando en múltiples propietarios la superficie que en realidad le pertenece a uno solo. Esto provoca una desconcentración arbitraria de la concentración en la propiedad real de la tierra.[70]

Las evidencias disponibles indican que a fines de la década de 1980 los grandes propietarios rurales en la provincia de Buenos Aires —aquellos que poseían 2.500 o más hectáreas en ese distrito— eran 1.294, concentrando 8,8 millones de hectáreas y una superficie media que rondaba las 6,8 miles de hectáreas por propietario (Cuadro n° 4.22). Teniendo en cuenta que la superficie agropecuaria provincial es de 27,3 millones de hectáreas —según el Censo Agropecuario de 1988—, se puede afirmar que los grandes terratenientes bonaerenses eran propietarios del 32% de la extensión agropecuaria provincial, grado de concentración claramente superior al vigente treinta años antes, cuando era del 25% de la superficie total.[71]

Este elevado grado de concentración en la propiedad rural es producto de la conjunción de diversas formas de propiedad que ejercían una influencia diferente en el resultado final. Los propietarios individuales (persona física), relevantes en la pequeña y mediana propiedad, tenían una baja incidencia en la cúpula, al converger en el estrato de menor superficie (de 2.500 a 4.999 hectáreas) una proporción mayoritaria de los propietarios y la superficie que los conforma. En el caso de las sociedades (persona jurídica) ocurrió lo mismo, lo cual es paradójico ya que era una forma de propiedad importante en la gran propiedad rural y, prácticamente, inexistente entre los pequeños y medianos propietarios. Su escasa incidencia en la cúpula, se debe a que la mayor parte de las sociedades con una superficie por encima y por debajo de las 2.500 hectáreas integraban otras formas de propiedad (formas mixtas, grupo económico o grupo de sociedades agropecuarias).[72]

[70] Véase M. Latuada (1995) y E. M. Basualdo (1995).
[71] Al respecto, se puede consultar: E. M. Basualdo (1998).
[72] Véase E. M. Basualdo (1998, pp. 83 y ss.).

El condominio, por su parte, era la forma de propiedad más extendida de toda la estructura agropecuaria bonaerense ya que, por su estrecha relación con la transmisión hereditaria de la tierra, tuvo una presencia muy difundida en los pequeños, medianos y grandes propietarios rurales, superando incluso a la persona física que se ubica en el segundo lugar.[73] Tal como se verifica en el Cuadro n° 4.22, su influencia en los grandes propietarios es considerable, como resultado de la influencia que ejerció en todos los estratos de tamaño, salvo en el de mayor superficie (20 mil hectáreas o más). Esta forma de propiedad también fue afectada —aunque en menor medida que las sociedades— por la formación de grupos de sociedades, especialmente de los grupos de sociedades agropecuarias que, si bien se estructuraron sobre la base de sociedades familiares, éstas se combinaron, generalmente, con condominios pertenecientes a los mismos integrantes del núcleo familiar.

Cuadro N° 4.22
Distribución de los propietarios y la superficie según estratos de superficie y forma de propiedad, 1988
(en cantidad, hectáreas y porcentajes)

Estratos de tamaño (hectáreas)	Persona Física		Persona Jurídica*		Condominios		Forma Mixta		Grupo Agropecuario		Grupo Económico		Total	
	Prop.	Has.	Prop.	Has.	Prop.	Has.	Prop.	Has.	Prop.	Has.	Prop.	Has.	Prop.	Has.
A) Valores absolutos														
2.500 a 4.999	163	541.044	129	437.309	255	855.206	188	677.559	46	176.085	18	64.643	799	2.751.846
5.000 a 7.499	26	145.344	11	64.167	77	455.410	69	415.396	51	316.059	8	48.088	242	1.444.464
7.500 a 9.999	10	85.268	5	41.990	13	111.619	31	265.537	26	226.323	6	51.574	91	782.311
10.000 a 19.999	6	72.803	4	54.552	19	253.529	30	383.304	44	589.518	6	85.393	109	1.439.099
20.000 o más	1	26.892	2	117.464	5	126.510	2	42.145	37	1.631.599	6	413.701	53	2.358.311
Total	206	871.351	151	715.482	369	1.802.274	320	1.783.941	204	2.939.584	44	663.399	1.294	8.776.031
B) Total de cada forma de propiedad = 100														
2.500 a 4.999	79,1	62,1	85,4	61,1	69,1	47,5	58,8	38,0	22,5	6,0	40,9	9,7	61,7	31,4
5.000 a 7.499	12,6	16,7	7,3	9,0	20,9	25,3	21,6	23,3	25,0	10,8	18,2	7,2	18,7	16,5
7.500 a 9.999	4,9	9,8	3,3	5,9	3,5	6,2	9,7	14,9	12,7	7,7	13,6	7,8	7,0	8,9
10.000 a 19.999	2,9	8,4	2,6	7,6	5,1	14,1	9,4	21,5	21,6	20,1	13,6	12,9	8,4	16,4
Más de 20.000	0,5	3,1	1,3	16,4	1,4	7,0	0,6	2,4	18,1	55,5	13,6	62,4	4,1	26,9
Total	100,0	100,0	100,0	100,0	100,0	100,0	100,0	100,0	100,0	100,0	100,0	100,0	100,0	100,0
C) Total General = 100														
2.500 a 4.999	20,4	19,7	16,1	15,9	31,9	31,1	23,5	24,6	5,8	6,4	2,3	2,3	100,0	100,0
5.000 a 7.499	10,7	10,1	4,5	4,4	31,8	31,5	28,5	28,8	21,1	21,9	3,3	3,3	100,0	100,0
7.500 a 9.999	11,0	10,9	5,5	5,4	14,3	14,3	34,1	33,9	28,6	28,9	6,6	6,6	100,0	100,0
10.000 a 19.999	5,5	5,1	3,7	3,8	17,4	17,6	27,5	26,6	40,4	41,0	5,5	5,9	100,0	100,0
20.000 o más	1,9	1,1	3,8	5,0	9,4	5,4	3,8	1,8	69,8	69,2	11,3	17,5	100,0	100,0
Total	15,9	9,9	11,7	8,2	28,5	20,5	24,7	20,3	15,8	33,5	3,4	7,6	100,0	100,0

* Las tierras estatales (provinciales y nacionales) se consideran como Persona Jurídica, ubicándose en el estrato de 20 mil o más hectáreas.

Fuente: Elaboración propia sobre la base de tabulados especiales del Programa de investigación sobre propiedad y producción agropecuaria del Área de Economía y Tecnología de la FLACSO.

La forma mixta de propiedad, al igual que el condominio, tuvo incidencia en todos los estratos de tamaño, salvo el de mayor superficie. El grupo agropecuario, por su parte, constituyó la forma de propiedad más relevante de la cúpula agropecuaria por su importancia en todos los estratos de tamaño de mayor superficie, excepto el de menor extensión. Finalmente, el grupo económico fue el que exhibió la menor incidencia, pero con la característica de confluir en el estrato de mayor superficie, donde ejercía una influencia significativa, aunque inferior a la del grupo agropecuario.

Ciertamente, todas estas formas de propiedad tenían una estrecha relación con las fracciones integrantes de la oligarquía agropecuaria, en tanto constituyeron la manera específica en que esta fracción de clase detentó la propiedad sobre la tierra. No obstante, esta relación asumió intensidades y particularidades en una.

La diferenciación del grupo económico dentro de la categoría general de grupo societario, permite aprehender las características y la incidencia de la fracción que conduce al conjunto de la oligarquía. Sin duda, la propiedad de la tierra no era un hecho nuevo ni excepcional en la *oligarquía diversificada* porque desde hacía muchas décadas sus miembros integraban el listado de los grandes terratenientes pampeanos. Sin embargo, sobre la base de la información analizada, ahora se puede afirmar que si bien eran minoritarios en términos de superficie, eran una parte destacada de los mayores terratenientes pampeanos, replicando de esta manera el patrón de comportamiento que habían asumido en otras actividades económicas hacia las cuales se diversificaron.

El caso de la fracción de la oligarquía eminentemente agropecuaria es más complejo porque la propiedad de la tierra se materializó mediante diversas formas de propiedad, por las diferentes respuestas que sus integrantes adoptaron en relación con dos problemáticas centrales como la transmisión hereditaria de la propiedad de la tierra —o, según como se lo mire, el resguardo de la unidad de tierra— y la maximización en la apropiación de la renta agropecuaria, incluida la minimización de las obligaciones impositivas nacionales y provinciales.[74]

Es indudable que desde principios del siglo XX hasta la actualidad, se constata una disminución de la excepcionalmente alta concentración de la propiedad de la tierra en manos de la oligarquía agropecuaria, debido —junto a las políticas ensayadas por los primeros gobiernos peronistas— a la disgregación de las propiedades por la subdivisión hereditaria. Desde esta perspectiva, el condominio, expresa una manera tradicional y casi "natural" de conservar la

[74] En relación con la evolución del impuesto inmobiliario rural y de las prácticas elusivas de los grandes propietarios rurales, véase E. Arceo, E. Basualdo (1997).

unidad de tierra familiar ante la desaparición de algunas de las cabezas de la familia, mientras que la conformación de una sociedad implica tomar recaudos antes de que ello ocurra. Sin embargo, el recurso más usual utilizado, durante las últimas décadas, por las familias o ramas familiares oligárquicas que contaban con las superficies más extensas del agro bonaerense, fue el grupo de sociedades agropecuarias.[75]

A través del análisis de la composición de los propietarios con 20 mil o más hectáreas se puede profundizar en las características que exhibió la relación entre las fracciones oligárquicas y las formas de propiedad (Cuadro n° 4.23).

Si bien, la *oligarquía diversificada* concentraba el 17,5 % de la superficie controlada por los grandes terratenientes bonaerenses, es la que tenía el tamaño medio más elevado. Dicho en otros términos, esta fracción comprendía a los terratenientes de mayor superficie media de esta jurisdicción provincial. Pero sería un error no tener en cuenta que esta situación sólo expresa parcialmente la incidencia de esta fracción en la propiedad rural del país, porque entre sus propiedades había numerosas explotaciones ubicadas en otras jurisdicciones provinciales de la zona pampeana y extrapampeana.[76]

Esta diversificación de la propiedad territorial no fue privativa de los grupos económicos que eran grandes terratenientes en la provincia de Buenos Aires sino que había otros con extensiones por debajo de las 20 mil hectáreas pero propietarios de vastas extensiones en otras regiones, e incluso grupos que directamente no tenían estancias en la jurisdicción bonaerenses pero eran grandes latifundistas en el interior del país.[77]

En el extremo opuesto, las "otras formas de propiedad" en conjunto poseían una superficie levemente inferior a la *oligarquía diversificada* pero su tamaño medio era notablemente más reducido. Allí convergían el Estado provincial y nacio-

[75] Veáse E. Basualdo (1996).

[76] Sobre el particular, en E. Basualdo (1996) se indica: *"Al respecto, una revisión parcial de los catastros de algunas otras jurisdicciones provinciales indica que Bunge y Born, además de sus estancias bonaerenses, es propietario de, aproximadamente, 10 mil hectáreas en el Chaco, 85 mil en Salta, 35 mil en Corrientes y más de 20 mil hectáreas en San Luis, en Santa Fe y también en Córdoba. Asimismo, que el grupo Loma Negra es titular, por medio de diversas firmas, de más de 10 mil hectáreas en Córdoba y no menos de 35 mil tanto en Santa Fe como en Entre Ríos. Lo mismo, ocurre con Bermberg, que es propietario de más de 10 hectáreas en Misiones y al mismo tiempo de 73 mil en Neuquen, y con el grupo Werthein que, por ejemplo, mediante Estancias del Oeste SA controla un latifundio de 55 mil hectáreas en la provincia de Santa Fe"* (p. 810).

[77] En E. Basualdo (1996) se señala: *"Así, por ejemplo, el grupo Pérez Companc, que supera las 15 mil hectáreas en la jurisdicción bonaerense, es dueño de cerca de 60 mil hectáreas en Misiones y de 40 mil en Corrientes y otras tantas en Santa Fe. Lo mismo ocurre con el grupo Garovaglio y Zorraquín, que ronda las 6 mil hectáreas en Buenos Aires y tiene cerca de 20 mil en Salta. Finalmente, una evaluación sobre la importancia y la producción agropecuaria en los grandes grupos económicos no puede soslayar la existencia de aquellos que no tienen tierras en el agro bonaerense pero sí en otras regiones del país. Este es el caso, por ejemplo, del grupo económico Arcor, que es titular de no menos de 45 mil hectáreas en Córdoba, o de Celulosa Argentina, [...] que es dueño de alrededor de 150 mil hectáreas en Misiones"* (pp. 810-811).

nal —que eran grandes terratenientes pero con un comportamiento absolutamente distinto al de los grandes propietarios privados—, los pocos propietarios individuales que integraban esta cúpula y los igualmente escasos condominios que superan las 20 mil hectáreas.

Por su parte, la fracción de la oligarquía eminentemente agropecuaria era la más importante de acuerdo con la superficie que controlaba, pero con un tamaño medio muy inferior al de la *oligarquía diversificada*, aunque superior al de las "otras formas de propiedad" y, al igual que la fracción diversificada, también tenía grandes extensiones de tierra en la zona pampeana y extrapampeana.[78]

Un grupo especialmente importante para indagar es el de las familias que integraban la fracción de la oligarquía agropecuaria. Una rápida revisión de los apellidos permite constatar una abrumadora mayoría de integrantes tradicionales de este sector de clase pero, al mismo tiempo, reiteradas apariciones de varios de ellos (como Álzaga, Anchorena, Duhau, etcétera). Éstas indican que, a lo largo del tiempo, se produjeron desprendimientos en las familias que integraban esta fracción de la oligarquía, por la división hereditaria de la tierra o casamientos entre sus integrantes, lo que dio lugar a la constitución de grupos de sociedades económicamente independientes de los pertenecientes a los restantes descendientes de las familias originales.

Aunque la importancia de los apellidos tradicionales está fuera de discusión, hay algunos casos que indican la presunta incorporación, en diferentes etapas de la evolución económica del país, de nuevos integrantes a la *elite* oligárquica, lo cual no implica desconocer que también se registraron salidas de apellidos patricios que, obviamente, no se pueden identificar a partir de la composición de esta cúpula. Así, es posible identificar dentro de los integrantes de esta fracción oligárquica un grupo de sociedades que pertenecía a una familia extranjera de origen alemán (Fuchs Facht) cuya empresa original (Ganadera La Constancia) fue fundada en 1917, figurando como tal en el Registro de Inversores Extranjeros de 1974.[79]

[78] En el trabajo citado (E. Basualdo, 1996) se mencionan algunas de esas estancias: *"Por ejemplo, la familia Gómez Álzaga controla 30 mil hectáreas en la provincia de Salta y otras tantas en la provincia de Misiones. Por otra parte, el grupo de sociedades de la familia Harriet es titular de 35 mil hectáreas en La Pampa y de poco más de 60 mil en Misiones. Asimismo, la familia Rossi, que controla otro de los grupos agropecuarios que integran el listado de los mayores terratenientes bonaerenses, es propietaria de 32 mil hectáreas en —Santa Fe y de 74 mil en el Chaco. Una primera revisión de los catastros también indica que otros grupos agropecuarios de la cúpula son dueños de extensiones menores. Tal el caso de la familia Colombo, que es titular de 11 mil hectáreas en La Pampa; de la familia Tronconi con poco más de 5 mil hectáreas en Santa Fe y con 3,5 miles en San Luis; de los Santamarina Alzaga, que mediante las Invernadas del Oeste, son propietarios de 15 mil hectáreas en Córdoba, etcétera"* (p. 814).

[79] Véase E. Basualdo (1996).

Cuadro n° 4.23

Propietarios con 20 mil o más hectáreas en la Provincia de Buenos Aires, según formas de propiedad, 1988 (en cantidad, hectáreas, hectáreas por propietario y porcentajes)

Formas de Propiedad	Cantidad	Superficie		Hectáreas/ propietario	Grupos económicos y familias propietarias*
		Hectáreas	%		
Grupos económicos	6	413.701	17,5	68.950	Bunge y Born; Loma Negra; Bemberg; Banco Mercantil-Werthein; Ingenio Ledesma.
Grupos agropecuarios	37	1.631.599	69,2	44.097	Alzaga Unzué (Gómez Alzaga-G. Balcarce-R. Larreta); Avellaneda-Duhau-Escalante ; Pereyra Iraola-Anchorena; Beraza; Duggan; Santamarina ; Santamarina-De Alzaga;Galli-Lacau;Rossi ; Lafuente-Mendiondo ; Lalor ;Ballester-Tronconi Paz Anchorena ; Beamonte; Blaquier; Ochoa-Paz; Guerrero; Harriet ; De Apellaniz; F. Anchorena-Zuberbuhler; Inchauspe; Sansot -Vernet Basualdo; Pueyrredón; Defferrari; Duhau-Nelson; Bullrich; Pereda-Ocampo; Zubiaurre; Herreras Vegas; Arrechea Harriet; Lalor-Udaondo; Fuchs Facht; Colombo-Magliano; Ayerza-García Zuberbuhler; Lanz.
Subtotal grupos de sociedades	43	2.045.300	86,7	47.565	
Otras formas propiedad **	10	313.011	13,3	31.301	Estado Provincial; Cardenau-Peluffo; de Legoburu; Estado Nacional; Echarri; Melon Gil; De Monsegu; Artigues; Ortiz Basualdo-Devoto; Graciarena; Ceresseto; González Martínez.
Total	53	2.358.311	100,0	44.496	

* En cada uno de los grupos agropecuarios y de las otras formas de propiedad se mencionan las principales familias propietarias en orden decreciente de acuerdocon la superficie que controlan.

** Comprende a: propietarios individuales, personas jurídicas, condominios y los agrupamientos de sociedades que están compuestos por menos de cuatro entidades.

Fuente: Elaboración propia sobre la base de tabulados especiales del Programa de investigación sobre propiedad y producción agropecuaria del Area de Economía y Tecnología de la FLACSO, así como de E. Basualdo (1996).

Algo más numerosas parecen ser las nuevas familias locales que devinieron en grandes terratenientes bonaerenses. Este parece ser el caso de los grupos de sociedades pertenecientes a las familias Colombo y Magliano, por un lado, y Beamonte, por otro. Las primeras eran familias que presuntamente se consolidaron económicamente a partir de la comercialización de productos agropecuarios, para luego adquirir grandes extensiones de tierra, mientras que la segunda controlaba un conjunto de sociedades con campos limítrofes en la zona más árida de la región agrícola del Sur, que constituían hasta hace pocos años la partida inmobiliaria de mayor dimensión en el catastro inmobiliario rural provincial.

Sin embargo, el ejemplo más significativo en términos de la incorporación de nuevas familias a los grandes terratenientes parece ser el grupo de sociedades perteneciente a la familia Beraza que era propietario de casi 60 mil hectáreas de tierra en algunas de las mejores regiones productivas de la provincia de Buenos Aires, adquiridas en los años sesenta y setenta. En el Cuadro nº 4.24, constan las sociedades que lo integraban y el carácter de accionistas y/o miembros del directorio.[80]

Esta familia de ascendencia vasca era originaria del partido de Carlos Casares y estaba conformada por cuatro hermanos de raigambre radical. Algunos de sus principales integrantes incursionaron durante las últimas tres décadas en otras actividades (la actividad financiera a través de su participación en el Banco de Avellaneda y la comercial mediante la participación en el capital de Gath y Chaves) e, incluso, algunas de esas empresas permanecen en su estructura empresaria hasta la actualidad (como es el caso de Chincul SA, que se dedica a la fabricación de aviones).

El control de la tierra por parte del grupo Beraza es atípico en los grupos de sociedades de las familias de la oligarquía, ya que las firmas controladas no se articulaban con otras formas de propiedad (el condominio o la propiedad personal de las cabezas de la familia). De por sí, la ausencia de otras formas de propiedad denota que se trataba de un grupo de formación relativamente reciente, es decir, de la época en que se difundió el control de la propiedad de la tierra mediante sociedades.

Las tierras de este grupo de sociedades se ubicaban mayoritariamente en la zona de Invernada, principalmente en los partidos de General Villegas, Daireaux y Adolfo Alsina donde se concentraba más del 75% de sus 59.074 hectáreas (Cuadro nº 4.25).

[80] Para un análisis detallado de las fuentes de información y la metodología para determinar los grupos de sociedades agropecuarias, véase E. M. Basualdo y J. H. Bang (1998).

Cuadro n° 4.24

Estructura de propiedad y composición de los directorios de las sociedades del grupo agropecuario Beraza, 1989

	Beraza Juan José	Beraza José María	Fernández de Beraza Margarita	Beraza Alicia Esther	Beraza de Martín María E.	Beraza Juan Pablo	Beraza José María (h)	Beraza Pedro Santiago	Beraza Pedro Antonio	Superficie (has.)
Maitenes SA	A	A+P	A	A	A	D	VP	-	-	4.420
La Macarena SA	A+P	A+D	A	-	A	D	VP	D	-	1.075
Chanilao SA	A	A+P	A	A	A	-	VP	D	-	-
Regadío SA	A+VP	A+P	-	-	A	-	D	-	A	-
Dicter SA	A	A+P	A	A	A	D	VP	-	-	6.023
Timen SA	A+P	A+VP	A	-	A	D	D	-	-	-
Chincul SA	A+D	A+P	-	-	A	D	VP	D	A+D	-
Los Hermanos SA	A	A+P	A	A	A	-	VP	D	-	2.088
La Madrugada SA	A	A+P	A	A	A	-	VP	D	-	2.529
Lago SA	A+VP	A+P	A	-	A	-	-	D	-	-
Mira Pampa SA	A	A+P	A	A	A	-	VP	D	-	4.085
Terpapa SA	A	D	A	-	A	-	-	P	-	872
Siempre SCA	A	AM	-	-	-	-	-	-	A	-
Didi SCA	A	AM	-	-	-	-	-	-	-	-
Isiana SA	A	A+P	A	A	A	D	VP	-	-	4.041
Gibar SA	A	A+P	A	A	A	D	VP	-	-	3.723
Penipe SA	A	A+P	A	A	A	D	VP	-	-	6.716
Talacan SA	A	A+P	A	A	A	D	VP	-	-	8.714
Bella SA **	-	-	-	-	-	-	-	-	-	4.897
Beraza y Hermosilla SA **	-	-	-	-	-	-	-	-	-	2.467
Curamalan SA **	-	-	-	-	-	-	-	-	-	-
Los Tuelches SCA **	-	-	-	-	-	-	-	-	-	1.279
Relen Agr. Gan. SA **	-	-	-	-	-	-	-	-	-	-
Talu SA ***	-	-	-	-	-	-	-	-	-	-
La Mañana SA ***	A+D	A+P	-	-	A	-	-	-	A+VP	1.873
Manantiales del Sur SA ***	-	-	-	-	-	-	-	-	-	-
El Monolito SA ***	-	-	-	-	-	-	-	-	-	-
Teone SA ***	-	-	-	-	-	-	-	-	-	4.272
Superficie Total										59.074

A = accionista
AM = accionista mayoritario
P = presidente
VP = vicepresidente
D = director
** Su pertenencia al grupo se determina sobre la base de la información del BCRA de 1987 (Composición de los grupos económicos que operan con el sistema financiero).
** Su pertenencia al grupo se determina sobre la base del Boletín Oficial.

Fuente: Elaboración propia sobre la base de la información del Proyecto PIP98 n° 024 del CONICET ("Características del uso del suelo y la producción agropecuaria en los grandes propietarios rurales de la Provincia de Buenos Aires") del Área de Economía y Tecnología de la FLACSO.

Cuadro nº 4.25
Distribución de las tierras del grupo de sociedades agropecuarias Beraza según la sociedad controlante y el partido provincial en que se localizan los campos*, 1989
(en hectáreas y porcentajes)

	Has.	Zona de Invernada						Zona Agrícola del Sur			Zona de Cría
		A. Alsina	Daireaux	Gral. Villegas	Guaminí	Lincoln	Pehuajó	Gral. Pueyrredón	Lobería	Necochea	Gral. Lamadrid
Bella Sa **	4.897	4.897									
Beraza y Hermosilla **	2.467	2.467									
Mira Pampa SA	4.085	3.617			468						
Talacan SA	8.714		8.714								
Teone SA ***	4.272		4.272								
Dicter SA	6.023			6.023							
Los Hermanos SA	2.088			2.088							
La Madrugada SA	2.529			2.529							
Gibar SA	3.723			3.723							
Penipe SA	6.716			6.716							
Maitenes SA	4.420					4.420					
Isiana SA	4.041						4.041				
Terpapa SA	872							872			
Los Tuelches SCA **	1.279								676	603	
La Macarena SA	1.075										1.075
La Mañana SA ***	1.873										1.873
Superficie Total (has.)	59.074	10.981	12.986	21.079	468	4.420	4.041	872	676	603	2.948
%	100,0	18,6	22,0	35,7	0,8	7,5	6,8	1,5	1,1	1,0	5,0

* Se tienen en cuenta únicamente las sociedades del grupo que tienen tierras en la Provincia de Buenos Aires.
** Su pertenencia al grupo agropecuario se determinó sobre la base de la información del BCRA de 1987(Composición de los grupos económicos que operan con el sistema financiero).
*** Su pertenencia al grupo agropecuario se determinó sobre la base de Boletín Oficial.

Fuente: Elaboración propia sobre la base de la información del Proyecto PIP98 nº 024 del CONICET ("Características del uso del suelo y la producción agropecuaria en los grandes propietarios rurales de la Provincia de Buenos Aires") del Área de Economía y Tecnología de la FLACSO.

5. Las crisis hiperinflacionarias de 1989 y 1990. La profundización de las condiciones de dominación social a través de las pugnas dentro del bloque de poder

5.1 La evolución de la crisis de 1989

La determinación del contenido económico y social de la crisis del final de la década de los años ochenta, implica profundizar el análisis del último intento de política económica ensayado por el gobierno radical para controlar el proceso económico y conservar alguna expectativa de triunfo en las futuras elecciones presidenciales: el "Plan Primavera".

El control de las tarifas de los servicios públicos, el acuerdo con las grandes empresas formadoras de precios para desindexar la economía, y el incremento de los salarios de la administración pública en el 25%, constituyeron las primeras medidas para equilibrar los precios relativos. En términos del sector externo y las finanzas del sector público, se descartó la posibilidad de aplicar retenciones para no agravar el enfrentamiento con la oligarquía agropecuaria, pero se instrumentó una devaluación de la tasa de cambio diferencial mediante una reforma del mercado cambiario basada en un tipo de cambio comercial (12% de devaluación del peso) y otro libre, más elevado y flotante (33,7% de devaluación del peso). Las exportaciones se liquidaron al tipo de cambio comercial, mientras que las transferencias financieras y la importación de bienes y servicios por el denominado libre. Finalmente, se plantearon las condiciones para una exacerbación de la valorización financiera mediante una liberación de la tasa de interés interna impulsada por el endeudamiento del sector público a corto plazo.[1]

Los resultados de la nueva política no se hicieron esperar e inmediatamente hubo una notoria estabilización de las variables macroeconómicas, como el ritmo inflacionario —que pasó del 27% a comienzos del Plan al 7% en diciembre de 1988— y del tipo de cambio libre —que pasó de una expansión mensual del 32% a otra que rondaba el 5%— (Gráfico n° 5.1).

No menos significativa fue la entrada de capitales con el objetivo de valorizar esos recursos, sobre la base de la diferencia positiva que mantuvo la tasa de interés interna respecto de la vigente en el mercado internacional. Aunque dentro de estos flujos de capital estaban presentes los capitales externos que

[1] Para una descripción de este Plan, véase O. Martínez (1991).

buscaban beneficios de corto plazo, la repatriación de capital local parece haber cumplido un papel protagónico en este proceso. En efecto, el signo negativo de las transferencias de fondos locales al exterior durante 1988 (Cuadro n° 4.5) indica que, por primera vez durante este mandato constitucional, regresó una parte minoritaria del capital local fugado.

Presuntamente, este comportamiento de la fracción dominante local fue el resultado de la conjunción de diferentes estrategias de valorización financiera por parte de sus integrantes. Mientras que los que controlaban empresas que abastecían exclusivamente el mercado interno traían una parte minoritaria de sus recursos, los que tenían una inserción exportadora retaceaban al máximo la liquidación de esas divisas en el mercado comercial y traían una parte de sus divisas en el exterior a través del mercado libre para valorizarlo internamente.

Este comportamiento de la *oligarquía diversificada* es llamativo porque, si bien el Plan fue apoyado por el Banco Mundial, en ese momento regía una moratoria "de hecho" de la deuda externa, con el consecuente desacuerdo del

Gráfico N° 5.1: Evolución de los precios minoristas y el tipo de cambio (libre), 1988-1991 (variación porcentual mensual)

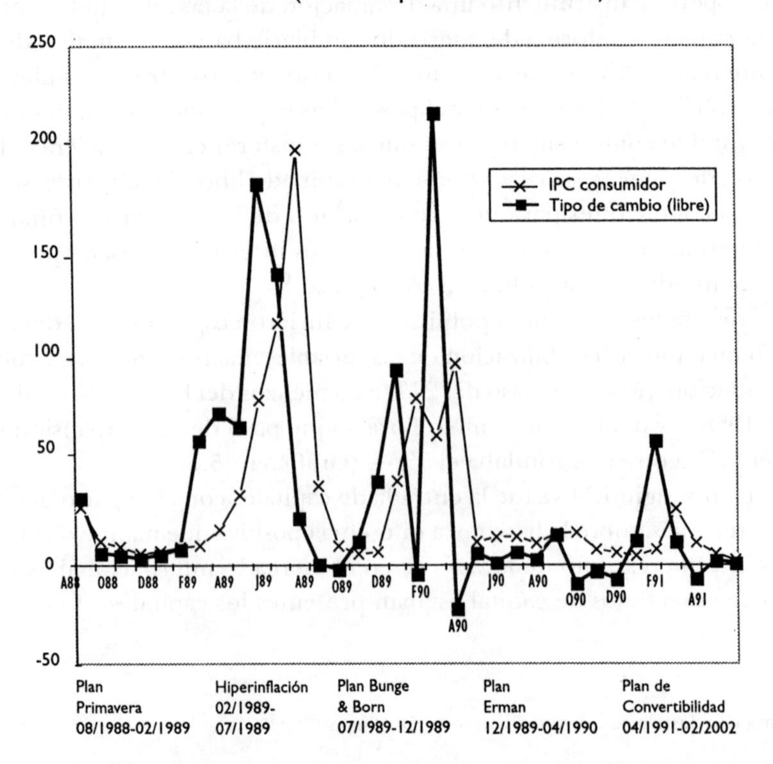

Fuente: Elaboración propia sobre la base de la información del INDEC.

FMI. Se puede asumir que el grueso de esta fracción entendía que el riesgo de una desestabilización cambiaria era reducido, pues la política económica contaba con el apoyo del Banco Mundial y el autor del Plan Baker ocupaba un lugar de privilegio en el equipo del candidato que ganó las elecciones presidenciales en Estados Unidos durante el último trimestre de 1988.

A fines de enero de 1989, coincidiendo con el comienzo de fuertes compras de divisas por parte de los bancos privados, se definió la actitud ambivalente del Banco Mundial, al trascender que atrasaría el desembolso de los créditos otorgados.[2] Pocos días después, ante la inagotable demanda de dólares, el Banco Central se retiró del mercado cambiario, instaurándose una política por la cual la autoridad monetaria solamente liquidaba divisas para garantizar las importaciones. De allí en adelante se produjo un acelerado crecimiento del tipo de cambio, cuyo punto culminante se alcanzó a mediados de año, con una tasa mensual que en el mes de mayo superó el 180% mensual que fue seguida por una elevación equivalente del nivel de precios, lo cual constituyó la prueba inequívoca de una acelerada y masiva dolarización de la economía interna y de una formidable puja distributiva.

Tanto la evolución de los acontecimientos como las condiciones estructurales de la economía argentina en esa época indican la existencia de algunos rasgos peculiares. El primero es la vigencia de una formidable crisis hiperinflacionaria que les impidió a todas las fracciones dominantes del capital la consecución de su proceso de acumulación y las enfrentó con el riesgo de severísimas pérdidas de ingresos y patrimonio. Esta situación dificultó las posibilidades de establecer acuerdos entre las distintas fracciones y entre los integrantes de cada fracción. El segundo aspecto radica en el papel definitorio que asumieron los bancos extranjeros acreedores en el comienzo y el desarrollo de la crisis hiperinflacionaria.[3] El tercero consiste en la participación activa de bancos locales pertenecientes a integrantes del sistema político —particularmente del partido de gobierno— en la gestación y el desarrollo de la corrida cambiaria, lo cual pone de manifiesto la envergadura que adquirieron los "negocios políticos" en el funcionamiento del sistema polí-

[2] H. Verbitsky (1990) menciona esta actitud dubitativa del Banco Mundial, indicando que: *"Al suspender el apoyo que venían brindando al gobierno argentino de la reunión conjunta con el Fondo Monetario Internacional de Berlín, en setiembre de 1988, el Banco Mundial adujo el incumplimiento en el control del déficit fiscal y de las reformas estructurales comprometidas. [...] Concluye que los cambios estructurales son difíciles de implantar, pero que 'si las elecciones mantienen la voluntad política y el consenso para continuar en el mismo sendero', el Banco seguirá apoyando lo que llama el esfuerzo argentino para su reforma estructural, concentrándose en la reforma de las empresas públicas".*

[3] Las diferentes interpretaciones acerca del fracaso del Plan Primavera, destacan, con sus más y sus menos, la importancia de la banca extranjera en la corrida cambiaria que comienza en enero de 1989 y se vuelve imparable en la primera semana de febrero del mismo año. Sobre esta véase R. Feletti y C. Lozano (1991). También O. Martínez, M. Damill y R. Frenkel (1993).

tico a partir de la instauración del *transformismo argentino.* Así, en el desarrollo de la crisis, tuvieron una incidencia particular el Banco Macro y el Banco de Crédito Argentino, que pertenecían a integrantes del radicalismo con funciones en la conducción gubernamental, por lo que tenían acceso privilegiado a información económica-financiera decisiva para poder acceder a enormes ganancias especulativas.[4]

Todos los rasgos, estructurales y coyunturales, que exhibió el proceso que desembocó en la crisis hiperinflacionaria de 1989, indican la existencia de un conflicto entre las fracciones del capital del bloque dominante. El predominio de la *oligarquía diversificada* (grupos económicos) sobre los acreedores externos en la apropiación del excedente generado socialmente y en la redistribución del ingreso que perdieron los asalariados a partir de la dictadura militar, llegó a su punto culminante al instaurarse, en mayo de 1988, una moratoria "de hecho" de la deuda externa.

Después de casi cinco años de lanzado el Plan Baker, los bancos acreedores no sólo no lograban avanzar en la privatización de las empresas estatales para resarcirse del capital adeudado sino que además dejaron de percibir los intereses y las amortizaciones de capital. Lo sorprendente es que la corrida cambiaria se haya producido recién en 1989. Ésta respondió a la pugna entre los organismos internacionales de crédito por conducir el proceso de negociación priorizando las políticas de ajuste —en el caso del FMI—, o de reformas estructurales —por parte del Banco Mundial.

No obstante, sería un error entender que este conflicto entre las fracciones dominantes del capital se circunscribió a dirimir una redistribución del ingreso y de la riqueza dentro de los sectores de poder, sin afectar a los sectores populares. En realidad, esas pugnas fueron la manera específica en que la valorización financiera profundizó el predominio del capital sobre el trabajo, porque los sectores dominantes avanzaron en la distribución del excedente y de la riqueza acumulada socialmente.

La otra condición que determinó que la valorización financiera se pro-

[4] Cabe recordar el dictamen de la Fiscalía Nacional de Investigaciones Administrativas en relación con las compras de dólares del Banco Macro y el de Crédito Argentino antes de la hiperinflación de febrero de 1989, reproducido por L. Majul (1990): "*El dictamen de la Fiscalía dice: *Las compras de dólares por parte de los bancos Crédito Argentino y Macro son irregulares y desmesuradas ya que no se justifican en pedidos de clientes. * Marcelo Kigel* (en ese momento vicepresidente primero del BCRA) *sabía de antemano que el austral se iba a devaluar y que, por esa razón, el Banco de Crédito Argentino del cual es accionista adquiere varios millones de baratos dólares. * Kigel se aprovechó de su investidura de funcionario público para hacer un negocio. * Si bien Macro fue adquirido por un tal Jorge H. Brito, eso no prueba la desvinculación de Brodersohn (en ese momento Secretario de Hacienda). * Brito ha sido mencionado públicamente como "testaferro" u "hombre de paja" de Kigel. Por todo eso el fiscal Molinas inicia querella al vicepresidente primero del Banco Central. Las actuaciones pasan a manos del juez Martín Irurzun, quien el 6 de junio se excusa de seguir actuando con el juicio*".

fundizara a través de grandes crisis estuvo relacionada con la diferente posición que ocupaban en ella las fracciones dominantes. Aunque, en relación con la deuda externa, la fracción dominante local era la deudora y los bancos transnacionales los acreedores —lo que de por sí instalaba un conflicto de intereses—, esa fracción local detentaba el control sobre el sistema político, mediante el régimen del *transformismo argentino*. De allí que los acreedores externos, al tener bloqueada la posibilidad de modelar un sistema político a su "imagen y semejanza", hayan recurrido a su poderío económico, provocando conmociones económicas y sociales para modificar una situación que les era adversa.

En cuanto a la clase trabajadora, la vigencia del transformismo tuvo profundas y negativas repercusiones, ya que fue otro de los factores que le oscurecía a la clase trabajadora las causas y los factores de su creciente postergación. El proceso que se desplegó fue complejo, no exento de contradicciones, porque el sistema político y las organizaciones sociales dejaron de ser un espacio donde los sectores populares pudieran disputar la defensa de sus intereses, adoptando una estructura y una dinámica que expulsó a los sectores contestatarios, homogeneizándose ideológica y políticamente. En esa situación de indefensión, el efecto disciplinador de las crisis sobre los sectores populares fue devastador y contribuyó a que la salida de la crisis haya consolidado el desplazamiento de la "frontera social" en favor del capital.

5.2 El fracaso del Plan Bunge y Born, los planes posteriores y la aplicación de las reformas estructurales

Así como el triunfo electoral del peronismo el 14 de mayo de 1989 en las elecciones presidenciales acotó, aún más, el margen de maniobra de un gobierno exánime, los saqueos y la convulsión social a fines de ese mes terminaron con su gestión, definiéndose la entrega adelantada del gobierno. Coherente con los intensos contactos, negociaciones y aportes materiales de los integrantes de la *oligarquía diversificada* con la dirigencia del partido peronista durante —al menos— los meses previos a las elecciones,[5] el Ministerio de Economía recayó en un funcionario del grupo económico que, hasta ese momento, era el más tradicional y poderoso de la economía argentina: Bunge y Born.

[5] Sobre el particular, H. Verbitsky (1991), señala que: *"Barrionuevo precisó que el menemismo había recibido en total 8 millones de dólares de los empresarios e identificó a cuatro aportantes: Bunge y Born, Loma Negra y Pérez Companc con 700.000 dólares cada uno; Macri con 600.000 y una docena de autos Fiat; Supercemento (de Tonino Macri, el hermano de Franco) con 600.000, y Bridas con 500.000 dólares".*

Esta etapa constituyó el intento de superar la crisis unificando a la *oligarquía diversificada* sobre la base de incrementar su apropiación de los ingresos de los sectores populares pero a la vez postergando las exigencias de los acreedores externos. El profundo contenido antipopular de las medidas económicas, establece claramente que Bunge y Born y sus representantes nada tenían que ver con la burguesía nacional ya que, como indica su trayectoria histórica, era un conspicuo integrante de la oligarquía argentina.[6]

Su programa buscó consolidar una salida exportadora sustentada en un ajuste "ortodoxo" que aplicó una devaluación de la moneda nacional, un desmesurado incremento en las tarifas de los servicios públicos, un acuerdo de precios y un congelamiento salarial.[7] El ajuste estabilizó inmediatamente el ritmo inflacionario y la evolución del tipo de cambio (Gráfico n° 5.1) pero, al mismo tiempo, como la política económica se restringió a esos aspectos —sin prever la aplicación en el corto plazo de las exigencias de acreedores externos—, recrudeció el enfrentamiento entre las fracciones de los sectores dominantes.

Esta política económica intentó encolumnar detrás de sí a la *oligarquía diversificada,* pagando puntualmente la deuda interna, porque era una parte sustancial de sus ingresos. Al mismo tiempo, no contempló una reanudación inmediata del pago de las obligaciones derivadas de la deuda externa, pese al creciente superávit de la balanza comercial y la expansión de las reservas del Banco Central, debido a la acentuada devaluación del peso. Tampoco se preveía privatizar en lo inmediato las empresas estatales para pagar el capital adeudado, pese al reclamo que realizaban los organismos internacionales, especialmente el Banco Mundial, ya desde mediados de la década anterior.

No obstante, al poco tiempo de ponerse en marcha, esta política mostró su impotencia tanto para unificar a la *oligarquía diversificada* como para enfrentar las presiones y reclamos de los acreedores externos. En el tercer tri-

[6] La contraposición histórica de Bunge y Born con el peronismo y, específicamente con Juan D. Perón, fue recordada por Horacio Verbitsky en su artículo dominical del 30 de julio de 1989 donde reproduce algunos de los conceptos que el ex Presidente le dedica a este grupo económico en su libro *Los vendepatria. Las pruebas de una traición.*

[7] R. Feletti y C. Lozano (1991) señalan: *"El programa de estabilización tendió desde el comienzo a consolidar y profundizar la estructura de precios relativos surgida de la hiperinflación, particularmente la regresividad respecto del salario. En lo inmediato se decidió: *Producir una fuerte devaluación en un mercado de cambios unificado y controlado por el BCRA. El dólar se fijó en 655 australes, lo que significaba un 250% de incremento respecto de la cotización oficial y el 24% en relación al libre. *Aumentar ferozmente las tarifas públicas (600% en combustibles, 763% en energía, 335% en transporte y 282% en comunicaciones), como punto de partida para la obtención de superávit operativo en el sector. *Gestionar un acuerdo de precios por 90 días (julio/septiembre) con las empresas líderes a partir de los niveles alcanzados el 15 de julio de 1989 menos un 20%. *Incluir a los salarios en el congelamiento, tras una recuperación promedio posterior al golpe inflacionario del 175%, reabriendo la negociación paritaria en octubre."* (p. 13).

mestre de 1989 los acreedores externos obligaron a esa misma conducción económica a poner en marcha las políticas más trascendentes de esta etapa, que se plasmaron en la Ley de Reforma del Estado (N° 23.696 del 17/8/89) y la Ley de Emergencia Económica (N° 23.697 del 1/9/89). La primera institucionalizó el cambio estructural más relevante de las últimas décadas: la privatización de las empresas estatales. Esta norma no estableció los criterios jurídicos que guiarían el proceso, sino que directamente le transfirió al Poder Ejecutivo todo tipo de facultades para llevar a cabo, mediante decretos específicos, tamaña modificación en la estructura económica argentina.[8] Por su parte, la Ley de Emergencia Económica se propuso acotar drásticamente las ingentes transferencias de recursos del sector público a la fracción dominante local mediante los regímenes de promoción industrial y la compra-venta de bienes y servicios por parte del Estado.[9] Además avanzó hacia una reforma del BCRA y profundizó la flexibilización del régimen de inversiones extranjeras, igualando los derechos de los extranjeros con los locales.

Mediante la sanción de ambas leyes, los acreedores externos lograron institucionalizar las normas legales para concretar el pago del capital adeudado mediante la venta de los activos públicos, así como recortar las transferencias estatales que impedían el pago de intereses de la deuda externa por parte del Estado. Sin embargo, en lo inmediato, el tratamiento de esos proyectos de ley abrió una intensa pugna entre las fracciones del bloque dominante para determinar qué transferencias se acotaban y de qué manera, así como la forma que adoptarían las transferencias de los activos estatales al sector privado. En realidad, su aplicación alcanzó toda su intensidad posteriormente, generando una reestructuración económica cuyos resultados regresivos persisten en la actualidad.[10]

[8] Entre las facultades que le otorgó esta Ley al Poder Ejecutivo estaban: la intervención de las empresas, la posibilidad de establecer su privatización total o parcial e incluso liquidarlas, reestructurar las empresas públicas, determinar los mecanismos y la participación de la capitalización de deuda externa e interna en dichas privatizaciones, acordar todo tipo de beneficios tributarios, refinanciación de pasivos y de créditos, etcétera.

[9] Al respecto, H. Verbitsky (1991), señala que: *"El texto enviado por el Poder Ejecutivo contemplaba excepciones a la interrupción transitoria de privilegios y renegociaciones de leyes especiales y cláusulas contractuales. [...] Para que se aprecie la magnitud de esa concesión: seguirían eximidos de obligaciones tributarias emprendimientos como la planta de aluminio de Aluar (cuyo contrato se firmó antes de la sanción de las leyes) y la siderúrgica Siderca, del grupo Techint. La ley hizo silencio respecto de la importación de componentes e insumos por las empresas radicadas en Tierra del Fuego, que seguiría desgravada. Esas importaciones no eran en absoluto despreciables, ya que ascendían al 10 por ciento de las compras externas de la Argentina."* (pp. 48-49).

[10] De acuerdo con D. Azpiazu (1995) dichas reformas: *"... por un lado, han ido asumiendo un papel protagónico en la reorientación estratégica del patrón evolutivo de la economía argentina y, por otro lado, resultan funcionales al programa de estabilización implementado a principios de 1991 (Ley Nº 23.928 o Ley de Convertibilidad). Se trata de tres pilares fundamentales de la estrategia que fuera desplegada desde fines del decenio de los años ochenta: -la acelerada privatización de empresa públicas productoras de bienes y prestadoras de servicios; -la creciente desregulación de ciertos mercados y de la economía en general que, en realidad y dadas las asimetrías que conlleva, podría ser caracterizada como de reconfiguración del marco regulatorio en el que se ins-*

Con posterioridad a la sanción de las leyes mencionadas, la conducción económica logró, en noviembre de 1989, un crédito del FMI, pero el proceso se volvió definitivamente inmanejable porque, a la profundización de las pugnas dentro del boque de poder se agregaron los conflictos sindicales ante el deterioro del salario generado por la hiperinflación. El recrudecimiento inflacionario de diciembre de 1989 dio por concluido este intento de política económica.

Así como la gestión de Bunge y Born en la conducción económica intentó superar la crisis, unificando a la *oligarquía diversificada* y postergando las exigencias de los acreedores externos, la de Erman González intentó doblegar la hiperinflación sentando las bases para compatibilizar los intereses de ambas fracciones del capital pero respetando los lineamientos centrales exigidos por los acreedores externos. Esta adscripción de la nueva administración económica se expresó tanto en el enfoque de la política de corto plazo —que se alineó decididamente en los postulados y concepciones del Consenso de Washington—, como en la reanudación de los pagos de la deuda externa y, especialmente, en la aplicación inmediata de las reformas estructurales que se habían aprobado en la gestión anterior (desregulación económica, apertura comercial y privatización de empresas públicas).

Las primeras medidas de la nueva conducción económica establecieron la eliminación del control en el mercado cambiario y de los precios internos, irrumpiendo el segundo período hiperinflacionario. Por lo tanto —y hay pleno consenso al respecto— el instrumento central utilizado para intentar estabilizar el descontrolado proceso económico fue una política fiscal —una reducción drástica del gasto estatal— orientada a retomar el pago a los acreedores externos.[11]

Sin embargo, la reducción del gasto que se podía realizar en los rubros de personal y otros gastos corrientes e inversiones del Estado era insuficiente, porque la deuda interna estatal tenía elevadísimos rendimientos y porque —a diferencia de la deuda externa— se pagaba puntualmente. Es decir, también en

---

cribe el desenvolvimiento de la economía, en general, y el de los distintos sectores y agentes, en particular; –la profundización del proceso de apertura para la casi totalidad de los mercados de bienes y servicios transables con el exterior (que reconoce algunas excepciones de particular significación económica como la industria automotriz y determinados segmentos de la industria papelera, textil, alimentaria, etc.). Si bien esas tres bases fundamentales de la política económica se incorpora como elementos esenciales del programa de estabilización se remontan —en lo esencial— al inicio de la actual administración gubernamental" (pp. 158-159).

[11] Al respecto, *R. Feletti y C. Lozano (1991) afirman: "Ordenar el resto de las variables a partir del equilibrio en las cuentas públicas se constituyó en el nudo de la política de corto plazo de 1990. El ajuste fiscal asumió un claro sesgo pagador que evidenciaba el ingreso de la banca acreedora en la conducción del esquema"* (p. 17). También véase M. Damill y R. Frenkel (1993).

términos de la reducción del gasto estatal se expresaba la pugna dentro del bloque de poder, ya que la deuda estatal interna era uno de los espacios más importantes de valorización del excedente de la *oligarquía diversificada*, en una etapa donde la carencia de divisas era notable, lo que restringía las posibilidades de fugar excedente al exterior. En enero de 1990 la conducción económica lanzó el denominado "Plan Bonex", que consistía en cambiar compulsivamente los depósitos a plazo fijo por bonos de la deuda externa a diez años (Bonos Externos, serie 1989), lo cual implicaba un desagio para los inversores equivalente al 40%, aproximadamente (la diferencia entre el valor nominal de esos títulos y su valor de mercado, que en ese momento rondaba el 60% del anterior). Como el grado de monetización de la economía antes de este Plan era bajo, se profundizó la recesión económica y el sector público quedó prácticamente como el único agente económico con capacidad para adquirir el excedente de divisas proveniente del comercio exterior.

Posteriormente, comenzó una política para incrementar las tarifas de los servicios públicos. Uno de los propósitos fue recuperar su atraso respecto de la evolución de la inflación, reconstituyendo de esa manera la situación financiera del sector público. Otro, se vincula con la privatización de las empresas estatales, ya que también se trató de concretar incrementos tarifarios que aseguraran altas tasas de rentabilidad para los futuros concesionarios privados, especialmente de aquellos servicios que estaban en vías de privatizarse durante ese año, como el caso de ENTEL. Por esta razón, el incremento del pulso telefónico entre diciembre de 1989 y noviembre de 1990 se elevó de 0,0047 a 0,0381 dólares, es decir algo más del 700 por ciento.

En el contexto del segundo brote hiperinflacionario, la conducción económica profundizó el ajuste mediante una política monetaria de corto plazo que combinó absorción y expansión monetaria. Por un lado, restringió la oferta monetaria, endureciendo las condiciones de los préstamos del BCRA a los bancos comerciales y exigió la cancelación de redescuentos otorgados anteriormente, lo cual contribuyó a detener la continua depreciación de la moneda. De acuerdo con las evidencias disponibles, los bancos comerciales, acosados por la política restrictiva del BCRA, vendieron al menos una parte de sus tenencias de divisas en el mercado, deteniendo el explosivo crecimiento del tipo de cambio. Por otro lado, se expandió la base monetaria con el objetivo de adquirir las divisas provenientes del comercio exterior y de las ventas realizadas por los bancos y los particulares. De esta manera, se elevaron las reservas en manos del BCRA, las que posteriormente fueron un factor fundamental para posibilitar la convertibilidad del peso.

Una vez pasado el segundo pico hiperinflacionario, la conducción económica retomó los pagos de la deuda externa interrumpidos en mayo de 1988 y, simultáneamente, redobló el ajuste del gasto público mediante una reducción drástica del empleo estatal y de las transferencias a los proveedores estatales, cuyo núcleo fundamental estaba constituido por la fracción dominante local.

Así comenzaron a desplegarse acuerdos entre las dos fracciones dominantes enfrentadas, que giraban alrededor de la privatización de las empresas estatales. Estos acuerdos posibilitaron la celeridad con que avanzó ese proceso, pese a la arbitrariedad y venalidad con las que se implementó y los perjuicios que le ocasionó al Estado y a los sectores populares.

La reducción de personal que se sustentó en la reforma de la Administración Pública se materializó mediante el régimen de retiros "voluntarios", traslado de personal, etcétera, y acentuó la reducción de la participación de los asalariados en el ingreso.

Por otra parte se profundizó el ajuste sobre las transferencias estatales a la *oligarquía diversificada*. Inicialmente, la propia sanción de la Ley de Emergencia Económica suspendió el 50% de los beneficios derivados de los regímenes de promoción industrial. Por cierto, el recorte resultó de una intensa puja entre las fracciones dominantes enfrentadas, y por esa misma razón fue parcial, no sólo en el porcentaje sino en sus alcances, al quedar excluidos los regímenes de promoción destinados a las provincias de La Rioja, Catamarca, San Luis y San Juan, así como el régimen especial de Tierra del Fuego. Era una legislación aprobada por diferentes dictaduras militares y causante de las mayores distorsiones en la estructura industrial, así como del costo fiscal más elevado,[12] por lo que caben pocas dudas acerca de que la exclusión se originaba en la presión y capacidad de veto que mantenía, aun en esas circunstancias, la fracción dominante local, aliada con los respectivos gobiernos provinciales. Luego de la segunda hiperinflación se puso en marcha una política destinada a cortar las transferencias de recursos a los proveedores estatales. Se les suspendieron los pagos y todos los reconocimientos por mayores costos, se congelaron los llamados a licitación o nuevos contratos y, finalmente, se entregó una serie de bonos por las deudas pendientes que, en conjunto, comprometían alrededor de 8 mil millones de dólares.

Esta profundización de la política de ajuste y la consecuente disolución de los instrumentos con los que estaba construido el predominio de la *oligarquía diversificada* en la apropiación del excedente económico, acentuó la ruptura dentro del bloque de poder. Desde esta perspectiva, el conflicto entre las fracciones dominantes parecía irreconciliable, ya que los acreedores externos planteaban una reforma del Estado en la que la fracción dominante local quedaba marginada del bloque de poder. Pero la evolución de las otras

[12] Al respecto, véase D. Azpiazu (1988).

reformas, después de la segunda hiperinflación, indica la apertura de coincidencias y acuerdos, que fueron decisivas para superar la crisis y recuperar la homogeneidad del bloque de poder.

Ambas fracciones estaban de acuerdo en que, para superar la crisis económica, era imprescindible consolidar la nueva situación en relación con la concentración del ingreso. De esta manera, los sectores populares no sólo quedaban inhibidos de influir en la forma en que debía resolverse la crisis sino que, además, debían pagar sus costos.

A lo largo de este proceso ambos integrantes de los sectores dominantes acordaron implementar dos modificaciones estructurales que eran, desde el comienzo, una exigencia de los acreedores externos: la transferencia de los activos públicos al sector privado y la apertura comercial.

Si bien, la privatización de las empresas estatales era una condición *sine qua non* de los acreedores, como forma de recuperar buena parte del capital adeudado por el Estado, el desarrollo de los acontecimientos hizo que la fracción dominante local coincidiera con ellos, porque percibió que de esa manera accedería a la propiedad de activos de enorme magnitud con elevada rentabilidad potencial. Por otra parte, acordó con la apertura comercial porque una parte relevante de su inserción industrial se encontraba en la producción de bienes no transables en el mercado internacional. En consecuencia, el principal impacto de dicha apertura se verificó sobre la burguesía nacional.

Este cambio en la percepción de la fracción interna, junto con las exigencias de los acreedores externos, generó cambios fundamentales en la política gubernamental. De allí en adelante, el conjunto del sistema político impulsó la privatización de empresas públicas y, en noviembre de ese año, se transfirieron la aerolínea estatal (Aerolíneas Argentinas) y la empresa nacional de telecomunicaciones (ENTEL) al sector privado.

Con posterioridad al segundo episodio hiperinflacionario, registrado en el primer trimestre de 1990, hubo una modificación en los precios relativos de la economía. Al tiempo que se estabilizaba el tipo de cambio, los precios internos evolucionaban, con sus más y sus menos, por encima de éste. La respuesta oficial para reducir el ritmo de la inflación se sustentó en instrumentar una apertura a las importaciones mediante la imposición de un arancel máximo del 22% (salvo en el caso de la industria automotriz), lo cual tendió a deprimir aún más la economía interna. Pese a ello, la convergencia entre la evolución de los precios internos y el tipo de cambio no se concretó por el nivel de recesión interna que desalentó la importación de bienes. A ello se le sumó el deterioro en el superávit fiscal —que comprometía la posibilidad de enfrentar los pagos a los acreedores externos— debido a que los ingresos públicos crecían lentamente, por la profundidad de la recesión y, en particular, porque en buena medida provenían de los salarios, cuyo deterioro era significativamente más pronunciado que la contracción del valor agregado de la economía en su conjunto.

Ante estas circunstancias, la posibilidad de que la política económica impulsada por los acreedores externos lograra una base cierta de sustentación implicaba modificar la estructura de los ingresos fiscales, habida cuenta que anteriormente se habían recortado las transferencias estatales destinadas a la fracción dominante local. Dicha reestructuración no podía sustentarse en una mayor presión fiscal sobre el salario —porque su caída era espectacular y, por lo tanto, los ingresos fiscales potenciales eran reducidos— sino sobre los sectores de altos ingresos, entre los que se encontraba la *oligarquía diversificada*. La otra alternativa posible, socialmente más conflictiva, consistía en avanzar con nuevos recortes de gastos, pero ahora ligados únicamente a los asalariados estatales y a las economías regionales, mediante la contracción de los gastos de las diferentes jurisdicciones provinciales.

Si bien en principio la reestructuración de los ingresos fue la de mayor viabilidad y coherencia con el contenido de la política económica adoptada, lo que predominó en la práctica fue una reducción del gasto, con las características mencionadas. Fue un giro en la orientación de la política económica que expresó el comienzo de un restablecimiento de los acuerdos orgánicos entre las dos fracciones dominantes que estaban en pugna. Éste fue el papel que cumplieron las coincidencias entre las fracciones dominantes alrededor de las privatizaciones en el corto plazo porque, a partir de allí se detuvo el avance de los acreedores externos sobre las prebendas de la fracción dominante local y la política económica se orientó exclusivamente hacia la concreción de una nueva apropiación de los ingresos percibidos por los asalariados.

La imposibilidad de llevar a cabo esa reducción del gasto provincial y del personal estatal por el conflicto social que se desencadenaría, determinó que en enero de 1991 se haya registrado un alza del tipo de cambio (Gráfico n° 5.1), preanunciando un nuevo episodio hiperinflacionario, lo que dio por terminada la gestión del ministro de Economía, asumiendo D. Cavallo, hasta ese momento ministro de Relaciones Exteriores. A poco de asumir puso en marcha el Plan de Convertibilidad que, al converger con las privatizaciones, la profundización de la desregulación y el Plan Brady, dio lugar a una etapa de expansión sobre la base de un acelerado endeudamiento externo y una notable homogeneización de los sectores dominantes.

5.3 El impacto de las crisis hiperinflacionarias en los integrantes de la oligarquía diversificada

Todas las evidencias relevadas para la década de los años ochenta son coincidentes en señalar que durante su transcurso se registró una notable consolidación económica de la *oligarquía diversificada.* Esta expansión no estuvo basada en el crecimiento económico (la década del ochenta es de estancamiento o crisis) sino en la continuidad del proceso de redistribución del ingreso en contra de los asalariados que había puesto en marcha la dictadura militar. Esta transferencia de ingresos no sólo dio lugar a una nueva distribución directa entre el capital y el trabajo en el ámbito de la producción, sino que también se concretó a través de los cada vez más elevados subsidios estatales, directos e indirectos, así como mediante la obtención de una ingente renta financiera. No se trató de fenómenos coyunturales ni siquiera de una característica de mediano plazo, sino de un proceso estructural y permanente que, como tal, se expresó en términos macro y microeconómicos.

En el contexto de una creciente desindustrialización, en la década de 1980 se registró un incremento considerable en la concentración de la producción industrial que expresaba la consolidación de esta fracción del capital en la actividad sectorial, al controlar una parte determinante de los nuevos emprendimientos productivos. Sin embargo, esos nuevos establecimientos fabriles se instalaron con recursos transferidos por el Estado mediante la promoción industrial y no con recursos propios de las empresas. Así, los subsidios derivados de la promoción industrial no alimentaron, como en otros casos, la fuga de capitales al exterior sino que, al mismo tiempo que definieron el nuevo perfil industrial, acrecentaron el control de los grandes grupos económicos sobre la producción industrial.

Las mismas evidencias indican que los nuevos emprendimientos estaban dedicados a la producción de bienes intermedios (siderurgia, papel, cemento, petroquímica, insumos textiles, etc.) en los cuales, generalmente, los grupos económicos propietarios ya controlaban diversas empresas líderes. De allí que pueda afirmarse que la estrategia empresarial estuvo basada en consolidar sus posiciones oligopólicas en una amplia gama de bienes industriales, sobre la base de los recursos estatales transferidos mediante los regímenes de promoción industrial (tal el caso de los grupos económicos Loma Negra, Alpargatas, Bagley, Arcor, Acindar, etc.). En menor medida, algunas de las nuevas plantas industriales les permitieron a sus grupos propietarios ubicarse en actividades que eran proveedores o demandantes de un establecimiento propio ya existente, es decir avanzar en la integración vertical de sus empresas (tal como Massuh o Acindar), o implementar una estrategia de diversificación al introducirse en nuevas actividades que no eran ni proveedoras ni demandantes de las empresas del grupo económico en cuestión (tal el caso de Bridas en la industria papelera o de Alpargatas en la pesquera).

De esta manera, el excedente apropiado por la fracción dominante local se concentró en la valorización financiera. En tanto fue un período de una notoria ausencia de financiamiento externo para la región, las posibilidades de fugar capital local se restringieron severamente. De allí que la valorización financiera que llevó a cabo la fracción dominante local quedó dentro del país, pudiendo fugar al exterior sólo una parte relativamente reducida.

Ante estas circunstancias, las crisis hiperinflacionarias le acarrearon a la *oligarquía diversificada* severas pérdidas patrimoniales debido a que el excedente apropiado y valorizado financieramente en el país redujo drásticamente su valor en dólares. Más todavía, estas cuantiosas pérdidas patrimoniales fueron aún más acentuadas porque durante el Plan Primavera se registró una repatriación de capital local, debido a las altas tasas de interés y al apoyo del Banco Mundial a ese intento de política económica. Obviamente, a estas severas pérdidas se les sumaron los resultados de la política económica que impulsaban los acreedores externos, quienes recortaron buena parte de las transferencias de recursos estatales a los integrantes de la *oligarquía diversificada.*

Las repercusiones de estos factores determinaron una acentuada heterogeneidad entre los integrantes de esta fracción, la cual se puede apreciar analizando su situación a principios de la década de los años noventa.[13] Específicamente, se constatan cuatro situaciones diferentes:

a) Los grupos económicos que a partir de su participación en el proceso de privatización de las empresas públicas se consolidaron como los integrantes más poderosos de la cúpula empresaria. Tal fue el caso de Pérez Companc, Astra, Loma Negra, SOCMA, Werthein, Acindar y Clarín, dentro de los grupos locales, y Techint y Comercial del Plata (Soldati) dentro de los conglomerados extranjeros que se integraron a la *oligarquía diversificada.*

b) Los grupos económicos que se consolidaron a partir de su inserción en el mercado interno y/o externo pero que no participaban en las privatizaciones o lo hacían de manera acotada y en función de su esquema productivo. Tal el caso de Arcor y Fate dentro de los grupos económicos locales o de Bemberg y Alpargatas dentro de los conglomerados extranjeros tradicionales que formaban parte de la misma fracción del capital.

c) Los grupos económicos que desaparecieron por quiebra o venta del conjunto económico o que, a raíz de una severa reestructuración, perdieron buena parte de su gravitación económica. En general, los grupos económicos que desaparecieron eran de los más pequeños de la cúpula y ya tenían problemas serios al final de la década del ochenta,[14] como Bonafide, FV-Canteras Cerro Negro, Noel, Aceros Bragados, Astilleros Alianza o Scholnik. El caso más noto-

[13] Para un análisis de la evolución de los grupos económicos durante las décadas de los años ochenta y noventa, véase E. Basualdo (1997).

[14] Al respecto, véase M. Acevedo, E. M. Basualdo y M. Khavisse (1991).

rio fue el de Celulosa Argentina, cuya disolución dio lugar a la irrupción de un nuevo conglomerado, el Citicorp Equity Investments, que además participó activamente en el propio proceso de privatizaciones.

d) Por otra parte, hay un conjunto de grandes grupos económicos que perdieron posiciones. En primer término, Bunge y Born que, a raíz de la venta de sus principales empresas industriales, dejó de ser el grupo más importante de la Argentina (lugar que ocuparon Pérez Companc y Techint). También es destacable el retroceso del grupo Bridas (participó únicamente en las privatizaciones petroleras y perdió Papel de Tucumán y su inserción en el sector financiero) y de Garovaglio y Zorraquín, que perdió posiciones en la producción petroquímica (posteriormente se las transfirió IPAKO a Dow Chemical, que además adquirió el conjunto de las empresas que formaban el Polo Petroquímico de Bahía Blanca).

5.4 Estudios de caso: Celulosa Argentina y Bunge y Born

Aunque había sido uno de los principales beneficiarios de las transferencias estatales desplegadas a partir de la dictadura militar, el grupo Celulosa Argentina-Fabril Financiera se encontró inmerso en tal crisis que terminó absorbido por el CEI (primero Citicorp Equity Investments, luego CEI Citicorp Holdings). Las evidencias disponibles indican que se encontraba entre los principales deudores externos privados (Celulosa Argentina, Alto Paraná, Celulosa Puerto Piray, Cía. Fabril Financiera, Electroclor, Witcel, Cía. Victoria y Papelera del Plata); se vio favorecido con los regímenes de promoción industrial (Celulosa Argentina, Alto Paraná, Garumi, Cía. Fabril Financiera); se benefició con los programas de capitalización de deuda externa (Celulosa Argentina); percibió importantes subsidios por ser exportadoras de productos fabriles (Alto Paraná y Celulosa Argentina); y recibió relevantes avales de la Secretaría de Hacienda de la Nación para su endeudamiento externo (Celulosa Argentina).[15]

[15] Así por ejemplo, Celulosa Argentina SA, la principal empresa del grupo económico, entre otros beneficios, percibió los siguientes: mediante las diversas ventajas impositivas que otorgaban los regímenes de promoción industrial financió el 75% de la inversión total del proyecto de Celulosa Puerto Piray, que alcanzaba a 525,8 millones de dólares. Lo mismo ocurrió con el proyecto Alto Paraná SA —con una inversión estimada de 296 millones de dólares— del que controlaba el 40% del paquete accionario: mediante la desgravación impositiva otorgada por el Instituto Forestal Nacional (bonos de crédito fiscal) percibió entre el 40 y el 70% de las inversiones en forestación; de la Secretaría de Hacienda recibió avales para su endeudamiento externo por 312 millones de dólares; el BaNaDe le otorgó financiamiento por 250 millones de dólares; y se benefició con la estatización de la deuda privada (el grupo Celulosa tenía en 1983 una deuda externa de 1.500 millones de dólares).

En el momento de su disolución, ocurrida a principios de la década de los noventa, este grupo económico controlaba, o participaba, en el capital de 22 empresas, mediante una estructura de propiedad que se desplegó en eslabones sucesivos, a partir de las empresas Celulosa Argentina y Fabril Financiera (Diagrama n° 5.1). Desde el punto de vista productivo, el conjunto de las actividades del bloque productivo de papel y madera constituían su núcleo central, en tanto sus empresas controladas estaban integradas verticalmente a lo largo de toda esta cadena productiva. También algunas empresas del grupo, como Manufactura Algodonera Argentina, elaboraban productos textiles.

En la producción del insumo básico, la producción forestal, este grupo era un importante productor a través de la propia empresa Celulosa Argentina, propietaria de 83.870 hectáreas —ubicadas principalmente en la provincia de Misiones, pero también en Entre Ríos, Santa Fe y Buenos Aires—, de las cuales 9.555 estaban forestadas. Asimismo, otras empresas controladas y vinculadas —Forestadora San Javier, Forestal Santa María SA y Forestal San Enrique SA, entre otras— eran propietarias de otras 4.282 hectáreas forestadas.[16]

En la producción de pasta celulósica, el liderazgo de este grupo a principios de los años noventa era indiscutible, a través de Celulosa Argentina. Esta empresa lideraba esta producción básica al concentrar el 15% de la capacidad instalada a nivel nacional, y poseía el mayor nivel de integración entre la producción de pasta y de productos de papel. En esta última actividad, el grupo económico controlaba o participaba del capital de otras empresas tradicionales en la actividad, como es el caso de Witcel SA en la elaboración de papeles especiales, Papelera del Plata SA en la elaboración de papel tissue, o Cartonex, Fabi y Fabinor en la fabricación de bolsas y envases de papel corrugado. Finalmente, el grupo también se proyectaba, mediante otras firmas controladas, en la actividad de imprenta y publicaciones: Editorial Abril SA, Panorama SA, Cía. Fabril Editora y Editorial MBH SA. Además, estaba inserto en actividades del bloque productivo de papel y madera, como la producción y comercialización de productos de la madera mediante, por ejemplo, las empresas Arriazu, Moure y Garrasino SA y Garumi SA, así como en la producción química, en la que compartía la propiedad de Electroclor SA y Electroquímica SA, con capitales ingleses.

[16] A este respecto, véase Memoria y Balance de Celulosa Argentina SA, 31 de mayo de 1987.

Diagrama V.1
ESTRUCTURA DEL GRUPO CELULOSA ARGENTINA-FABRIL FINANCIERA DURANTE LA DÉCADA DE 1980 (control principal del capital de las empresas en porcentajes)

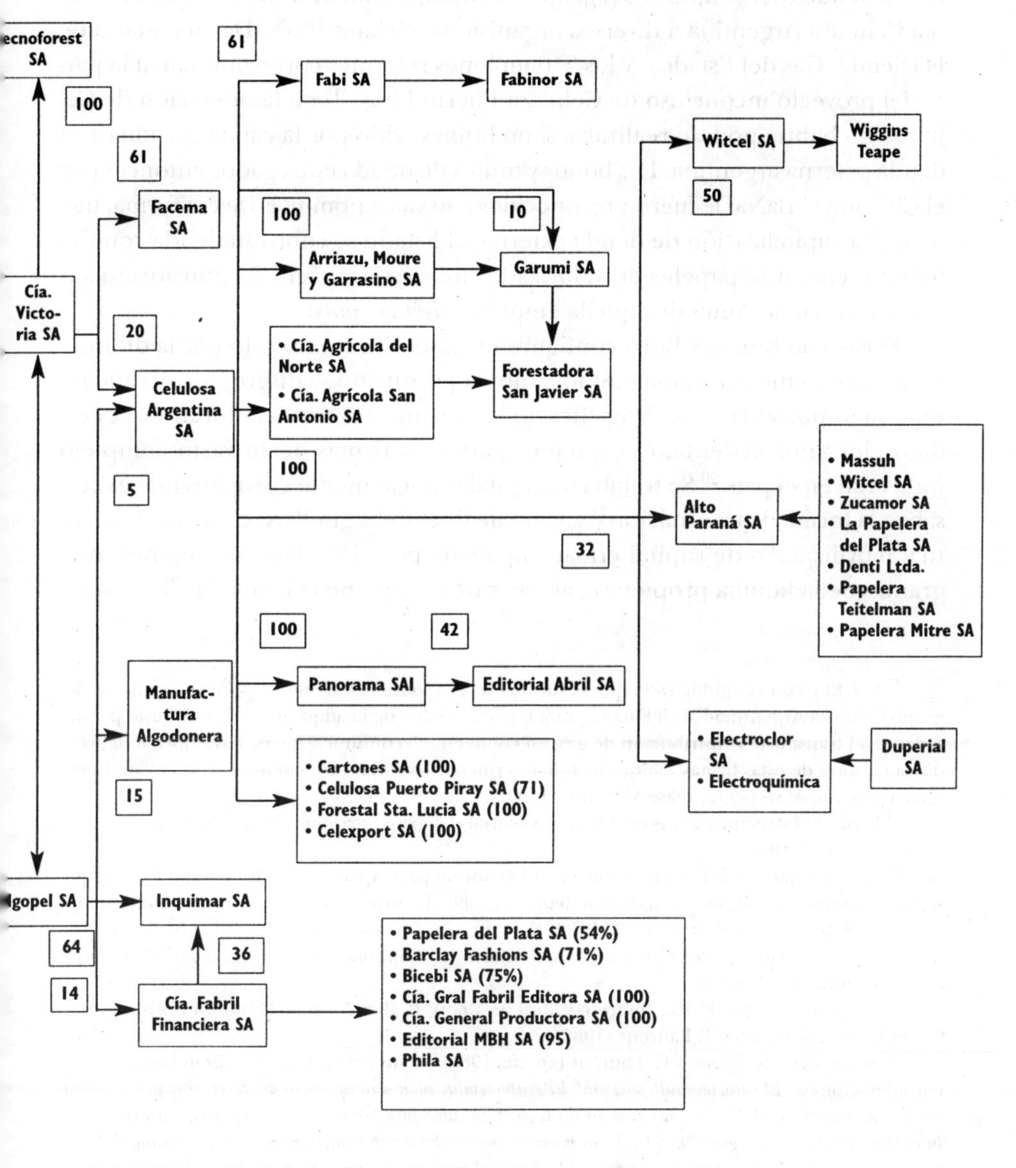

Fuente: Elaboración propia sobre la base de balances de las empresas.

A mediados de 1990, el grupo se disgregó y sus principales empresas fueron adquiridas por el CEI,[17] un conglomerado económico en cuyo capital accionario participaban, en ese momento, el Citibank junto al grupo económico Werthein[18] y el Banco República, entidad estrechamente vinculada al poder político. Fue una de las primeras adquisiciones que realizó el CEI, por alrededor de 525 millones de dólares, en la cual el Citibank se hizo cargo de 290 millones de dólares en deudas del conjunto del grupo Celulosa, 80 millones de los cuales los debía Celulosa Argentina a diversos organismos oficiales (BaNaDe, Secretaría de Hacienda, Gas del Estado), y los 210 millones restantes correspondían a la parte del proyecto inconcluso de Celulosa Puerto Piray. Toda la operación de Celulosa no habría podido realizarse si no hubiese sido por la capitalización de la deuda externa argentina. Los bonos y títulos de deuda entregados entonces por el Citibank al BaNaDe fueron reconocidos a su valor nominal. De esa forma, mediante la capitalización de deuda externa, el Estado se cobró su deuda con Celulosa recibiendo papeles desvalorizados mientras que el Citi transformó sus acreencias en acciones de aquella empresa (*debt to equity*).[19]

El caso de Bunge y Born configura un caso distinto no sólo por la diferencia en su tamaño económico, sino también porque no se disgregó, sino que redujo su importancia y su diversificación económica al vender, durante la década de los años noventa, el capital de todas las firmas de su vasto complejo industrial en el país.[20] Se trataba de capitales inicialmente europeos que expresaban la forma de transnacionalización de fines del siglo XIX, en la que la eventual movilización de capital era acompañada por el traslado de algunos integrantes de la familia propietaria al lugar de destino de la inversión.[21]

[17] El CEI es un conglomerado que se formó ese año sobre la base de las principales firmas del grupo Celulosa Argentina-Fabril Financiera y, especialmente, de la adquisición de empresas privatizadas en el transporte y distribución de gas, así como en telecomunicaciones. Posteriormente, vendió la mayoría de estas firmas y adquirió aquellas vinculadas con las telecomunicaciones y multimedia en general. Al respecto, véase M. Schorr (2001).

[18] Sobre la estructura y la estrategia empresarial del grupo económico Werthein, véase E. Basualdo, *op. cit.* (1996).

[19] Cabe señalar que a fines de 1996, el CEI vende su participación en Alto Paraná (51%), que había sido puesta en disponibilidad a mediados de 1995. La firma Industrias Forestales, subsidiaria de Celulosa Arauco y Constitución (CELCO) del grupo empresario chileno Angelini, fue la compradora por, aproximadamente, 470 millones de dólares (250 millones en efectivo, haciéndose cargo de 220 millones en deudas).

[20] Al respecto, véase R. Paz (febrero y abril de 1939); R. Bozzo y H. J. Mendoza (1974); J. Schvarzer (1987); R. Green y T. Laurent (1988).

[21] Al respecto, R. Green y C. Laurent (*op. cit.*, 1988) en sus conclusiones realizan las siguientes consideraciones: *"El carácter multinacional del grupo remite, no a una ausencia de raíces, sino por el contrario a una multiplicidad de lazos, un sistema sin lugar localizado pero presente en todas partes, y del cual no se puede delimitar su centro geográfico [...] Los miembros del grupo familiar atestiguan diversas nacionalidades: brasileña, argentina, belga, francesa, inglesa. Muchos de ellos gozan de una doble nacionalidad. Para tomar decisiones, parece que el grupo familiar puede reunirse en lugares diversos en América Latina, en Europa"* (p. 177).

Desde la dictadura militar en adelante, Bunge y Born recibió cuantiosos subsidios de parte del Estado. Así, varias empresas que integraban el grupo se contaban entre las principales deudoras privadas con el exterior (Grafa, Bunge y Born, Alba, Molinos Río de la Plata, Compañía Química, Centenera, Cerámica Neuquén, Comega, Frumar, Grafalar, Vivoratá y Estanar); recibieron subsidios por promoción industrial (Molinos Río de la Plata, Colombo Hermanos, Revestimientos Neuquén); se ampararon a los diversos programas de capitalización de la deuda externa aplicados desde 1984 (Cía. Inmobiliaria Río Tartagal, Grafalar, Molinos Río de la Plata y Nutryte); y formaron parte de la elite exportadora industrial del país (Molinos Río de la Plata, Atanor, Grafa, Compañía Química y Alba).

A principios de la década de los años noventa, Bunge y Born fue el grupo económico local de mayor importancia, tanto por el nivel de facturación como por la cantidad de empresas que lo integraban y también por su larga trayectoria en el país. Su estructura de propiedad indica que se trataba de un conglomerado económico sustentado principalmente en la explotación de las ventajas comparativas naturales y que exhibía una acentuada integración vertical y horizontal entre las actividades que desarrollaban sus empresas controladas y/o vinculadas.

Tal como se verifica en el Diagrama nº 5.2, el control del capital de sus empresas comprendía 7 eslabones, el primero de los cuales lo integraban las distintas familias propietarias (Hirsch, Caraballo, De La Tour D'Auvergne Laranguais, Born, Jacobi, etc.). En los dos siguientes eslabones de propiedad se encontraban sus numerosas empresas agropecuarias e inmobiliarias que eran nombres tradicionales en el quehacer agropecuario, como Comega SA, Cosufi SA, Estancia La Pelada SA, etcétera. A través de estas firmas, controlaba entre 500 y 600 mil hectáreas en la región pampeana y extrapampeana, ubicándose como uno de los mayores terratenientes del país.[22] Generalmente, la propiedad de estas empresas estaba directamente en manos de las familias que controlaban el capital del conjunto del grupo, pero tenían una administración centralizada (compras, ventas, colocaciones financieras, etc.) que les permitía maximizar las economías de

[22] En relación con la extensión de las tierras de Bunge y Born, R. Bozzo y H. J. Mendoza (1974, p. 33) y R. Green y C. Laurent (1988, p. 62) estiman que rondan las 500 mil hectáreas en todo el país. Por su parte, J. Schvarzer (1987) señala al respecto que: *"Hemos podido estimar, cotejando los catastros, que el grupo Bunge y Born posee directamente, o a través de sus miembros directivos, no menos de 100.000 hectáreas en la Provincia de Buenos Aires. [...] Algunas estimaciones, que no hemos podido verificar, llevan el área ocupada por las explotaciones del grupo a 200.000 hectáreas en la misma provincia (Liberación, "Informe especial sobre Bunge y Born, nº 8, 1987). A esas cifras corresponde agregar entre 150.000 hectáreas (verificadas por nosotros) y 300.000 hectáreas (estimadas por Liberación) en otras regiones del país, pertenecientes a alrededor de 15 sociedades anónimas diferentes ligadas al grupo"* (p. 26).

escala, aspecto decisivo del nivel de rentabilidad en producciones extensivas como la agropecuaria.

En el cuarto eslabón de su estructura de propiedad, había un conjunto de empresas centrales en este grupo económico. Algunas de ellas, las exportadoras de productos agropecuarios, como Bunge y Born SA o Granos Argentinos SA, eran decisivas en la rentabilidad del grupo. Sin embargo, desde el punto de vista del control de la propiedad y de la circulación del excedente dentro del grupo, todas las que allí figuran eran fundamentales en el control de las numerosas firmas que componían el complejo industrial de Bunge y Born que se proyectó, incluso, a los países limítrofes. Debido a su importancia, en el control accionario de este conjunto de firmas participaban, directa e indirectamente, todas las familias propietarias, incluso las de otras nacionalidades cuya incidencia fue decisiva cuando se despegaron diferencias entre las principales familias propietarias.

En los tres últimos eslabones que formaban la estructura de propiedad de Bunge y Born, se encontraban las grandes firmas industriales del grupo y sus empresas radicadas en Brasil, Uruguay y Paraguay. Tradicionalmente, Molinos Río de la Plata era su empresa industrial más relevante que, si bien se inicia en la producción de harina de trigo, se diversificó hacia la producción de alimentos, desplazando a los anteriores productores. A su vez, esta empresa tenía una serie de sociedades controladas —mayoritariamente, como es el caso de Matarazzo, Fanacoa, Tres Cruces, Colombo, etcétera— que era el resultado de sus adquisiciones durante la década anterior.

En los años treinta, este grupo instaló, en el marco de una fuerte pugna oligopólica con Duperial, una empresa que producía ácido sulfúrico: Cía. Química SA. A comienzos de la década de los años noventa, esta empresa controlaba el capital de múltiples firmas que elaboraban productos químicos y petroquímicos, entre ellas el conjunto de empresas controladas por Atanor, privatizado en la década anterior (como Petroquímica Río Tercero SA, Abetos Atanor SA, Tecnor SA, etcétera), junto a otras cuyo capital era compartido desde muchos años atrás con capitales norteamericanos (por ejemplo, Sulfacid SA). La otra empresa química importante del grupo era Alba SA, dedicada específicamente a la fabricación de pintura. A partir de esta firma, el grupo instaló otras firmas controladas dedicadas a diferentes producciones afines como Papeles Decorativos Renova SA y Revestimientos Neuquén SA, las que fueron absorbidas por Alba SA a principios de los años ochenta.[23]

[23] Es interesante tener en cuenta que J. Schvarzer (1987) indica que, a fines de la década de los ochenta *"Alba atiende cerca del 40% del mercado local de pinturas, y entre el 20 y el 25% de la demanda de revestimientos decorativos: papel y cerámicos; su facturación anual está en el orden de los 60 millones de dólares que la ubica cerca de la posición número 50 en el listado de grandes empresas industriales de la Argentina"* (p. 55).

Diagrama v.2

ESTRUCTURA DE PROPIEDAD DEL GRUPO ECONÓMICO BUNGE Y BORN, 1990 (control principal del capital de las empresas)

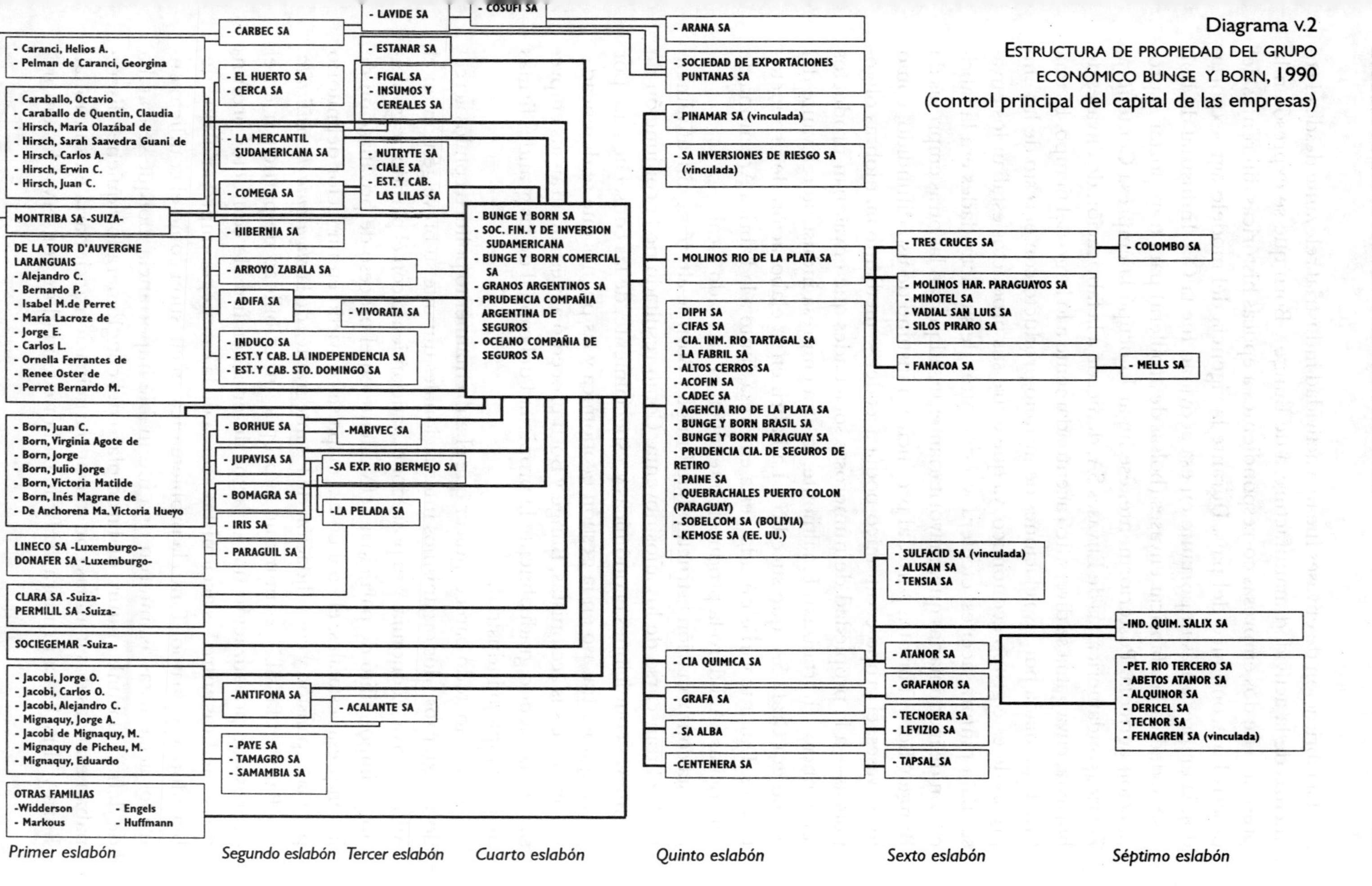

La fabricación de envases fue una actividad industrial relevante desde el comienzo de la actividad manufacturera de Bunge y Born que se expresó en la presencia de dos empresas correspondientes a épocas históricas diferentes del desarrollo económico del país. Durante la vigencia del modelo agroexportador, la empresa más importante en esa actividad fue la Cía. Industrial de Bolsas SA, dedicada a fabricar envases (bolsas de arpillera) para transportar la producción agrícola. Posteriormente, ese lugar lo ocupó la empresa Centenera, Fábricas Sudamericanas de Envases SA, dedicada a la fabricación de envases de hojalata, cuya gama se diversificó acentuadamente a lo largo del tiempo. Es una firma vinculada por las relaciones de insumo-producto con el resto de las empresas de este grupo económico, ya que entre sus productos estaban los envases para pintura, aceites, etcétera, y a que otras de sus actividades era la fabricación de maquinarias que, mayoritariamente, adquirían las otras empresas de Bunge y Born. Por otra parte, al producir un insumo de uso difundido, como los envases, el grupo económico podía acceder —mediante maniobras oligopólicas— a la propiedad de numerosas sociedades que envasaban productos alimenticios (hortalizas). Finalmente, la otra empresa industrial relevante del grupo era Grafa SA, que sucedió a La Fabril en la elaboración de productos textiles. Durante varias décadas, esta empresa, junto a la Fábrica Argentina de Alpargatas SA, lideró la producción textil en el mercado local.

Esta conformación estructural de Bunge y Born se alteró significativamente en el transcurso de los años noventa. Como resultado de la conjunción de las nuevas condiciones económicas y, especialmente, de las consecuencias por el estrepitoso fracaso en la gestión económica y las pugnas que se desencadenaron entre sus accionistas, Bunge y Born procedió a reestructurar sus empresas, transfiriendo gradualmente la propiedad del capital de las grandes firmas de su complejo industrial.

En efecto, todo parece indicar que el enfrentamiento político con los acreedores externos y los organismos internacionales durante su breve gestión en el Ministerio de Economía, y su posterior distanciamiento con el partido de gobierno, lo imposibilitó de participar activamente en el proceso de privatización de las empresas estatales, el cual en esa etapa se convirtió en un factor definitorio para la expansión y consolidación de los integrantes de la *oligarquía diversificada.*

Parece plausible asumir que la propia imposibilidad de participar en el proceso de privatización fue el factor desencadenante de conflictos profundos e inéditos entre los accionistas acerca de la estrategia empresarial que debía adoptar el grupo. Tanto la problemática en cuestión como el conflicto entre los accionistas asumieron una indudable importancia, porque se trataba de definir el rumbo futuro de largo plazo del conglomerado y quienes discrepaban eran las dos familias con mayor participación accionaria en su capital: Born y Hirsch. La primera reafirmaba la necesidad de conservar las empresas controladas en el país y que la Argentina siguiera siendo la base para la expansión del grupo en América Latina, mientras que la otra proponía una retirada ordenada del país, jerarquizando Brasil como el nuevo eje de la expansión en la región.

El primer hecho significativo fue que, con posterioridad al fracaso político, el grupo cambió su conducción —los Born fueron reemplazados en la presidencia del directorio de la principal empresa por integrantes de la familia Hirsch (Octavio Caraballo)—, lo que expresó una nueva correlación de fuerzas dentro de los propietarios del conglomerado. En ese contexto, la reestructuración se puso en marcha en 1993, cuando todas sus grandes empresas industriales absorbieron las respectivas sociedades controladas, siendo la operación más relevante la que llevó a cabo Molinos Río de la Plata SA al absorber a sus distintas sociedades controladas (Fanacoa, Aceites Santa Clara, Minotel, Matarazzo, Tres Cruces y Vadial San Luis). Si bien estas absorciones eran un recurso empresario habitual para reducir costos y tenía antecedentes en la trayectoria de este y otros grupos, llama la atención la venta, ese mismo año, de Cía. Química SA y de Centenera SA en 1995. Más aún cuando, al año siguiente, Bunge y Born se desprendió de la propiedad de dos empresas industriales líderes: Alba SA y Grafa SA, y de Petroquímica Río Tercero, que le había adquirido al Estado algunos años antes junto con Atanor.

A mediados de los años noventa, la venta de esas dos grandes empresas industriales se presentó, por parte de la conducción del grupo, como un paso ineludible de una nueva estrategia basada en una creciente especialización en la producción de alimentos, en la cual Molinos Río de la Plata SA constituía su núcleo central en el ámbito industrial.[24]

Al mismo tiempo, las nuevas inversiones y los acontecimientos de la época vinculados al auge que asumió el MERCOSUR parecen indicar que Bunge y Born adoptó Brasil como su plataforma regional. Las evidencias disponibles indican que luego de reestructurar sus empresas brasileñas, Bunge y Born realizó fuertes inversiones en ese país mediante la compra de grandes firmas en la

[24] A partir de que Octavio Caraballo reemplazó a Jorge Born en la conducción del conglomerado (junio de 1991) y asumió también la vicepresidencia (mayo de 1992) se implementó una drástica reestructuración de este grupo empresario. asume también la vicepresidencia (*Clarín*, 12 de mayo de 1992). De allí que posteriormente S. Naishtat, en un artículo del suplemento económico del diario *Clarín* indique que: *"Bunge está en estos días volviendo a sus orígenes por recomendación de la consultora Mac Kingsey, que les aconsejó profesionalizar el management y ceñirse a los negocios de alimentos y pinturas. Este año Bunge sacó las pinturas de la lista. En marzo vendió Alba y el resto de su negocio de pinturas en el MERCOSUR a la británica ICI y siguió con Petroquímica Río III, comprada por los fabricantes de colchones Piero. Previamente se había desprendido de Compañía Química, vendida en 1993 a la multinacional estadounidense Procter & Gamble, de su fábrica de envases Centenera (comprada por un grupo chileno) y de la textil Grafa."* (21 de abril de 1993, p. 8).

producción de alimentos. Así, durante 1996 adquirió, a través de Santista Alimentos, una empresa líder en panificación, y luego otra en la producción de margarina (Covebras).[25] Al año siguiente, Bunge International adquirió otra gran firma brasileña (Ceval Alimentos), también en la producción de alimentos, especialmente de productos derivados de la soja.

En relación con el MERCOSUR, es importante considerar que, una vez avanzado el proceso de privatizaciones en el país y establecido un funcionamiento que les permitió a los consorcios privados obtener ganancias extraordinarias derivadas de las reiteradas modificaciones en los marcos regulatorios, los integrantes de la *oligarquía diversificada* intentaron participar en el proceso privatizador que comenzó en Brasil. La primera expresión pública de ese interés fue la formación del denominado "Grupo Argentina", constituido por los grupos económicos más importantes de lo consorcios privados que operaban los servicios públicos privatizados. Entre ellos: Pérez Companc, Techint, SOCMA, Comercial del Plata (Soldati), Astra y Acindar. También estaban presentes otros grupos que participaron en las privatizaciones pero más acotadamente (Bridas, Roggio, Pescarmona) y otros menos importantes que también operaban servicios privatizados (Cartellone y Roman).[26]

Sin embargo, a pesar de ser invitado a integrar el "Grupo Argentina", Bunge y Born se autoexcluyó, aduciendo que debía preservar su imagen local en Brasil. Si se tiene en cuenta que, en esa época, no solamente este grupo económico tenía inversiones en Brasil sino que los otros también eran propietarios o participaban en importantes empresas brasileñas, se puede inferir que, a mediados de la década de los noventa, Bunge y Born ya tenía tomada la decisión de centralizar sus actividades en Brasil.[27]

[25] Sobre esta adquisición, *El Cronista* del 7 de mayo de 1996 indica: *"Santista Alimentos es una máquina de comprar. El brazo alimentario de Bunge y Born se quedó con la fábrica de margarina Covebrás (Companhia de Oleos Vegetais de Brasil) ubicada en el estado nordestino de Paraíba, tras pagar US$ 14 millones y asumir una deuda de US$ 10 millones. Gracias a la nueva adquisición —en enero de este año Santista Alimentos se había quedado con la panificadora paulista Pao Americano— Bunge pasó a controlar el 58% del mercado nordestino de margarina, cuyo consumo anual asciende a 100.000 toneladas"* (p. 18). Asimismo, esa misma publicación el 25 de agosto de 1997 señala: *"El grupo Bunge y Born se alzó con el control de Ceval Alimentos, una de las mayores brasileñas del sector de alimentos y la más grande procesadora de soja de América Latina [...] Ceval factura al año US$ 2.500 millones y cuenta con 14.000 empleados y fábricas en 14 estados brasileños."* (p. 11).

[26] Sobre el particular véase diario *Clarín* del 5 de febrero de 1996.

[27] Sobre las inversiones de los grupos económicos locales en Brasil durante esos años, E. Basualdo (1997) señala: *"Cabe destacar que, no sólo Bunge y Born tiene importantes y antiguas inversiones en Brasil sino que Pérez Companc se asoció con el Citibank y el grupo brasileño Bozano-Simonsen en una compañia eléctrica de Espíritu Santo al mismo tiempo que sigue operando es ese país con Sade Sudamericana. Pescarmona se incorporó como accionista en la represa hidroeléctrica Miranda (cerca de Riberao Preto) y le adquirió a Ford una fábrica de mazos de cables para autos, abasteciendo desde allí a la mitad del mercado argentino y a VW y Ford de Brasil. Techint participa en el capital de Usiminas (la mayor siderúrgica de Brasil) y su controlada SIAT intercambió acciones con la firma brasileña Confab Tubos. El grupo SOCMA además de adquirirle Proceda SA a Bunge y Born, se asoció con la constructora Andrade Gutiérrez de Minas Gerais (empresa lider en Brasil). Bridas instaló la sociedad Caper Servicios Petroleros en Brasil."* (pp. 26 y 27).

Luego de varios años de reestructuración, queda cada vez más claro que la estrategia seguida por Bunge y Born en el país se contrapuso a la adoptada por los integrantes exitosos de la *oligarquía diversificada.* Mientras este conglomerado vendió sus principales empresas industriales en pos de una supuesta especialización en la producción de alimentos, los otros grupos encararon una fuerte diversificación de sus actividades, asentada en su incorporación a los consorcios privados que prestaban los servicios públicos.[28]

En el marco del evidente contraste entre la decadencia de Bunge y Born respecto de la expansión de los otros grupos económicos locales, estalló públicamente el conflicto entre los accionistas. Se trató de un hecho no ya inédito sino insólito, en un grupo que tradicionalmente había mantenido absoluta reserva acerca de su composición, estrategia y, más aún, de sus disputas internas. Interesa analizar el contenido de esta discusión pública entre Jorge Born y Octavio Caraballo porque allí se anunciaron nuevos cambios en la conducción del conglomerado y se expresaron las diferentes posiciones que asumieron los accionistas. La primera cuestión relevante que manifestó O. Caraballo fue que abandonaba la presidencia del conglomerado, que la especialización en alimentos del grupo era una línea histórica en Bunge y Born, y que J. Born se había equivocado al asumir responsabilidades políticas al comienzo del nuevo mandato del peronismo. Este último, a su vez, le respondió en duros términos, justificando su participación política y responsabilizando a O. Caraballo de la disolución del grupo en la subregión.[29]

[28] En un interesante artículo publicado por *Página/12* el 28 de abril de 1996, R. Dellatorre señala esta contradicción de Bunge y Born: *"Los estudios más minuciosos contabilizan no menos de 15 empresas del grupo Bunge y Born vendidas o desaparecidas en los últimos tres años. Además de los desprendimientos más espectaculares —Alba, Centenera, Grafa, Petroquímica Río Tercero, Cía. Química— la estrategia de concentrar los negocios en la alimentaria Molinos trajo consigo que seis o siete empresas satélites de éstas fueran absorbidas por ella. Justamente, lo opuesto al camino seguido por los grupos locales más exitosos en los últimos años y el que hiciera grande a B y B a partir de la década del 20: diversificar los negocios para extraerles el mayor jugo posible"* (p. 8).

[29] En la sección económica del diario *Clarín* del 24 de abril de 1996 se consignan las declaraciones y cartas de ambos accionistas de Bunge y Born. Respecto de los dichos de O. Caraballo allí se consigna, entre otras cuestiones, que *"... Octavio Caraballo comentó los últimos cambios en el grupo. [...] A Jorge (Born) le tengo mucho cariño. Tomó una decisión complicada. Jorge tuvo una buena intención al darle su apoyo al presidente Menem. La Argentina tuvo un gran reconocimiento en el mundo por lo que se hizo. Pero nos equivocamos al pensar que podíamos manejar la economía argentina. Eso nos costo mucha plata".* Por su parte, Jorge Born emite juicios categóricos sobre su sucesor así como sobre sus propias decisiones: *"... A partir de 1991 y al asumir Caraballo la conducción del grupo se cometen una serie de errores que involucran fuertes pérdidas, tanto en la Argentina como Brasil. Esas pérdidas producen un progresivo deterioro entre 1991 y 1995 y un consiguiente endeudamiento que llegó a niveles preocupantes y obligó a la venta de prácticamente todo el grupo en la Argentina y en Brasil [...] En cuanto a mi responsabilidad por entrar al gobierno de Menem, la asumo con orgullo y, de repetirse la historia, volvería a asumirla [...] Es falso el argumento que nos costó mucha plata entrar al Gobierno. La plata se pierde únicamente por mala gestión"* (p. 25).

Luego del cambio de autoridades, la reestructuración avanzó en 1999 a través de la venta de la principal empresa industrial en el rubro de los alimentos al grupo económico Pérez Companc: Molinos Río de la Plata. Hecho trascendente que puso de manifiesto el fracaso de la supuesta especialización del grupo en la elaboración de una amplia gama de alimentos y la terminación de la actividad industrial de Bunge y Born en la Argentina.

Si bien la disgregación de la estructura empresaria de este grupo durante la década de los años noventa fue inédita y de enorme alcance, es relevante reparar que no se trató, al menos hasta comienzos del nuevo siglo, de una disolución total, sino de una regresión a las actividades más primarias que lo caracterizaban históricamente. En efecto, luego de ese proceso, sus principales actividades en el país se sustentaron en la comercialización externa de productos agropecuarios y en las extensas propiedades rurales que controlaba en todo el país.

De acuerdo con la información disponible, a fines de la década de los años ochenta el grupo controlaba 151 mil hectáreas y, a mediados de los años noventa, 159 mil hectáreas en la provincia de Buenos Aires. Tal como se verifica en el Cuadro nº 5.1, lo hacía mediante múltiples sociedades agropecuarias controladas, entre las que estaban algunas de sus empresas más tradicionales, como Cosufi SA, Estanar SA, Comega SA o Estancia La Pelada SA. Al confrontarse las sociedades propietarias en esos años, se perciben diferencias, en varios casos significativas, en la superficie de aquéllas presentes en ambas fechas, e incluso hay sociedades nuevas y otras que desaparecen como propietarias de tierras, todo lo cual indica que se registran algunas alteraciones de significación en la estructura de control de la propiedad agropecuaria.[30]

[30] Al respecto, cabe señalar que estas evidencias, que surgen del análisis de los catastros inmobiliarios rurales de la provincia de Buenos Aires de 1989 y 1996, reflejan parcialmente los cambios en la estructura de control que mencionan algunos medios periodísticos a principios de la década de los años noventa, lo cual no llama la atención porque en este caso se trata únicamente de las propiedades agropecuarias bonaerenses de Bunge y Born.

Cuadro n° 5.1
Superficie y localización de las tierras agropecuarias pertenecientes al grupo económico Bunge y Born ubicadas en la provincia de Buenos Aires, según empresa propietaria, 1989 y 1996 (en hectáreas)

	Hectáreas		Partidos bonaerenses
	1989	1996	
Cosufi	30.883	30.883	Gral. Pinto
Estanar SA	18.016	26.181	Balcarce, Cnel. Suárez, Gral. Alvarado, Lincoln, Gral Lamadrid, Lobería
Estancia La Pelada	20.441	22.729	Gral Pinto, Gral. Villegas
Explot., Campos y Montes Río Bermejo	14.829	14.063	H. Yrigoyen, Olavarría
Comega SA	29.369	12.540	Saladillo, Cnel. Suárez, Capitan Sarmiento, Gral. Pinto, Lincoln
Saima SA	9.271	9.866	Gral. Lamadrid, Laprida, Monte
Bellamar Estancias	-	8.544	Gral. Alvarado, Lobería
Estancias y Cabañas Las Lilas	-	4.746	Lincoln
Estancias y Cabañas Sto. Domingo	4.269	4.321	Lobería
Vivorata	3.629	3.629	Mar Chiquita
Iris SA	3.624	3.624	H. Irigoyen
Jupavisa SA	-	3.259	Guaminí
Paraguil SA	1.999	3.116	Gral. Lamadrid
Marajia SA	521	1.843	Gral. Alvarado
El Pehual SA	-	1.668	Lincoln
Samambaia SA	1.661	1.515	San Pedro
Talpey Trading SA	-	1.514	Ramallo
Cerca SA	1.403	1.403	Saladillo
Jorge y María T. Mignaquy	1.318	1.318	Pehuajó
El Remanso	893	1.019	Marcos Paz
Hilto	797	797	Benito Juárez
Jorge G. Engels	311	385	Chascomús, Luján
Induco SA	5.171	206	Ramallo, Necochea, San Cayetano
Acalanto SA	-	146	Alberti
Hiltonia	1.514	-	Ramallo
Tamagro SA	1.250	-	Chivilcoy
Total	151.169	159.315	

Fuente: Elaborado sobre la base de tabulados especiales del Programa sobre propiedad y producción agropecuaria en la provincia de Buenos Aires del Área de Economía y Tecnología de FLACSO.

6. Las reformas estructurales y el Plan de Convertibilidad durante la década de los noventa. El auge y la crisis de la valorización financiera

Las crisis hiperinflacionarias de 1989 y 1990 constituyeron un momento clave en el proceso abierto por la dictadura militar porque, en esos años, a través de la quiebra del Estado, se pusieron de manifiesto los límites de la valorización financiera. Estructuralmente, el colapso estatal se generó por la imposibilidad de mantener las crecientes transferencias hacia los sectores dominantes, cuando sus ingresos estaban vinculados principalmente a una masa salarial decreciente. En otras palabras, no se podía seguir pagando los intereses y subsidiando los programas de capitalización de la deuda externa y, al mismo tiempo, continuar con los subsidios implícitos en los regímenes de promoción industrial, mantener los sobreprecios a los proveedores estatales y enfrentar los intereses de la deuda interna.

Sin embargo, cuando las fracciones dominantes lograron conciliar sus intereses, esgrimieron la caracterización de que la crisis de esos años expresaba el colapso definitivo del Estado generado por el proceso de sustitución de importaciones, específicamente, en su variante "distribucionista". De esta manera, al ocultar la vigencia de la valorización financiera como nuevo patrón de acumulación de capital y de un nuevo tipo de Estado, instalaron socialmente la idea de que este colapso era una versión ampliada de las típicas crisis de la industrialización sustitutiva y, que en este caso, por su nivel de exacerbación, había terminado por arrasar la organización y las finanzas del sector público.

Esta visión tergiversada —e interesada— de la crisis estatal, fue asumida y difundida por el sistema político e, incluso, por diversos analistas.[1] Fue una ca-

[1] Este parece ser el caso de T. Halperin Donghi (1994), J. J. Llach (1997) y V. Palermo y M. Novaro (1996). Llach sostiene: *"Este cuadro de parálisis y luego decadencia de la economía real, de desperdicio de los recursos productivos, de bancarrota del Estado y de hipoteca difusa sobre la economía privada quizás encuentra su definición más precisa caracterizando a la economía argentina de ese entonces como una economía en estado de naturaleza [...] El estatismo llevó a la destrucción de la política económica, algo que de ningún modo puede considerarse bueno salvo que se crea viable la utopía anarquista o que se piense que el mercado puede, en efecto, resolver todos los problemas."* (pp. 68-69). Finalmente, V. Palermo y M. Novaro señalan que: *"Para empezar digamos que el estallido de 1989 constituye, en más de un sentido, el punto de llegada de un largo proceso marcado por violentos conflictos políticos y agudas dificultades económicas que se remontan, al menos, a mediados de los ´70. Puesto que fue en ese entonces que las tensiones originadas a su vez tres décadas atrás, con el nacimiento del peronismo, se conjugaron en un torbellino sin retorno."* (p. 36).

racterización de la crisis[2] que se convirtió en hegemónica y generó, en el contexto de la hiperinflación, la adhesión social necesaria para llevar a cabo un replanteo de la estructura y áreas de influencia del Estado, de acuerdo con las concepciones establecidas en el Consenso de Washington.[3]

Por otra parte, a partir de abril de 1991, los sectores dominantes y el sistema político sostuvieron que el Plan de Convertibilidad estaba constituido tanto por el nuevo esquema cambiario y monetario como por las reformas estructurales cuando, en realidad, son dos políticas que no se suponen entre sí, al menos desde el punto de vista del funcionamiento económico. La instauración de un planteo de caja de conversión con una tasa de cambio fija fue una política destinada a estabilizar el nivel de precios —detener el proceso inflacionario— mediante la recuperación del papel de la moneda local. En cambio, la desregulación de la economía local y, especialmente, la reforma del Estado respondían a la intención de satisfacer los diferentes intereses de los sectores dominantes.

La incorporación de la reestructuración de la economía como parte de la política antiinflacionaria oscureció el carácter de las políticas de largo plazo, pero también fue una severa advertencia —a propios y ajenos— de que no había posibilidad alguna de detener la crisis económica y social sin respetar el conjunto de las políticas del Plan de Convertibilidad. Así, la política antiinflacionaria sólo cobró forma una vez que se pusieron en marcha las políticas reestructuradoras de largo plazo y, en ese contexto, comenzó la negociación del Plan Brady, que dio lugar a un nuevo e indiscriminado ciclo de endeudamiento externo y fuga de capitales locales al exterior.

6.1. Una primera aproximación al comportamiento macroeconómico de los años noventa

6.1.1 Crecimiento económico y distribución del ingreso durante el régimen convertible (1991-2001)

Durante la desregulación económica y la reestructuración del Estado, la instauración del régimen de Convertibilidad obtuvo resultados contundentes

[2] Al respecto C. Levit y R. Ortiz, (diciembre de 1999) señalan: *"La lectura que se impuso sobre lo sucedido en el proceso hiperinflacionario, tanto al nivel político y social, cuanto al discurso académico, legitimó la existencia de un Estado ineficiente, yuxtaponiéndose con las características propias del Estado que predominó en la Argentina entre la década del cuarenta y mediados de la del setenta. Esta mirada evitó contextualizar históricamente las razones estructurales de la ineficiencia estatal o las atribuyó a la existencia de un gasto público elevado cuyos beneficiarios sociales quedaban ocultos tras el mismo discurso."* (p. 65).

[3] Al respecto, véase R. Frenkel, R. Fanelli y G. Rozenwurcel (1992).

en la estabilización del nivel de precios.[4] La salida de la crisis hiperinflacionaria fue inmediata al interrumpirse abruptamente la inflación y expandirse el PBI sobre la base de una expansión del consumo interno, impulsado por la recomposición del crédito, y de un incremento de la participación de los asalariados en el ingreso (Cuadro nº 6.1). Si bien el consumo interno fue el motor principal del crecimiento, al mismo tiempo se produjo una reactivación de la inversión, la cual —acorde con la apertura externa en el mercado de bienes— fue especialmente importante en relación con la incorporación de maquinaria y equipo importado. De esta manera comenzó la "etapa de oro" de la Convertibilidad (1991-1994), cuyo éxito inicial consolidó socialmente la creencia impulsada por los sectores dominantes acerca del pernicioso papel que había cumplido ese "Estado distribucionista" supuestamente vigente durante las décadas anteriores.

Sin embargo, el análisis del período de la Convertibilidad en su conjunto permite comprobar resultados positivos para el crecimiento económico —2,7% anual entre 1991 y 2001— y negativos para la participación de los asalariados y la Inversión Bruta Interna Fija en el valor agregado —llegaron a -2,7 y -0,1% en el período. No fue únicamente la influencia ejercida por el pésimo comportamiento de estas últimas variables durante la última etapa que este régimen económico entró en su crisis definitiva (1998-2001), sino una desaceleración o reversión sistemática —según la variable que se considere— a partir de los primeros años. Como lo destacaron varios autores, la acentuada expansión de la etapa inicial estuvo fuertemente influida por la intensidad de la crisis hiperinflacionaria anterior.[5] De hecho, si se comparan los primeros años de la Convertibilidad con 1990 —momento de epicentro de la crisis— la recomposición de todas las variables consideradas es mucho más acentuada que la del período 1991-1994.[6] Por lo tanto, a medida que disminuyó la capacidad ociosa, se puso de manifiesto la incapacidad de la Convertibilidad y de las reformas de largo plazo para instaurar un proceso económico que fuera sustentable en el tiempo, no sólo en términos de la distribución del ingreso sino, incluso, del crecimiento económico.

[4] Es pertinente señalar que el régimen de convertibilidad es similar al sistema de Caja de Conversión que funcionó en el país, con interrupciones, hasta la crisis de los años treinta. A su vez, el sistema de conversión local era una réplica del sistema vigente en Inglaterra. Al respecto, también véase F. Pinedo (1948).

[5] Véase R. Frenkel y M. González Rozada (1998); H. J. Nochteff y M. Abeles (2000); H. Nochteff (1999).

[6] Sobre el particular, H. Nochteff (1999) señala: *"Las mayores tasas de crecimiento se registraron respecto de 1990, el año de PBI más bajo —junto con 1989— desde 1980, y el de PBI* per cápita *más bajo desde 1969, entre 1990 y 1992 la tasa de incremento del PBI fue de 18,3%, o sea un promedio anual del 9,2%, muy superior al 6,5% de 1990-1997. En otras palabras, buena parte del crecimiento no fue sino la recuperación de las capacidades ociosas de 1990"* (p. 27).

Desde el punto de vista macroeconómico, hubo otro fenómeno trascendente: la creciente concentración y centralización económica. La comparación entre la evolución del PBI a precios corrientes y el monto de las ventas realizadas por las 200 firmas de mayor facturación, permite aprehender algunas de las características que asumió dicho fenómeno durante el período de la Convertibilidad, en tanto involucró a las distintas fracciones empresarias de los sectores dominantes de la Argentina (Cuadro nº 6.1).

La comparación de ambas variables da resultados inequívocos acerca de la profundidad que asumieron la concentración y la centralización económicas, ya que las ventas de las grandes firmas evolucionaron a una tasa anual acumulativa notablemente más elevada que la del PBI a precios corrientes —al 8,4% contra el 4,9% anual—, lo cual indica un incremento en la incidencia de grandes firmas oligopólicas sobre el proceso económico.

Cuadro N° 6.1
Evolución del PBI, la distribución del ingreso, la inversión y las ventas de las 200 firmas de mayor facturación, 1991-2001 (en números índices y porcentajes)

	PBI (precios constantes)* PBI	% de los sueldos y salarios en el PBI	% de la IBIF en el PBI	PBI (precios corrientes)*	Ventas de las 200 firmas de mayor facturación
1991	100,0	35,0	16,0	100,0	100,0
1992	108,9	38,4	19,3	125,6	125,1
1993	115,0	36,2	19,1	142,5	140,1
1994	125,2	34,9	20,5	155,1	166,2
1995	125,5	31,5	18,3	155,4	180,1
1996	132,4	31,9	18,9	163,9	192,5
1997	142,4	34,2	20,6	176,4	214,4
1998	145,4	34,9	21,1	180,1	234,5
1999	137,9	34,0	19,1	170,8	229,5
2000	137,2	34,9	17,9	171,2	236,1
2001	131,1	26,6	15,8	161,9	224,2
T.a.a. 91-94	5,7	- 0,1	8,6	15,8	18,4
T.a.a. 94-98	3,8	0,0	0,7	3,8	9,0
T.a.a. 98-2001	-3,3	- 8,7	-9,2	-3,5	- 1,4
T.a.a. 91-2001	2,7	- 2,7	- 0,1	4,9	8,4

* La estimación del PBI a precios constates y corrientes de 1991 y 1992 es el resultado de aplicarle al respectivo PBI de 1993 las correspondientes variaciones resultantes de la estimación anterior de PBI realizada con precios de 1986.

Fuente: Elaboración propia sobre la base de la información del Ministerio de Economía, el Área de Economía y Tecnología de FLACSO, del Siempro del Ministerio de Desarrollo Social y de O. Altimir y L. Beccaria (1999).

Esta tendencia fue el resultado de diversas alternativas. Entre 1991 y 1993, el PBI a precios corrientes evolucionó a tasas algo superiores a las que exhibían las ventas de las grandes firmas de la economía argentina, debido a la generalizada recomposición del consumo e, incluso, de los ingresos de los asalariados, que en 1992 registraron su valor relativo más elevado durante el período.

Durante estos años, luego del enfrentamiento entre las fracciones dominantes que dio lugar a la crisis hiperinflacionaria, se formó una "comunidad de negocios" basada en la privatización de las empresas estatales donde convergieron la *oligarquía diversificada*, las nuevas firmas extranjeras y los acreedores externos. A partir de 1994, la situación se revirtió drásticamente y las ventas de las grandes firmas evolucionaron a tasas significativamente superiores al PBI a precios corrientes —en ese año las empresas de la cúpula empresaria se expandieron al 18,7% mientras que el PBI lo hizo al 8,9%—, patrón de comportamiento que se mantuvo hasta 1998.[7] La trayectoria seguida por ambas variables durante esos años indica que, al operar plenamente los cambios estructurales puestos en marcha durante las crisis anteriores, los sectores dominantes se independizaron del ciclo y crecieron a una tasa muy superior a la de la economía en su conjunto. Así ocurrió durante la "crisis del Tequila" —cuando el valor agregado de la economía en su conjunto se estancó, mientras que las ventas de las empresas líderes se expandieron al 8,3%—, debido a que la retracción del consumo fue acompañada por un crecimiento muy acentuado de las exportaciones en el que la incidencia de las grandes firmas fue decisiva.[8]

De esta manera, el nuevo funcionamiento económico basado en las privatizaciones, la apertura importadora, la reestructuración del Estado y la desregulación económica potenció la expansión de los sectores dominantes, disciplinando y alineando al conjunto social detrás de ese objetivo. En términos del largo plazo, se puso de manifiesto que las reformas que hicieron viable el funcionamiento de la Caja de Conversión les permitió a los sectores dominantes retomar la autonomía del ciclo económico que ostentaban durante la década anterior. Por esta razón, el conjunto social transitó un proceso —y lo percibió

[7] Un análisis comparativo entre la evolución de las ventas de las empresas de la cúpula y el PBI a precios corrientes pero basado en la anterior estimación de las cuentas nacionales, se encuentra en E. M. Basualdo (2000).

[8] Los resultados de la encuesta que realiza el INDEC anualmente sobre el comportamiento de las 500 empresas más grandes del país, confirman la independencia que mantuvieron las ventas de la cúpula empresaria respecto del ciclo económico durante estos años. Más aún, estas evidencias permiten comprobar que ese comportamiento se registra no solamente con las ventas sino también cuando se considera el valor agregado generado por estas firmas. Al respecto, véase INDEC (1999).

como tal— en el que la recuperación del ciclo fue más atenuada, y las crisis más profundas que lo indicado por las estadísticas oficiales que consideran el ciclo promedio. Evaluando ambas décadas, se puede percibir que durante la valorización financiera los sectores dominantes lograron modificar —a costa de la situación de los sectores populares— la situación que tenían durante la vigencia de la sustitución de importaciones, cuando el monto de sus ventas respondía a las alternativas del PBI, aun cuando eran más elevadas en el auge del ciclo y menos pronunciadas en las crisis.[9]

En esta etapa se inició la disolución de la "comunidad de negocios" establecida por las fracciones centrales del bloque social dominante. Los integrantes de la *oligarquía diversificada* transfirieron sus participaciones accionarias en los consorcios que controlaban las empresas privatizadas e, incluso, el conjunto de sus empresas controladas y vinculadas. Así cobró forma un avance en el grado de extranjerización de la economía argentina que revirtió y superó la repatriación de capitales foráneos radicados en la actividad industrial de la década anterior. Estas transferencias de capital devinieron un factor adicional que agudizó la valorización financiera, dando lugar a una fuga de capitales que incluso superó la vigente durante la dictadura militar.

Finalmente, a partir de 1998 se produjeron modificaciones en el contexto internacional que dificultaron el acceso a un nuevo financiamiento externo. En efecto, en esa época se inició una recesión internacional que trajo aparejada una restricción financiera para América Latina que se complementó con la disminución del precio internacional de los productos exportados. Comenzó entonces la crisis terminal del régimen de Convertibilidad con un nuevo enfrentamiento entre las fracciones dominantes y, por primera vez desde la dictadura militar, se inició un reagrupamiento político de los sectores populares.

Entre 1998 y el 2001, la relación entre las ventas de las grandes firmas y el PBI a precios corrientes se alteró nuevamente, retomando el comportamiento típico de la sustitución de importaciones, pero con diferenciales en favor de las ventas mucho más acentuados. En ese contexto, la pugna entre el capital extranjero, los acreedores externos —y sus representantes políticos, los organismos internacionales de crédito— y la *oligarquía diversificada* dio lugar a la aparición de proyectos que impulsaban la dolarización —por parte de los primeros—, y la devaluación —esgrimida por las fracciones dominantes loca-

[9] Sobre el comportamiento relativo de la firmas de mayores ventas durante la sustitución de importaciones, véase M. Khavisse y J. Piotrkowski (1973); P. R. Skupch (1970). Un análisis comparativo de esta problemática se encuentra en E. M. Basualdo (2000).

les—, mientras los sectores populares convergieron detrás de reivindicaciones centradas en la redistribución del ingreso.

6.1.2 La desindustrialización y la disolución del mercado de trabajo

La rápida desaceleración y posterior crisis de la Convertibilidad en términos de crecimiento económico, fue el resultado de comportamientos disímiles entre los grandes sectores de la actividad económica. A lo largo del período, la prestación de servicios —los privatizados en particular— tuvo una trayectoria que evolucionó por encima del promedio, mientras que la producción de bienes —especialmente los industriales—, lo hicieron claramente por debajo.[10] Esta dicotomía sectorial estuvo relacionada directamente con el impacto de la apertura externa, que afectó los bienes transables —los industriales— y no a los que por su naturaleza —gran parte de los servicios, especialmente los privatizados—, o por contar con regímenes especiales —la producción automotriz— tenían una baja o nula exposición a la competencia extranjera.

Las evidencias que se exponen en el Cuadro nº 6.2 señalan que el nivel de producción sectorial evolucionó por encima del PBI entre 1991-1994, y por debajo de éste de allí en adelante e, incluso, más que duplicando la retracción promedio de la economía durante la crisis terminal del régimen convertible. La expansión de la producción industrial durante la "etapa de oro" de la Convertibilidad parece haber sido el resultado de una rápida recuperación de la retracción registrada durante el momento álgido de la crisis, impulsada por el incremento del consumo y del estado relativamente incipiente de la competencia de los productos importados. Durante esta etapa, el propio sector contribuyó al crecimiento del consumo popular, ya que se incrementó el salario real, aunque evolucionó por debajo de la productividad. De allí en más, no sólo se desaceleró el incremento de la producción, sino que se deterioraron todos los demás indicadores, salvo el nivel de productividad, especialmente en relación con las horas trabajadas y el salario real promedio.[11]

[10] Esta asimetría entre la evolución de los servicios y la producción de bienes se analiza en D. Azpiazu, E. Basualdo y M. Schorr (2000).

[11] Esta comprobación coincide con las conclusiones extraídas por D. Azpiazu, E. Basualdo y M. Schorr (2000) que, sobre este particular, afirman: *"Basta con señalar, al respecto, que cerca del 75% del incremento de la productividad laboral registrado durante los años noventa estuvo asociado a la disminución en la masa de ocupados del sector. Ahora bien, esos crecientes recursos generados por la mayor productividad de la mano de obra no tuvieron como correlato incrementos salariales sino que, por el contrario, lo que se verificó es un persistente deterioro de las remuneraciones medias de los trabajadores"* (p. 7).

Cuadro nº 6.2
Indicadores de la evolución industrial, 1991-2001
(en números índices 1993 = 100,0)

	Producción (volumen físico)	Ocupación	Horas Trabajadas	Salario real promedio*	Productividad	Productividad horaria	Productividad-Salario real
1991	85,6	103,9	100,9	94,6	82,4	84,8	87,1
1992	96,8	103,1	103,5	98,6	93,8	93,5	95,2
1993	100,0	100,0	100,0	100,0	100,0	100,0	100,0
1994	104,6	97,1	98,6	101,9	107,7	106,1	105,6
1995	97,3	91,3	88,6	96,8	106,6	109,8	110,1
1996	103,5	88,1	88,0	97,3	117,5	117,6	120,7
1997	113,2	88,9	90,5	93,7	127,4	125,1	135,9
1998	115,5	87,3	87,3	92,6	132,3	132,3	142,9
1999	105,9	80,5	79,4	92,9	131,6	133,4	141,6
2000	104,6	74,9	73,3	94,3	139,7	142,7	148,1
2001	92,9	70,0	65,6	92,0	132,7	141,6	144,3
Taa 1991-1994	6,9	-2,2	-0,8	2,5	9,3	7,8	6,6
Taa 1994-1998	2,5	-2,6	-3,0	-2,4	5,3	5,7	7,9
Taa 1998-2001	-7,0	-7,1	-9,1	-0,2	0,1	2,3	0,3
Taa 1991-2001	0,7	-3,9	-4,2	-0,3	4,9	5,3	5,2

*Salario nominal deflactado por el Índice de Precios Minoristas.

Fuente: Elaboración propia sobre la base de la información del INDEC, Encuesta Industrial.

Es decir, los trabajadores absorbieron buena parte de la crisis industrial en un proceso por el cual avanzó la polarización y concentración sectorial alrededor de las grandes firmas oligopólicas, mientras que otras pequeñas, medianas e incluso algunas de las grandes fueron expulsadas de sus respectivas actividades a medida que se expandían los efectos de la apertura económica. Esta reestructuración sectorial dio lugar a una creciente expulsión de mano de obra, operando los desocupados como un "ejército industrial de reserva" que, a su vez, generaba las condiciones para acentuar la disminución del salario real.

En otras palabras, durante este período se consolidaron las tendencias hacia la desindustrialización y reestructuración sectorial puestas en marcha a partir de la dictadura militar, provocando el tránsito de una economía industrial a otra que puede considerarse como financiera, agropecuaria y de servicios.

En términos del comportamiento industrial de largo plazo, el proceso de desindustrialización no fue un fenómeno peculiar de la década de los años noventa sino que abarcó casi tres décadas, ya que durante ese período se registró una pérdida de incidencia del valor agregado industrial en el generado por el conjunto de la economía. Tal como se verifica a través de la comparación de los resultados de los tres últimos Censos Industriales (Cuadro nº 6.3), esta desindustrialización estuvo estrechamente vinculada a una reestructuración regresiva de largo plazo, durante la cual disminuyó un 15% el número de establecimientos y se expulsó la cuarta parte de la mano de obra sectorial, alcanzando su mayor intensidad en lo que se puede considerar la gran industria local (establecimientos con más de 100 ocupados).

A pesar de que el último Censo Industrial se realizó a comienzos de la década y considera un año de reactivación industrial, hay que remontarse casi cincuenta años atrás para encontrar una cantidad de establecimientos y una ocupación industrial más o menos similar. En efecto, la revisión de los Censos Industriales indica que en 1946 el país contaba con 85 mil establecimientos industriales que ocupaban a 1,1 millones de personas, pero en ese momento la población económicamente activa rondaba los 6 millones de personas, mientras que en 1993 era prácticamente el doble.

Además de la redistribución del ingreso industrial y de la concentración sectorial,[12] en los años noventa se instaló la desintegración de la producción local. Si bien durante la década anterior habían surgido expresiones de este tipo —como el parque industrial de Tierra del Fuego, que inició la creciente importancia del "armado" de productos sobre la base de insumos y partes importadas— la desintegración de la producción local fue un fenómeno que se expandió debido a la apertura asimétrica a la importación de bienes. Este proceso se hizo palpable cuando se verificó que el coeficiente de integración nacional de la industria local (valor agregado/valor de producción) pasó del 42 al 34% entre 1973 y 1994.[13]

[12] Al respecto, véase M. Kulfas y M. Schorr (2000).

[13] Si bien aún no se dispone de estudios que analicen las modificaciones registradas en las funciones de producción de la industria en los últimos años, hay un conjunto de evidencias sectoriales que indican la profundidad alcanzada por ese proceso. Así, las empresas productoras de cocinas, heladeras, lavarropas, etcétera, (la denominada "línea blanca") incorporaron hasta un 35% de partes importadas, mientras que en la producción de bienes electrónicos de consumo dicha participación alcanzó el 50%. El caso más paradigmático fue el de la industria automotriz, porque su expansión se logró sobre la base de un régimen de protección especial que impulsa la importación de autopartes provenientes fundamentalmente de Brasil. Las nuevas normas para el sector establecidas en los años noventa indicaban que las terminales debían utilizar un mínimo del 30% de insumos locales en relación con el valor del automóvil, cuando en la década anterior dicha exigencia se ubicaba en el orden del 90%. Al respecto, véase A. Vispo (1999).

Cuadro nº 6.3
Evolución intercensal de las plantas fabriles y la ocupación industrial, 1973-1993
(en valores absolutos y porcentajes)

	1973		1984		1993		Variación (%)	
	Cantidad	%	Cantidad	%	Cantidad	%	1993/ 1973	1993/ 1984
Establecimientos /locales								
Total	105.642	100,00	101.474	100,00	90.088	100,00	-14,72	-11,22
Más de 300 ocupados	562	0,53	512	0,50	371	0,41	-33,99	-27,54
Entre 101 y 300 ocupados	1.423	1,35	1.527	1,50	1.103	1,22	-22,49	-27,77
Entre 51 y 100 ocupados	1.856	1,76	2.194	2,16	1.708	1,90	-7,97	-22,15
Entre 11 y 50 ocupados	12.515	11,85	16.431	16,19	11.613	12,89	-7,21	-29,32
Menos de 10 ocupados	89.286	84,52	80.810	79,64	75.016	83,27	-15,98	-7,17
Personal ocupado								
Total	1.327.137	100,00	1.373.163	100,00	1.007.909	100,00	-24,05	-26,60
Más de 300 ocupados	434.203	32,72	360.419	26,25	231.579	22,98	-46,67	-35,75
Entre 101 y 300 ocupados	237.078	17,86	255.989	18,64	183.264	18,18	-22,70	-28,41
Entre 51 y 100 ocupados	129.032	9,72	152.042	11,07	120.070	11,91	-6,95	-21,03
Entre 11 y 50 ocupados	259.827	19,58	338.705	24,67	247.635	24,57	-4,69	-26,89
Menos de 10 ocupados	266.997	20,12	266.008	19,37	225.361	22,36	-15,59	-15,28

Fuente: Elaborado sobre la base de D. Azpiazu (1998).

Finalmente, ahora sí como tendencia vigente en los veinte años que median entre los años extremos, se desplegó una marcada reducción del espectro productivo. La información disponible indica que adquirieron una creciente importancia las actividades sustentadas sobre la base de ventajas comparativas naturales (como la producción de alimentos y bebidas y, en menor medida, la refinación de petróleo y la industria petroquímica), y/o aquellas protegidas por regímenes excepcionales (como la industria automotriz). Todas ellas, que con sus más o sus menos, eran oligopólicas, y congregaron, en conjunto, el 65% de la producción industrial de nuestro país y el 75% de las exportaciones sectoriales.

La contrapartida de la consolidación de los sectores dominantes luego de las crisis hiperinflacionarias de 1989 y 1990 fue una crisis en el mercado de trabajo que avanzó aun en las etapas de mayor crecimiento económico pero cuya regresividad se profundizó cualitativamente a medida que se desaceleró la actividad económica. Una somera revisión de la evolución de los principales indicadores permite constatar la profundización de la "revancha clasista" puesta en marcha por la dictadura militar. Junto con una reducción del salario real promedio, el desempleo, el subempleo, la pobreza y la indigencia registraron niveles inéditos que reforzaron el efecto disciplinador de las hiperinflaciones anteriores (Cuadro nº 6.4).

Cuadro N° 6.4
Evolución del PBI, los principales indicadores del mercado laboral, la población que se encuentra por debajo de las líneas de pobreza e indigencia(1), y el salario medio, 1991-2001
(en números índices 1991=100 y porcentajes)

	PBI	Tasa de actividad %	Tasa de empleo %	Tasa de desempleo %	Tasa de subempleo %	Población pobre %	Población indigente %	Salario real promedio
1991	100,0	39,5	37,1	6,0	7,9	21,5	3,0	100,0
1992	108,9	40,2	37,4	7,0	8,1	17,8	3,2	104,1
1993	115,0	41,0	37,1	9,3	9,3	16,8	4,4	105,2
1994	125,2	40,8	35,8	12,2	10,4	19,0	3,5	103,7
1995	125,5	41,4	34,5	16,6	12,6	24,8	6,3	98,9
1996	132,4	41,9	34,6	17,3	13,6	27,9	7,5	98,2
1997	142,4	42,3	36,5	13,7	13,1	26,0	6,4	97,4
1998	145,4	42,1	36,9	12,4	13,6	25,9	6,9	95,2
1999	137,9	42,7	36,8	13,8	14,3	26,7	6,7	94,7
2000	137,2	42,7	36,5	14,7	14,6	28,9	7,7	95,2
2001	131,1	42,2	34,5	18,3	16,3	35,4	12,2	93,4
T.a.a. 91-94	5,7	1,1	-1,2	26,7	9,6	-4,0	5,3	1,2
T.a.a. 94-98	3,8	0,7	0,8	0,4	6,9	8,1	18,4	-2,1
T.a.a. 98-2001	-3,3	0,1	-2,2	13,9	6,2	11,0	20,9	-0,6
T.a.a. 91-2001	2,7	0,7	-0,5	11,8	7,5	5,1	15,1	-0,7

(1) Corresponde a la onda del mes de octubre de cada año para el total de los aglomerados urbanos relevados por la Encuesta Permanente de Hogares del INDEC. La información sobre pobreza e indigencia corresponde al aglomerado Gran Buenos Aires (onda de octubre de cada año).

Fuente: Elaboración propia en base a información de IDEP/ATE, INDEC y FIDE.

Como tendencia de largo plazo, se puede apreciar que durante la vigencia de la Convertibilidad se removieron drásticamente los factores económicos e institucionales que limitaban un mayor predominio del capital sobre el trabajo, desencadenándose un proceso en el cual la expulsión de mano de obra, y la consecuente desocupación y subocupación, operó en el sentido clásico del ejército industrial de reserva[14] y, además, como masa marginal,[15] e incluso como población excedente sin posibilidad alguna de reinsertarse en el mercado de trabajo formal informal.

Este nuevo avance del capital sobre el trabajo estaba directamente vinculado al proceso de desindustrialización inducido a partir de la apertura externa asimétrica del mercado de bienes. También influyó la expulsión de trabajadores de los servicios públicos privatizados, ya sea mediante el "retiro voluntario", las jubilaciones anticipadas o el despido liso y llano.[16]

El incremento del desempleo se facilitó e incentivó a partir de la denominada "desregulación del mercado de trabajo" que impulsaron los organismos financieros internacionales y la fracción dominante local. Aunque ésta forma parte de un vasto proceso de destrucción de las funciones básicas y estratégicas del Estado, es en este campo donde esa política alcanzó su mayor profundidad, por la organicidad que detentó para la consolidación del proyecto dominante.[17]

Desde este punto de vista, durante la vigencia del régimen de Convertibilidad se desplegó una política sistemática —aunque con idas y vueltas en relación con los diferentes conflictos sociales resultantes— orientada a remover la normativa que modelaba el mercado de trabajo.[18] Es así como se replantearon, mediante decretos del Poder Ejecutivo, las normas sobre la determinación salarial (se eliminó la indexación salarial, se descentralizó la negociación colectiva y se vincularon las variaciones salariales a la evolución de la productividad); se limitó el derecho de huelga; se alteró el régimen de vacaciones; se privatizó el sistema de prevención de accidentes de trabajo; se pusieron en vigencia diversas formas de contratos temporarios que disminuyeron el costo para los empresarios (los denominados "contratos basura"); se redujeron los aportes pa-

[14] Al respecto, véase Carlos Marx (1968), p. 543 y ss.

[15] El concepto de *masa marginal* fue planteado por J. Nun (2001) a fines de los años sesenta, definiéndolo como: "*... esa parte afuncional o disfuncional de la superpoblación relativa. Por lo tanto, este concepto —lo mismo que el de ejército industrial de reserva-, se sitúa a nivel de las relaciones que se establecen entre la población sobrante y el sector productivo hegemónico. La categoría implica así una doble referencia al sistema que, por un lado, genera este excedente y, por el otro, no precisa de él para seguir funcionando...*" (pp. 87 y 89).

[16] Sobre el particular, M. Duarte (2002) *indica que: "La contemporaneidad de la reestructuración del Estado empresario mediante la racionalización del personal, los retiros voluntarios, las jubilaciones anticipadas, las cesantías y la liquidación de entes contribuyó en el mediano plazo al aumento de la desocupación [...] Las empresas de servicios públicos privatizados aportaron 2,3 puntos a ese incremento"* (p. 79).

[17] Sobre la reforma social en este período, véase R. Cortés y A. Marshall (1999).

[18] Véase R. Cortés y A. Marshall (1991).

tronales a la seguridad social y las asignaciones familiares; disminuyeron las indemnizaciones por despido; etcétera.[19] Todas estas políticas consolidaron una notable precariedad en el mercado de trabajo y un salto cualitativo en las condiciones de explotación de la mano de obra que fue generalizado pero tuvo como epicentro las grandes empresas oligopólicas, sustento de los sectores dominantes en la Argentina.[20]

El rumbo adoptado por el sindicalismo parece haber sido definitorio en este sentido. No se trató únicamente de un proceso de adaptación a las nuevas circunstancias y relaciones de fuerzas imperantes durante la salida de las crisis hiperinflacionarias de 1989 y 1990,[21] sino en la inscripción plena de la estructura sindical como una pieza clave del *transformismo argentino,* lo que modificó sustancialmente su funcionamiento tradicional, aun en su variante burocrática. De allí que durante la década de los años noventa surgiera una nueva central sindical combativa y alternativa a la CGT: la Central de los Trabajadores Argentinos (CTA).[22]

La primera expresión general de la integración del sindicalismo al poder establecido consistió en asumir y difundir entre los trabajadores que, ante las nuevas circunstancias, la principal reivindicación de los trabajadores no era más la defensa del salario sino la defensa de los puestos de trabajo. Esta concesión fue seguida por otra, que consistió en adoptar en los hechos la visión de los sectores del poder acerca de los factores que impulsaban el desempleo, asumiendo que éste se originaba en la "rigidez" del mercado de trabajo (altos salarios, aportes patronales elevados, alta indemnización por despidos, etcétera), lo cual indicaba que la denominada "flexibilización" laboral era el camino aconsejable para solucionarla.[23]

Ambas líneas de acción podrían interpretarse como un error en la estrategia sindical de esos años, pero las dudas se disipan cuando se percibe que, al mismo tiempo, la estructura sindical se consolidó mediante la participación en las nuevas actividades económicas surgidas de la desestructuración

[19] Para un análisis detallado de las reformas normativas en el mercado de trabajo, véase L. Beccaria y P. Gallin (2002).

[20] Véase J. Santarcángelo y M. Schorr (2000).

[21] Este es el enfoque adoptado por M. V. Murillo (1997).

[22] La CTA es una expresión sindical y social de los sectores populares que se comienza a gestar en noviembre de 1991 durante el denominado "Encuentro de Burzaco", para organizarse como tal, en noviembre de 1992, durante el primer Congreso Nacional de los Trabajadores Argentinos. Se trata del intento más profundo por reconstituir la fragmentación de los trabajadores plasmando un movimiento social donde converjan no sólo los trabajadores ocupados sino también los desocupados, jubilados, etcétera. La historia y las concepciones de la Central de los Trabajadores Argentinos (CTA) se encuentra en I. Rauber (1998 y 1999).

[23] Esta visión de los sectores dominantes se encuentra expresada, entre otros, en los siguientes trabajos: FIEL (1994); S. Montoya (1998); C. Pessino (1996).

estatal que dio lugar al predominio del denominado "sindicalismo empresario". No se trató solamente del fortalecimiento desigual de las obras sociales como fuente de financiamiento, sino de la inserción del sindicalismo en la administración de fondos de pensión (AFJP), la administración de la participación accionaria de los trabajadores de las empresas privatizadas e, incluso, de la adquisición y/o participación en los servicios públicos privatizados. De esta manera, la integración (cooptación) de las conducciones sindicales por parte del bipartidismo hizo que el sindicalismo se subordinara al bloque de poder, dejando de defender los intereses de los trabajadores pero reteniendo el control de la estructura sindical. Esta nueva inscripción de los representantes sindicales hizo posible una reformulación del mercado de trabajo que sometió a los trabajadores a condiciones de explotación desconocidas hasta el momento.

6.1.3 Las finanzas públicas y el endeudamiento externo

La reestructuración del mercado de trabajo tuvo un profundo impacto negativo en las finanzas públicas, debido tanto a las reducciones en diversos aportes patronales como a la privatización del sistema jubilatorio, y su consiguiente transferencia a las AFJP. Por un lado, las presiones para privatizar el sistema previsional comenzaron en 1991 con un proyecto del Banco Mundial que replicaba el modelo chileno. La Ley se aprobó en 1994 y contemplaba la posibilidad restringida para optar por permanecer en el sistema de reparto estatal, lo cual determinaba que estos casos fueran claramente minoritarios y el Estado dejara de percibir una masa ingente de recursos. Por otro lado, las contribuciones patronales a la seguridad social disminuyeron significativamente mediante el acceso de una cantidad creciente de actividades económicas y de regiones a esta transferencia estatal. Las estimaciones realizadas indican que dicha reducción comprometió, en promedio, el 40% del monto de las contribuciones, a lo que se le adicionó la disminución del 1% en los aportes patronales al sistema de obras sociales.[24]

Los argumentos que justificaron la necesidad de esta transferencia de ingresos genuinos del sector público hacia las fracciones dominantes locales radicaban tanto en la necesidad de generar empleo —en un contexto de un sistemático incremento del desempleo— como en la idea de paliar el atraso cambiario que traía aparejado el régimen convertible con tasa de cambio fija (devaluación fiscal), especialmente para los sectores productores de bienes transables, es decir los más expuestos a la competencia extranjera.

[24] Esta estimación proviene de H. Szretter (1997), citado por L. Beccaria y P. Galín (2002).

No obstante, las alternativas económicas del período desmienten la existencia de alguno de esos procesos. En primer término, este enorme sacrificio fiscal no produjo alteración alguna del ritmo de expulsión de mano de obra ni una disminución del trabajo "en negro" sino que, por el contrario, la desocupación alcanzó niveles impensables pocos años antes y creció la proporción de asalariados no registrados. En segundo lugar, si bien no se trató de una transferencia de ingresos genuinos estatales, su sesgo principal no estuvo vinculado al "grado de transabilidad" de los bienes producidos por las empresas privadas sino a su tamaño relativo, ya que las grandes firmas oligopólicas constituían el núcleo central del empleo formal en el país.

En rigor, fue una transferencia de recursos circunscripta a las grandes empresas oligopólicas —base económica de la fracción dominante local—, que de esta manera incrementaron sus rentabilidades relativas y su competitividad externa, mientras también concentraban una proporción mayoritaria de la oferta exportadora del país. En el primer sentido, el caso paradigmático está constituido por los consorcios que tomaron a su cargo la prestación de los servicios públicos que recibían este beneficio y no cumplían con la cláusula de "neutralidad tributaria" —que formaba parte de los compromisos asumidos contractualmente con el Estado— por la cual toda variación impositiva (incremento o decremento) debía ser trasladada a las tarifas. Las evidencias indican que si bien prácticamente todos los incrementos impositivos se trasladaron a las tarifas, con su disminución ocurrió lo contrario.[25]

Estas transferencias de los recursos fiscales al capital concentrado local tuvieron una importancia decisiva en el resultado financiero del sector público. Tal como se verifica en el Cuadro nº 6.5, entre 1994 y 2000 los recursos transferidos a las fracciones dominantes locales mediante la reducción de los aportes patronales alcanzaron a 16.057 millones de pesos (dólares) que, sumados a las restantes reducciones vinculadas al mercado de trabajo —como los aportes al sistema de obras sociales— totalizaron 29.960 millones de pesos (dólares). Junto con los aportes jubilatorios transferidos por el Estado a las AFJP, sumaron 52.332 millones de pesos (dólares).

[25] A este respecto, véase D. Azpiazu y E. M. Basualdo (2001).

Cuadro n° 6.5
Impacto de los ingresos por privatización
de las empresas públicas, las rebajas de aportes al capital
y la transferencia de los aportes jubilatorios a las AFJP, 1994-2000
(en millones de pesos del año 2000)

		Ingresos no percibidos y transferidos al capital oligopólico local					
	Déficit financiero incluidos los ingresos por la privatización de las empresas estatales	Reducción de aportes patronales	Otras reducciones de cargas patronales vinculadas al mercado de trabajo	Subtotal	Aportes jubilatorios transferidos a las AFJP	Total	Déficit financiero incluidas las privatizaciones y los ingresos transferidos al capital oligopólico local
	1	2	3	4 = 2 + 3	5	6 = 4 + 5	7 = 1 + 6
1994	-4.708	958	1.016	1.974	804	2.778	-1.930
1995	-8.241	958	1.033	1.991	2.302	4.293	-3.948
1996	-8.927	2.102	1.832	3.934	3.004	6.938	-1.989
1997	-3.112	2.451	2.110	4.561	3.632	8.193	5.081
1998	-7.217	2.305	2.604	4.909	4.093	9.002	1.785
1999	-12.753	3.093	2.627	5.720	4.280	10.000	-2.753
2000	-9.657	4.189	2.681	6.870	4.257	11.127	1.470
Total	-54.615	16.057	13.903	29.959	22.372	52.331	-2.283

Fuente: Elaborado sobre la base de J. Gaggero y J. C. Gómez Sabaini (2002).

La magnitud de estas transferencias estatales al capital oligopólico se aprecia cuando se las compara con los ingresos percibidos por el Estado a raíz del cambio estructural más relevante del siglo pasado: la privatización de las empresas estatales. De acuerdo con las estimaciones realizadas por el Ministerio de Economía, los ingresos por ese concepto ascendieron a 7.457 millones de pesos del año 2000 (dólares) entre 1994 y 2000, y a 26.810 millones de pesos del año 2000 (dólares) entre 1991 y 2000,[26] lo cual permite concluir que las transferencias representaron el 602% del monto percibido por la privatización de empresas públicas entre 1994-2000, el 95% más elevado que los ingresos fiscales por ese mismo concepto entre 1991-2000. No obstante, estos resultados son equívocos, ya que ponen de relieve la importancia de estas transferencias pero, al mismo tiempo, expresan la no menos relevante subvaluación de los activos públicos que se privatizaron durante estos mismos años.

De allí que sea apropiado confrontarlas con el gasto estatal más dinámico de ese período: el pago de los servicios de la deuda externa. Si se considera la información oficial sobre los servicios de la deuda externa consolidada (deuda de la Nación, las provincias y municipalidades), que ascendían a 54.446 millones de pesos del año 2000 entre 1994-2000, se constata que los recursos estatales transferidos —o, desde otra perspectiva, los ingresos resignados por el Estado— al capital oligopólico fueron prácticamente equivalentes a los servicios de la deuda externa consolidada durante ese mismo período: representan el 96% de dichos servicios.

De esta manera, así como los acreedores externos percibieron una porción creciente del gasto estatal, las fracciones dominantes locales recibieron una transferencia de recursos estatales equivalente. Una forma alternativa de apreciar este fenómeno es confrontar el déficit financiero del sector público efectivamente registrado con el que se habría constatado si el Estado hubiera percibido esos ingresos (Cuadro nº 6.5). En ese caso, dicho desequilibrio habría pasado de 54.615 millones de pesos a 2.283 millones de pesos, es decir de un déficit del 2,8 al 0,5% del PBI, respectivamente.

En conjunto, estas evidencias indican una modificación del comportamiento estatal acorde con la nueva relación de fuerzas, tanto entre el capital y el trabajo como entre las distintas fracciones sociales que convivían dentro de los sectores dominantes en la Argentina. En términos de las finanzas estatales se desplegó un replanteo de la política de la década anterior. Los cambios fundamentales en el comportamiento de las cuentas públicas durante la vigencia de la Convertibilidad indican una recomposición clara de la situación de los acreedores externos —coherente, como se verá, con la firma del Plan Brady— acompañada por una transferencia de recursos equivalente hacia la fracción dominante local.

De esta manera se puede percibir la falacia del planteo de los sectores dominantes sobre la causa del endeudamiento.[27] En realidad, el endeudamiento

[26] Estos ingresos fiscales están calculados en pesos constantes y los bonos de la deuda externa rescatados mediante la venta de los activos estatales a valor nominal. Si se consideraran estos bonos de la deuda externa a valor de mercado, las diferencias serían aún más acentuadas, porque su cotización en los mercados secundarios evolucionó, especialmente en los primeros años de la década, muy por debajo de su valor nominal. La serie en pesos corrientes puede consultarse en M. Tejeiro (2001).

[27] Entre otros, véase Consejo Empresario Argentino (1999); FIEL (2001).

estatal de la época fue consecuencia de esta transferencia, impulsada por los propios acreedores externos y los organismos internacionales de crédito —como medio para incrementar el endeudamiento externo y su consecuente rentabilidad— así como por la fracción dominante local —para percibir esos ingentes ingresos extraordinarios y asegurarse la posibilidad de disponer de las divisas necesarias para remitir excedente apropiado internamente al exterior—, asegurándose ambas fracciones dominantes el establecimiento de las reservas de divisas que le dieron sustento al régimen convertible.[28]

En otras palabras, fue un proceso inverso al proclamado por la ortodoxia neoliberal. Como era necesario obtener las divisas que garantizaran la acumulación ampliada del capital de ambas fracciones dominantes, en su forma financiera, resultó imprescindible forzar el endeudamiento externo del sector público sin alterar el severo ajuste del gasto estatal y neutralizando los ingresos extraordinarios provenientes de la transferencia de sus activos fijos hacia los propios sectores dominantes. Ésa fue la función que cumplieron la transferencia del sistema jubilatorio y la disminución de los gravámenes a la fracción dominante local que, además, tuvieron la "virtud" de restablecer el equilibrio —o aminorar los sesgos— entre las distintas fracciones dominantes en relación con el excedente redistribuido a partir del Estado. Los acreedores externos concentraron una porción creciente del ingreso —o del gasto— estatal por las amortizaciones y los intereses de la deuda externa estatal y las fracciones dominantes locales percibieron transferencias prácticamente equivalentes originadas en esa pérdida de ingresos genuinos y en la cual también participó la banca transnacional. Éste es el esquema que se reprodujo en la privatización de las empresas estatales.

Así, en el núcleo central del comportamiento macroeconómico durante la convertibilidad, las finanzas públicas, devinieron en una variable dependiente de los fenómenos que se expresaban en el sector externo. Dado que esta dependencia de la problemática fiscal requiere de una validación empírica, en el Cuadro nº 6.6 se exponen los resultados de la Balanza de Pagos del sector público y del privado entre 1992 y 2001, desagregando los principales movimientos en la cuenta corriente y en la de capital de cada uno de ellos.

El análisis de la composición del saldo de la Balanza de Pagos permite constatar que, efectivamente, el Estado es el único sector con un saldo significativo y positivo mientras que, por el contrario, el del sector privado es claramente negativo. Sin embargo, el saldo positivo estatal no sólo cubre el déficit privado sino que es el origen exclusivo de la constitución de la reserva de divisas que sostuvo la Convertibilidad.

[28] Este último aspecto es analizado por varios trabajos relativamente recientes: FIDE (abril 2000); M. Damill (2000); Auditoria General de la Nación (1999).

Por otra parte, la composición de los movimientos de las cuentas estatales indica que ese saldo positivo es el resultado de un endeudamiento un 58% más elevado que el pago de los intereses devengados (56.465 *versus* 35.820 millones de dólares). Por lo tanto, no fue un proceso en el que el endeudamiento externo estatal no dependía del pago de los intereses adeudados —porque en ese caso ambos tendrían que tener una magnitud equivalente— sino que, además, estaba en función del déficit externo del sector privado y de la constitución de las reservas que sostenían el régimen convertible. A ese endeudamiento externo se le agregaron los ingresos estatales percibidos por la venta de sus empresas.

Cuadro n° 6.6
Balanza de pagos del sector público y del sector privado según principales cuentas y movimientos, 1992-2001
(en millones de dólares)

	Sector Público y BCRA	Sector (Financiero y no financiero)	Total
Cuenta Corriente	**-36.881**	**-51.733**	**-88.614**
Saldo balanza comercial	0	41	41
Saldo servicios reales y otras transferencias	-1.062	-31.904	-32.965
Saldo rentas de la inversión	-35.820	-19.870	-55.690
Cuenta Capital y Financiera	**69.979**	**25.664**	**95.642**
Endeudamiento externo	56.465	42.771	99.236
Inversión extranjera directa	10.581	65.859	76.440
Inversión de cartera	3.508	-12.462	-8.954
Fuga de capitales	0	-72.819	-72.819
Otros flujos	-575	2.314	1.739
Saldo del balance de pagos	**33.098**	**-26.070**	**7.028**

Notas: En la deuda externa el saldo corresponde al nuevo endeudamiento neto de los pagos de amortizaciones realizados. La inversión extranjera directa incluye utilidades reinvertidas mientras que la fuga de capitales es la registrada en la balanza de pagos e incluye errores y omisiones netos. Las inversiones de cartera incluyen acciones y operaciones del sector privado de compra-venta de títulos públicos en el mercado secundario.

Fuente: Elaboración propia sobre la base de la información del Ministerio de Economía de la Nación ("Estimaciones trimestrales del balance de pagos y de activos y pasivos externos", varios números).

Los movimientos de las cuentas externas del sector privado son más complejos pero igualmente trascendentes. La cuenta corriente fue acentuadamente deficitaria como resultado del comportamiento de todos los movimientos que la componen y, especialmente, por el pago de los servicios reales y otras transferencias,[29] y luego por los pagos devengados por el endeudamiento externo de las grandes firmas oligopólicas. Aun cuando la balanza comercial exhibe un leve superávit, éste es resultado del signo fuertemente positivo durante los dos últimos años de la crisis que neutralizaron el carácter estructural del déficit durante la Convertibilidad. En realidad, ese carácter estructuralmente negativo de la Balanza comercial, así como la fuerte injerencia de los productos primarios en las exportaciones, revelan la inviabilidad estructural de ese régimen por su acentuada dependencia del endeudamiento externo.

Por otra parte, la cuenta capital del sector privado era fuertemente positiva pero insuficiente para compensar el déficit de la cuenta corriente. Los dos principales ingresos en esta cuenta de la Balanza de Pagos provenían de la deuda externa del capital oligopólico y de los flujos de inversión extranjera. Estos últimos, a su vez, estaban compuestos por la Inversión Extranjera Directa y las inversiones de cartera. Cabe señalar que la Inversión Extranjera Directa, además de incorporar la entrada de capital para adquirir las empresas privatizadas, abarcaba tanto la entrada de capital extranjero propiamente dicho como la repatriación de excedente por parte de empresas locales. Asimismo, el principal componente de las inversiones de cartera se originó en la privatización y posterior venta de YPF a Repsol.

Así como la deuda externa y la inversión extranjera fueron los principales ingresos del sector privado, la fuga de capitales locales al exterior constituyó su principal transferencia de recursos fuera de las fronteras nacionales. En realidad, fue la fuga al exterior más relevante de toda la Balanza de Pagos (72,8 miles de millones de dólares entre 1992 y 2001) e, incluso, superior al endeudamiento del sector público y un 31% más elevada que el monto de los recursos totales transferidos a los acreedores externos por el sector público y el sector privado en concepto de los intereses devengados por el endeudamiento externo (72,8 *versus* 55,7 millones de dólares).

En síntesis, las evidencias empíricas demuestran que las transferencias de

[29] Dentro de estas transferencias al exterior, los gastos en turismo tuvieron suma importancia ya que pasaron a incorporarse como uno de los componentes relevantes del consumo de los sectores de mayores ingresos, e incluso la política económica promovió su difusión en sectores medios, como forma de convalidación social de la política en marcha. Sobre este aspecto y, en general la evolución del sector externo durante estos años, se puede consultar: H. J. Nochteff, C. Lozano y M. Schorr (julio de 1991).

ingresos genuinos estatales a las fracciones dominantes locales pusieron en marcha un proceso de endeudamiento externo que superó largamente los servicios derivados, porque tuvo como objetivo cubrir el déficit del sector privado y la constitución de reservas.

Sin embargo, siendo ésta una explicación plausible acerca de la reestructuración de las cuentas fiscales, e incluso una explicación congruente con las funciones estatales como sustento de la acumulación del capital de los sectores dominantes, es insuficiente para explicar los factores que determinaron el propio comportamiento económico de las fracciones del capital que definieron el rumbo del proceso económico. En otras palabras, es insuficiente para explicar las modalidades específicas que adoptó durante esta etapa la valorización financiera, generando una fuga de capitales locales al exterior que no reconoce antecedentes, ni siquiera durante la dictadura militar.

6.2 El núcleo central del comportamiento macroeconómico durante la Convertibilidad: deuda externa, fuga de capitales y ganancias patrimoniales

6.2.1 Evolución de la deuda externa y comportamiento clásico de la valorización financiera (1991-2001)

Tal como se verifica en el Cuadro nº 6.7, las cifras oficiales indican que el endeudamiento externo total se incrementó a una tasa anual del 8,6% durante la década analizada, más que duplicándose en términos absolutos (de 61 a 140 mil millones de dólares, entre 1991 y 2001). Más acelerada aún fue la expansión de los capitales locales radicados en el exterior, que lo hizo al 9,6% anual, determinando que el *stock* de los capitales fugados pasara de 55 a 139 mil millones de dólares. Por lo tanto, desde el punto de vista de los flujos de capital, al considerar los años extremos del período se constata que por cada 100 dólares de endeudamiento externo total se fugaron al exterior 105 dólares, ya que entre 1991 y 2001 la deuda externa se incrementó en 78.905 millones de dólares y las transferencias de capital al exterior por parte de los residentes locales alcanzó a 82.869 millones de dólares.

Cuadro nº 6.7
Evolución de la deuda externa y de los capitales locales radicados en el exterior, 1991-2001
(en millones de dólares)

	Deuda Externa			Stock de Capitales locales en el exterior
	Estatal	Privada	Total	
1991	52.739	8.598	61.337	54.936
1992	50.678	12.294	62.972	55.096
1993	53.606	18.820	72.425	60.332
1994	61.268	24.641	85.908	68.167
1995	67.192	31.955	99.146	83.884
1996	74.113	36.501	110.614	96.206
1997	74.912	50.139	125.051	112.207
1998	83.111	58.818	141.929	118.383
1999	84.750	60.539	145.289	124.455
2000	84.851	61.724	146.575	131.892
2001	88.259	51.984	140.242	137.805
T.a.a 1991-94	5,1	42,0	11,9	7,5
T.a.a 1994-98	7,9	24,3	13,4	14,9
T.a.a 1998-01	2,0	-4,0	-0,4	5,2
T.a.a 1991-01	5,3	19,7	8,6	9,6

Fuente: Elaboración propia en base a información del Ministerio de Economía.

La deuda externa estatal fue la más importante pero la de menor dinamismo, ya que la generada por el sector privado fue la de mayor expansión relativa. Ciertamente, la notable tasa de incremento de la deuda externa privada —alcanzó al 19,7% en la década y al 42% entre 1991 y 1994— se debió a que en el año inicial de la Convertibilidad fue sumamente reducida, ya que durante la década anterior la fracción dominante local había disminuido su nivel de endeudamiento externo al transferírselo al Estado. También porque las empresas que recibió del Estado mediante el proceso de privatizaciones eran firmas que se transfirieron sin deudas de ningún tipo.

Esta acelerada expansión de la deuda externa y la fuga de capitales estuvieron asociadas a un comportamiento económico que retomó el ciclo clásico de la valorización financiera. A partir de la negociación del Plan Brady, se inició un proceso en el que el crecimiento de la deuda externa privada fue impulsado por las posibilidades de obtener una significativa renta financiera debido a que la tasa de interés interna superó a la vigente en términos internacionales, lo cual dio lugar a un diferencial positivo, pero variable a lo largo del tiempo, entre el rendimiento obtenido en el mercado interno y el costo de endeudarse en el exterior. La deuda externa estatal, impulsada por la eliminación de sus fuentes genuinas de ingresos, cumplió la función de proveer las divisas necesarias para que la fracción dominante local pudiera culminar el ciclo de la valorización financiera con la fuga de capitales al exterior.

En el Gráfico nº 6.1 se constata que la tasa de interés local (plazo fijo en pesos) fue sistemáticamente más elevada que la del mercado internacional. A diferencia de lo que había ocurrido durante la dictadura militar, en la década analizada esa diferencia surgió de la comparación directa de ambas tasas de interés, ya que el régimen convertible suponía la ausencia de una alteración en el tipo de cambio.

Gráfico N° 6.1: Evolución de la tasa de interés externa (libor a 180 días) e interna (plazo fijo en pesos) (porcentaje mensual)

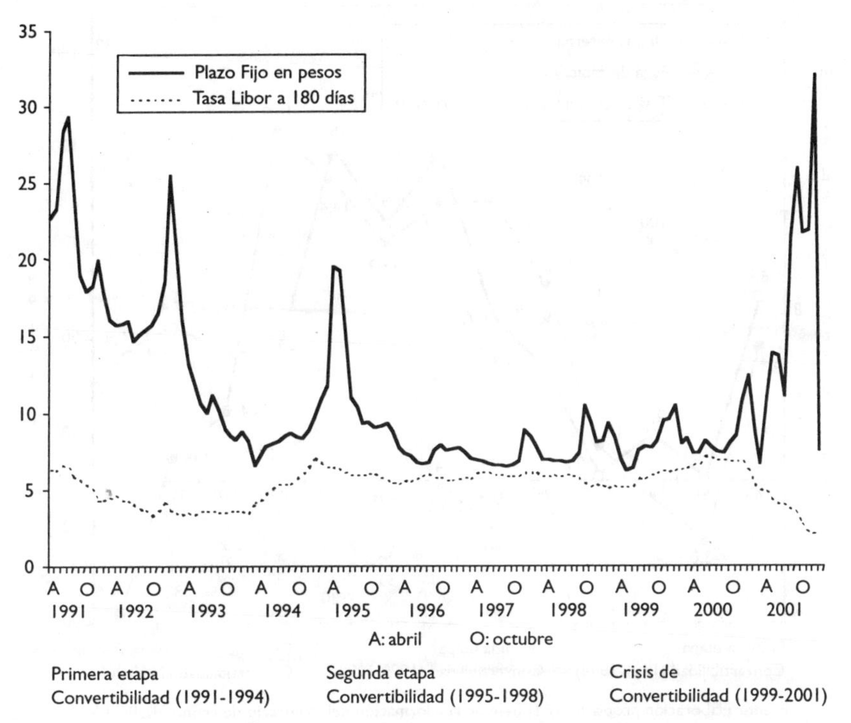

Fuente: Elaboración propia sobre la base de la información del BCRA y del Banco Nación.

A través de estas evidencias empíricas se constata que la tasa de interés local superó sistemáticamente la del mercado internacional pero, al mismo tiempo, que dicho diferencial fue cambiante a lo largo del período. Durante la primera etapa de la convertibilidad fue sumamente elevada pero igualmente descendente para luego incrementarse durante la crisis del Tequila y volver a descender hasta el comienzo de la crisis definitiva, expandiéndose en los dos años finales.

En el Gráfico nº 6.2 consta la evolución anual de la deuda externa total y la fuga de capitales, así como las alternativas seguidas por la relación entre la tasa de interés interna (promedio de las colocaciones entre 7 y 60 días en plazo fijo) y la que regía en el mercado internacional (tasa libor a 180 días), considerando el cociente entre ambas vigente en 1991 como 100.

Gráfico N° 6.2: Evolución anual de la deuda externa, la fuga de capitales y la relación de la tasa de interés interna con respecto a la internacional, 1990-2001 (en miles de millones de dólares y números índices 1991=100)

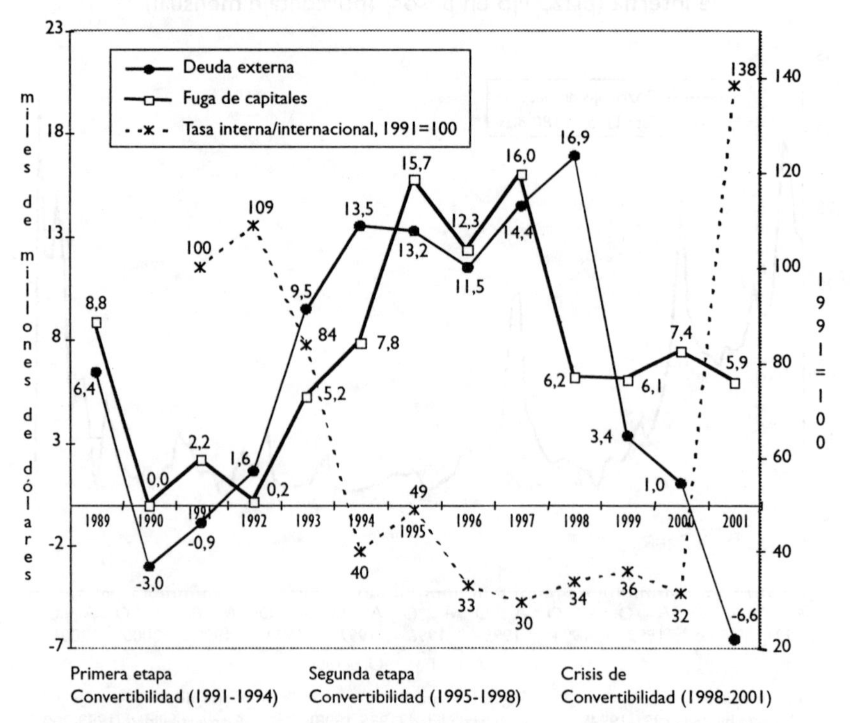

Fuente: Elaboración propia sobre la base de la información del Ministerio de Economía, BCRA y Banco Nación.

En términos de un alto nivel de abstracción, ante una elevación de la relación entre la tasa de interés interna y el costo del endeudamiento externo (la tasa de interés internacional) se registró un incremento de la deuda externa y de la fuga de capitales locales. El componente dinámico de la primera fue el endeudamiento externo del sector privado que operó como una masa de recursos que se valorizaba internamente y culminó su ciclo mediante la transferencia de esos recursos al exterior para lo cual requirió de un aumento de la deuda externa estatal que proveyera las divisas necesarias. Este proceso estaba condicionado por el riesgo de una devaluación de la moneda local ya que, cuando el endeudamiento se elevaba, los deudores tendían a disminuir su endeudamiento y los acreedores a disminuir el financiamiento, por la posibilidad de enfrentar un proceso de insolvencia del deudor.

Más allá del comportamiento esperado, la efectiva evolución de las variables consideradas exhibe rasgos congruentes pero también incongruentes o desproporcionados. La reducción del cociente entre las tasas de interés interna e internacional durante los primeros años del régimen de Convertibilidad fue el resultado de una reducción de la tasa de interés local en el marco de la superación de la crisis y el vuelco del sector público a financiarse en el exterior, especialmente luego de la firma del Plan Brady. El primer auge de la fuga de capitales en 1995 también fue congruente con el incremento de la relación entre las tasas y con la rápida superación de la crisis del Tequila. Asimismo, el segundo auge de la salida de capitales locales al exterior en 1997 puede ser explicado por una modificación en la estrategia de valorización financiera de la fracción dominante local. A pesar de que en ese año se registró la menor diferencia entre las tasas, hubo un récord de fuga de capitales, debido a que el crecimiento económico y la estabilidad del régimen indujeron a maximizar la masa de excedente valorizado. De allí que en ese año se registrara también el récord de endeudamiento externo privado (casi 14 mil millones de dólares según se deduce del Cuadro nº 6.7). Finalmente, durante los últimos años de la convertibilidad, comenzó a predominar el riesgo de una devaluación y, por lo tanto, la salida de capitales fue adquiriendo la lógica de transferir el mayor excedente posible al exterior y cancelar todas las obligaciones externas posibles.

Sin embargo, en cada una de las etapas hubo incongruencias o desproporciones que insinúan la incidencia de otros factores, además de la relación entre las tasas de interés interna e internacional en el proceso de valorización financiera. En los primeros años (1990-1992), es realmente llamativo el descenso de la deuda externa y la escasísima magnitud de la transferencia de capitales locales al exterior, y que en 1992 ante un incremento de la relación entre las tasas de interés, la fuga de capitales locales no se incremente sino que descienda —de 2,2 miles de millones de dólares en 1991 a doscientos millones en 1992—, a pesar de que se estaba consolidando la Convertibilidad y culminaba la negociación del Plan Brady. Por otra parte, en el período álgido de la fuga de capitales locales al exterior (1994-1998), no puede dejar de llamar la atención la notable magnitud que alcanzó ese proceso, ya que dicha salida de capitales superó el endeudamiento externo total —entre 1995 y 1997. Asimismo, durante los últimos años del régimen de Convertibilidad, también resulta desproporcionado el elevado nivel relativo de la fuga de capitales locales, teniendo en cuenta la drástica reducción del endeudamiento externo privado. No son interrogantes acerca del origen de las divisas que permitieron que ello ocurriera sino acerca, dada la magnitud de la fuga de capitales al exterior, del origen del excedente apropiado internamente por la fracción dominante local.

6.2.2 Las ganancias patrimoniales como sobredeterminación de la valorización financiera

El conjunto de estos interrogantes indica que en este período se agregaron otros factores que sobredeterminaron el funcionamiento clásico de la valorización financiera. Para dilucidar el comportamiento estructural de la economía local se debe prestar atención a las grandes transformaciones de la época, específicamente al cambio estructural más relevante del período y, quizá, del siglo XX en el país: la privatización de las empresas estatales y el proceso de transferencias de capital que le sucedió e involucró a los consorcios privados que se apoderaron de las empresas estatales prestadoras de servicios públicos.

Es pertinente recordar que los sectores dominantes presentaron el programa de privatización de empresas públicas como un proceso clave para encauzar definitivamente la economía real en un sendero de expansión. Dicho cambio estructural desplazaría la valorización financiera como eje central de la economía argentina porque crearía las condiciones para retener el ahorro interno, evitando la fuga de excedente al exterior. Esto ocurrió en lo inmediato pero, a poco de andar sucedió todo lo contrario: las privatizaciones quedaron subordinadas a la valorización financiera, ubicándose junto a la relación entre la tasa de interés interna e internacional como el otro factor determinante de ese proceso. La conjunción de ambos factores (las privatizaciones y el diferencial entre las tasas de interés) provocó una inédita exacerbación de la fuga de capitales locales al exterior —y como contrapartida el incremento de la deuda externa— que se registró durante el período analizado. Esta subordinación de las privatizaciones a la lógica financiera se hizo patente en la posterior y masiva transferencia de capital cuyo núcleo central estuvo constituido por la venta de las tenencias accionarias de la fracción dominante local al capital extranjero.

Dada la necesidad de analizar con cierto detalle este tema crucial, en el Gráfico nº 6.3 consta la evolución de la fuga de capitales, los ingresos fiscales por la privatización de las empresas estatales así como la evolución de las transferencias de activos fijos dentro del sector privado (excluidas las operaciones entre capitales extranjeros).

A partir del comportamiento de las variables analizadas es posible determinar tres etapas claramente diferenciadas. En la primera (1990-1993), se realizó el grueso de las privatizaciones, generando alteraciones en el comportamiento tanto de la deuda externa como de la fuga de capitales locales al exterior. Éstas son, casualmente, aquellas que no se pueden explicar por el nivel ni por la evolución de la relación entre la tasa de interés interna y la vigente en el mercado financiero internacional.

Por primera vez, desde la dictadura militar, la deuda externa evidenció una reducción significativa (véase Gráfico nº 6.2) durante dos años seguidos, la cual fue resultado directo de la convergencia del programa de privatización de empresas estatales con el programa de capitalización de bonos de la deuda externa. Cabe recordar entonces, que durante estos años se concretó la política puesta en marcha por los acreedores externos con el Plan Baker a mediados de la década anterior. Por esta razón el proceso de privatización de las empresas estatales conllevó el rescate de un ingente monto de bonos de la deuda externa a valor nominal que una vez concretado tuvo como efecto una reducción significativa de la deuda externa estatal.

Por otra parte, también la remisión de excedente al exterior por parte de los residentes locales registró una disminución inédita desde la dictadura militar. A juzgar por las estimaciones oficiales realizadas en esos años, no se trató ya de una disminución de esas transferencias sino de una significativa repatriación de capitales locales.[30]

Este aletargamiento de la salida de ahorro interno al exterior también estuvo directamente relacionado con la privatización de las empresas estatales. Para aprehender ese vínculo es preciso recordar que el *modus operandi* de los sectores dominantes en el proceso de privatizaciones, consistió en constituir una *comunidad de negocios* entre las fracciones (grupos económicos locales, empresas extranjeras y bancos transnacionales), a través de su participación en la propiedad de los consorcios privados que tomaron a su cargo la prestación de los diversos servicios públicos. Por lo tanto, la disminución o el even-

[30] Sobre este particular, se puede consultar: Ministerio de Economía y Obras y Servicios Públicos (1993). Más allá de las discrepancias en las estimaciones, es indudable que si a los resultados obtenidos en la fuga de capitales se le pudieran adicionar la entrada de capitales locales en términos de bonos y títulos destinados a ser capitalizados en la compra de las empresas privatizadas que realizan durante esos años —y figuran como Inversión Directa Extranjera en la Balanza de Pagos—, daría como resultado una repatriación importante de capital local. Desgraciadamente, dicha desagregación de la cuenta Inversión Extranjera Directa, así como los elementos para poder determinarla, no están disponibles.

tual retorno de los capitales locales invertidos en el exterior fue la contrapartida de las múltiples participaciones accionarias en los nuevos consorcios que adquirieron los grupos económicos locales, es decir de la fracción dominante local que conducía el conjunto de la oligarquía argentina. Su incidencia en la fuga de capitales al exterior fue tan importante que, como mínimo, se detuvo cuando destinaron ese excedente a la compra de activos públicos a precios subvaluados, a pesar de que, como ocurrió en 1992, la relación entre la tasa de interés interna *versus* la internacional llegó a los niveles más elevados del período, exceptuando el año 2001, en un contexto en que el riesgo de una devaluación era mínimo porque se estaba firmando el acuerdo por el Plan Brady. De esta manera, durante los primeros años el impacto de las privatizaciones fue definitorio en la reducción de la fuga de capitales y de la deuda externa, neutralizando el efecto de la elevada relación entre las tasas de interés interna e internacional que operó en el sentido contrario sobre ambas variables.

En la segunda etapa (1994-1997) la evolución del proceso fue claramente diferente, porque los dos factores (las transferencias de capital y el diferencial de las tasas de interés) que definían el comportamiento de la valorización financiera ejercieron su influencia alternativa e, incluso, superpuestamente. Las evidencias empíricas indican que durante los dos primeros años de esta etapa tanto el endeudamiento externo como la fuga de capitales respondió al comportamiento de la relación entre las tasas de interés interna e internacional. No obstante, posteriormente al efecto que ejerció dicha fuga se le sumó otro, vinculado al auge de las transferencias de capital que se desplegó ahora dentro del sector privado —específicamente entre las diferentes fracciones del capital oligopólico— y que es preciso analizar con cierto detalle.

Las evidencias empíricas del Gráfico nº 6.3 destacan otro de los rasgos que caracterizaron el proceso de privatizaciones: la notable rapidez de su implementación. Sin embargo, cuando dicho proceso decayó drásticamente (1994) ya estaba en marcha otro, que se sustentaba en las transferencias de la propiedad de empresas oligopólicas entre las diversas fracciones de los sectores dominantes, cuya importancia fue creciente en los años posteriores.[31]

El primer rasgo distintivo de estas transferencias de capital es el de haber sido un proceso que involucró la venta de una cantidad muy significativa de grandes empresas oligopólicas líderes en sus respectivas actividades pero, al mismo tiempo, estuvo estrechamente vinculado a las privatizaciones de las empresas estatales porque estas empresas, a medida que transcurría el tiempo y se

[31] Véase E. M. Basualdo (2000); también M. Kulfas (2001); Centro de Estudios de la Producción (2000).

incrementaba el monto de las transferencias, se constituyeron como su núcleo central. Tanto es así, que los últimos años de esta etapa y la posterior pueden caracterizarse como "la segunda vuelta de las privatizaciones".[32]

Gráfico N° 6.3: Evolución de los ingresos por privatizaciones o compraventa de empresas privadas, y fuga de capitales locales al exterior, 1990-2001 (en miles de millones de dólares)

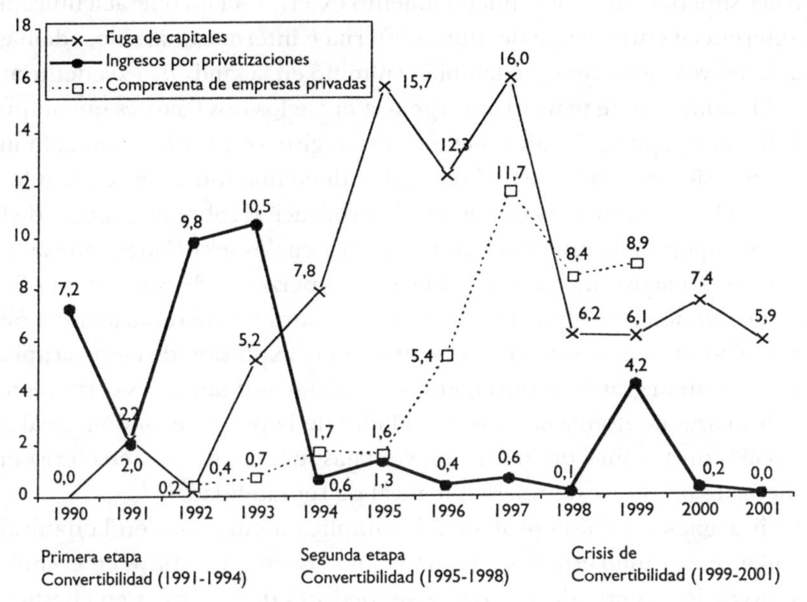

Fuente: Elaboración propia sobre la base de información del Área de Economía y Tecnología de FLACSO y el CEP.

El otro rasgo particular de este proceso es que se trató de transferencias de capital en las cuales, predominantemente, la fracción dominante local fue la vendedora y el capital extranjero el comprador. De esta manera se operó una reversión de la disminución de la incidencia del capital extranjero registrada durante los años ochenta, pero de tal magnitud que este último período es ca-

[32] Sobre el particular, M. Kulfas (2001) concluye: *"Uno de los aspectos centrales relacionados con el proceso de fusiones y absorciones es la estrecha relación que posee con la reestructuración ocasionada por el proceso de privatizaciones [...] Mientras que durante los primeros años de la década, cuando se concreta el grueso de las privatizaciones, dicho tipo de operatoria resulta marginal (sólo el 3,6% de las operaciones se vinculan con la reestructuración en empresas y sectores privatizados), en el bienio 1995-1997 se eleva a un promedio del 19% y en el trienio 1997-1999 se transforma en mayoritaria con el 52%"* (p. 32).

racterizado como el de "la extranjerización de la economía argentina". No obstante, ese predominio extranjero no implicaba la inexistencia de adquisiciones por parte de la *oligarquía diversificada* que, si bien era minoritaria, adquirió una relevancia estratégica en los años posteriores al insertarse en las principales producciones agroexportadoras.

En este contexto, resulta comprensible la notable magnitud que alcanzó la salida de capitales locales entre 1995 y 1997 y los menores niveles —pero de todos modos significativos— alcanzados en los años posteriores, en la mayoría de los cuales superó el nivel del endeudamiento externo. Ya no operaba únicamente el diferencial entre la tasa de interés interna e internacional sino, además, la venta de activos fijos cuyo ciclo también culminó en la salida de excedente al exterior. El momento de mayor convergencia entre los dos factores que impulsaban la fuga de capitales locales al exterior se registró en 1997, punto culminante de la transferencia de activos fijos y del endeudamiento externo privado.

Hasta el momento se ha omitido toda explicación sobre un aspecto de fundamental importancia, como las razones por las cuales se considera que la transferencia de un activo fijo es asimilable a una operación de valorización financiera y no, como lo indicaría la experiencia histórica, una reestructuración de la propiedad en la economía real que expresa la expulsión de ciertos capitalistas que enfrentan graves inconvenientes económicos-financieros o, simplemente, su desplazamiento hacia otras actividades de la propia economía real (tecnológicas, condiciones del mercado, ventajas institucionales, etcétera) en la búsqueda de un mejor o más estable nivel de rentabilidad.

La indagación de esta problemática implica incursionar en la naturaleza particular que asumió este fenómeno y la manera en que influyó en el comportamiento de los compradores y de los vendedores de las firmas en cuestión.

Una característica insoslayable es que, salvo casos excepcionales, las empresas que se transfirieron exhibían las mayores rentabilidades de la economía real o, en el peor de los casos, de sus respectivas actividades. Dado que esto ocurría en el contexto del régimen de Convertibilidad, estas empresas tenían, además, una elevada rentabilidad en dólares, lo cual determinó que fueran altamente rentables en términos internacionales. De allí el interés de los capitales extranjeros por acceder a su propiedad.

En términos históricos, la venta de empresas oligopólicas con alta rentabilidad planteó un proceso inédito. Por cierto, en etapas anteriores se habían registrado transferencias de empresas, pero originadas en una situación económica-financiera muy comprometida de las empresas involucradas. En este caso ocurrió lo contrario, porque se vendieron las empresas que, salvo excepciones, no enfrentaban situaciones de crisis económico-financiera y obtenían la rentabilidad más elevada en sus sectores de actividad. Se trata de un punto en común a todas ellas, aunque resultado de situaciones diversas, de peculiar relevancia porque el precio de venta del activo fijo es una función directa de su nivel de rentabilidad.

Por ser empresas de elevada rentabilidad relativa, su precio de venta implicó significativas *ganancias patrimoniales*, aunque potenciales —y por lo tanto pasibles de desaparecer ante cambios significativos en los precios relativos como, por ejemplo, una devaluación del signo monetario—, a menos que se realizara su venta, que es lo que ocurrió. Como el objetivo era realizar esas ganancias patrimoniales y no invertir en otras actividades económicas, el método para conservarlas en las monedas de los países centrales fue remitirlas al exterior para independizarlas de los vaivenes de los precios relativos internos —especialmente del tipo de cambio— en una etapa de creciente sobrevaluación del peso. De esta manera, un activo fijo cambia de naturaleza y queda subsumido en la lógica de la valorización financiera.

Por cierto, las bases para obtener *ganancias patrimoniales o de capital* mediante la enajenación de firmas prestadoras de los servicios públicos privatizados o de aquellas que actuaban en la producción de bienes, fueron diferentes. En las ventas de las empresas privatizadas, en el contexto de un régimen convertible, las *ganancias patrimoniales* se originaron en dos procesos sucesivos. El primero consistió en el escaso monto que percibió el Estado por la venta o concesión de sus empresas a los sectores dominantes, por la convergencia de una marcada subvaluación de los activos públicos y por la aceptación de que una parte muy significativa del pago se realizara con bonos de la deuda externa a valor nominal y no de mercado (capitalización de bonos de la deuda externa). A este reducido precio inicial, le siguió otro proceso que consistió en la implementación de sucesivas renegociaciones de los contratos originales, que sistemáticamente estuvieron orientadas a garantizar un aumento de la rentabilidad empresaria. A estas renegociaciones se sumaron los notorios incumplimientos de los consorcios privados que operaban en el mismo sentido (indexación en dólares de las tarifas, incumplimientos en términos de las inversiones comprometidas, así como en el traslado de reducciones impositivas y los incrementos de productividad a las tarifas, etcétera).

La conjunción de ambos factores determinó la emergencia de elevadas ganancias patrimoniales, aunque no inmediatamente sino varios años después de la transferencia de los activos públicos, una vez que lograron consolidar una elevada rentabilidad. Por eso, la venta de las participaciones accionarias en estos consorcios privados comenzó a realizarse desde mediados de la década de los noventa en adelante.

Un ejemplo permite constatar la magnitud que alcanzaron las ganancias patrimoniales en este tipo de transferencias de capital. Al respecto, en el Cuadro nº 6.8 consta una estimación de las ganancias corrientes y patrimoniales obtenidas por algunos integrantes de las fracciones del capital dominante que participaban en la propiedad de las empresas distribuidoras o transportadoras de gas surgidas a partir de la privatización de Gas de Estado y que posteriormente vendieron dichas tenencias accionarias.

Aun sin un análisis pormenorizado, es insoslayable destacar el elevado rendimiento (ganancias patrimoniales + ganancias corrientes) obtenido por los grupos económicos controlantes, que en ningún caso fue inferior al 20% anual acumulativo sobre el capital invertido, llegando la del CEI Citicorp Holdings en Transportadora de Gas del Sur al 84% anual acumulativo sobre el capital invertido inicialmente. No se trata de hechos excepcionales: en los restantes servicios se repitieron tasas de rentabilidad similares, ya que en todos los casos —salvo excepciones— el nivel extraordinariamente alto de las ganancias fue resultado del bajo precio inicial de los activos públicos y de la gran magnitud de sus ganancias corrientes, y provocó que algunos integrantes de la *oligarquía diversificada* transfirieran al capital extranjero no solamente sus te-

Cuadro nº 6.8
Estimación de las ganancias corrientes y patrimoniales
de un conjunto seleccionado de conglomerados empresarios
que participaron en la adquisición de Gas del Estado
(en porcentajes y millones de dólares)

	Grupo Pérez Companc	Grupo Soldati	CEI Citicorp Holdings		Grupo Socma/Macri
Empresa prestataria	Metrogas	Gas Natural Ban	Transportadora de Gas del Sur	Camuzzi y Gas del Sur Pampeana	Distribuidoras de Gas del Centro y Cuyana
Participación accionaria	17,5%	17,5%	17,5%	22,5% y 17,5%	67,5% y 45%
(I) Inversión inicial*	52	27	62	75	148
Año de la venta	1998	1999	1996	1996 y 1997	1997 y 2000
(II) Monto de la venta	109	74	251	93	323
(III)=(II)-(I) Ganancias patrimoniales	57	47	189	18	174
(IV) Ganancias corrientes acumuladas**	49	55	119	70	127
(V)=(III)+(IV) Ganancias totales	106	102	307	88	301
Rendimiento anual de la inversión total	28%	35%	84%	21%	20%

* El monto de la inversión inicial surge del producto entre el importe abonado al Estado por el consorcio controlante de cada empresa en el momento de la adjudicación de la empresa y la cuota parte de capital con que el conglomerado participó originalmente en la misma.

**Se trata de la proporción de las utilidades netas de las empresas que le correspondió a cada propietario en función de su participación accionaria en el consorcio controlante hasta el momento en que se desprende de su propiedad. En el caso de las participaciones del grupo Socma/Macri en las distribuidoras Cuyana y del Centro, se consideraron las ganancias acumuladas del período 1993-1999.

Fuente: Área de Economía y Tecnología de FLACSO sobre la base de los balances de las empresas.

nencias accionarias en las empresas privatizadas sino, incluso, la totalidad de sus activos fijos. En este sentido, el caso paradigmático fue el grupo económico Astra, que le transfirió a Repsol la totalidad de sus empresas.

En el caso de las empresas productivas, desvinculadas de la privatización de las empresas estatales, las *ganancias patrimoniales* provinieron del valor de mercado en el momento de la venta respecto de la valuación media histórica de la empresa, evaluada en dólares. El diferencial entre ambos parámetros se puso de manifiesto muy rápidamente a partir de la vigencia del régimen convertible porque, durante los primeros años, se expandió el consumo y comenzó la apreciación del peso que impactó de inmediato sobre el valor del activo fijo en dólares y su efecto sobre la estructura de costos fue neutralizado, al menos parcialmente, por la ya mencionada "devaluación fiscal". Por esta razón, las transferencias de capital dentro de los sectores dominantes comenzaron con operaciones que involucraban firmas productivas oligopólicas, desvinculadas de la privatización de las empresas estatales pero contemporáneas con el momento álgido de este último proceso.

Así por ejemplo, de acuerdo con la información disponible entre las primeras transferencias de propiedad significativas estuvo el Establecimiento Modelo Terrabusi SA, firma líder en la producción de alimentos que, a comienzos de 1994, fue vendida por el grupo económico Montagna-Terrabusi, integrante de la fracción de la *oligarquía diversificada*, a RJR Nabisco (capitales norteamericanos) por alrededor de 230 millones de dólares. Si bien el grupo posteriormente adquirió alrededor de 10 mil hectáreas en la provincia de Buenos Aires, las que se sumaron a las 15 mil hectáreas que ya controlaba en ese distrito, no hay evidencias de que el grueso de esos fondos se haya reinvertido en el país.[33]

Sin lugar a dudas, como se observa en los ejemplos analizados y en otros innumerables ejemplos, la *oligarquía diversificada* fue partícipe central en esta acentuada transferencia de propiedad de activos fijos que tuvo lugar en los años noventa. No obstante, es importante señalar que dicha participación no implica que esta fracción del capital haya desaparecido de la economía real. En realidad, al mismo tiempo que disminuyó su participación en la producción de bienes y servicios, su inserción productiva se concentró crecientemente en la elaboración de bienes exportables, debido a las ventajas comparativas naturales que exhibía el país, las cuales tenían una reducida demanda de bienes importados, en un contexto en el que las grandes firmas eran las únicas superavitarias en términos de la Balanza Comercial del país.

[33] Para un análisis detallado de las propiedades agropecuarias de este grupo económico, véase E. M. Basualdo, J. H. Bang y N. Arceo (1999).

En el Cuadro nº 6.9 consta el saldo comercial obtenido por el país y por las 200 firmas de mayor facturación según las diferentes fracciones del capital. Centrando la atención únicamente en la problemática tratada, se percibe claramente que las 200 grandes firmas —en realidad, no más de cien de ellas— tienen un saldo de su balanza comercial sistemáticamente positivo que tiende a elevarse durante el período analizado, mientras que el del resto de la economía es negativo.

Cuadro nº 6.9
Distribución del saldo comercial total y de las 200 empresas de mayores ventas según tipo de capital (en millones de dólares)

	Saldo de la Balanza Comercial del país			Saldo de la Bza. Comercial de las 200 empresas de mayores ventas				
	Total del país	200 empresas de mayores ventas	Resto de la economía	Grupos Económicos	Conglomerados Extranjeros	Empresas Locales Independientes	Empresas Extranjeras	Asociaciones
1993	-2.364	2.736	-5.100	1.211	143	535	1.231	-384
1994	-4.139	2.348	-6.487	1.614	107	422	858	-653
1995	2.357	5.858	-3.501	2.994	326	603	1.394	541
1996	1.760	7.498	-5.739	3.357	1.025	929	1.349	838
1997	-2.123	8.080	-10.203	3.332	1.301	843	1.697	907
1998	-3.097	9.046	-12.143	2.183	2.069	794	2.585	1.414
1999	-795	7310	-8.105	2.410	2.160	484	1.871	385
2000	2.558	8.429	-5.871	2.782	1.909	615	2.507	616

Fuente: Elaboración propia sobre la base de la revista *Mercado* e información del INDEC.

Al considerar ahora la distribución de ese superávit comercial que obtuvieron las grandes firmas oligopólicas de la economía local, se percibe que la *oligarquía diversificada* (grupos económicos) es la fracción que a partir de 1994 encabezó las posiciones. En otras palabras, si bien la *oligarquía diversificada* resintió su influencia en la economía real, permaneció inserta, especialmente en la producción de bienes exportables, con una escasa incidencia de los productos importados en sus insumos.

6.2.3 Los proyectos dominantes alternativos al régimen convertible en un contexto de restricciones al endeudamiento externo (1998-2001)

En conjunto, todos estos elementos delimitan dos grandes etapas cuyas características son contrapuestas. La primera (1990-1993) se constituyó a partir de la privatización de las empresas estatales, lo que definió, por primera vez en el país, la formación de una comunidad de negocios entre las tres fracciones centrales del capital (grupos económicos, firmas extranjeras y banca transnacional). A su vez, la participación de la *oligarquía diversificada* en la propiedad de los nuevos consorcios prestadores de servicios públicos trajo aparejada una reducción de la fuga de capitales locales al exterior —o incluso una repatriación de una parte de los recursos fugados anteriormente. Finalmente, debido a la acentuada participación de la capitalización de los bonos de la deuda externa (rescate de títulos de la deuda externa), disminuyó la deuda externa total.

Así como la primera etapa se desarrolló sobre la base de la conformación de una comunidad de negocios, la segunda (1994-1997) se caracterizó por la disolución de esa asociación y por un auge generalizado de las transferencias de la propiedad de las grandes empresas oligopólicas al capital extranjero por parte de capitales locales en general, y la *oligarquía diversificada* en particular. Esta última, al tiempo que disminuyó su importancia en la economía real por la venta de sus activos fijos, acentuó su inserción estructural en la producción de bienes exportables con escasa demanda de insumos importados, lo cual la ubica como la fracción del capital con mayor superávit en su balanza comercial. La convergencia de la generalizada realización de ganancias patrimoniales por la venta de empresas y participaciones accionarias con el diferencial entre la tasa de interés interna e internacional, determinaron un auge inaudito del endeudamiento externo y de la fuga de capitales locales al exterior que, a partir de 1998, junto con las crecientes expectativas de una devaluación, establecieron el agotamiento de la Convertibilidad.

Desde el punto de vista del capital en su conjunto (financiero y productivo), su composición fue modificada durante la primera etapa por la *oligarquía diversificada,* al incrementar la participación del capital fijo dentro del capital total en detrimento de su tenencia de activos financieros, especialmente en el exterior. Por el contrario, durante la segunda etapa implementó el movimiento contrario, pero ampliado significativamente —porque medió el proceso de valorización financiera y de ganancias patrimoniales— y, al mismo tiempo, intensificó su inserción en la economía real en aquellas producciones que exhibían un elevado superávit en el comercio exterior. Por lo tanto, cuando se inició la crisis del régimen convertible (1998), el capital de esta fracción de los sectores dominantes estaba concentrado en activos financieros dolarizados y radicados en el exterior, y sus ingresos provenientes de las firmas controladas en el país también estaban dolarizados. Es decir, tuvieron una dolarización notablemente elevada, tanto de su *stock* de capital como de sus flujos de ingresos. El capital extranjero se ubicó en una situación opuesta: a lo largo de las dos etapas su posicionamiento sobre activos fijos fue creciente, debido a su participación en las privatizaciones, primero, y a la adquisición de empresas productivas y prestadoras de servicios públicos, después.

Esta diferente inserción estructural tuvo una gran incidencia para definir tanto el agotamiento definitivo del régimen convertible como las modalidades de su crisis, e incluso su forma de resolución. En un intento de aprehender el fenómeno en su conjunto, cabe señalar que el peculiar comportamiento de los sectores dominantes también hizo posible que este régimen haya perdurado más allá de lo previsible.

En el último cuatrienio de la Convertibilidad (1998-2001) se pusieron en marcha dos propuestas alternativas al régimen vigente que profundizaron sus diferencias a lo largo del tiempo. La alternativa de los capitales extranjeros tenía como objetivo profundizarlo, reemplazando la Convertibilidad por la dolarización. Mediante esta eventual modificación de la política económica, las subsidiarias extranjeras se asegurarían que dichos capitales mantuvieran su valor en dólares, evitando sufrir pérdidas patrimoniales sobre los recursos invertidos. Asimismo, la banca transnacional radicada en el país evitaría que sus deudas en dólares (depósitos) se acrecentaran en pesos y sufrieran pérdidas por incobrabilidad por sus préstamos en dólares.

La otra propuesta era impulsada por la *oligarquía diversificada* (grupos económicos y algunos conglomerados extranjeros) y tenía como objetivo central salir de la Convertibilidad mediante una devaluación de la moneda local. Salta a la vista, y se corrobora por la experiencia posterior, que este tipo de política económica generaría los efectos contrarios a la anterior, infligiéndole pérdidas patrimoniales al capital extranjero y potenciando en la moneda local el poder económico de la *oligarquía diversificada*, ya que sus recursos en el exterior y los ingresos corrientes de su saldo comercial estaban dolarizados. La potencia de esta propuesta, que finalmente fue la que prevaleció, radicaba en que no se sustentaba sólo en los intereses particulares de la oligarquía diversificada sino en los de la oligarquía argentina en su conjunto, porque los efectos redistributivos de una devaluación también la beneficiaban. Sin embargo, su preeminencia no radicaba únicamente en factores económicos sino también políticos debido a la notable consolidación del *transformismo argentino* a partir del Pacto de Olivos.[34]

[34] Respecto del *transformismo argentino*, véase E. Basualdo (2001).

Los efectos macroeconómicos de la alternativa devaluacionista tienen una notable importancia, porque las pérdidas patrimoniales que implicaron sobre el capital extranjero operaron sobre un *stock* de inversiones que rondaba los 120 mil millones de dólares, mientras que las eventuales ganancias de la oligarquía en general y de su fracción diversificada en particular estaban vinculadas al *stock* de los capitales invertidos en el exterior por residentes locales y alcanzaban, aproximadamente, a 140 mil millones de dólares, así como a los ingresos corrientes derivados del saldo comercial. Asimismo, sus efectos sobre los sectores populares son obvios y, dada la experiencia reciente, huelgan los comentarios.

Durante los últimos años de la Convertibilidad, a partir de esta condensación de intereses contrapuestos dentro de los sectores dominantes en el sector externo de la economía, se desplegó un conjunto de contradicciones acerca de los ejes centrales de la sociedad argentina: el formato institucional, la inserción internacional, el papel y la jerarquía de las instituciones intermedias, etcétera. En efecto, del análisis de los elementos que fueron integrando las propuestas enfrentadas se puede percibir que se trató de planteos que no se agotaban en la reivindicación de intereses económicos inmediatos sino que tenían un horizonte de largo plazo que, mediante la constitución de alianzas sociales alternativas, buscaban detentar la hegemonía en la sociedad. Para lograrlo, cada alianza integró alguna de las reivindicaciones que sostenían los sectores populares, pero vaciadas y reprocesadas en función de los intereses de la fracción dominante que la impulsaba. Así, la vertiente que propugnaba la dolarización reivindicaba la necesidad de replantear el *transformismo argentino* y la lucha contra la pobreza para incrementar la incidencia política de los sectores que la sustentaban y asegurar la viabilidad de la dominación. Por su parte, los sectores que impulsaban la devaluación enarbolaban la necesidad de reactivar la producción y de desconocer la deuda externa, consolidando el *transformismo* para poder ampliar su esfera de influencia en la economía real. Este proceso de apropiación y reprocesamiento de las reivindicaciones populares introdujo un alto grado de complejidad y confusión que tuvo como objetivo oscurecer el hecho de que ninguna de las propuestas dominantes incorporó, ni siquiera insinuó, algún elemento que indicara la voluntad de profundizar el proceso democrático mediante la participación popular y la redistribución progresiva de los ingresos.

6.3 Hitos y características del endeudamiento externo y la transferencia de recursos locales al exterior durante la Convertibilidad

6.3.1 El Plan Brady y el nuevo ciclo de endeudamiento externo del sector público

Hacia fines de la década de los años ochenta, los países de la región presentaban severos inconvenientes en sus respectivos sectores externos. A partir de mayo de 1988, el sector público argentino cesó todo tipo de pago derivado del endeudamiento con el exterior, incursionando en una "moratoria de hecho" que se prolongó hasta diciembre de 1992. El primer paso para la "normalización" de las relaciones con los acreedores externos se concretó con el proceso de privatización de las empresas estatales, con un alto grado de capitalización de los bonos de la deuda externa, y culminó con la firma del último acuerdo relevante con los acreedores externos: el Plan Brady.[35]

Desde una perspectiva de largo plazo, caben pocas dudas acerca de que el Plan Brady fue parte de una "política de Estado" por parte de los países centrales, especialmente de los EE. UU. Como se analizó, el grado de exposición y de vulnerabilidad de los bancos acreedores a principios de la década anterior era extremadamente elevado y una eventual moratoria de varios países latinoamericanos hubiera tenido efectos devastadores sobre el sistema financiero de los países centrales, ya que sus principales bancos comerciales eran, al mismo tiempo, los principales prestamistas de la región.

Inicialmente, como parte de esa política, las autoridades norteamericanas pusieron en marcha medidas regulatorias que obligaban a los bancos comerciales a establecer reservas que les permitieran enfrentar esos eventuales incumplimientos. Una vez establecidas, a mediados de esa década se puso en marcha el Plan Baker, cuyo objetivo central era posibilitar que los bancos acreedores recuperaran el capital adeudado mediante la aplicación de los programas de capitalización de bonos de la deuda externa asociados a la privatización de las empresas estatales, debido a que las divisas disponibles por parte de los países latinoamericanos no alcanzaban ni siquiera a cubrir los intereses de-

[35] En términos estrictos, la cesación de pagos del sector público se aplicó entre abril de 1988 y abril de 1989, ya que desde esta última fecha hasta febrero de 1991 el Estado le transfirió a los acreedores 40 millones de dólares mensuales que se incrementaron progresivamente (60 millones de dólares entre marzo de 1991 y mayo de 1992; 70 millones de la misma moneda entre junio de 1992 y febrero de 1993; y 92 millones de marzo de 1993 en adelante). Al respecto, véase IDEP (febrero de 1993).

vengados. Sin embargo, al mismo tiempo que se agravaba la situación de insolvencia de los países latinoamericanos, la aplicación de estas reformas estructurales avanzaba muy lentamente, tanto por la reticencia de los bancos transnacionales a otorgar nuevo financiamiento como por las resistencias que surgieron en los países deudores para privatizar sus activos públicos.

Bajo estas circunstancias, el Plan Brady —anunciado por el Secretario del Tesoro de EE. UU. en marzo de 1989— constituyó un nuevo intento para lograr que los bancos comerciales cobraran el capital y los intereses adeudados por los países latinoamericanos y, sobre esa base, pudieran abandonar su alto nivel de exposición, dejando de ser los principales financistas de la región.

En relación con el mercado financiero internacional, la creciente importancia de los nuevos intermediarios financieros, los fondos de inversión y los fondos de pensión, planteaban la posibilidad cierta de disminuir drásticamente el alto nivel de exposición de los bancos transnacionales.

Asimismo, el lanzamiento de este plan trajo aparejadas nuevas y relevantes modificaciones en las normas que regulaban el sistema financiero de los países centrales. Así, por ejemplo, las autoridades norteamericanas establecieron que la conversión de la deuda en nuevos bonos, con reducción de capital o de intereses, se trataría como una modificación del contrato de crédito existente. Por lo tanto, los bancos no quedaban obligados a reconocer pérdidas de capital, siempre que el valor nominal de los reembolsos fuera inferior al valor nominal de libro de los préstamos otorgados.[36]

Antes de abordar el análisis de las peculiaridades del Plan Brady, es importante mencionar que a esta "política de Estado" le sucedió otra no menos relevante que ya no estaba destinada a preservar la estabilidad de la economía interna sino a garantizar su expansión en la región mediante el establecimiento de mercados cautivos. El primer paso en este sentido, lo constituyó el acuerdo establecido con Canadá y México (NAFTA), primer antecedente del propuesto para el conjunto de la región (ALCA) y que se encuentra en plena negocia-

[36] Cabe destacar que estas modificaciones normativas también se registran en los otros países centrales. Así, por ejemplo, en la Síntesis Informativa Económica y Financiera del Banco Provincia de Buenos Aires de mayo-agosto de 1992, se mencionan las siguientes: *"Reino Unido: En agosto de 1989, las autoridades decretaron que la opción mexicana de bonos con descuento no necesitaría, inicialmente, reservas por posibles pérdidas; éstas sí se exigirían, en cambio, para las operaciones de bonos a tasas fijas y los nuevos préstamos. Existe así un claro incentivo para que los bancos del país participen en el ejercicio de reducción del endeudamiento. Japón: En octubre de 1989, el Ministerio de Finanzas otorgó a los bancos del país beneficios tributarios en relación con las pérdidas que podría acarrear su participación en la conversión de deuda mexicana en bonos. Francia: Las autoridades francesas eliminaron la obligación de castigar los activos en caso de aceptar bonos al valor nominal de la deuda. Tampoco mantuvieron la exigencia de reservas, si los bonos permanecían en la cuenta de inversión del banco. Asimismo, establecieron que se podrían cancelar a lo largo de la vigencia de la deuda reestructurada las obligaciones tributarias sobre aquellas reservas para posibles pérdidas por préstamos que sobrepasaran las requeridas para la reducción de la deuda."* (p. 28).

ción con los países latinoamericanos. Ambas políticas se sustentaban en mantener la mayor apertura posible, tanto en el mercado de bienes como de capitales de las economías latinoamericanas para, de esta manera, consolidar el predominio norteamericano en la región.[37]

El Plan Brady no sólo incorporó innovaciones para que los bancos comerciales accedieran a él, sino que estableció otras que posibilitaban su aceptación por parte de los países deudores. En este sentido, un elemento clave fue la escasa disponibilidad de divisas en la región, porque les limitaba a los deudores las posibilidades de enfrentar el costo de incorporarse al nuevo plan y les determinaba a los acreedores un alto coeficiente de riesgo por eventuales incumplimientos futuros.

Para superar ambas restricciones, el Plan Brady incorporó como instrumento de pago los bonos del Tesoro de EE. UU. cupón cero a 30 años, los cuales, al no pagar intereses sino capitalizar a lo largo del tiempo, les permitía a los deudores reducir muy significativamente el costo inicial, y a los acreedores tener garantizado el cobro de la deuda al final del período. Sin embargo, dichos bonos actuaban como garantía de pago del capital de los bonos emitidos por el Estado por los mismos plazos, que eran los que pagan interés anualmente, ya que los devengados por los anteriores se capitalizaban. Al mismo tiempo, la utilización de este tipo de bonos trajo aparejada la institucionalización de una relevante forma de financiamiento para el propio Tesoro norteamericano.

Por otra parte, como una manera de hacer más atractiva la incorporación de los países deudores al plan, se estableció la utilización tanto de los bonos con tasa de interés fija y sin descuento como de aquellos con descuento y tasa de interés variable. En estos últimos se originó la famosa quita potencial sobre la deuda externa estatal que supuestamente introdujo como novedad el Plan Brady.

Finalmente, se replantearon algunas de las normas que regían el comportamiento del FMI y del Banco Mundial hasta ese momento, estableciéndose que el otorgamiento de nuevo financiamiento ya no requería que los países deudores contaran con el financiamiento de los bancos comerciales y que el nuevo financiamiento podía utilizarse para establecer garantías de pago sobre el capital y los intereses adeudados.

Sobre esta base, la primera experiencia del Plan Brady fue la renegociación de la deuda pública mexicana en 1989 y de la venezolana en 1990. En el caso de la Argentina, las negociaciones se iniciaron en abril de 1991 y se firmó el acuerdo Brady en diciembre del mismo año, siguiendo los lineamientos generales del Plan pero también, de acuerdo con la información disponible, con algunas peculiaridades que es pertinente tener en cuenta.

[37] Respecto del ALCA, véase E. Arceo (2002).

Tal como se observa en el Cuadro nº 6.10, el monto del capital adeudado por el sector público rondaba los 24 mil millones de dólares, a los cuales hay que sumarles 8.310 millones de la misma moneda por los intereses atrasados. No obstante, es relevante tener en cuenta que el acuerdo Brady se puso en marcha antes de la firma del acuerdo en sí mismo porque previamente se les entregó a los bancos acreedores 2.620 millones en bonos estatales para ser utilizados en el programa de capitalización de deuda pública vinculado a la privatización de las empresas estatales (específicamente en la privatización de Segba y Gas del Estado). La importancia de este hecho radica en que puso de manifiesto que la firma del acuerdo Brady estaba condicionada a la aplicación previa del Plan Baker, cuyo núcleo central era la privatización de los activos fijos del sector público. De hecho, previamente a la firma del Plan Brady ya se habían capitalizado más de 5.000 millones de dólares con motivo de la privatización de la empresa estatal de telecomunicaciones (ENTEL).

De acuerdo con los lineamientos generales del Plan Brady, en el caso argentino las negociaciones entre el gobierno argentino y los bancos acreedores giraron en torno a dos bonos cupón cero del Tesoro norteamericano: los bonos con descuento emitidos con una quita del 35% con una tasa de interés flotante (tasa libor más 0,81%) con un único pago al final de los 30 años; y los bonos a la par que no contemplaban ninguna reducción y tenían una tasa de interés fija (se incrementaba progresivamente en los 6 primeros años del 4 al 5,75% y al 6% del séptimo año en adelante) con un único pago al final de los 30 años. Los resultados obtenidos en la negociación de las autoridades económicas con los trece principales bancos acreedores (“*Steering Committee*”) expresaban una clara preferencia por los bonos sin descuento (65% del monto total). Es decir, que los bancos optaron decididamente por maximizar el cobro de intereses en el corto plazo, ya que la tasa inicial superaba la vigente en el mercado internacional.[38] Por otra parte, el costo inicial del Brady (3.650 millones de dólares) se financió con un incremento del endeudamiento estatal con los organismos internacionales (2.880 millones de dólares) y sólo 770 millones de esa moneda en efectivo.

Finalmente, las evidencias disponibles indican que debido a la escasa proporción de bonos con descuento, la *famosa* quita del acuerdo Brady alcanzó a 2.660 millones de dólares que representaban sólo el 8,1% del monto total negociado (32.670 millones entre capital e intereses) y el 3,6% de la deuda externa total del sector público no financiero (73,9 miles de millones de dólares).

[38] Sobre el particular, el IDEP (febrero de 1993) destaca: “... *la tasa de interés fija, contenida en el Bono a la Par, se ubica en la actualidad por encima de la Libor (4% respecto de 3,5% anual) y la perspectiva —al menos desde los acreedores— es que esta relación se mantendrá a mediano plazo. En suma, eliminado el riesgo de cobre de capital, los bancos optan por percibir en lo inmediato más intereses*” (p. 34).

Además, desde el punto de vista del sector público, esa quita no solamente fue poco significativa sino que desapareció debido al nuevo endeudamiento externo con los organismos internacionales que concretó el sector público para financiar el costo inicial de este Plan.

Cuadro nº 6.10
Plan Brady: deuda externa estatal comprometida, costo inicial y forma de financiamiento, 1992 (en millones de dólares)

***Capital adeudado (deuda externa pública)**	**24.360**
Bonos para las privatizaciones (anterior al acuerdo)	2.620
***Capital adeudado sin privatizaciones**	**21.740**
Bonos del Tesoro de EE.UU. a la par	14.130
Bonos del Tesoro de EE.UU. con descuento	4.950
*** Reducción de capital por descuento**	**2.660**
*** Capital adeudado pagado por el Plan Brady**	**19.080**
*** Intereses adeudados (deuda externa pública)**	**8.310**
Bono estatal a 12 años con tasa libor + 0,81%, pago semestral	7.610
En efectivo	400
Bono del Tesoro de EE.UU.	300
*** Costo inicial del Plan Brady**	**3.650**
Bonos del Tesoro de EE.UU. (a la par y con descuento)	2.180
Intereses del primer año de los bonos	770
Intereses atrasados	700
En efectivo	400
Bonos del Tesoro de EE.UU.	300
*** Financiamiento del costo inicial del Plan Brady**	**3.650**
Organismos Internacionales	2.880
FMI (tramo de facilidades extendidas)	1.040
BID	640
Banco Mundial	750
Eximbank (Japón)	450
Pago en Efectivo	770

Fuente: Elaborado sobre la base de información del IDEP de ATE.

La afirmación de que en el caso argentino el acuerdo del Brady no implicaba disminución alguna de la deuda externa pública discrepa notablemente con las estimaciones realizadas por distintos especialistas, que estimaron que la quita oscilaría entre 7 mil y 11 mil millones de dólares, según el criterio utilizado.[39]

Estas evaluaciones, además de no computar el costo devengado por el endeudamiento con los organismos internacionales y de adoptar "supuestos heroicos", trabajaban sobre proyecciones de distinta índole —en un caso, comparando lo pagado en el Brady con lo que se habría pagado en el caso de que no se hubiese concretado y en el otro con la tasa implícita en los bonos norteamericanos. De allí que una de sus principales restricciones fue que ninguna se cumplió porque los bonos Brady se fueron cancelando durante la década analizada (Gráfico nº 6.4).

Gráfico N° 6.4: Evolución de la deuda externa pública con y sin Brady, 1992-2001 (en miles de millones de dólares y porcentajes)

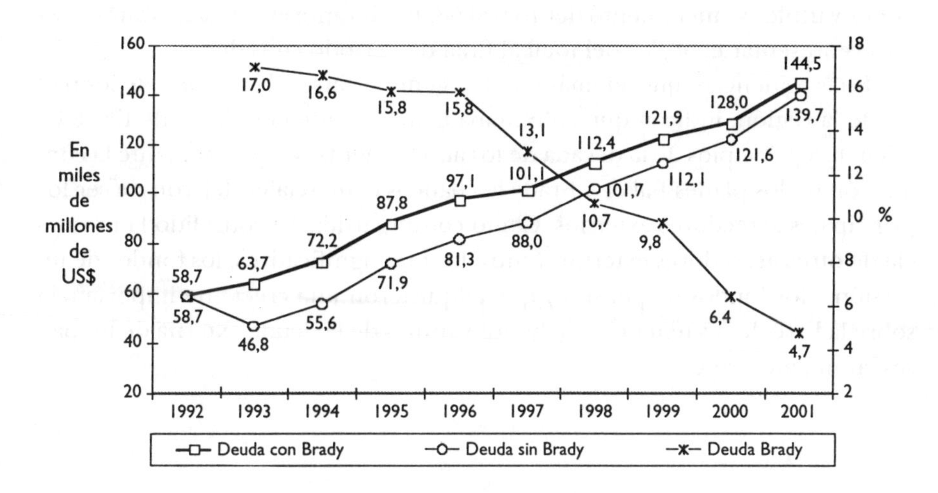

Fuente: Elaboración propia sobre la base de información del Ministerio de Economía.

[39] Al respecto, véase C. Dal Din y N. López Isnardi (junio de 1998) y J. L. Maia (abril-junio de 1993). En ambos casos se trata de resultados obtenidos mediante proyecciones basadas en los parámetros vigentes en ese momento (tasas de interés, plazos, etc.) que luego no se convalidaron en la realidad.

En efecto, tal como lo muestran estas evidencias empíricas, el *stock* de bonos Brady descendió sistemáticamente, y su reducción se aceleró a partir de 1996, como resultado de los sucesivos rescates anticipados que se llevaron a cabo sobre la base de nuevas emisiones de títulos. De esta manera, el monto de los bonos originales disminuyó de 17,0 a 4,7 miles de millones de dólares entre 1993 y el 2001. De esta manera, dicho rescate liberó las garantías sobre el capital (bonos del Tesoro norteamericano) pero al mismo tiempo se puede asumir, al menos como hipótesis, que permitió mejorar el perfil de los vencimientos, extendiendo los plazos pero elevando el costo del endeudamiento externo del sector público, ya fuera por un incremento en el capital o en la tasa de interés, porque, de lo contrario, los tenedores de los Bonos Brady no se habrían desprendido de ellos.[40]

Más allá del supuesto impacto de este plan sobre el nivel del endeudamiento externo, la firma del Plan Brady trajo aparejado un cambio drástico en la composición de la deuda externa del sector público.[41] Tal como se constata en el Cuadro nº 6.11, los bancos comerciales pasaron de concentrar el 52,2% de la deuda a únicamente el 2,3% entre 1992 y 1993, mientras que la deuda en bonos y títulos se incrementó del 13,6 al 58,9% durante esos mismos años y llegó a representar el 68,2% del total al final de período considerado.

Estas evidencias, que además pueden generalizarse a la mayoría de los países de la región, indican que culminaba exitosamente la política de EE. UU. iniciada a principios de la década de los años ochenta, ya que mediante la conjunción de los planes Baker y Brady los bancos comerciales dejaron de ser los principales acreedores externos. Como contrapartida, se consolidó la presencia de otros acreedores externos (entre los más significativos, los fondos de inversión y los fondos de pensión) que adquirieron una creciente importancia sobre la base de sus tenencias de bonos y títulos de la deuda externa de los países latinoamericanos.

[40] En un trabajo de C. Melconián y R. Santángelo (1996) que fue encargado por la conducción económica de ese momento, se afirma lo contrario pero computando únicamente la reducción del capital, sin tener en cuenta las diferencias en las tasas de interés que median entre dichas operaciones.

[41] Esta modificación es señalada en el interesante artículo de C. Dal Din (junio de 2000). Afirma al respecto: *"En primer lugar se ubica el mercado internacional de bonos como fuente de financiamiento externo de la economía, que representa el 43% del total neto de la década. Todos los sectores de la economía accedieron a este mercado; primero el Gobierno, que absorbió el 66% de los fondos y luego las empresas con el 25% de participación. Desde el punto de vista del Gobierno Nacional, el mercado internacional de bonos fue su principal fuente de recursos."* (p. 4).

Cuadro nº 6.11

Evolución de la composición de la deuda externa del sector público no financiero según acreedor, 1991-2000 (en porcentajes)

	Bonos y Títulos	Organismos Internacionales*	Bancos Comerciales	Otros
1991	10,9	32,2	53,5	3,4
1992	13,6	32,2	52,2	2,1
1993	58,9	37,8	2,3	0,9
1994	60,2	36,3	2,6	0,9
1995	56,8	39,7	2,8	0,7
1996	62,4	35,5	1,8	0,4
1997	65,3	32,6	1,8	0,3
1998	66,9	31,5	1,5	0,1
1999	68,2	30,6	1,1	0,1
2000	68,2	30,7	1,0	0,1

* Incluye a los acreedores oficiales.

Fuente: Elaborado sobre la base de información del Ministerio de Economía de la Nación.

Si bien la frontera entre los bancos comerciales y los nuevos acreedores no es nítida, porque en muchas ocasiones estaban interrelacionados, fue una modificación de la titularidad en la cual, en todo caso, los bancos actuaron como administradores, disminuyendo su grado de exposición y, en consecuencia, preservando los sistemas financieros de los países centrales de potenciales crisis.

Asimismo, la modificación de la composición de la deuda externa y de sus acreedores parece haber modificado el propio papel de los organismos internacionales. A lo largo del período en que los bancos comerciales habían sido los principales acreedores externos de la región, los organismos internacionales de crédito funcionaban como sus representantes políticos. La conjunción de los planes Baker y Brady, modificó su papel no sólo porque los bancos comerciales perdieron importancia sino porque los nuevos prestamistas estaban más atomizados. Por lo tanto, a lo largo de la década, los organismos internacionales operaron progresivamente en función de sus propios intereses y de los de sus principales accionistas (los gobiernos de los países centrales), tendencia que se agudizó debido a que su importancia relativa se incrementó por la volatilidad de los nuevos acreedores privados.

Este nuevo contexto, permite establecer que, partir de la firma del Plan Brady la deuda externa estatal —considerando la deuda pública emitida en moneda extranjera y no solamente la que estaba en manos de residentes extranjeros, como es la metodología seguida por las estadísticas oficiales—, se incrementó de una manera muy significativa (Cuadro nº 6.12).

Cuadro nº 6.12
Evolución y composición del endeudamiento del sector público, 1991-2001*
(en millones de dólares)

	Nuevo endeudamiento y refinanciaciones	Pagos por el capital y los intereses de la deuda externa pública				Deuda externa pública neta
		Pagos de capital** y comisiones	Pagos de intereses e intereses	Atrasos de capital	Total	
	1	2	3	4	5 = 2+3-4	6 = 1-5
1991	5.321	1.128	4.068	2.313	2.883	2.438
1992	1.734	3.005	2.835	392	5.448	-3.714
1993	20.908	6.151	2.454	-11.829	20.434	474
1994	6.142	4.363	3.123	0	7.486	-1.345
1995	12.717	1.136	4.104	0	5.240	7.477
1996	15.605	6.630	4.053	0	10.684	4.921
1997	17.943	14.780	5.795	0	20.575	-2.632
1998	22.136	14.113	6.741	0	20.854	1.283
1999	25.473	14.749	8.295	0	23.044	2.429
2000	23.496	16.458	9.796	0	26.253	-2.758
2001	29.612	16.469	10.970	0	27.439	2.173
Total	181.087	98.982	62.234	-9.124	170.340	10.746
Promedio anual	16.462	8.998	5.658	-829	15.485	977

* Se trata de la deuda externa estatal considerando como tal a la emitida en monedas de los países centrales. Por lo tanto, esta estimación de la deuda externa estatal discrepa con la estimación oficial que considera como tal a la que está en poder de residentes extranjeros.
**Incluye el rescate de bonos de la deuda externa realizado mediante la privatización de las empresas públicas.

Fuente: Elaboración propia sobre la base de información del Ministerio de Economía.

Es pertinente señalar que a partir de la firma del acuerdo se canceló la totalidad de los atrasos en el pago del principal y los intereses. De allí en adelante, el nuevo financiamiento y el refinanciamiento externo exhibió una tendencia creciente, superando los pagos realizados en concepto de amortización del capital y de intereses, lo que dio como resultado, entre 1991 y 2001 —por primera vez en muchos años—, un saldo positivo de casi 11 mil millones de dólares.

6.3.2 EL LIDERAZGO DE LAS FRACCIONES DEL CAPITAL DOMINANTE EN EL ENDEUDAMIENTO EXTERNO DEL SECTOR PRIVADO

Teniendo en cuenta que la deuda externa del sector privado es la que registró el crecimiento más acelerado —aumentó al 19,7% entre 1991 y el 2001, cuando la estatal lo hizo al 5,3% anual acumulativo—, y que fue uno de los sustentos fundamentales del funcionamiento de la valorización financiera en el régimen de la convertibilidad, es insoslayable analizar tanto los agentes económicos específicos que la sustentaron como las vías mediante las cuales se llevó a cabo.

Como las cifras oficiales resultan insuficientes para identificar a los deudores externos privados, se utiliza una base de datos específica compuesta por las operaciones de endeudamiento externo de las firmas privadas no financieras, contraído en forma directa o mediante la emisión de títulos y obligaciones. Tal como se verifica en el Cuadro nº 6.13, al confrontar los resultados de la base de datos con las cifras oficiales se comprueba que son altamente representativos en relación con el endeudamiento externo de este sector clave en el funcionamiento de la economía interna.[42]

Los resultados de la base de datos elaborada en el Área de Economía y Tecnología de FLACSO, permiten determinar la existencia de alteraciones en la composición de la deuda externa privada o, desde otra perspectiva, en la forma de financiamiento de las grandes firmas oligopólicas de la economía interna. Resulta evidente que a lo largo del período considerado, el endeudamiento externo en títulos fue el de mayor dinamismo, lo que trajo aparejado un incremento significativo de su participación (pasó del 11,3 al 42,1% del total entre 1991 y 1999), aunque la deuda directa siguió siendo mayoritaria (descendió del 88,7 al 57,9% del total en el mismo período). Es decir que en la deuda externa privada también se expresaron las nuevas modalidades del endeudamiento externo.

Asimismo, estas evidencias son igualmente contundentes en indicar que, dentro de la deuda externa contraída en títulos, las obligaciones negociables eran crecientemente importantes. En realidad, era una nueva forma de endeudamiento que con el correr del tiempo se ubicó como el principal vehículo del endeudamiento externo de las grandes firmas oligopólicas.

[42] Al respecto, cabe señalar que los resultados de la base de datos resultan superiores a las cifras oficiales debido a la diferente cobertura de ambas estimaciones. Mientras que la base de datos contiene los aportes de la casa matriz y excluye a los préstamos de los organismos internacionales, los datos oficiales hacen lo contrario (excluyen los aportes de las casas matrices e influyen los préstamos de los organismos internacionales). Cuando se excluyen ambas partidas, las cifras oficiales son generalmente superiores a los de la muestra aunque estos últimos son muy representativos al oscilar entre el 95 y el 101% de las anteriores.

Por otra parte, a través del análisis de la deuda directa se constata que su principal componente era la deuda bancaria que, si bien perdió trascendencia a lo largo del período, se mantuvo con más del 50% de la deuda directa, porque las obligaciones con proveedores y acreedores oficiales se deterioraron significativamente en términos relativos. La trascendencia que asumió la deuda con los bancos transnacionales —durante los primeros años fue la primera y luego la segunda vía del endeudamiento externo privado, luego de las obligaciones negociables— fue un rasgo que atemperó, en este tipo de endeudamiento externo, el predominio de los títulos, e indicó que dichas entidades buscaran desligarse de la deuda externa pública, porque en la contraída por el sector privado había otro tipo de garantías, como las otorgadas por las casas matrices, en el caso de las subsidiarias extranjeras, o los depósitos en los bancos acreedores que operaban en el mismo sentido cuando las firmas eran parte de la fracción de la *oligarquía diversificada* (grupos económicos). De allí que se pueda asumir que el endeudamiento con las casas matrices haya estado sensiblemente subvaluado.

En este contexto, es posible analizar la participación de las distintas fracciones del capital en el proceso de endeudamiento externo. En el Cuadro nº 6.14 se expone la estructura de la deuda externa privada total (deuda directa + deuda en títulos) diferenciando las principales variables según el tipo de empresa (cantidad de empresas, monto de la deuda externa, composición porcentual de la misma y endeudamiento anual promedio por empresa).

La primera cuestión significativa es la reducida cantidad de empresas que participó de este proceso. Aun cuando la cantidad aumentó considerablemente a lo largo del período, el año récord (1999) suma solamente 320 firmas. Más todavía, la cantidad de empresas aumenta muy por debajo del aumento en el monto del endeudamiento externo, de allí que se registre un sistemático y considerable incremento del promedio de deuda por empresa.

Igualmente relevante resulta la participación casi exclusiva de las fracciones del capital dominantes y la pérdida de incidencia de las empresas locales independientes en la deuda externa privada. A pesar de que aumenta la cantidad de empresas locales independientes, la disminución de su participación relativa en el monto de esta variable es sistemática y muy pronunciada: entre 1991 y 1999, disminuye su participación relativa en el total del 5,1 al 1,1 por ciento.

Ambas características (la escasa cantidad de empresas y el peso abrumador de las fracciones del capital dominantes) son muy relevantes para aprehender la naturaleza del proceso en marcha. Si bien son coherentes con el proceso que inauguró la dictadura militar años antes, los profundos cambios estructurales particulares de esta etapa también se pueden apreciar nítidamente en este aspecto tan decisivo.

Cuadro N° 6.13

Evolución y composición de la deuda externa del sector privado no financiero, 1991-1999(*)
(en millones de dólares y porcentajes)

	1991	1992	1993	1994	1995	1996	1997	1998	1999
1. Datos Oficiales. Deuda externa sector privado no financiero (**)	3.524	5.774	9.938	13.842	18.203	20.841	29.551	36.512	36.911
2. Base de datos. Deuda externa del sector privado no financiero (***)	3.831	6.150	10.412	14.452	19.846	23.075	33.371	40.503	41.399
% de las cifras oficiales sector privado no financiero	108,7	106,5	104,8	104,4	109,0	110,7	112,9	110,9	112,2
Composición de la Base de Datos (valores)									
2.1 Deuda en Títulos	**433**	**1.630**	**4.851**	**6.490**	**8.006**	**8.760**	**14.023**	**17.616**	**17.419**
Obligaciones Negociables	293	913	2.674	4.287	5.232	5.735	10.904	13.554	14.029
Bonos	115	292	1.299	1.680	2.203	2.694	2.637	3.539	2.988
Papeles comerciales	25	426	878	522	572	331	482	523	402
2.2 Deuda Directa	**3.398**	**4.520**	**5.561**	**7.962**	**11.840**	**14.316**	**19.348**	**22.887**	**23.980**
Bancos Comerciales	1.736	2.306	2.649	4.003	6.699	7.349	10.903	13.277	12.708
Casa Matriz o Filiales	607	977	1.226	1.541	2.092	3.645	4.648	5.177	6.671
Acreedores Oficiales	454	454	818	1.356	1.987	2.158	2.398	2.431	2.244
Proveedores y Otros	601	783	869	1.063	1.063	1.164	1.399	2.002	2.358
Composición % de la Base de Datos									
Deuda en Títulos	**11,3**	**26,5**	**46,6**	**44,9**	**40,3**	**38,0**	**42,0**	**43,5**	**42,1**
Obligaciones Negociables	7,7	14,8	25,7	29,7	26,4	24,9	32,7	33,5	33,9
Bonos	3,0	4,7	12,5	11,6	11,1	11,7	7,9	8,7	7,2
Papeles comerciales	0,6	6,9	8,4	3,6	2,9	1,4	1,4	1,3	1,0
Deuda Directa	**88,7**	**73,5**	**53,4**	**55,1**	**59,7**	**62,0**	**58,0**	**56,5**	**57,9**
Bancos Comerciales	45,3	37,5	25,4	27,7	33,8	31,8	32,7	32,8	30,7
Casa Matriz o Filiales	15,8	15,9	11,8	10,7	10,5	15,8	13,9	12,8	16,1
Acreedores Oficiales	11,8	7,4	7,9	9,4	10,0	9,4	7,2	6,0	5,4
Proveedores y Otros	15,7	12,7	8,3	7,4	5,4	5,0	4,2	4,9	5,7

(*) Stock al 31 de diciembre de cada año.
(**) Las estimaciones oficiales incluyen los préstamos de organismos internacionales y excluyen los préstamos concedidos por las casas matrices.
(***) La base de datos no incluye los préstamos de los organismos internacionales pero incluye los préstamos de las casas matrices.

Fuente: Elaboración propia sobre la base de información del Ministerio de Economía, balances de empresas y la Comisión de Valores y el Área de Economía y Tecnología de FLACSO (PICT 2/14072 del FONCYT).

Cuadro nº 6.14

Composición de la deuda externa directa y en títulos del sector privado no financiero, según tipo de empresa, 1991-1999 (*)
(en millones de dólares y porcentajes)

	1991	1992	1993	1994	1995	1996	1997	1998	1999
1. Cantidad de empresas									
Total	86	116	149	171	198	238	293	294	320
Empresas del Estado	1	1	0	0	0	0	0	0	0
Grupo económico Local	21	28	36	41	44	49	53	51	50
Empresa local Independiente	5	10	13	13	17	23	26	22	27
Conglomerado Extranjero	9	11	13	14	19	23	33	35	41
Empresa Transnacional	35	41	48	54	65	81	106	103	118
Asociaciones	12	19	31	40	40	46	56	58	60
Privatizadas	6	11	22	27	30	36	40	42	38
Resto de la asociaciones	6	8	9	13	10	10	16	16	22
S/C	3	6	8	9	13	16	19	25	24
2. Valores absolutos									
Total	3.831	6.150	10.412	14.452	19.846	23.075	33.371	40.503	41.399
Empresas del Estado	668	732	0	0	0	0	0	0	0
Grupo económico Local	608	1.269	2.336	2.680	3.422	4.364	6.831	8.140	7.197
Empresa local Independiente	194	274	461	504	639	700	985	524	437
Conglomerado Extranjero	273	543	758	835	1.061	1.743	3.532	5.255	13.289
Empresa Transnacional	1.134	1.358	1.493	2.030	3.208	4.317	6.340	8.085	8.236
Asociaciones	919	1.908	5.227	8.292	11.385	11.818	15.453	18.212	11.928
Privatizadas	341	985	4.017	7.108	10.095	10.662	12.710	15.052	7.487
Resto de las asociaciones	578	923	1.209	1.184	1.290	1.157	2.742	3.161	4.441
S/C	35	67	138	110	129	133	229	287	312
3. Distribución porcentual									
Total	100,0	100,0	100,0	100,0	100,0	100,0	100,0	100,0	100,0
Empresas del Estado	17,4	11,9	0,0	0,0	0,0	0,0	0,0	0,0	0,0
Grupo económico Local	15,9	20,6	22,4	18,5	17,2	18,9	20,5	20,1	17,4
Empresa local Independiente	5,1	4,4	4,4	3,5	3,2	3,0	3,0	1,3	1,1
Conglomerado Extranjero	7,1	8,8	7,3	5,8	5,3	7,6	10,6	13,0	32,1
Empresa Transnacional	29,6	22,1	14,3	14,0	16,2	18,7	19,0	20,0	19,9
Asociación	24,0	31,0	50,2	57,4	57,4	51,2	46,3	45,0	28,8
Privatizadas	8,9	16,0	38,6	49,2	50,9	46,2	38,1	37,2	18,1
Resto de las asociaciones	15,1	15,0	11,6	8,2	6,5	5,0	8,2	7,8	10,7
S/C	0,9	1,1	1,3	0,8	0,7	0,6	0,7	0,7	0,8
4. Monto por empresa									
Total	44,5	53,0	69,9	84,5	100,2	97,0	113,9	137,8	129,4
Empresas del Estado	668,0	732,0	0,0	0,0	0,0	0,0	0,0	0,0	0,0
Grupo económico Local	29,0	45,3	64,9	65,4	77,8	89,1	128,9	159,6	143,9
Empresa local Independiente	38,9	27,4	35,4	38,8	37,6	30,4	37,9	23,8	16,2
Conglomerado Extranjero	30,4	49,4	58,3	59,7	55,9	75,8	107,0	150,1	324,1
Empresa Transnacional	32,4	33,1	31,1	37,6	49,4	53,3	59,8	78,5	69,8
Asociación	76,6	100,4	168,6	207,3	284,6	256,9	275,9	314,0	198,8
Privatizadas	56,8	89,6	182,6	263,3	336,5	296,2	317,8	358,4	197,0
Resto de las asociaciones	96,3	115,4	134,4	91,1	129,0	115,7	171,4	197,5	201,9
S/C	11,6	11,1	17,2	12,2	9,9	8,3	12,1	11,5	13,0

(*) Stock al 31 de diciembre de cada año.

Fuente: Elaboración propia sobre la base de información de balances y del Área de Economía y Tecnología de FLACSO (PICT 2/14072 del FONCYT).

En los dos años iniciales del régimen convertible a través del endeudamiento externo de las entidades no financieras se expresó el aún inconcluso proceso de privatización de empresas estatales. Así, por un lado, figura una empresa estatal (YPF) que concentró entre el 12 y el 17% de la deuda externa privada total y tenía una deuda promedio varias veces superior a cualquiera de los restantes tipos de empresas. Por otro lado, como parte de las asociaciones, los nuevos consorcios privados que ya prestaban servicios públicos adquirieron una creciente importancia e incrementaron significativamente su deuda promedio. En esta variable irrumpieron las primeras privatizaciones realizadas a partir de 1990 en las áreas de electricidad, telecomunicaciones y la aerolínea de bandera. No obstante, dentro de las asociaciones, estas nuevas firmas privadas tuvieron una incidencia menor o equivalente —según se considere 1991 o 1992— que las firmas automotrices, como es el caso de Sevel, que forman parte de este tipo de empresas en ese momento.

A partir de 1993, desaparecen las empresas estatales y las formas de propiedad en las que converge la mayor parte de los servicios públicos, ahora pertenecientes a las fracciones del capital dominantes (capital extranjero, oligarquía diversificada y bancos transnacionales), registran un crecimiento sistemático en su participación dentro de la deuda externa privada. El punto culminante de la participación de las asociaciones, y de las firmas privatizadas dentro de ellas, se ubica en 1995 para luego descender en términos relativos, pero seguir siendo los deudores externos privados más relevantes hasta 1998. Así como el incremento de la participación de las asociaciones expresa la consolidación de las empresas privatizadas —tanto en términos de su facturación como de su rentabilidad—, su descenso relativo posterior es el resultado de las transferencias de los paquetes accionarios al capital extranjero que trajo aparejada la incorporación de estas firmas a lo dos tipos de empresas transnacionales. El punto culminante de esa mutación se registra en 1999, cuando Repsol adquirió YPF, que dejó de ser una asociación y pasó a formar parte de los conglomerados extranjeros.

Por su parte, los grupos económicos (oligarquía diversificada) tienen un papel destacado no solamente porque su participación relativa oscila entre el 16 y el 20% según los años, sino también porque su deuda externa promedio supera, hasta 1998, a la de los restantes tipos de empresa —salvo la de las asociaciones. Por otra parte, las empresas transnacionales también tienen una participación relevante, pero su deuda promedio es la más reducida dentro de las fracciones de capital dominantes, exceptuando a las empresas locales independientes.

Cuadro n° 6.15

Evolución y composición de los 20 deudores externos privados más importantes de cada año, 1991-1999 (en millones de dólares)

Empresa	1991	1992	1993	1994	1995	1996	1997	1998	1999	Promedio 1991-99	Tipo de empresa
YPF SA	668	732	625	997	2.219	2.092	2.561	2.976	2.862	1.748	Estatal/Asoc./Cong. Ext.
Telefónica de Argentina	-	149	592	1.309	1.598	1.783	2.206	2.716	2.879	1.470	Asociación
Telecom Argentina SA	-	200	776	838	1.661	2.047	2.007	2.296	2.524	1.372	Asociación
Pérez Companc SA	100	241	450	492	510	649	1.426	1.580	1.392	760	Grupo Económico Local
Trans. Gas del Sur SA	-	-	230	386	466	490	928	928	877	478	Asociación
CTI – Cia. de Tel. del Interior	-	-	-	382	602	513	467	646	710	369	Asociación
ASTRA CAPSA	-	122			266		673	975	1.105	349	Grupo Ec.Local/Cong. Ext.
Aerolíneas Argentinas SA	180	204	340	351	358	396	418		855	345	Asociación
Minera Alumbrera SA	-	-	-	-	-	279	827	900	830	315	Empresa Transnacional
Metrogas SA	-		250	350	330	413	413	505	487	305	Asociación
Sevel Argentina SA	252	336	378	474	582	-	-	534	-	284	Asociación
Cablevisión SA	-	-	-	-	-	-	705	758	1.066	281	Asociación
Total Austral Suc.Arg.	179	312	317	279	355	305	-	525	-	252	Empresa Transnacional
BAESA	-			240	431	403	538	576	-	243	Conglomerado Extranjero
CEI Citicorp Holdings SA	-	-	-	-	-	294	542	737	600	241	Asociación
FIAT Auto Argentina SA	-	-	-	-	-	-	470	895	467	204	Conglomerado Extranjero
Clarín	-	-	-	-	-	-	563	568	457	176	Grupo Económico Local
Multicanal SA	-	-	-			-	-	709	804	168	Grupo Económico Local
Pan American Energy	-	-	-	-	-	280		575	584	160	Asociación
Cargill	-	-	-	-	540	330	-	-	499	152	Empresa Transnacional
IBM Argentina SA	241	205	250	329	299	-	-	-	-	147	Empresa Transnacional
Siderar SAIC	-	-	-	-	-	373	397		548	146	Grupo Económico Local
Soc. Com. del Plata SA	-	-	-	-	274	424	443	-	-	127	Grupo Económico Local
EDESUR SA	-	-	200	440	440	-	-	-	-	120	Asociación
Volkswagen Argentina SA	-	-	-	-	-	-	423	469	-	99	Empresa Transnacional
Acindar SA	50	170	375	230	-	-	-	-	-	92	Grupo Económico Local
Gas Natural Ban SA	-	-	-	232	287	271		-		88	Asociación
ESSO Argentina SA Pampeana SA	141	183	168		285	-	-	-	-	86	Conglomerado Extranjero
Camuzzi	-	-	-	240	241	282	-	-	-	85	Asociación
Alto Paraná SA	123	290	290	-	-	-	-	-	-	78	Grupo Económico Local
Molinos Río de la Plata SA	54	-	-	-	331	288				75	Grupo Económico Local
Ford Argentina SA	63	316	292	-	-	-	-	-	-	75	Conglomerado Extranjero
Shell Argentina SA	67	-	-	-	-	-	-	595	-	74	Conglomerado Extranjero
Miniphone (Movistar SA)	-	150	221	226	-	-	-	-	-	66	Asociación
Bridas SAPIC	-	79	271	191	-	-	-	-	-	60	Grupo Económico Local
Siderca SAIC	194	182	160	-	-	-	-	-	-	60	Grupo Económico Local
Hidroeléctrica El Chocón SA	-	-	261	240	-	-	-	-	-	56	Asociación
Supercanal Holdings	-	-	-	-	-	-	500	-	-	56	Grupo Económico Local
Monsanto Argentina SAIC	-	-	-	-	-	-	-		487	54	Empresa Transnacional
Supermercados Norte	-	-	-	-	-	-	-	-	484	54	Conglomerado Extranjero
Alpargatas SA	88	106	210	-	-	-	-	-	-	45	Grupo Económico Local
Autopistas del Sol SA	-	-	-	-	-	-	400	-	-	44	Asociación
Siemens Argentina SA	244	98	-	-	-	-	-	-	-	38	Empresa Transnacional
EDENOR SA	-	-	-			262				29	Asociación
Hidroeléctrica Alicurá SA	-	-	-	196	-	-	-	-	-	22	Asociación
Central Costanera SA	92	92	-	-	-	-	-	-	-	20	Asociación
Celulosa Argentina SA	-	87	-	-	-	-	-	-	-	10	Grupo Económico Local
Total (*)	**2.970**	**4.254**	**6.658**	**8.421**	**12.073**	**12.173**	**16.905**	**20.464**	**20.517**		
% del Total general	**77,5**	**69,2**	**63,9**	**58,3**	**60,8**	**52,8**	**50,7**	**50,5**	**49,6**		

(*) Incluye en el año 1991 la deuda externa de cuatro empresas que fueron excluidas por razones de espacio (A.C.Poepfer Int.: 61 mill. de dólares; Phillips Argentina: 71 mill. de dólares; Goodyear: 51 mill. de dólares; y Movicom: 48 mill. de dólares).

Fuente: Elaboración propia sobre la base de información de balances y del Área de Economía y Tecnología de FLACSO (PICT 2/14072 del FONCYT).

Estas mismas características se expresan en el análisis de los 20 primeros deudores externos privados de cada año lo largo del período 1991-1999 (Cuadro nº 6.15). Cabe llamar la atención sobre YPF, no sólo porque es la única empresa que tiene deuda externa en cada uno de los años considerados y es la primera o segunda del ranking en cada uno de ellos, sino también porque es el caso paradigmático en términos de las transformaciones estructurales, al pasar de ser una empresa estatal a una asociación controlada por las diversas fracciones del capital dominantes y terminar siendo parte de un conglomerado extranjero.

6.3.3 La fuga de capitales locales al exterior

Hasta la década de los ochenta la estimación de los capitales locales transferidos al exterior se realiza, fundamentalmente, mediante el método residual de Balanza de Pagos cuyas características ya se analizaron. Sin embargo, a lo largo de los años noventa se registraron cambios en las cuentas externas —como el reemplazo del criterio de moneda por el de residencia para determinar el *stock* y el flujo de la deuda externa— orientados a adecuar las presentaciones locales de dichas cuentas a los nuevos criterios adoptados por el FMI.[43]

Como parte de estas modificaciones en las cuentas externas se replanteó la forma en que oficialmente se estimaba la fuga de capitales que, de allí en más, se basó en el relevamiento de los depósitos bancarios, el dinero en efectivo, los bonos y títulos públicos y privados, los inmuebles, las inversiones directas y otros activos que los residentes locales mantenían en el exterior. Las fuentes de información para dicha estimación son encuestas e información de diversos organismos locales, gubernamentales extranjeros e internacionales. De este modo, se obtiene el "*stock*" de los capitales fugados y, al mismo tiempo, su flujo, mediante las diferencias entre dos estimaciones realizadas para diferentes períodos.[44]

En relación con el método residual de balanza de pagos, esta nueva metodología aporta elementos desconocidos que permiten desagregar el destino de los activos en el exterior pertenecientes a los residentes locales argentinos y es-

[43] En estos manuales (FMI, 1993 y 1995) se establecen los conceptos, criterios y definiciones de la Balanza de Pagos y de la posición de la inversión internacional para hacer posible las comparaciones internacionales. A su vez, las modificaciones introducidas en la Balanza de Pagos local fueron analizadas en Auditoría General de la Nación (1998).

[44] La primera estimación realizada mediante esta metodología comprende el período 1992-1998 y fue publicada hace algunos años, en Ministerio de Economía de la Nación (1999 a). También en Ministerio de Economía de la Nación (1999 b).

timar la renta que percibían en el exterior pero, al mismo tiempo también tiene desventajas respecto de la metodología anterior, porque distorsiona la magnitud de los recursos transferidos.[45] Adicionalmente, es importante tener en cuenta que el método directo excluye la transferencia de recursos al exterior originada en la subfacturación de exportaciones. En efecto, otra modalidad para fugar capitales consistió en declarar importes menores para las exportaciones para que el saldo restante fuera, por ejemplo, depositado en una cuenta en el exterior de manera directa por parte del cliente externo. Análogamente, una sobrevaluación de los valores de una importación sería otra vía para girar al exterior divisas por un monto que excedía las necesidades generadas por esa operación comercial, derivando en una fuga de capitales.

Si bien, en principio, la disponibilidad de dos estimaciones sobre la salida de recursos locales al exterior mejora sensiblemente las posibilidades para indagar este fenómeno en una etapa tan crucial, las evidencias al respecto expresan diferencias significativas que por su importancia es imprescindible analizar.

En el Cuadro nº 6.16 se constata que, mediante el método residual de Balanza de Pagos, la fuga de capitales al exterior durante el régimen de convertibilidad (1991-2001) fue un 34,1% más elevada que por el método directo utilizado por el Ministerio de Economía (54,6 contra 28,2 miles de millones de dólares, respectivamente).

Estas diferencias son el resultado de dos factores contrapuestos. El primero de ellos está vinculado a la considerable subestimación de los flujos de fuga de capitales que llevaron a cabo los residentes locales (argentinos o extranjeros) que resulta del método directo, al no tener en cuenta la transferencia de recursos vía subfacturación de exportaciones. Tanto es así que excluyendo esta última variable los resultados de ambas estimaciones son similares. El otro opera en el sentido contrario, porque se trata de la sobreestimación de esta transferencia de recursos al exterior que realizó el ministerio de Economía para el año 1991 sobre la base del método residual de Balanza de Pagos pero modificando los resultados de las cuentas externas de la década anterior.[46] Por esta razón, cuando se comparan los resultados de ambas estimaciones para los períodos 1991-2001 y 1992-2001, la diferencia entre ellas disminuye del 43,1 al 25,5 %, es decir, de 28,2 a 21,1 miles de millones de dólares.

[45] Al respecto, E. M. Basualdo y M. Kulfas (2000) al referirse a la nueva metodología indican: *"... si bien este método posee las cualidades mencionadas, también presenta una serie de restricciones que es preciso tener en cuenta. Las mismas son: a) En tanto se trata de un relevamiento, esta metodología probablemente subestime la magnitud de los capitales locales en el exterior debido a que una parte de ellos no es contemplada por las fuentes consultadas o porque, especialmente en el caso de las encuestas, los propios interesados tergiversen sus tenencias de activos fijos o financieros en el exterior. b) Por razones similares, esta metodología puede dar lugar a una sobrestimación de la fuga de capitales al consignar a la renta capitalizada por los activos externos como capitales fugados al exterior".* (p.79).

[46] En 1995, la autoridad económica (Ministerio de Economía de la Nación, diciembre de 1995)

Cuadro n° 6.16
Evolución de la fuga de capitales locales según el método directo y el residual de Balanza de Pagos (incluida la subfacturación de exportaciones), 1991-2001.
(en millones de dólares y porcentajes)

	Monto anual (flujos)		Stock en el exterior			
	Método Residual de Bza. de Pagos (*)	Método de estimación directa	Método Residual de Bza. de Pagos (*)	Método de estimación directa	Diferencia (3-4)	
	1	2	3	4	Mill. de dólares	%
1991			54.936	60.416(**)	-5.480	-10,0
1992	160	-6.986	55.096	53.430	1.666	3,0
1993	5.236	3.417	60.332	56.846	3.486	5,8
1994	7.835	5.864	68.167	62.710	5.457	8,0
1995	15.717	11.995	83.884	74.705	9.179	10,9
1996	12.322	9.123	96.206	83.828	12.378	12,9
1997	16.001	12.662	112.207	96.490	15.717	14,0
1998	6.176	5.316	118.383	101.806	16.577	14,0
1999	6.072	5.138	124.455	106.944	17.511	14,1
2000	7.437	5.885	131.892	112.829	19.063	14,5
2001	5.913	2.218	137.805	115.047	22.758	16,5
Variación						
1991-2001			82.869	54.631	28.238	34,1
1992-2001			82.709	61.617	21.092	25,5

(*) A los resultados obtenidos por el método residual de balanza de pagos se le suman las transferencias de recursos al exterior vía subfacturación de exportaciones.
(**) Estimación basada en el método residual pero modificando los resultados de la Balanza de Pagos correspondiente a la década de los ochenta que no figuran en el Cuadro pero definen el nivel del stock (Ministerio de Economía de la Nación,"Informe Económico, 3er. Trimestre de 1995", Buenos Aires, 1996).

Fuente: Elaboración propia sobre la base de la información del Ministerio de Economía de la Nación, FMI.

consigna que: *"La estimación de activos de residentes en el exterior parte de considerar un valor cero para 1970, llegando con esta metodología y los ajustes mencionados a un* stock *de 60.416 en 1991 de acuerdo con los flujos de las balanzas de pagos publicadas por el BCRA"*. Además respecto de esta cuestión, E. M. Basualdo y M. Kulfas (2000) señalan que: *"Las primeras estimaciones oficiales a este respecto se publicaron en 1995 en el documento del Ministerio de Economía y Obras y Servicios Públicos 'Argentina en crecimiento 1995-1999. Tomo I. Proyecciones macroeconómicas'. Allí se realiza una reestimación de la cuenta corriente correspondiente a la década de los ochenta que arroja como resultado un saldo positivo para todo el decenio del orden de los 3.500 millones de dólares, a pesar de la importancia que asume el pago de los servicios de la deuda externa durante esos años. Dicho ajuste resulta harto cuestionable en tanto surge, principalmente, como resultado de: a) Incorporar como ingresos en la cuenta corriente a un monto significativo de intereses ganados por los capitales locales fugados al exterior. Por cierto, es indudable que una parte de esos capitales genera rentas, pero lo cuestionable es asumir que las mismas sean sistemáticamente giradas al país, sobre todo cuando no hay ninguna constancia de que ello ocurra, sino más bien de lo contrario. b) Considerar de una manera igualmente arbitraria como residentes al conjunto de los tenedores de Bonos Externos (BONEX), de lo cual se deriva una reducción en los montos de endeudamiento externo y de los intereses que devengan."* (pp. 85-86).

Más allá de las diferencias entre ambas estimaciones, las evidencias demuestran que durante el régimen convertible se registró una elevada salida de capitales locales al exterior, expresada en la tasa de crecimiento, que alcanza el 9,6% anual acumulativo en términos del método residual —incluyendo la subfacturación de exportaciones—, y el 6,7% anual en el caso del método directo. Esta evolución de la fuga de capitales es, en términos históricos, superior a la registrada durante la dictadura militar, en tanto en los años noventa al funcionamiento clásico de la valorización financiera se le sumó la realización de ganancias patrimoniales sustentadas en las transferencias de capital fijo.

Dado que la nueva metodología oficial estima la relevancia de las diferentes colocaciones de los recursos remitidos al exterior por parte de los residentes locales, es pertinente analizar la importancia y las tendencias seguidas por éstas durante el período analizado.

En el Cuadro nº 6.17 se verifica que el núcleo central de la transferencia de capitales locales al exterior estaba conformado por el sector privado no financiero, en tanto concentra entre el 82 y el 93% de dichos capitales, según el año que se considere dentro del período analizado. Más todavía, también es el que exhibe un mayor dinamismo, ya que se expande al 9,1% anual acumulativo durante la vigencia de la Convertibilidad mientras que las transferencias del sector privado financiero lo hacen al 6,8% anual acumulativo durante el mismo lapso.

Centrando la atención en la evolución de los flujos anuales, se percibe claramente que el sector privado financiero y no financiero difieren no sólo en el monto transferido al exterior sino también por su comportamiento a lo largo del período, lo cual expresa la distinta naturaleza que asumió la salida de capitales en cada caso. Mientras que el sector privado no financiero tiene un crecimiento ininterrumpido a lo largo del período —que se acelera durante las crisis—, el sector financiero registra altibajos y desciende pronunciadamente durante los últimos años de la Convertibilidad, cuando el otro integrante del sector privado acelera significativamente el ritmo de sus transferencias de recursos al exterior.

Dado el comportamiento del sector financiero durante esta etapa, se puede asumir, al menos como hipótesis de trabajo, que la mayor parte de sus fondos en el extranjero operó como contrapartida de las líneas de crédito que tomó en el exterior y se utilizaron para otorgar financiamiento en la economía local. Avala esta hipótesis la importancia asumida por los créditos externos en el comportamiento de las entidades financieras locales, caracterizados por estar altamente concentrados en pocas entidades y reconocer como acreedores las casas matrices de los bancos endeudados.[47] También contribuyó en el mismo sentido, el abrupto descenso de los recursos que mantuvieron las entidades financieras en el exterior durante el último año de la Convertibilidad.[48]

[47] Al respecto, véase Ministerio de Economía de la Nación (2002).

[48] Cabe señalar que durante la posconvertibilidad estos recursos exhibieron otra reducción sig-

Cuadro nº 6.17

Composición de los capitales locales transferidos al exterior, 1992-2001 (en millones de dólares y porcentajes)

a) Valores absolutos

	1992	1993	1994	1995	1996	1997	1998	1999	2000	2001
Variación anual	-	3.416	5.864	11.995	9.123	12.662	5.316	5.138	5.885	2.218
Sector Privado Financiero	-	1.763	497	821	3.718	6.039	-1.015	-386	2.678	-10.665
Sector Privado no Financiero	-	1.653	5.367	11.174	5.405	6.623	6.331	5.524	3.207	12.883
Total Stock	53.430	56.846	62.710	74.705	83.828	96.490	101.806	106.944	112.829	115.047
Sector Privado Financiero	4.301	6.064	6.561	7.382	11.100	17.139	16.124	15.738	18.416	7.751
Sector Privado no Financiero	49.129	50.782	56.149	67.323	72.728	79.351	85.682	91.206	94.413	107.296
Sector Privado Financiero	4.301	6.064	6.561	7.382	11.100	17.139	16.124	15.738	18.416	7.751
Inversión directa	921	921	1.106	1.236	1.466	1.494	1.451	1.635	1.865	1.720
Inversión de cartera	27	64	78	167	615	1.291	930	1.356	1.456	143
Disponibilidades	2.473	4.032	3.983	3.639	5.776	8.283	6.443	5.746	5.926	1.837
Préstamos y otros créditos	879	1.048	1.393	2.341	3.242	6.073	7.300	7.001	9.170	4.051
Sector Privado no Financiero	49.129	50.782	56.149	67.323	72.728	79.351	85.682	91.206	94.413	107.296
Inversión directa	4.871	5.575	6.402	7.770	9.140	12.766	15.127	16.675	17.462	17.407
Inmobiliaria	2.984	3.197	3.456	3.668	3.821	3.956	4.084	4.192	4.300	4.398
Otras en empresas	1.887	2.378	2.946	4.102	5.319	8.810	11.043	12.483	13.162	13.009
Depósitos	15.304	14.612	15.912	19.002	20.566	21.154	21.669	22.998	23.570	29.304
Activos con renta	16.452	16.066	17.650	20.852	22.840	24.431	27.338	29.317	32.174	32.527
Activos sin renta	12.502	14.529	16.185	19.699	20.182	21.000	21.548	22.216	21.207	28.058

b) Composición porcentual y tasa anual acumulativa

	1992	1993	1994	1995	1996	1997	1998	1999	2000	2001	1992/2001 T.a.a (%)
Total Stock	100,0	100,0	100,0	100,0	100,0	100,0	100,0	100,0	100,0	100,0	8,9
Sector Privado Financiero	8,0	10,7	10,5	9,9	13,2	17,8	15,8	14,7	16,3	6,7	6,8
Sector Privado no Financiero	92,0	89,3	89,5	90,1	86,8	82,2	84,2	85,3	83,7	93,3	9,1
Sector Privado Financiero	100,0	100,0	100,0	100,0	100,0	100,0	100,0	100,0	100,0	100,0	6,8
Inversión directa	21,4	15,2	16,9	16,7	13,2	8,7	9,0	10,4	10,1	22,2	7,2
Inversión de cartera	0,6	1,1	1,2	2,3	5,5	7,5	5,8	8,6	7,9	1,8	20,3
Disponibilidades	57,5	66,5	60,7	49,3	52,0	48,3	40,0	36,5	32,2	23,7	-0,3
Préstamos y otros créditos	20,4	17,3	21,2	31,7	29,2	35,4	45,3	44,5	49,8	52,3	18,5
Sector Privado no Financiero	100,0	100,0	100,0	100,0	100,0	100,0	100,0	100,0	100,0	100,0	9,1
Inversión directa	9,9	11,0	11,4	11,5	12,6	16,1	17,7	18,3	18,5	16,2	15,2
Inmobiliaria	6,1	6,3	6,2	5,4	5,3	5,0	4,8	4,6	4,6	4,1	4,4
Otras en empresas	3,8	4,7	5,2	6,1	7,3	11,1	12,9	13,7	13,9	12,1	23,9
Depósitos	31,2	28,8	28,3	28,2	28,3	26,7	25,3	25,2	25,0	27,3	7,5
Activos con renta	33,5	31,6	31,4	31,0	31,4	30,8	31,9	32,1	34,1	30,3	7,9
Activos sin renta	25,4	28,6	28,8	29,3	27,7	26,5	25,1	24,4	22,5	26,2	9,4

*Acumulado al 31 de diciembre de cada año.

Fuente: Elaboración propia sobre la base de información del Ministerio de Economía de la Nación, FMI e información de Balanza de Pagos.

El comportamiento del sector privado no financiero fue diferente, tanto por la envergadura como por su crecimiento sostenido en el tiempo e, incluso, su aceleración durante la crisis final de la convertibilidad que se inició en 1998. La estimación oficial indica que los principales destinos de estos recursos en el exterior fueron los depósitos bancarios, la adquisición de bonos y títulos y la tenencia de billetes (activos sin rentas en el Cuadro nº 6.17).[49] Estos destinos concentran una proporción variable de los recursos totales, según el año que se considere, pero como mínimo representan el 82% del total en 1999. El componente minoritario es la inversión directa que comprende la propiedad de inmuebles y del capital de empresas radicadas en el exterior. Respecto del dinamismo de este último, es pertinente señalar que esta estimación sobrevalúa la significación de estas inversiones ya que la información básica para determinarlas surgió de encuestas directas realizadas a las propias firmas oligopólicas locales. Al mismo tiempo, pero en sentido contrario, la forma de estimar las inversiones en inmuebles parece subestimar su significación. En conjunto, esta composición indica de una manera contundente que el principal destino de estos fondos fue financiero.

En relación con los capitales transferidos al exterior, otro aspecto decisivo a considerar es la evolución y las características de la renta que éstos generaban. Si bien su importancia en la Balanza de Pagos es innegable, también lo es respecto de la distribución del ingreso, ya que al ser percibida por los sectores de mayores ingresos, dicha renta aumentó significativamente la inequidad dis-

---

nificativa (de 7.751 millones de dólares en 2001 a 4.625 millones de la misma moneda en el 2002), dejando claramente establecido que sus acreedores externos eran privilegiados respecto de los depositantes locales.

[49] De acuerdo con la última metodología publicada —Ministerio de Economía de la Nación (1999 a)— la desagregación oficial de los recursos locales en el exterior no fue el resultado de una base de datos donde constaban los titulares, el monto de los fondos, su destino en el exterior, etcétera, sino inferencias a partir de fuentes internas o internacionales. Así, en dicho documento se señala: *"la estimación de la inversión directa de la Argentina en el exterior se realiza considerando los balances de las empresas residentes y, en algunos casos, considerando los balances de empresas del exterior en las que existe participación de familias residentes en Argentina. La muestra de empresas de las cuales se releva información se construyó sobre la base de los resultados del Censo Económico del año 1993, la Encuesta Nacional a Grandes Empresas de 1995, la información suministrada por la Bolsa de Comercio y a partir de información publicada por medios gráficos (diarios y revistas especializadas)* (p. 32). Por otra parte en relación con la inversión directa en inmuebles, se afirma: *"estas inversiones se encuentran localizadas principalmente en Uruguay (Punta del Este), Brasil, Estados Unidos y Europa. La estimación se basa en los datos obtenidos sobre las inversiones en la ciudad de Punta del Este. A partir de esta estimación, se supone, debido a la falta de información representativa, que las inversiones hechas en el resto de los países mencionados guarda cierta relación con las realizadas en el Uruguay (se supone que estas equivalen a un 50% de las realizadas en Uruguay)"* (pp. 32-33). Finalmente, también como sólo un ejemplo, para determinar los depósitos bancarios en el exterior realizados por residentes locales: *"se utilizan las estadísticas del Banco de Ajustes de Basilea que se publican en "International Banking and Financial Market Development", y del Banco Central del Uruguay"* (p. 33).

tributiva en el país y redujo los ingresos públicos, pues una parte mayoritaria de esos capitales no estaban declarados.

El tratamiento de esta problemática también forma parte de los cambios introducidos a comienzos de la década de los años noventa en la Balanza de Pagos.[50] Al respecto, las evidencias del Cuadro nº 6.18 indican que la misma rondaba los 3.500 millones de dólares anuales, equivalentes a, nada menos, que el 64% de la salida de capitales locales en dicho lapso.

Cuadro nº 6.18
Evolución de la fuga y la renta obtenida en el exterior, 1991-2001
(en millones de dólares y coeficiente)

	Variación anual (flujo)				Stock de renta (estimación propia)	
	Renta en el exterior		Relación Renta/fuga		Monto	Relación Renta/Fuga
	Estimación propia	Estimación oficial	Estimación propia	Estimación oficial		
1991	3.135	-	1,45	-	36.505	0,66
1992	1.598	1.866	9,99	-	38.103	0,69
1993	1.635	1.797	0,31	0,53	39.738	0,66
1994	2.325	2.446	0,30	0,42	42.063	0,62
1995	3.070	3.158	0,20	0,26	45.133	0,54
1996	3.186	3.238	0,26	0,35	48.319	0,50
1997	3.561	4.012	0,22	0,32	51.880	0,46
1998	4.004	4.518	0,65	0,85	55.884	0,47
1999	4.164	4.351	0,69	0,85	60.048	0,48
2000	4.850	5.446	0,65	0,93	64.898	0,49
2001	3.878	4.105	0,66	1,85	68.776	0,50
Promedio anual 1992-2001	3.227	3.494	0,39	0,64	51.484	0,52

Fuente: Elaboración propia sobre la base de información del Ministerio de Economía de la Nación, FMI e información de Balanza de Pagos.

[50] La renta devengada por los capitales en el exterior forma parte del rubro renta de la inversión y otra renta de la cuenta corriente de la Balanza de Pagos. De acuerdo con la nueva metodología (Ministerio de Economía, 1999 a) dicho rubro: "*... comprende los devengamientos de renta por los activos y pasivos financieros externos que surgen de la inversión directa, de la inversión en cartera, de la inversión en activos de reserva y de otros conceptos. Estas rentas se contabilizan bajo la forma de intereses y utilidades y dividendos*" (p. 16).

Por otra parte, la estimación propia de esa renta da como resultado un monto promedio anual para el período más reducido y, sobre todo, una relación renta/ fuga acentuadamente menor que la resultante de la estimación oficial (35% contra 64% en el caso de la estimación oficial). No obstante, el *stock* de la renta percibida en el exterior entre 1970 y el fin del régimen convertible supera los 50 mil millones de dólares, representando alrededor del 50% de los capitales remitidos al exterior durante el mismo lapso.[51]

Más allá de la magnitud que alcanzó la renta percibida por los recursos locales remitidos al exterior, es relevante tener en cuenta que constituyó otro elemento clave para solucionar el problema de la deuda externa sin deteriorar aún más las condiciones de vida de los sectores populares. Cabe señalar que no sólo el grueso de la fuga de capitales al exterior fue el resultado del tipo de endeudamiento externo que se plasmó en las últimas décadas sino que, además, dichos recursos generaron ingentes rentas en el exterior.

Por lo tanto, ambos elementos (los capitales fugados y sus respectivas rentas) son una parte constitutiva del problema del endeudamiento externo y, en consecuencia, deberían contribuir a su solución. En otras palabras, la responsabilidad de los acreedores externos y los organismos internacionales en el vertiginoso, e inviable, endeudamiento externo es indiscutible, pero lo mismo ocurre con los grupos económicos locales y el capital extranjero radicado en el país, ya que estos últimos utilizaron esos recursos para valorizar capital internamente y remitirlo al exterior, percibiendo renta financiera.

Desde el punto de vista de la equidad, parece poco discutible que en la solución de la problemática del endeudamiento externo, tanto los organismos internacionales y los acreedores externos como las fracciones dominantes internas deberían haber estado involucrados, no sólo porque compartían la responsabilidad de ese proceso sino porque en caso contrario, el mismo afectaría necesariamente los ingresos de los sectores populares que eran los sujetos sociales centralmente perjudicados por la valorización fi-

[51] La estimación propia de la renta generada por los recursos locales radicados en el exterior parte de la estimación de la fuga de capitales entre 1970 y 2001 basada en el método residual de Balanza de Pagos. Posteriormente, al *stock* de los capitales locales radicados en el exterior obtenido de esa manera, se le aplica la tasa internacional "*prime*", obteniéndose la renta anual de dichos capitales. Como no todos los activos de los residentes locales radicados en el exterior generan renta, sobre la base de la información oficial se estima que el 70% de los mismos lo hacen. Por lo tanto, la renta de los mencionados activos se determina de la siguiente forma: $R_t = 0{,}7 \times SF_{t-1} \times Ti_t$

Donde:

0,7 es la proporción de activos externos que genera renta

R_t = Renta en el exterior durante el período "t"

FK_{t-1} = Stock de capitales locales en el exterior durante el período "t-1"

P_t = Tasa de interés internacional "prime" durante el período "t".

nanciera.[52] Así como la reducción ("quita") de los intereses y el capital fue el instrumento para concretar el aporte de los organismos internacionales y los acreedores externos, la imposición tributaria a los capitales locales en el exterior a través del establecimiento de acuerdos multilaterales[53] era la línea de política económica más adecuada para efectivizar el aporte de las fracciones internas dominantes.

6.3.4 Las transferencias de divisas al exterior durante el último año de la Convertibilidad

En estrecha relación con la profunda crisis económica que se abatió sobre la economía argentina en 2002 y con la no menos significativa movilización social del primer semestre de ese año, se constituyó en la Cámara de Diputados de la Nación una comisión especial para investigar la fuga de divisas durante el 2001, con el objetivo de recabar información y analizar los acontecimientos que habían caracterizado el comportamiento del sector externo durante el último año del régimen convertible.[54] La base de datos que elaboró esta comisión —con la colaboración del BCRA—,[55] está constituida por todas las operaciones de transferencia de divisas al exterior que se realizaron durante 2001 a través de las entidades financieras (bancos comerciales y otras instituciones de esta actividad), de las cuales se excluyeron las realizadas por las propias entidades financieras y las de comercio exterior. En términos cuantitativos, está compuesta por 96.794 registros (operaciones) que conllevaron

[52] Esta línea de política económica estaba presente en la propuesta económica del Instituto de Estudios y Formación de la CTA (IDEF, noviembre de 2002). Allí se indicaba: "*... Debe situarse como punto central de la negociación de la deuda externa, la importancia de la fuga de capitales. Habida cuenta de la envergadura (U$S 140.000 millones de dólares) y de la estrecha asociación que ésta exhibe con el fenómeno del endeudamiento (por cada dólar de deuda hay, aproximadamente, un dólar de fuga). La cuestión radica en colocar los fondos en el exterior correspondientes a residentes locales, como base y garantía para afrontar los compromisos en la materia*" (p. 85). Sobre esta problemática, véase M. Schorr y M. Kulfas (2003).

[53] Al respecto, véase V. Fritz Gerald (agosto de 2002).

[54] La Comisión Especial Investigadora sobre Fuga de Divisas de la Cámara de Diputados se constituyó en los primeros meses de 2002 bajo la presidencia del diputado Eduardo Di Cola e integrada por los siguientes diputados: Graciela Ocaña, Alejandro Filomeno, Noel Breard, Manuel Baladrón, Lorenzo Pepe, Daniel Carbonetto y Alejandra Oviedo. Los resultados obtenidos pueden consultarse en Comisión Especial de la Cámara de Diputados (2005).

[55] Sobre la colaboración de esta institución, el informe final de la comisión, señala: "*En tal sentido, el BCRA emitió las comunicaciones C 34.216, C 34.299 y C 35.078 requiriendo a las entidades financieras aportar datos correspondientes a las operaciones de transferencias de divisas al exterior. Para cada operación, la información solicitada a las entidades financieras fue la siguiente: 1) nombre o razón social del emisor de la transferencia; 2) CUIT y/o DNI; 3) monto transferido; 4) moneda; 5) plaza de origen; 6) plaza de destino; 7) banco de destino; 8) beneficiario de la transferencia; 9) concepto de la operación (y si pertenece o no a una operación vinculada con comercio exterior); y 10) fecha de la operación*" (p. 20).

una salida de recursos del país por 29.913 millones de dólares, representando el 64,5% de las divisas que salieron en ese año.

Se trata de evidencias empíricas inéditas que comprenden las transferencias de divisas al exterior del sector privado no financiero, desvinculadas del comercio exterior y relacionadas con el pago de deudas, intereses, turismo, servicios reales, etcétera. Es decir, es un conjunto de transferencias que superan, pero incluyen, las estrictamente referidas a la fuga de capitales al exterior del sector privado no financiero no vinculadas a las operaciones de comercio exterior.

Los resultados generales indican que las transferencias de divisas realizadas por las personas físicas representan el 44,8% de las operaciones totales (43.320 sobre 96.794) y solamente el 12,7% del monto total (3,6 miles de millones de dólares), mientras que las empresas concentran el 55,2% restante de las operaciones (53.988) y, nada menos, que el 87,3% del monto de las transferencias de divisas (26,1 miles de millones de dólares).

Desde el punto de vista de la evolución de ambos tipos de transferencias a lo largo del año analizado, en el Gráfico nº 6.5 se constata que el marcado predominio ejercido por las empresas en el monto total de las transferencias de divisas al exterior no fue cuestionado en ningún momento por las que realizaron las personas físicas.

No obstante, el desarrollo de la transferencia de divisas al exterior a lo largo del año exhibe una serie de peculiaridades. Es notable la elevada concentración de estos movimientos de capital en el primer trimestre del año 2001, canalizados fundamentalmente por las empresas. Allí se concentra el 44% de las transferencias totales (13,3 sobre 29,9 miles de millones de dólares) y el 47% de las realizadas por las empresas (12,3 sobre 26,1 miles de millones de la misma moneda).

Esta concentración en el primer trimestre del año, así como las posteriores aunque menos intensas salidas de divisas, está estrechamente vinculada a las sucesivas crisis institucionales que jalonaron este crítico período, así como a la disponibilidad de divisas pasibles de ser remitidas al exterior por distintos motivos.

En octubre de 2000 se produjo la renuncia del vicepresidente de la Nación (Carlos Álvarez) como desenlace del conflicto institucional que se desplegó a raíz de los sobornos en el Senado Nacional vinculados al tratamiento de la reforma laboral. Por otra parte, en diciembre de ese año terminó la negociación del acuerdo de financiamiento externo por casi 40 mil millones de dólares con el FMI, denominado "blindaje", en el cual participaron varios organismos internacionales, bancos comerciales y el gobierno español.[56] Fi-

[56] Específicamente, se trató de un financiamiento que ascendía a 39.700 millones de dólares a ser desembolsados entre 2001 y 2002 por las siguientes instituciones: FMI (13.700 millones de

nalmente, no menos relevante es recordar que la asunción de G. W. Bush en enero de 2001 señaló un punto de inflexión en la política de financiamiento externo. Asimismo, que en ese nuevo contexto, en marzo de 2001 el ministro de Economía J. L. Machinea presentó su renuncia ante el fracaso de su gestión, siendo reemplazado por R. López Murphy. Este último, luego de plantear una nueva política de ajuste, se vio obligado a renunciar por la movilización social en su contra, asumiendo ese cargo D. Cavallo, apoyado por el ex vicepresidente.

Gráfico N° 6.5: Evolución de las transferencias al exterior por parte de empresas y personas, 2001 (en millones de dólares)

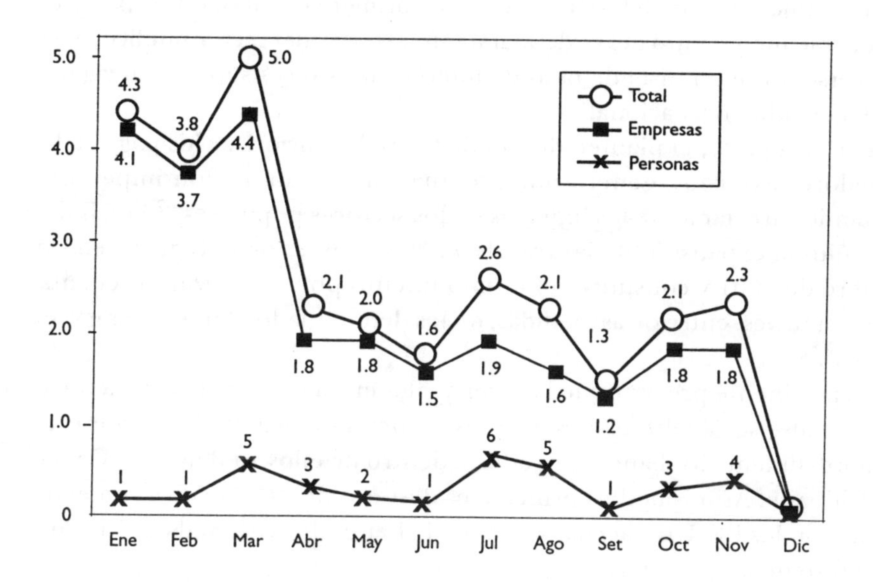

Fuente: Elaboración propia sobre la base de la información de la Comisión sobre Fuga de Divisas del Congreso Nacional.

dólares), BID (2.500 millones de dólares), Banco Mundial (2.500 millones de dólares), gobierno español (1.000 millones de dólares), bancos comerciales (10.000 millones de dólares), inversores institucionales (3.000 millones de dólares), canje de deuda existente (7.000 millones de dólares). Sobre las características de esta negociación, véase IEFE (febrero de 2001); A. Barbeito (febrero-marzo de 2001).

Dada la notable concentración de estas transferencias en el primer trimestre del año, no parece arbitrario asumir que la fracción local dominante evaluó que la renuncia del vicepresidente de la Nación y los recambios ministeriales posteriores constituían un punto de inflexión irreversible en la administración gubernamental y actuaron en consecuencia, transfiriendo al exterior el grueso de los recursos disponibles partir de las divisas provistas por el acuerdo con el FMI ("blindaje").

Posteriormente, los incrementos de las transferencias de divisas al exterior también estuvieron asociados a las nuevas medidas de ajuste en un contexto de la profundización de la crisis y sobre un nivel promedio de salida de capitales notablemente menor al registrado en el primer trimestre del año. Es así como durante el segundo trimestre la transferencia de capital local al exterior disminuyó para registrar un nuevo pico en julio, debido al fracaso de las políticas adoptadas pocas semanas antes por el ministro de Economía: el megacanje y el plan del "déficit cero". La primera de ellas, trajo aparejado un notable incremento del endeudamiento externo del sector público, al establecerse sobre un nivel de tasas de interés varias veces superior al vigente en el mercado internacional.

Por otra parte, el planteo del "déficit cero", al priorizar los pagos a los acreedores externos, generó una acentuación de la recesión imperante, afectando directamente los ingresos de los sectores populares.[57] Finalmente, la última expansión de las transferencias al exterior se registró en noviembre de 2001 y constituyó el último intento por estabilizar las cuentas fiscales a través, entre otras medidas, de los denominados "préstamos garantizados".[58]

Es pertinente precisar que las principales entidades financieras a través de las cuales se canalizaban estas transferencias de divisas al exterior eran primordialmente los bancos privados y, dentro de ellos, el Banco de Galicia y el Citibank. Asimismo, los principales destinos de esos recursos en el exterior eran los EE. UU., al cual se agregó la República Oriental del Uruguay en el caso de las personas físicas.[59]

[57] Esta característica es destacada por C. Lozano (agosto de 2002) al señalar que: "... *el proceso de apertura, desregulación y privatizaciones ha gestado un cuadro donde la Argentina al crecer vende menos que lo que compra en el mundo, e incrementa el volumen de excedentes que, por distintas vías —utilidades, patentes, servicios reales, fuga, turismo, etcétera.— transfiere al exterior [...] Lo expuesto intenta señalar que la política en vigencia exhibe racionalidad desde determinada concepción que a su vez está asociada a minimizar las pérdidas y mantener la primacía de ciertas facciones del bloque dominante. Para ser más claros, la política de déficit cero induce por vía de la intervención fiscal, un proceso de mayor recesión*" (p. 3).

[58] Para un análisis del plan económico de noviembre de 2001, véase E. Arceo (noviembre de 2001).

[59] Al respecto, en el mencionado informe se afirma: *"Si bien la salida de divisas tuvo una amplia y diversificada cantidad de destinos en el exterior, las plazas de los Estados Unidos y el Uruguay explican la ma-*

En el contexto de la evolución temporal de la salida de recursos al exterior, es insoslayable señalar que, como ocurrió a lo largo de las últimas décadas, fue un proceso de notable importancia económica llevado a cabo por un número muy acotado de empresas y personas. Si bien, de por sí, la cantidad de empresas y personas es exigua (26.118 empresas y 3.795 personas) en relación con cualquier indicador económico o demográfico, las que definieron el grueso de los montos transferidos al exterior son un número aún mucho más reducido. Para poder aprehender el grado de concentración que exhiben estos movimientos de capital, en el Cuadro nº 6.19 consta la distribución del monto de este tipo de transferencias de acuerdo con la cantidad de empresas y personas.

Cuadro Nº 6.19
Grado de concentración de las transferencias de divisas al exterior por las empresas y las personas, 2001
(en millones de dólares y porcentajes)

Cantidad de Empresas/Personas	Monto en millones de dólares		Participación porcentual acumulada		Participación porcentual por estrato	
	Empresas	Personas	Empresas	Personas	Empresas	Personas
Primeras 10	9.086	290	34,8	7,6	34,8	7,6
De la 11 a la 20	2.452	127	9,4	3,3	44,2	11,0
De la 21 a la 30	1.656	87	6,3	2,3	50,5	13,3
De la 31 a la 50	2.311	126	8,8	3,3	59,4	16,6
De la 51 a la 100	2.784	198	10,7	5,2	70,0	21,8
De la 101 a la 500	5.198	572	19,9	15,1	89,9	36,9
Más de 500	2.631	2.395	10,1	63,1	100,0	100,0
Total	26.118	3.795	100,0	100,0		

Fuente: Elaboración propia sobre la base de la información de la Comisión Especial sobre Fuga de Capitales del Congreso Nacional, 2003.

yor parte. En el caso del Uruguay, la relevancia es baja en lo atinente a empresas pero muy significativa en el caso de las personas físicas. El total de operaciones indica que el 48,09% se dirigió a EE.UU., mientras que el 16,64% tuvo como destino geográfico el Uruguay. Sin embargo, los montos transferidos evidencian un peso aún mayor por parte de EE.UU., el cual concentra el 68,31% del total. Esta importante densidad de Estados Unidos como receptor de las transferencias giradas al exterior, además de ser explicada por el tamaño de EE.UU. en la economía mundial, también lleva a suponer que esta plaza fue una suerte de puente entre la Argentina y la verdadera y última plaza beneficiaria de los fondos transferidos" (p. 46).

Estas evidencias permiten constatar la acentuadísima concentración de las transferencias de divisas imperante en las empresas, ya que sólo 10 de ellas —que representan únicamente el 0,04% de las 26.118 que realizaron algún giro de divisas al exterior— concentran prácticamente el 35% del monto total correspondiente. Asimismo, las 50 firmas de mayores transferencias —que representan el 0,2% del total de las empresas involucradas— concentran casi el 60% del monto de divisas transferidas durante 2001. En las transferencias al exterior realizadas por las personas físicas, el monto de los giros realizados por las primeras 10 —equivalentes al 0,3% de personas— representa el 7,6% del monto total respectivo y el de las 50 primeras —1,3% del total de personas—, el 16,6 por ciento.

Estos resultados son una primera aproximación al grado de concentración, ya que por detrás de esta clasificación entre empresas y personas se desplegaban intensas vinculaciones de propiedad dentro y entre cada una de ellas. Así por ejemplo, en numerosas ocasiones las personas físicas que transferían divisas al exterior compartían la propiedad de grupos empresarios cuyas empresas controladas o vinculadas también realizaban ingentes transferencias de recursos al exterior.

Dado el notable grado de concentración y centralización del capital vigente en la economía argentina, es plausible asumir que el predominio que ejerció un reducido número de empresas en las transferencias de divisas estuvo férreamente asociado a las firmas oligopólicas que exhibían los mayores niveles de facturación y eran líderes en sus respectivas actividades. Con el propósito de comprobar esta hipótesis —por cierto decisiva para poder aprehender el comportamiento de la economía argentina en la fase más reciente de la valorización financiera—, en el Cuadro nº 6.20 se precisa el monto de las transferencias de divisas realizadas por las empresas de mayor facturación y su distribución de acuerdo con dos criterios determinantes: el tipo de empresa y la vinculación con las empresas privatizadas durante la década de los años noventa.[60]

Los resultados globales obtenidos permiten constatar la incidencia de las grandes firmas oligopólicas en relación con la variable analizada, en tanto los 18.074 millones de dólares transferidos al exterior por dichas firmas, representan el 69% de los fondos remitidos al exterior por todas las firmas que realizaron alguna operación, y el 60% de lo transferido por el conjunto de las firmas y las personas físicas.

[60] De acuerdo con el informe final de la Comisión, para determinar la incidencia y la composición de las transferencias al exterior de las grandes firmas se consideraron las 200 de mayores ventas en los años 2000 y 2001, lo cual dio como resultado un panel de 226 firmas de las cuales 213 realizaron operaciones de este tipo.

Cuadro N° 6.20

Distribución de las transferencias de divisas al exterior realizadas por las firmas de mayor facturación, según el tipo de empresa y su vinculación con las empresas privatizadas, 2001 (en miles de millones de dólares y porcentajes)

	Cantidad de empresas	Transferencias de divisas al exterior		
		Millones de dólares	%	Monto promedio por empresa (mill. de dólares)
Tipo de empresa				
Grupos Económicos Locales	40	3.447	19,1	86,2
Empresas Locales Independientes	27	342	1,9	12,7
Conglomerados Extranjeros	39	8.180	45,3	209,7
Empresas Transnacionales	65	3.776	20,9	58,1
Asociaciones	42	2.329	12,9	55,5
Relación con las firmas privatizadas				
Firmas privatizadas	29	5.187	28,7	178,9
Firmas accionistas de las privatizadas	28	3.777	20,9	134,9
Firmas desvinculadas de las privatizaciones	156	9.109	50,4	58,4
Total de las empresas de la cúpula	**213**	**18.073**	**100,0**	**84,9**
Total de las empresas que no integran la cúpula	**6.802**	**8.055**		**1,2**
Total general de empresas y personas	**34.843**	**29.913**		**0,9**

Fuente: Elaboración propia sobre la base de la información de la Comisión Especial sobre Fuga de Capitales del Congreso Nacional, 2003.

Por otra parte, al considerar los diversos tipos de empresas, se destaca el predominio que ejercían los conglomerados extranjeros al concentrar el 45,3% del monto transferido por las grandes firmas y exhibir el promedio por empresa más elevado de la cúpula empresaria considerada al alcanzar, prácticamente, los 210 millones de dólares. Le siguen las empresas transnacionales, que superan ligeramente por el monto transferido a los grupos económicos locales aunque, al mismo tiempo, estos últimos tienen un promedio por firma significativamente más elevado que las primeras (86,2 versus 58,1 millones de dólares por empresa). Al final se ubican las asociaciones con un monto total y por empresa menor a cualquier otra forma de propiedad.

Por cierto, esta composición de las transferencias de divisas de la cúpula empresaria no es sorprendente, en tanto expresa las características de la estructura económica posterior a la acentuada extranjerización resultante de las ventas de capital fijo que llevó a cabo, principalmente, la fracción de la oligarquía diversificada desde mediados de la década de los años noventa. Por esa razón las asociaciones perdieron importancia y la fracción diversificada de la oligarquía concretó una transferencia de divisas menor que ambas fracciones del capital extranjero, ya que los momentos culminantes de la fuga de recursos al exterior se habían registrado en los años previos a 2001, cuando vendió sus participaciones accionarias en las empresas privatizadas, e incluso otras firmas controladas, a los intereses extranjeros. De esta manera, esta fracción de los sectores dominantes se adelantó a la interrupción del régimen convertible y evitó sufrir perjuicios similares a los de la crisis de fines de los ochenta.

Desde la perspectiva de las empresas privatizadas, se constata que tuvieron una influencia directa e indirecta innegable al concentrar casi el 50% de las transferencias de divisas de la cúpula empresaria, ya sea porque giraban directamente o porque lo hacían a través de firmas accionistas. Asimismo, las empresas relacionadas con las privatizaciones exhiben un promedio de transferencias por empresa notablemente más elevado que el de las grandes firmas no relacionadas.

Complementariamente, en un intento por lograr una mayor aproximación aún al acentuado contenido clasista que trasunta el fenómeno analizado, en los Cuadros nº 6. 21 y 6.22 se exponen los listados de las 50 empresas o grupos empresarios y las 50 personas físicas con mayores transferencias de recursos al exterior. A pesar de que se trata de las primeras evidencias empíricas desagregadas de los últimos 30 años sobre la salida de capitales locales al exterior, la intención no es realizar un análisis pormenorizado, sino extraer algunas conclusiones que permitan encuadrar mejor los resultados analizados hasta el momento para aprehender más cabalmente el núcleo central del fenómeno de las transferencias al exterior.

El listado de los 50 grupos o empresas permite constatar que el primero en ese ránking es un grupo económico local y no un conglomerado extranjero: Pérez Companc. Sin duda, el liderazgo del integrante de la fracción diversificada de la oligarquía argentina resulta paradójico, al menos, en dos sentidos. El primero de ellos, es que hayan superado las transferencias al exterior realizadas por los grandes conglomerados extranjeros. Ciertamente, esta situación no hubiera sido llamativa algunos años antes, cuando todavía no se había producido la transferencia masiva al capital extranjero de empresas y paquetes accionarios pertenecientes a capitales locales, pero sí en el último año de la Convertibilidad, cuando ese proceso —que culminó en una exacerbación sin precedentes de la fuga de capitales— había quedado atrás. El segundo hecho llamativo es que ese mismo grupo económico haya sido reivindicado por el sistema político durante el primer año de la posconvertibilidad como la burguesía nacional que la sociedad debía cuidar y alentar para asegurar el desarrollo económico y social del país,[61] cuando en realidad se trataba de una fracción de la oligarquía argentina que era un socio fundacional de la valorización financiera vigente durante los últimos treinta años.

Cuadro Nº 6.21
Los 50 grupos empresarios o firmas con mayores transferencias de divisas según tipo de empresa*, 2001
(en cantidad y millones de dólares)

Grupos empresarios o firmas	Operaciones	Monto	Principales empresas controladas o vinculadas que transfirieron divisas al exterior
Pérez Companc (GEL)	792	3.213,1	Pecom Energía SA, Molinos Río de la Plata, Pecom Agra SA, Transp. Gas del Sur SA, Cia. Transener SA, Molfino SA, Pet. de Cuyo SA, Sudacia SA, Yacylec SA, Transba SA, Abolio y Rubio SA, Goyaike SA, SA Nieto Carbo y A. Senetiener SA, FAIE SA.
Telefónica Argentina (CE)	524	2.569,2	Telefónica Arg. SA, Tel. Com. Personales SA, Cia. Int. de Telecom., Televinter SA, Telef. Data Arg.
Repsol (CE)	478	1.742,8	PBBPolisur, Cia. Mega SA, YPF SA, EG3 SA, Metrogas SA, Refinerias del Norte SA, Gas Natural Ban SA, Pluspetrol Energy SA
Telecom. Argentina (CE)	311	1.188,6	Telecom Argentina SA, Telecom Personal SA
Nidera SA (ET)	258	806,8	
Shell SA (CE)	346	793,6	
Esso Argentina SA (CE)	162	490,1	
Bunge Ceval SA (ET)	168	412,1	
IBM Argentina S.A. (ET)	155	303,7	
Techint (GEL)	216	295,8	Santa María SAIF, Transp. Gas del Merc., Gasinvest SA, Transp. Gas del Norte, Siderar SA, Tecpetrol SA, Siderca SA, Litoral Gas, Techint Cia. Téc. SA, Siat SA, Techtel LMDS Com., Gasoducto Norandino Arg. SA

(continúa)

[61] A raíz de la venta de la Petrolera Pérez Companc a Petrobras, el presidente de ese momento, E. Duhalde, intentó impedir esta operación para defender las empresas nacionales. Al respecto, la crónica periodística de esos días (*La Nación*, 2/8/02) señalaba, entre otras cuestiones: *"Según versiones periodísticas publicadas hoy por algunos matutinos porteños, Duhalde estaría buscando impedir que se materialice la compra de Pérez Companc por parte de Petrobras para evitar que continúe el proceso de extranjerización de empresas argentinas. De acuerdo con esas versiones, el Gobierno podría apelar a la legislación antimonopólica argumentando que la empresa brasileña pasaría a detentar "una posición dominante" con presencia simultánea en diversos niveles del sector energético".*

Cuadro N° 6.21 (continuación)

Grupos empresarios o firmas	Operaciones	Monto	Principales empresas controladas o vinculadas que transfirieron divisas al exterior
Massalin Particulares (CE)	97	291,4	
SA L. Dreyfus y Cia. (CE)	51	248,6	
Ford Argentina SA (CE)	68	240,9	
Renault SA (CE)	147	238,5	
Cía. de Rad. Móviles (Asoc.)	54	222,8	
Total (ET)	105	215,0	Central Puerto, Piedra del Águila,
Clarín (GEL)	116	205,5	Multicanal SA, AGEA SA, Grupo Clarín SA, Artes Gráficas Rioplatenses SA, Artear SA
Cargill S.A. (ET)	62	186,6	
VW Argentina SA (ET)	96	184,1	
Emp. Dist. y Com. Norte SA (ET)	129	183,0	
Clorox Arg. SA (ET)	46	163,4	
Coca Cola (CE)	89	159,3	
Aluar-Fate (GEL)	51	152,0	Aluar, Fate, Pecerre, Hidroeléctrica Futaleufú SA,
Transpa SA			
Cervecería Quilmes (GEL)	81	146,1	
Petrolera del Conosur (ET)	200	144,0	
Disco SA (Asoc.)	86	143,2	
Mercedes Benz SA (ET)	71	139,8	
Lyonnaise (CE)	152	138,1	Aguas Argentinas, Aguas Cordobesas
Cablevisión SA (Asoc.)	164	136,4	
Vicentin SA (GEL)	117	131,1	
Procter & Gamble (ET)	808	120,7	
Ac. Gral. Deheza (GEL)	41	116,0	
Solvay Indupa SA. (ET)	85	115,3	
Alto Palermo SA (ET)	69	115,1	
Cía. Asociadas Petroleras (ET)	50	112,7	
Macri-Socma (GEL)	118	112,2	Supercemento SA, Sideco Americana SA, Correo Arg. SA, Socma Inver. SA, Socma Americana. SA, IECSA SA, IECSA Chile SA.
Promodes (CE)	74	99,5	Supermercados Norte, Tia SA
Fortabat (GEL)	35	97,8	Loma Negra SA, Estancias Unidas del Sur SA,
Ferrosur Roca SA			
Sade Skanska SA (ET)	147	88,3	
Pluspetrol SA (ELI)	7	88,2	
Arcor (GEL)	92	85,2	Arcor, Cartocor SA
CTI (Asoc.)	112	82,8	
Acindar (GEL)	100	80,5	
Varig (ET)	142	79,9	
Aerop. Arg 2000 (Asoc.)	129	79,0	
Gamuzzi (CE)	44	73,6	Gamuzzi Arg. SA, Gamuzzi Gas del Sur SA, Gamuzzi
Gas Pampeana SA. Sodegas SA			
Unilever SA (ET)	138	72,4	
Sancor (GEL)	37	70,2	
Fiat (CE)	55	68,6	Fiat Auto Argentina SA, Iveco Argentina SA

*GEL=Grupo económico local; ET= Empresa transnacional, CE = Conglomerado extranjero; ELI = Empresa local independiente.

Fuente: Elaboración propia sobre información de la Comisión sobre Fuga de Divisas del Congreso Nacional (2003).

Cuadro N° 6.22

Los 50 personas con mayores transferencias de divisas, 2001 (cantidad y millones de dólares)

Apellido y nombre	Operaciones	Monto
Devoto, Marcelo Hernán	5	52,1
Madanes Quintanilla, Javier	5	25,0
Smolarz, Moisés Aarón	18	24,4
Frávega, Raúl Arnaldo	18	22,2
Ángulo, José Pedro	9	20,9
Acevedo, A. T. y/o Aguirre, Teresa	5	19,5
Angulo, Alejandro	11	16,6
Huespe, José Emilio	12	15,8
Viano, Juan Carlos	3	15,4
Freita, Alberto	2	14,0
Angulo, Juan Carlos	7	11,2
Rospide de León, Ignacio	63	10,6
Blanco Villegas, Jorge	14	9,9
Grasso, Salvador	8	9,7
Barbosa, Jorge	6	8,8
Frávega, Liliana Mónica	6	8,4
Zavala, Gilberto	6	8,3
García Labougle, Miguel	4	8,1
Aguirre, José María Francisco	4	7,8
Angulo, Pedro Timoteo	6	7,5
Angulo, Juan Matías	3	7,2
Paladín, Roberto Oscar	8	7,2
Casarotti, Carlos M.	43	7,1
Sosa, Selva Cristina	2	6,7
Acevedo, Jorge Eduardo	3	6,4
Acevedo, Jorge	3	6,4
Pérez Companc, Luis	3	6,1
Bazterrica, Mauro	1	6,1
Herrera, Luis	2	6,0
Escasany, Eduardo J.	2	5,9
Clavijo, Manuel Gerardo	1	5,8
Arribas, Gustavo	3	5,6
Aguirre, José M. F. y/o Aguirre, Luis F. B.	1	5,6
García Pareja, Carlos Alberto	5	5,5
Spadone, Carlos Pedro	2	5,4
Gómez, Cecilia	1	5,4
Moche, Juan T. y/o Bello E. y/o otros	3	5,2
Rodríguez, Manuel	2	5,0
Del Carril, Alfredo	16	4,9
Donalson, Lufkin y Jenerette	1	4,7
Chiyah, Marta Elisa	1	4,6
Milberg, Diego Daniel	6	4,5
Suton Dabbah, Israel	1	4,5
Konrad Quintero, Pedro	41	4,4
Sgroi, Nicolás	3	4,3
Navilli, Aldo y/o Navilli, Rica	4	4,3
Yege, Amado	4	4,2
Fuchs, Fernando	2	4,2
Elsztain, Eduardo	23	4,0
Ayerza, Abel y/o Rial María Cristina de	6	3,9

Fuente: Elaboración propia sobre información de la Comisión sobre Fuga de Divisas del Congreso Nacional (2003).

El grupo económico Pérez Companc pone de manifiesto un rasgo común, aunque no exclusivo, del comportamiento de los integrantes de la oligarquía diversificada, tradicionales (como el grupo económico Fortabat), de origen extranjero (Techint y Macri) o provenientes de la burguesía nacional (como el grupo económico Fate-Aluar, Arcor o Clarín). Las transferencias de recursos al exterior se realizaron a través de múltiples empresas controladas o vinculadas, muchas de las cuales no integraban el panel de las firmas oligopólicas de mayor facturación en la economía argentina. No fue un patrón de comportamiento novedoso porque es el mismo que esta fracción oligárquica había utilizado en su endeudamiento externo durante la dictadura militar, pero sí debe tenerse en cuenta que la estimación de las transferencias al exterior considerando únicamente las ventas de las firmas de mayor facturación subvalúa la importancia de dichas transferencias.

Por otra parte, dentro de las 50 personas físicas con mayores transferencias al exterior, se puede identificar un número significativo de casos en los que se trataba, al mismo tiempo, de integrantes de las familias accionistas de empresas o grupos económicos que, a su vez, también transfieren fondos al exterior. Ése parece ser el caso, por ejemplo, de quien figura como segundo en el ranking de las personas (J. Madanes Quintanilla) ya que esa familia era una de los principales accionistas del grupo económico Fate-Aluar, que integra el listado de los 50 grupos o empresas de mayores transferencias al exterior. Lo mismo ocurre con varios integrantes de la familia Acevedo (A. T., Jorge y Jorge Eduardo Acevedo) uno de los propietarios del grupo Acindar, que también figura dentro del ranking de las 50 empresas más grandes. Otro ejemplo, es el caso de Jorge Blanco Villegas, integrante de la familia Macri y uno de los grandes terratenientes bonaerenses que amplió sus propiedades agropecuarias durante los primeros años de la década de los años noventa.[62] Caben pocas dudas de que estos entrelazamientos, de los cuales los mencionados sólo son algunos ejemplos, indican el acentuado contenido "clasista" que asumió este proceso en el que convergieron los intereses extranjeros con los de la oligarquía local.

6.4 Los efectos del régimen convertible sobre la economía real

6.4.1 El comportamiento y la trayectoria de las grandes firmas oligopólicas: los fundamentos de las transformaciones estructurales de la economía argentina (1991-2001)

Analizados ya los rasgos generales que caracterizaron las transformaciones estructurales, y su correlato en términos macroeconómicos, durante el perío-

[62] Al respecto, véase E. Basualdo, J. H. Bang y N. Arceo (1999).

do en que la valorización financiera —gracias al régimen convertible— alcanzó sucesivamente su mayor auge y su crisis definitiva, corresponde indagar su sincronía con la evolución de las grandes firmas oligopólicas de la economía argentina. No se trata únicamente de establecer la existencia de correlación entre dos niveles diferentes de la realidad económica y social sino de explorar el ámbito donde se generaron los cambios decisivos que se manifestaron con sus peculiaridades en el nivel de la economía en su conjunto. En otras palabras, se trata de explorar el "ojo de la tormenta", porque el objeto de análisis es la etapa culminante de un proceso de largo plazo en el cual las fracciones más concentradas del capital ejercieron un predominio indiscutido y, en consecuencia, son quienes definieron las pautas centrales del período, que las restantes fracciones del capital adoptaron o reprocesaron de acuerdo con su propia situación estructural.

Desde esta perspectiva, el primer aspecto que es imprescindible indagar es la evolución de la relación capital-trabajo dentro del funcionamiento de las grandes empresas oligopólicas. La información oficial permite hacerlo considerando las 500 empresas más relevantes de la economía local, excluidas las que actuaban en las actividades agropecuarias, financieras y de servicios personales. Obviamente, se trata del núcleo central de la economía local que ocupaba más de medio millón de trabajadores y generaba, aproximadamente, un cuarto del PBI y de la inversión bruta fija, y el 65% de las exportaciones.[63]

Tal como se constata en el Cuadro nº 6.23, el valor agregado de este conjunto de empresas creció a una tasa anual significativa entre 1993 y 2000 (5,4% anual acumulativa) sobre la base de un crecimiento que no se vio mayormente afectado por la denominada "crisis del tequila" de 1995, debido a la notable inserción exportadora de dichas empresas.[64] La única excepción se registró en 1999, cuando el valor generado se contrajo debido al impacto circunstancial de la crisis brasileña, que afectó sus ventas externas. De hecho en 2000 el valor agregado de estas empresas alcanzó niveles claramente superiores al del año previo al comienzo de la retracción económica (1998).

[63] Más precisamente, el INDEC (1998) señala que en 1998: *"La participación del Valor agregado del panel en el total del país alcanza un 25,6%. Se destacan los sectores de Minas y canteras con el 80% de participación, Electricidad, gas y agua con el 68% e industria manufacturera con el 40%. Para el resto de las actividades la participación oscila entre el 5,5% y el 16,5% dado que estas actividades se llevan a cabo en forma menos concentrada. La inversión bruta fija del panel de grandes empresas representa el 23,6% de la inversión bruta fija del país. Las exportaciones de las grandes empresas constituyen el núcleo de las ventas argentinas al exterior. En efecto, las exportaciones del panel aportan el 66% del total de las ventas externas del país en el año 1998"* (p. 25).

[64] Al respecto, véase E. Basualdo (2000).

Cuadro n° 6.23
Evolución del excedente generado por las 500 firmas más grandes según los factores de la producción, 1993-2000
(en millones de dólares, cantidad y porcentajes)

	Valor agregado (millones de dólares)			Asalariados (miles de ocupados)	Productividad (Valor agregado/ asalariados) (miles de dólares)	Productividad/ Salario medio (%)	Productividad excedente bruto de explotación (%)
	Total	Excedente bruto de explotación	Masa salarial				
1993	30.666	19.968	10.698	607	50,5	34,9	65,1
1994	33.888	22.799	11.089	563	60,2	32,7	67,3
1995	35.334	24.250	11.084	548	64,5	31,4	68,6
1996	37.645	26.553	11.092	539	69,9	29,5	70,5
1997	41.364	29.999	11.365	544	76,0	27,5	72,5
1998	42.605	30.599	12.006	570	74,7	28,2	71,8
1999	41.911	29.864	12.048	561	74,7	28,7	71,3
2000	44.247	32.220	12.027	556	79,6	27,2	72,8
T.a.a.	+ 5,4%	+ 7,1%	+ 1,7%	-1,2%	+ 6,7%	-3,5%	+ 1,6%

Fuente: Elaboración propia sobre la base de información de la Encuesta Nacional de las Grandes Empresas del INDEC, varios números.

La distribución de este creciente valor agregado generado por las grandes firmas entre 1993 y 2000 indica una creciente apropiación del mismo por parte del capital que se refleja en una expansión del 7,1% anual acumulativo en el excedente bruto de explotación cuando la masa salarial evolucionó al 1,7% anual acumulativo durante el mismo período. En términos más llanos, estas evidencias indican que, mientras en el año inicial el trabajo y el capital percibieron el 35 y el 65% del valor agregado respectivamente, en el año final dichas participaciones fueron del 27 y 73 por ciento.

Un análisis más pormenorizado de la pérdida de participación relativa en el valor agregado que sufrieron los trabajadores de las grandes firmas oligopólicas, indica que este proceso transitó con cierta expulsión de mano de obra y un incremento del salario medio que evolucionó muy por debajo del incremento de la productividad de las corporaciones. Por lo tanto, este sector de los trabajadores sufrió un aumento en la intensidad del trabajo, simultáneamente con un relevante incremento en el grado de explotación, expresado en el sistemático deterioro de la relación entre la productividad y el salario promedio.

Este incremento en la explotación relativa se dio en los trabajadores que constituían —acorde con el tipo de empresa en que estaban ocupados— el núcleo central del mercado de trabajo en tanto, tradicionalmente, habían sido los de mejor nivel de salarios, estabilidad y condiciones de trabajo. La acotación no es ociosa, porque se trata del conjunto de empresas que definía por sus relaciones "aguas arriba" o "aguas abajo" el comportamiento del resto, que no replicaba mecánicamente las relaciones laborales de esta cúpula sino procesándolas de acuerdo con su propia situación estructural que, por cierto, era sensiblemente más acotada que la de las empresas líderes. Así, en los sectores más débiles del capital o, incluso, en otros sectores del capital concentrado que no formaban parte de este conjunto de empresas, el proceso transitó por un aumento cualitativo de la intensidad del trabajo sobre la base de una acentuada expulsión de mano de obra que expandió el "ejército industrial de reserva", constituido a partir del cierre de empresas o establecimientos productivos, posibilitando un notable incremento de explotación de la mano de obra en términos absolutos.

En este contexto, es pertinente indagar las transformaciones que registraron las diferentes fracciones del capital dominante. Debido a la disponibilidad de información básica, este análisis se realiza sobre la base de la información de los balances de las 200 empresas de mayor facturación, excluyendo nuevamente a las empresas financieras y agropecuarias.

Una aproximación inicial a esta problemática, a través de un análisis de la evolución de las ventas y las utilidades de cada una de las fracciones dominantes del capital durante la década en que rigió el régimen convertible, indica la existencia de cambios estructurales que persisten hasta la actualidad (Cuadro nº 6.24).

El primero consiste en la extinción casi total de las empresas estatales, y la consecuente irrupción de las asociaciones como la forma de propiedad más relevante, tanto en términos de ventas como de las utilidades percibidas. Ciertamente, no se trató de dos situaciones contrapuestas e independientes, sino del anverso y el reverso de un mismo fenómeno: la transferencia de las empresas estatales a las fracciones del capital dominante.

La intrascendencia de las empresas estatales alude a un cambio histórico, ya que hasta ese momento eran la principal forma de propiedad en términos de la facturación de las 200 empresas de mayores ventas. Más aún, seguían siendo las de mayores ventas hasta 1992, cuando el avance de las privatizaciones desencadenó su ocaso definitivo. La importancia que asumieron las asociaciones entre capitales extranjeros y locales constituyó un hecho prácticamente inédito en la economía argentina y estuvo vinculada directamente con la privatización de las empresas estatales.[65]

[65] En relación con lo inédito de estas asociaciones y con las privatizaciones, es necesario recordar

Cuadro N° 6.24

Cantidad de empresas, facturación y utilidades promedio anual de las 200 empresas de mayores ventas según tipo de empresa, 1991-2001
(en cantidad, porcentajes y millones de dólares)

	Firmas (promedio anual)		Ventas totales (promedio anual)		Utilidades (promedio anual)	
	Cantidad	%	Mill. de dólares	%	Mill. de dólares	%
Estatales	**6**	**3,0**	**3.926**	**4,8**	**- 128**	**-5,0**
Capitales Locales	**84**	**42,2**	**26.250**	**31,9**	**961**	**37,3**
Grupos Económicos Locales	51	25,4	17.605	21,4	764	29,7
Empresas Locales Independientes	34	16,8	8.644	10,5	197	7,6
Capitales extranjeros	**72**	**36,0**	**31.910**	**38,8**	**495**	**19,2**
Conglomerados Extranjeros	27	13,6	17.052	20,7	266	10,3
Empresas Transnacionales	45	22,3	14.858	18,1	229	8,9
Asociaciones	**38**	**18,9**	**20.097**	**24,5**	**1.248**	**48,4**
Privatizadas	19	9,5	12.410	15,1	1.226	47,6
No-privatizadas	19	9,5	7.687	9,4	22	0,8
Total	**200**	**100,0**	**82.182**	**100,0**	**2.576**	**100,0**

Fuente: Área de Economía y Tecnología sobre la base de las revistas *Mercado* y *Prensa Económica*, así como los balances de las empresas.

La investigación de la composición de esta forma de propiedad permite establecer la estrecha relación que mantuvieron las asociaciones y la privatización de empresas públicas. En el Cuadro nº 6.24 se constata que si bien las empresas privatizadas y las que no lo fueron se igualan en cantidad, las ventas y las utilidades percibidas por las primeras fueron, sin entrar en mayores detalles, abrumadoramente superiores y determinaron los resultados obtenidos por las asociaciones en su conjunto.

---

algunas precisiones efectuadas en trabajos anteriores (E. M. Basualdo, 2000): "*... en el ámbito internacional la tendencia a la asociación* (joint-ventures) *de las empresas extranjeras con capitales locales cobra intensidad en la década del sesenta, en el caso de las empresas transnacionales europeas y japonesas, y del setenta, en el caso de las de origen norteamericano. Sin embargo, durante esos años en la Argentina, a diferencia de lo que ocurre a nivel mundial, las empresas extranjeras mantienen un acentuado grado de control sobre el capital de sus subsidiarias locales, siendo muy reducido el número de casos en que establecen acuerdos de capital con empresas locales, sean estatales o privadas. En efecto, tal como lo establecen algunos trabajos sobre el tema, durante el proceso de industrialización, y específicamente en la segunda etapa del proceso sustitutivo que se inicia a fines de los años cincuenta, estas firmas no realizan acuerdos significativos con empresas locales, sino que, por el contrario, la mayoría de ellas mantiene desde el comienzo de sus actividades en el país un acentuado grado de control sobre el capital de sus subsidiarias locales. Si bien a partir de la interrupción de la sustitución de importaciones comienza a modificarse este comportamiento, es recién a partir de la privatización de empresas públicas que se consolidan las asociaciones, asumiendo las mismas una importancia desconocida hasta ese momento*" (pp. 82-83).

También hay otras transformaciones, de menor enjundia pero relevantes estructuralmente y que son claves para aprehender las condiciones económicas y sociales que caracterizaron la etapa culminante de la valorización financiera en la Argentina.

En este sentido, es llamativa la cantidad de empresas locales que formaban parte de esta cúpula, así como la significación relativa de sus ventas y, especialmente, del monto absoluto y relativo de sus utilidades. Sin embargo, tal como se constata en el Cuadro nº 6.24, dentro de esta categoría convivían fracciones del capital con situaciones fuertemente diferenciadas. Mientras que la *oligarquía diversificada* (grupos económicos locales) es predominante, especialmente en términos de las ventas y las utilidades, los restos de la burguesía nacional (empresas locales independientes) tienen una escasa trascendencia relativa. Durante el período de la Convertibilidad, la fracción conductora de la oligarquía local en su conjunto, se ubicó como la forma de propiedad más importante, luego de las asociaciones, pero con el agregado de que, además, era una de las fracciones del capital dominante que participaba en la propiedad de los consorcios que controlaban el capital de las diversas empresas prestatarias de los servicios públicos. Por lo tanto, la *oligarquía diversificada* por sí misma ocupó el segundo lugar y, simultáneamente, asociada con capitales extranjeros participa en la propiedad de las empresas privatizadas que conformaban la forma de propiedad más relevante. Esto no ocurrió con las distintas formas de propiedad extranjera porque, mayoritariamente, las que eran accionistas de las empresas privatizadas eran diferentes a las que integraban los conglomerados extranjeros y las empresas transnacionales.

El análisis precedente permite aprehender los cambios más destacados del período de la Convertibilidad en su conjunto pero, al mismo tiempo, presenta la restricción de no captar las transformaciones que se desplegaron a lo largo de los años. Al respecto, en el Cuadro nº 6.25 consta la evolución anual de las mismas variables según las formas de propiedad consideradas. Dejando de lado la mención de los aspectos cuantitativos,[66] y concentrando la atención en la naturaleza del proceso, se percibe la existencia de dos etapas fuertemente contrapuestas que vinculadas a los momentos de cambio estructural fundamentales del período analizado.

[66] Un análisis más detallado desde el punto de vista cuantitativo hasta el año 1997, se encuentra en E. M. Basualdo (2000). Sin embargo, metodológicamente entre aquella y esta medición cuantitativa media una diferencia que conviene aclarar. En el trabajo anterior, se respeta estrictamente el origen del capital de cada uno de los integrantes de las diferentes formas de capital. El mismo criterio guía esta medición pero introduciendo algunas excepciones para poder captar plenamente la conformación actual de la *oligarquía diversificada*. Específicamente, se trata de los conglomerados extranjeros Techint y Bemberg, que aparecen como tales en el trabajo citado mientras que en estos ensayos, por las razones mencionadas en los capítulos anteriores, forman parte de los grupos económicos.

En la primera (1991-1995), se desplegó una acelerada recomposición de esta cúpula empresaria, tanto en términos de la facturación como de las utilidades, alcanzando estas últimas los valores absolutos más elevados de la década. Esta recomposición fue prácticamente coincidente con la "etapa de oro" de la Convertibilidad, sólo que en este caso incluyó el año 1995, que fue de crisis para el conjunto de la economía pero de expansión para la cúpula de las empresas oligopólicas. Durante estos años se sucedieron la extinción del Estado como productor, la espectacular instalación de las asociaciones, y la consolidación de la *oligarquía diversificada* a través de sus firmas controladas y su participación en la propiedad de las empresas privatizadas.

La segunda etapa (1996-2001) es radicalmente distinta a la anterior y tuvo como protagonista principal y dinámico al capital extranjero. Se desplegó a partir de otro cambio estructural que consistió en la masiva transferencias de propiedad de las grandes firmas, que reconoció como "epicentro" la venta a intereses extranjeros de los paquetes accionarios de las empresas privatizadas que se encontraban en manos de los grupos económicos locales, pero que fue mucho más amplio porque abarcó también la venta de grandes empresas oligopólicas industriales, comerciales e, incluso, de grupos económicos enteros. Tal como se aprecia en el Cuadro mencionado, este avance arrollador de la extranjerización de la economía argentina afectó incluso a las asociaciones que durante esos años vieron mermada su importancia y dinamismo en las ventas totales. Sin embargo, la pérdida relativa que registraron las asociaciones no se sustentó en un efecto similar sobre la "*perfomance*" de las empresas privatizadas, sino que mantuvieron su meteórica expansión relativa pero oscurecida por una modificación en la propiedad de dichas firmas.

Durante estos años, y con especial intensidad a partir de 1998, se disgregó la "comunidad de negocios" formada en la etapa anterior entre la *oligarquía diversificada*, las empresas extranjeras y los bancos transnacionales acreedores. La confluencia de esta disgregación con la alteración en la estabilidad internacional, provocó la crisis definitiva e irreversible de la Convertibilidad.

Una vez que la *oligarquía diversificada* concretó las ganancias patrimoniales y las remitió al exterior como inversiones financieras, se comenzaron a constituir dos bloques dentro de los sectores dominantes que conducían la *oligarquía diversificada* y el capital extranjero, planteando sendas alternativas al Plan de Convertibilidad: la devaluacionista y la dolarizante, respectivamente.[67]

[67] En un intento por evitar la repetición de conceptos vertidos en trabajos anteriores (E. M. Basualdo, 2001), parece atinado recordar el contenido económico de ambas propuestas allí expuesto: "*El proyecto vinculado a los capitales extranjeros tiene como objetivo fundamental la dolarización, que está concebida como la 'fase superior' de la Convertibilidad. La misma les garantiza a los capitales extranjeros radicados*

Cuadro nº 6.25

Evolución de la cantidad de firmas y las ventas efectuadas por las 200 empresas de mayores ventas según tipo de empresa, 1991-2001 (en cantidad, millones de dólares y porcentajes)

	1991	1992	1993	1994	1995	1996	1997	1998	1999	2000	2001	Prom. anual
Cantidad de firmas												
Estatales	19	17	8	6	5	4	3	1	1	1	1	6
Grupos Económicos Locales	66	62	65	59	56	51	49	45	37	34	35	51
Empresas Locales Independientes	39	46	40	37	38	34	30	27	25	26	27	34
Conglomerados Extranjeros	27	29	23	23	21	24	25	27	36	34	31	27
Empresas Transnacionales	29	25	27	32	35	46	52	58	61	65	61	45
Asociaciones	20	21	37	43	45	41	41	42	40	40	45	38
Total	**200**	**200**	**200**	**200**	**200**	**200**	**200**	**200**	**200**	**200**	**200**	**200**
Ventas (millones de dólares)												
Estatales	12.781	11.745	3.166	2.828	2.688	2.392	1.986	1.200	1.273	1.586	1.539	3.926
Grupos Económicos Locales	10.863	13.484	15.234	17.650	20.007	19.687	21.503	22.845	18.907	16.833	16.647	17.605
Empresas Locales Independientes	4.438	6.741	8.177	8.760	9.966	10.258	9.574	9.216	8.869	9.308	9.781	8.644
Conglomerados Extranjeros	5.595	6.613	7.474	9.059	9.225	12.043	16.202	19.356	33.019	36.371	32.613	17.052
Empresas Transnacionales	4.394	5.561	6.277	10.196	12.055	15.678	18.675	22.816	22.882	23.560	21.343	14.858
Asociaciones	6.186	11.207	21.679	25.080	25.767	25.123	26.926	28.345	16.633	16.834	17.284	20.097
Total	**44.256**	**55.351**	**62.007**	**73.572**	**79.706**	**85.180**	**94.866**	**103.777**	**101.584**	**104.492**	**99.208**	**82.182**
Ventas (%)												
Estatales	28,9	21,2	5,1	3,8	3,4	2,8	2,1	1,2	1,3	1,5	1,6	4,8
Grupos Económicos Locales	24,5	24,4	24,6	24,0	25,1	23,1	22,7	22,0	18,6	16,1	16,8	21,4
Empresas Locales Independientes	10,0	12,2	13,2	11,9	12,5	12,0	10,1	8,9	8,7	8,9	9,9	10,5
Conglomerados12,6 Extranjeros	11,9	12,1	12,3	11,6	14,1	17,1	18,7	32,5	34,8	32,9	20,7	
Empresas Transnacionales	9,9	10,0	10,1	13,9	15,1	18,4	19,7	22,0	22,5	22,5	21,5	18,1
Asociaciones	14,0	20,2	35,0	34,1	32,3	29,5	28,4	27,3	16,4	16,1	17,4	24,5
Total	**100,0**	**100,0**	**100,0**	**100,0**	**100,0**	**100,0**	**100,0**	**100,0**	**100,0**	**100,0**	**100,0**	**100,0**
Utilidades (mill. de dólares)												
Estatales	338	-1.515	-187	-26	-35	0	-1	0	0	0	20	- 128
Grupos Económicos Locales	-64	491	511	845	1.470	1.134	1.477	1.253	614	125	548	764
Empresas Locales Independientes	73	81	185	257	254	329	334	243	89	83	239	197
Conglomerados Extranjeros	-219	163	205	387	319	-525	-25	209	1.221	1.145	50	266
Empresas Transnacionales	-100	149	245	493	346	182	352	133	202	456	58	229
Asociaciones	-19	399	1.850	2.179	2.284	2.516	2.291	2.060	249	290	-371	1.248
Total	**9**	**-233**	**2.809**	**4.135**	**4.638**	**3.636**	**4.429**	**3.897**	**2.374**	**2.099**	**544**	**2.576**

Fuente: Área de Economía y Tecnología sobre la base de los balances empresarios y la información de las revistas *Mercado* y *Prensa Económica*.

Si bien reconocían como núcleo central los motivos económicos de corto plazo, estas propuestas incorporaron elementos del mismo carácter pero de largo plazo (como las propuestas de integración a la economía internacional a través del ALCA o del MERCOSUR), así como elementos políticos e ideológicos. En ambos casos se distorsionaban distintas aspiraciones presentes históricamente en los sectores populares, adecuándolas a la defensa de sus propios intereses. Dado que el bloque social devaluacionista fue el que finalmente se impuso a partir de la maxidevaluación de 2002, parece conveniente profundizar el análisis de algunas de sus características.

Aunque la *oligarquía diversificada,* fuertemente asentada en las exportaciones y que mantenía ingentes recursos financieros en el exterior, era el sector social fundante, el que enarbolaba a nivel político la propuesta de la devaluación era el nuevo sector hegemónico del peronismo que enfrentaba al "menenismo", encabezado por Duhalde y al que se le sumó un sector del radicalismo conducido por Alfonsín. Esta alianza política conformó un frente social compuesto por un espectro amplio de instituciones tradicionales, entre las que se encontraban diversos sectores de la "burocracia sindical", organizaciones empresarias y los sectores más tradicionales de la Iglesia Católica, de la cual la Comisión de Pastoral Social constituye el caso más destacado pero no el único. Todos ellos, de diversas maneras y con sus peculiares estilos, intentaban institucionalizar la propuesta mediante el planteo de la concertación social basado en el esquema tradicional de empresarios-sindicatos-Estado, sobre la base de que la restricción central que enfrentaba la sociedad argentina eran las imposiciones políticas, económicas y sociales provenientes de los intereses extranjeros, especialmente de los organismos internacionales y del FMI en particular.[68]

---

en el país el mantenimiento del valor en dólares de sus activos, que se estima que alcanzan a cerca de 120 mil millones de dólares, y al sector financiero que sus deudas no se acrecentarán. El otro proyecto, vinculado a los grupos locales y algunos conglomerados extranjeros, tiene como objetivo fundamental la devaluación y la instrumentación de subsidios estatales para su producción local que son, principalmente, bienes exportables. La misma produce efectos contrarios a la anterior." (p. 86).

[68] Los representantes políticos y sociales de este boque exhortaron reiteradamente a constituir un frente social nacional durante esos años. Así por ejemplo, el senador E. Duhalde destacaba la necesidad de *"desplazar a la comunidad financiera"* como requisito para *"hacer un país industrialista"* a partir de la celebración de una *"concertación patriótica"* que nucleara a empresarios de la producción, a los trabajadores y a la clase política (*Clarín, La Nación* y *Página 12,* 15/10/2001), y los líderes de las dos principales corrientes de la CGT (Rodolfo Daer y Hugo Moyano) sostenían que era necesario abandonar la Convertibilidad vía una devaluación del peso, y conformar un *"frente productivo"*, como requisitos indispensables para revertir la crisis (*La Nación,* 3/10/2001). Sin embargo, cabe señalar que esta línea política también era impulsada por los propios integrantes de la *oligarquía diversificada.* En este sentido, cabe recordar algunos de los conceptos que pronunció Roberto Rocca, fundador de Techint en la Argentina, en una mesa redonda sobre "El Proyecto Nacional": *"Debemos tener un modelo nacional, que tiene que ser productivo, fruto de las fuerzas productivas en simbiosis con las fuerzas políticas de toda la Na-*

Era un pseudo "proyecto nacional" que apelaba a la identidad popular consolidada en la Argentina a mediados del siglo pasado, pero tergiversándola. Se agitaban las banderas del peronismo de la etapa previa a la dictadura militar cuando la oligarquía ya no aparecía como una integrante central del bloque antipopular. Y se intentaba que la oligarquía apareciera como si fuera la burguesía nacional que formaba parte de la "alianza populista".

En efecto, es relevante percibir que durante los últimos años del régimen convertible esta renovada *oligarquía diversificada* puso en marcha una vasta campaña ideológica y política para sustituir su identidad e imponer una salida de la Convertibilidad afín a sus intereses de corto y de largo plazo. Se presentó como la auténtica burguesía nacional agredida por los intereses extranjeros y, por lo tanto, aliada natural de los sectores populares en la tarea de reconstruir la Nación.

Más aún, en el marco de la disgregación de la burguesía nacional y la desestructuración de la clase trabajadora como producto de las políticas implementadas por los sectores dominantes durante los últimos 30 años, esta fracción de la oligarquía, como parte de esa transmutación, tergiversó el origen y la naturaleza histórica de la alianza populista. Ya no era una alianza posible, porque la clase trabajadora se había constituido como un sujeto social y político que enfrentó el poder oligárquico modelando un nuevo tipo de Estado desde donde, a su vez, impulsó la conformación de una burguesía nacional asentada en una dinámica compatible con una mayor participación de los trabajadores en la distribución del ingreso. Ahora, en la versión oligárquica, se invirtieron las causalidades, colocando a la burguesía nacional como el *alma mater* de esa etapa histórica, ocultando de esta forma un hecho decisivo: la clase trabajadora es el sustento central de la conformación de los proyectos reformistas, tanto como lo fueron en otras experiencias nacionales de los proyectos revolucionarios.

Ambas cuestiones parecen ser importantes de tener en cuenta porque esta fracción de clase, al sustituir a la burguesía nacional, se propuso como interlocutor válido de los sectores populares y, al tergiversar el proceso histórico, reclamó para sí la potestad de definir el proyecto que permitiera dejar atrás la crisis orgánica. Desde su perspectiva, se trataba ahora de llevar a cabo el desarrollo de un planteo exportador sustentado en el infraconsumo

---

ción" (*El diario del Foro*, 2/5/2001). Por otro lado, en la llamada "Declaración de Tigre" (23/6/2000) del Grupo Productivo, la Cámara Argentina de la Construcción (entidades empresarias liderada por el grupo Techint), y las Confederaciones Rurales Argentinas, se afirmó que, en la actualidad *"los argentinos nos encontramos frente a una oportunidad histórica. Se impone una alianza estratégica entre los sectores de la producción, el trabajo y la dirigencia política que revalorice la identidad nacional"*.

de los sectores populares pero apoyado en la demanda, transferencias e incentivos estatales, manteniendo una economía abierta tanto en términos del mercado de bienes como de capitales, y sin proyecto alguno de reindustrialización que pudiera ponerla en situación de competir con el gran capital transnacional.[69]

6.4.2 Uno de los cambios estructurales más relevantes y regresivos del siglo XX: la transferencia de las empresas estatales a los sectores dominantes (1990-1998)

6.4.2.1 El liderazgo de las empresas privatizadas en la economía real durante la Convertibilidad

Tal como se señaló, la avasalladora expansión del capital extranjero durante el último quinquenio de la década de los noventa tendió a oscurecer la notable "*performance*" de las empresas privatizadas durante toda la década en que rigió la Convertibilidad. Como el incremento de la incidencia de las empresas extranjeras no evolucionó mediante una mayor expansión relativa de las ventas de sus empresas controladas sino fundamentalmente a través de la incorporación de empresas que integraban hasta ese momento otras formas de capital, su creciente predominio implicó necesariamente la declinación del resto, como las asociaciones, dentro de las cuales estaban las empresas privatizadas. Las evidencias expuestas anteriormente, permiten constatar que la merma de la participación relativa de las asociaciones en las ventas de las empresas líderes se hizo patente a partir de 1998, cuando el capital de las empresas privatizadas de mayor facturación (YPF, Telefónica Argentina y Telecom Argentina) pasó a manos del capital extranjero. De allí que sea necesario confrontar la evolución de las empresas privatizadas *vis á vis* las que no lo son, para poder apreciar sin mediaciones su comportamiento relativo.

En el Cuadro nº 6.26 consta la evolución de las ventas y las utilidades de las 200 empresas de mayor facturación diferenciando entre las empresas privatizadas, las que son accionistas y las que no tienen ninguna relación con ellas. Sobre la base de estas evidencias pueden determinarse para cada una de las categorías, la tasa de crecimiento de las ventas y de las utilidades durante el período de la Convertibilidad y de sus dos etapas, la evolución de las ventas y las utilidades por empresa, etcétera. En cualquie-

[69] Para una breve revisión histórica de la evolución de la burguesía nacional y la *oligarquía diversificada,* véase E. Basualdo (2004).

ra de los indicadores posibles, la superioridad que exhiben las empresas privatizadas es tan abrumadora en términos de la evolución de las ventas y, sobre todo, de las utilidades percibidas, que se convierte en un ejercicio redundante, especialmente cuando se les agregan las empresas accionistas. Sí es insoslayable analizar los factores que permitieron tales diferenciales y, al mismo tiempo, impulsaron vaivenes de tal magnitud en la propiedad de estos activos fijos.

Cuadro n° 6.26

Evolución de la cantidad de firmas y las ventas efectuadas por las 200 empresas de mayores ventas según su vinculación con las privatizaciones, 1991-2001 (en cantidad, millones de dólares y porcentajes)

	1991	1992	1993	1994	1995	1996	1997	1998	1999	2000	2001
Cantidad de empresas	200	200	200	200	200	200	200	200	200	200	200
Privatizadas	8	6	23	24	24	27	28	25	29	28	28
Accionistas de las privatizadas	12	14	33	33	36	36	36	32	31	28	26
No privatizadas	180	180	144	143	140	137	136	143	140	144	146
Ventas (mill. de dólares)	44.256	55.351	62.007	73.572	79.706	85.180	94.866	103.777	101.584	104.492	99.208
Privatizadas	3.068	4.494	13.629	15.746	17.544	19.431	19.778	20.749	22.650	24.699	23.211
Accionistas de las privatizadas	2.228	3.278	8.049	10.797	12.500	13.979	16.676	18.397	17.781	16.096	15.183
No privatizadas	38.960	47.578	40.328	47.029	49.663	51.770	58.412	64.632	61.153	63.697	60.814
Ventas (%)	100,0	100,0	100,0	100,0	100,0	100,0	100,0	100,0	100,0	100,0	100,0
Privatizadas	6,9	8,1	22,0	21,4	22,0	22,8	20,8	20,0	22,3	23,6	23,4
Accionistas de las privatizadas	5,0	5,9	13,0	14,7	15,7	16,4	17,6	17,7	17,5	15,4	15,3
No privatizadas	88,0	86,0	65,0	63,9	62,3	60,8	61,6	62,3	60,2	61,0	61,3
Utilidades (mill. de dólares)	9	-233	2.809	4.135	4.638	3.636	4.429	3.897	2.374	2.099	544
Privatizadas	138	226	1.502	1.648	2.254	2.182	2.416	2.167	1.771	2.193	1.136
Accionistas de las privatizadas	185	124	273	568	1.224	891	1.528	1.139	782	872	815
No privatizadas	-314	-583	1.034	1.920	1.161	564	484	591	-179	-966	-1.407

Fuente: Área de Economía y Tecnología sobre la base de los balances empresarios y la información de las revistas *Mercado* y *Prensa Económica*.

6.4.2.2 Evolución general del proceso privatizador

En el marco de las crisis hiperinflacionarias de 1989 y 1990, se instrumentaron las privatizaciones de las empresas estatales.

Parece poco discutible que las características del proceso de privatizaciones aporte elementos sustantivos para avanzar hacia una síntesis superadora acerca del fenómeno del *imperialismo*. Por un lado, la aceptación y el estímulo a la desindustrialización, vía la apertura importadora, y su consiguiente acomodamiento a la estrategia del capital transnacional, así como su asociación con éste en las privatizaciones, demuestra que la *oligarquía diversificada*, salvo las lógicas disputas con los acreedores externos y el capital extranjero, no tuvo diferencias estratégicas con el capital imperialista y, en este sentido, forma parte de él. Por otro lado, desmitifica la creencia decantada a lo largo de décadas sobre las supuestas diferencias entre el capitalismo depredador norteamericano y el capitalismo progresista del viejo continente.

Estrechamente asociada a la funcionalidad que tuvo en relación con los sectores dominantes, la privatización de las empresas estatales exhibió una importancia económica indisimulable. De acuerdo con la información disponible, entre 1950 y 1974 la participación promedio de las empresas públicas ascendía al 7,8% del PBI, de los cuales el 75% (casi el 6% del PBI) era generado por las empresas de servicios públicos. Más importante aún era la participación en el valor agregado industrial, ya que éste representaba entre el 17 y el 20% del PBI sectorial durante esos mismos años. También en la formación de capital el papel de estas empresas fue decisivo, ya que en 1975 representaba alrededor del 25% de la inversión total.[70] Finalmente, las empresas estatales constituyeron, a fines de la década de los ochenta, el tipo de empresa más relevante dentro de las firmas de mayor facturación en la economía argentina, con un promedio de ventas por empresa que superaba largamente a cualquiera de las grandes sociedades privadas.

La transferencia de estas empresas al sector privado constituyó la modificación estructural más relevante de la administración de Menem, incluso, resultó más importante que la estatización que se llevó a cabo durante los primeros gobiernos peronistas, por varias razones: YPF ya era estatal, muchas de las empresas creadas en ese momento comenzaron sus actividades con posterioridad a los primeros gobiernos del peronismo —por ejemplo SOMISA— y, en general, el complejo estatal se expandió después del golpe militar que derrocó al segundo gobierno constitucional del general Perón.

[70] Estas estimaciones fueron realizadas por CEPAL (1983, pp. 17-20) sobre la base del BCRA (1976) y la SIGEP (1982).

Pese a la importancia económica que exhibían, su transferencia a las fracciones del capital dominantes fue llamativamente acelerada.[71] En el Cuadro nº 6.27 se comprueba que durante los primeros años (1990-1994) se concretó la mayoría de las privatizaciones con un grado excepcionalmente alto de participación de la capitalización de bonos de la deuda externa y una escasísima transferencia de los pasivos estatales a los consorcios privados que toman a su cargo la prestación de los servicios públicos. La principal privatización realizada en los años posteriores (1995-2001) fue la de YPF, que se pagó en efectivo sin capitalización de la deuda externa.

Los recursos totales que percibió el Estado por la transferencia de sus empresas a las fracciones del capital dominante entre 1990 y 2001, ascendieron a 36,3 miles de millones de dólares, considerando el valor nominal de los bonos de la deuda externa que se entregaron como forma de pago, y a 28,6 miles de millones de dólares, si dichos bonos se valúan al precio vigente en el mercado en el momento en que se realizó la transferencia de cada empresa estatal.

Si bien en términos absolutos los ingresos percibidos por el Estado son considerables, los mismos resultan irrisorios al vincularlos con la trascendencia económica que asumen los activos transferidos y, de hecho, las evidencias disponibles indican que los montos pagados por las prestatarias fueron rápidamente recuperados. Así, por ejemplo, las dos empresas en que se dividió ENTEL (Telefónica de Argentina y Telecom Argentina) acumularon, entre 1991 y 1999, 5.590 millones de dólares en concepto de utilidades contables. Considerando que los respectivos consorcios controlaban el 60% del paquete accionario de cada firma, el porcentaje equivalente de utilidades acumuladas (3.354 millones de dólares) más que triplica los 1.000 millones de dólares que supuso el desembolso realizado en 1990 para hacerse cargo de los activos de la ex ENTEL. Tal evolución les posibilitó a los consorcios adjudicatarios de Telefónica de Argentina (Cointel) y Telecom Argentina (Nortel), tomados conjuntamente, recuperar el monto de la inversión inicial en poco

[71] Al respecto, D. Azpiazu y M. Schorr en un trabajo reciente (mayo de 2004) señalan: *"Uno de los principales rasgos distintivos del programa de privatizaciones desarrollado en la Argentina durante la década de los noventa es el que se vincula con la celeridad y la amplitud de sus realizaciones. Así, durante los primeros años del decenio pasado se transfirieron al capital privado la mayor empresa del país (la petrolera YPF); la generación, la transmisión y la distribución de energía eléctrica; el transporte y la distribución de gas natural; buena parte de la infraestructura vial (rutas nacionales y redes de acceso a las grandes ciudades); el dragado y el balizamiento de la hidrovía Santa Fé-Océano Atlántico; el servicio postal; el sistema nacional de aeropuertos; los ferrocarriles de pasajeros y de carga; el servicio de telefonía; las terminales portuarias; el sistema de agua y saneamiento (en el Área Metropolitana de Buenos Aires —el mayor sistema integrado a nivel internacional— y en diversas provincias); las empresas siderúrgicas y petroquímicas; etcétera. Sin duda, al margen de las economías del ex bloque soviético, no existe experiencia internacional alguna en que se haya privatizado tanto patrimonio y tanto poder económico con tal premura"* (p. 1).

menos de cuatro años. Similares conclusiones se desprenden de observar lo acontecido en el ámbito del sector gasífero, ya que en la evolución del monto de las ganancias obtenidas por las dos empresas transportistas se constata que los consorcios propietarios recuperaron la inversión inicial (equivalente a 566,4 millones de dólares) en menos de cuatro años de actividad. Por otra parte, las ocho distribuidoras de gas en que se subdividió Gas del Estado recuperaron el monto desembolsado inicialmente (en este caso, la inversión inicial total ascendió a 1.274,5 millones de dólares) en siete años de operaciones. Teniendo en cuenta que las concesiones para prestar los servicios de transporte y distribución de gas se otorgaron por un lapso de 35 años con la posibilidad de ser prorrogadas por 10 años adicionales, es indudable que la recuperación de la inversión original se concretó en plazos sumamente cortos debido a la confluencia de un bajo precio inicial y niveles de inversión excepcionalmente reducidos.

Cuadro n° 6.27
Resultado financiero del programa de privatizaciones, 1990-2001
(millones de dólares)

	Efectivo		Títulos				Pasivos		Total					
			Valor nominal		Valor mercado		transferidos		1+2+4			1+3+4		
	(1)		(2)		(3)		(4)							
	1990/94	1995/01	1990/94	1995/01	1990/94	1995/01	1990/94	1995/01	1990/94	1995/01	1990/01	1990/94	1995/01	1990/01
Teléfonos	2.279		5.029		1.004		380		8.312	0	8.312	3.663	0	3.663
Aerolíneas	190		1.314		394				1.898	0	1.898	584	0	584
Electricidad	1.295	1.695	2.186		1.914		427		5.395	1.695	7.090	3.636	1.695	5.331
Puertos	13								13	0	13	13	0	13
Radio y TV	14								14	0	14	14	0	14
Petróleo	4.847	4.192	1.271		1.080		2.800		7.198	4.192	11.390	8.727	4.192	12.919
Gas	1.164		3.082		1.120		947		5.366	0	5.366	3.231	0	3.231
Petroquím.	53		132		46				231	0	231	99	0	99
Astilleros	60								60	0	60	60	0	60
Siderurgia	143		42		23				208	0	208	166	0	166
Inmuebles	203								203	0	203	203	0	203
Otros	171	412	559		348		1.405		1.078	412	1.490	1.924	412	2.336
Total	10.432	6.299	13.615	0	5.929	0	5.959	0	29.976	6.299	36.275	22.320	6.299	28.619

Fuente: Elaborado sobre la base de la información del Area de Economía y Tecnología de FLACSO y del Ministerio de Economía de la Nación.

Sin embargo, no fue únicamente la evidente subvaluación de los activos estatales en el momento de ser transferidos a las fracciones del capital dominantes,[72] sino la importancia que exhibió la deuda externa e interna que no se les transfirió a los nuevos consorcios privados, con el agravante de que en muchos casos, registró un incremento desmesurado durante el propio proceso de privatización.[73]

En el Cuadro nº 6.28 consta la deuda externa e interna de las entidades estatales que fue transferida al Tesoro Nacional sólo hasta mediados de 1993, diferenciando entre las empresas privatizadas y los organismos que en ese momento permanecían bajo la órbita estatal.

A pesar de que se trata de evidencias parciales, la trascendencia económica de la deuda absorbida por el Estado es elocuente, ya que supera los 20 mil millones de dólares a mediados de 1993 y representa el 46% de los ingresos percibidos por el Estado entre 1990 y 2001 tomando en cuenta el valor nominal de los bonos de la deuda externa, y el 56% si se consideran los ingresos percibidos en ese mismo período pero valuando los bonos de la deuda externa al precio de mercado vigente en el momento de las respectivas privatizaciones. Por cierto, ésta como la mayoría de las medidas más regresivas que formaron parte del proceso de privatizaciones, son recomendaciones impulsadas por los organismos internacionales, especialmente el Banco Mundial que fue el responsable directo de diseñar y auditar las reformas estructurales.[74]

[72] El caso emblemático fue el de la empresa ENTEL. Sobre su precio de venta, H. Verbitsky (1991) indica: *"El último balance aprobado por la SIGEP en 1987 había arrojado un valor de libros de 3.500 millones de dólares. Para 1990 los consultores lo recalcularon en unos 3.100 millones de dólares [...] Se dispuso entonces que la valuación no fuera ésa, sino la que surgiera del método denominado 'flujo de caja descontado, con proyecciones calculadas a diez años, valor residual por flujo perpetuo del último año y correcciones que lo incrementan' [...] La revelación más notable de Zinn es que con este método no hubo una valuación sino cinco, en un abanico que fue de los 3.200 como máximo a 1.900 millones de dólares como mínimo [...] El gobierno optó por la más baja. Sin embargo, por la coexistencia de dos valuaciones (flujo de caja descontado y activos sujetos a explotación) garantizaban la rentabilidad del 16 por ciento sobre la más alta. Ese juego de malabar, por el cual bajaba el precio de venta pero subía la base de cálculo de la rentabilidad, no sería fácil de mantener"* (p. 214).

[73] Así, por ejemplo, en el caso de la misma ENTEL, M. Abeles, K. Forcinito y M. Schorr (2001) señalan que: *"Con respecto de los pasivos absorbidos por el Estado, no puede dejar de destacarse que, durante la intervención de la Ing. Alsogaray, se registró un notable incremento en los niveles de endeudamiento de Entel. En el período previo a la transferencia de la empresa, su deuda total, tanto externa como interna, se incrementó un 122%, llegando a superar los u$s 2.000 millones. El componente interno de dicha deuda rondaba los u$s 500 millones, y se debía, en buena medida, a compromisos contraídos por la empresa con sus principales contratistas, entre los que se encontraban Siemens, Pecom Nec (del grupo Pérez Companc) y Telettra e Italtel (ambas del grupo Techint)"* (p. 66).

[74] Al respecto, es ineludible mencionar que en un documento del Banco Mundial (1993) constan las "recomendaciones" para la privatización de las firmas estatales argentinas que realizó una misión que visitó el país entre noviembre de 1991 y octubre de 1992. Allí se señala: *"Para hacer más atractiva la venta de empresas públicas, la reestructuración del programa gubernamental debe incluir: a) La absorción de la mano de obra excedente. b) La absorción de la totalidad de la deuda de las empresas y cualquier otro com-*

Cuadro nº 6.28
Deuda de los principales organismos estatales asumida por el Tesoro Nacional
al 31/07/1993
(en millones de pesos)

	Deuda Externa	Deuda Interna	Total
A) PRIVATIZADAS	17.079,5	3.027,4	20.106,8
YPF	8.786,6	7,2	8.793,8
Ferrocarriles	1.971,8	585,8	2.557,6
Gas del Estado	1.892,8	387,3	2.280,1
Hidronor	1.485,3	2,9	1.488,2
SOMISA	612,7	825,1	1.437,9
Agua y Energía	328,3	729,8	1.058,0
SEGBA	817,8	84,0	901,8
ELMA	406,3	329,9	736,3
Aerolíneas Argentinas	421,3	6,4	427,7
ENTEL	269,6	26,4	296,1
Obras Sanitarias	86,8	42,6	129,4
B) OTRAS ENTIDADES	10.644,3	2.840,0	13.484,3
BCRA	7.496,9	0,9	7.497,8
BANADE	2.873,4	628,3	3.501,7
INDER	124,6	1.500,0	1.624,6
CNAS	0,0	600,0	600,0
JNG	146,8	0,2	147,0
ENCOTEL	2,6	110,6	113,2
Total	27.723,7	5.867,4	33.591,1

Fuente: Elaborado sobre la base del Presupuesto Nacional de 1994.

No obstante, este cambio no provocó una descentralización de la propiedad del capital sino todo lo contrario. En general, se impusieron diversas condiciones patrimoniales así como una serie de arbitrariedades en la adjudicación de las licitaciones, cuyo resultado fue que, en la propiedad de los nuevos

promiso. c) La reducción de mano de obra se estima en 95.200 personas, representando una reducción de alrededor del 37% de los niveles de empleados a junio de 1991. d) Las privatizaciones deben usarse para pagar la deuda pública. e) Los precios y tarifas deben ser a precios internacionales, costos marginales, la indexación debe ajustarse con el índice de precios de USA".

consorcios privados prestadores de los servicios públicos participara, con funciones diferentes, el conjunto de las fracciones del capital dominantes.[75]

Las excepciones a este *modus operandi* tampoco estuvieron vinculadas a una descentralización de la propiedad sino a la consolidación del transformismo mediante la integración de las conducciones burocráticas sindicales o capitales cuya base de sustentación se encontraba en su dependencia del sistema político bipartidista (como ocurrió con Yabrán o el Banco República, entre otros).[76]

La *oligarquía diversificada* tuvo una participación crucial por ser la fracción del capital que constituyó el sustento principal del *transformismo argentino* y, como tal, ostentaba una capacidad de condicionar el funcionamiento del sistema político en su conjunto (capacidad de *lobby*) superior a cualquier otra fracción del capital dominante.

Era la fracción empresaria central en la transferencia de recursos locales al exterior y, además, estaba saneada financieramente y en condiciones óptimas para endeudarse nuevamente con el exterior, porque ya había culminado la transferencia de su deuda externa al Estado.

Ambas situaciones se expresaron en términos macroeconómicos durante los primeros años de la década de los noventa.[77] Por un lado, la *oligarquía diversificada* fue decisiva en la repatriación de los capitales locales radicados en el exterior, que tuvo como objetivo la adquisición de los activos estatales. Por otra parte, junto a los bancos extranjeros, su participación fue crucial para reunir los bonos de la deuda externa ya que éstos formaban parte de sus tenencias financieras en el exterior. Finalmente, intervino activamente en el nuevo ciclo de endeudamiento del sector privado con el exterior cuyo núcleo central se encontraba en las empresas privatizadas.

En términos políticos, sus posibilidades eran inmejorables en tanto, al calor de las reformas estructurales, se consolidaba el *transformismo argentino*, el cual reconocía en la *oligarquía diversificada* su principal sustento económico. Tanto es así que fue una de las fracciones dominantes con acceso sistemático a la propiedad del capital de los nuevos consorcios que tomaron a su cargo la prestación de los servicios públicos, a pesar de que no existía ninguna cláusula específica que obligara a la participación de empresas locales, y de que su inferioridad económica respecto de los capitales extranjeros era por demás evidente.

Para esta fracción del capital dominante —hasta ese momento, el princi-

[75] Sobre este particular, véase D. Azpiazu (2002).

[76] Véase E. Basualdo (1997).

[77] Estos efectos, se podían percibir en el sector externo ya en los primeros años de la década. Al respecto, véase E. M. Basualdo (1994).

pal proveedor del Estado—, las privatizaciones trajeron aparejada la consolidación de sus posiciones en la economía real, que transitaban sobre tres alternativas estratégicas diferentes aunque en múltiples casos complementarias.[78] Éstas eran:

a) la que implementaban los grupos económicos que, a través de algunas de sus firmas controladas o vinculadas, adquirían total o parcialmente el capital de empresas estatales que operaban en el mismo sector de actividad en el que estaban insertos (*estrategia de concentración*). Este es el caso, del grupo Indupa y su participación en Petropol e Inducior; de Garovaglio y Zorraquín, que a partir de Ipako adquirió Polisur; o del conglomerado Techint, que se adjudicó la mayoría accionaria de SOMISA. Este fenómeno se replicó en la privatización de las áreas centrales y secundarias de explotación petrolífera que, en su mayoría, pasaron a manos de las principales empresas del sector (Pérez Companc, Astra, Techint, y la Cía. Gral. de Combustibles del grupo Soldati);

b) la que llevaban a cabo los grupos económicos que se insertaban en consorcios o servicios públicos que les permitían lograr, directa o indirectamente, un mayor grado de integración vertical u horizontal de sus actividades, al ingresar a mercados que les proveían de un producto o insumo clave para sus principales producciones (*estrategia de integración*). Entre los numerosos casos que se encuadran en estos parámetros, se encuentran: las empresas siderúrgicas controladas por el conglomerado transnacional Techint y el grupo económico Acindar que lograron integrar la producción y la distribución de energía eléctrica y gas, insumos fundamentales de su producción; las principales empresas aceiteras (Bunge y Born, Cía. Continental, La Plata Cereal, La Necochea Quequén, Aceitera General Deheza, etc.) en lo atinente a ferrocarriles e instalaciones portuarias; el principal oligopolio cementero (el grupo económico Loma Negra) en el transporte ferroviario de carga; las proveedoras de ENTEL en la privatización de dicha empresa (los grupos económicos Pérez Companc y Techint); las empresas petroleras que pasaron a controlar refinerías, destilerías, oleoductos, instalaciones portuarias, flota petrolera, etc.;

c) la que adoptaron los grupos económicos que tenían una amplia participación en las privatizaciones, asumiendo una estrategia de diversificación de sus actividades hacia diferentes servicios privatizados con escasa relación económica entre sí (*estrategia de conglomeración*). Se encontraban en esta situación: el grupo Pérez Companc (generación, transmisión y distribución de energía eléctrica, transporte y distribución de gas, explotación de petróleo en áreas centrales y secundarias que eran propiedad de YPF, refinerías y destilerías, te-

[78] Al respecto, véase D. Azpiazu y E. M. Basualdo (1995).

lecomunicaciones, etc.); el conglomerado extranjero Techint (generación y distribución de energía eléctrica, explotación petrolífera, transporte de gas, ferrocarriles, telecomunicaciones, rutas nacionales, industria siderúrgica, etc.); el grupo económico Soldati (generación y transmisión de energía eléctrica, transporte y distribución de gas natural, explotación petrolífera y destilerías, ferrocarriles, telecomunicaciones, aguas y servicios cloacales, etc.). Sin embargo, el caso paradigmático de este tipo de estrategia fue el CEI Citicorp Holdings (un consorcio donde confluyeron el Citibank, el Banco República —propiedad de Raúl Moneta y estrechamente vinculado al partido de gobierno— y el grupo económico Werthein, cuyas características sobresalientes fueron su inserción agropecuaria, agroexportadora y financiera), que ingresó al transporte y la distribución de gas, a la generación y transporte de electricidad, al servicio telefónico (Telefónica de Argentina), y a la producción siderúrgica a través de la adquisición de Altos Hornos Zapla.

Las empresas extranjeras fueron igualmente importantes en los nuevos consorcios ya que eran, mayoritariamente, las operadoras técnicas de los servicios. Se trataba de empresas europeas especializadas en la prestación de servicios que, en muchos casos, eran de propiedad estatal y se instalaban por primera vez en la Argentina. Hacia fines de la década, cuando la *oligarquía diversificada* realizó las ganancias patrimoniales vendiendo sus participaciones en el capital de los consorcios, estas empresas quedaron como sus accionistas fundamentales. Junto a ellas, participaban los bancos transnacionales como agentes financieros de los nuevos consorcios encargados inicialmente, de aportar los bonos externos, una forma de pago ineludible para acceder a los activos estatales.

Así se formó esta comunidad de negocios inédita entre la *oligarquía diversificada*, las empresas extranjeras y los bancos transnacionales, que fue uno de los fundamentos de la "etapa de oro" de la Convertibilidad.[79] Sin embargo, todo parece indicar que sería un error entender que dicha comunidad fue el resultado de una amigable negociación entre los integrantes de las fracciones dominantes y el sistema político. Por el contrario, los acontecimientos de la época señalan que fue el resultado de una intensa puja dentro de los sectores de poder, que se puso de manifiesto en los más diversos ámbitos institucionales e incluso en la forma en que se definieron las respectivas licitaciones.

El caso paradigmático en este sentido es el de la adjudicación de la zona Norte, uno de los dos monopolios en que se dividió ENTEL para su privatización, que luego de ser preadjudicada al consorcio encabezado por la Bell Atlan-

[79] Para un análisis de esta asociación entre los capitales locales y extranjeros, véase E. M. Basualdo (2000).

tic terminó siendo otorgada al consorcio constituido por: Stet (italiana), France Cable et Radio (francesa), Cía. Naviera Pérez Companc (grupo económico local) y J. P. Morgan (banco transnacional).

La debilidad manifiesta de la causa aducida para dar de baja al ganador (el tiempo solicitado para reunir los bonos de la deuda externa por parte de este consorcio, cuando al que se le adjudicó la licitación se le otorgó un lapso más prolongado) y las evidencias disponibles ponen de manifiesto que los factores decisivos para semejante decisión radicaron en la capacidad de los grandes grupos económicos locales para digitar estos procesos[80] y en el acentuado grado de corrupción que los hizo posibles.[81]

En ese contexto, la profundización del proceso de concentración y centralización del capital fue un resultado esperable, ya que el proceso de privatizaciones se resolvió entre un número muy reducido de empresas que se apoderaron de los monopolios u oligopolios legales, con la consiguiente consolidación de mercados protegidos sobre la base de una regulación notablemente sesgada en su favor que les garantizaba la maximización y perdurabilidad de su tasa de rentabilidad.

Si bien este cambio cualitativo en el grado de concentración y centralización del capital resultó irreversible durante estos años, sus características se transformaron desde mediados de la década de los años noventa en adelante. Cuando el paupérrimo precio que pagaron los consorcios privados por los activos estatales confluyó con un acelerado crecimiento de la rentabilidad de los servicios públicos, se inició la disgregación de esa "comunidad de nego-

[80] Al respecto cabe recordar las conclusiones de M. Abeles, K. Forcinito y M. Schorr sobre este mismo caso (1998): "*... En este sentido, el análisis precedente sirve para comprobar la significativa influencia de los grupos locales y el alto grado de subordinación del Estado en relación con ellos o, dicho de otra manera, permite mostrar la necesidad que tiene el capital extranjero —sea financiero o productivo— de asociarse con la elite económica local como forma de participar exitosamente en el proceso de privatización, así como también una creciente y marcada subsunción del aparato estatal a los intereses de ambos*" (p. 106).

[81] Sobre la corrupción imperante, es pertinente recordar algunos pasajes de lo publicado por el Suplemento "Zona" del Diario *Clarín* el 3/9/99 donde se transcribe la grabación de la conversación que mantuvieron el 21/9/99, Guillermo Laura y el ingeniero Paul Leclerq (coordinador del consorcio de la Bell) sobre la reunión de este último con Roberto Dromi (ministro de Obras y Servicios Públicos entre julio de 1989 y enero de 1991) poco antes de la preadjudicación. *"Laura: Ahora, la reunión que vos tuviste donde él te hace ese pedido de coima [...] Leclerq: La reunión fue en el ínterin. Entre el 25 de junio y el 4 de octubre, lo voy a ver a él, personalmente, y le digo: 'Mirá, yo ya sé cuál es la jugada de ustedes, la jugada de ustedes es ésta, pero esto va a ser un escándalo público', le digo [...] 'Mirá, esto se soluciona [...] Entonces él me lo dijo muy campechanamente, dice, 'mirá, esto se soluciona muy rápido porque acá son todos...' Y me dijo una frase que me la acuerdo perfectamente, me dijo 'porque todos aquí comen naranja y yo, naranjo'. Me dijo, 'póngase y vamos a solucionar todo'. Me dijo así en chiste, 'pónganse y vamos a solucionar todo'. Y ya ahí me quedé medio cortado y no seguí avanzando. Pero me di cuenta cómo venía la mano. Después, ahí me puse a trabajar intensamente en averiguar cómo era la cosa, pero no tuve absolutamente nunca la más mínima respuesta positiva del consorcio mío en el sentido de estar dispuestos a arreglar ningún pago. Más bien fue un rechazo total y absoluto...".*

cios" que integraban las distintas fracciones del capital dominantes. Bajo estas nuevas condiciones, los integrantes de la *oligarquía diversificada* pusieron en marcha una política dirigida a enajenar una parte de sus activos fijos, realizando las correspondientes ganancias patrimoniales que, mayoritariamente, fueron transferidas al exterior. Fue un comportamiento coherente con un patrón de acumulación sustentado en la apropiación del excedente mediante la valorización que se realizó en el ámbito financiero y cuyos efectos fueron de primer orden de importancia macroeconómica —acorde con la magnitud de este fenómeno— al funcionar como un factor que sobredeterminó la valorización financiera, exacerbando la transferencia de capitales locales al exterior.

Dado que todas las evidencias disponibles indican que las transferencias al capital extranjero de las participaciones accionarias en las empresas privatizadas por parte de la *oligarquía diversificada* (grupos económicos locales) tuvieron un papel muy destacado en ese proceso, es necesario aquí mostrar brevemente sus modalidades específicas.

En el Cuadro nº 6.29 constan las principales empresas de servicios públicos que en 1994 tenían entre sus accionistas a alguno de los grupos económicos más relevantes, señalándose para el año 2001 las empresas en que éstos actuaban y, especialmente, las que le transfirieron al capital extranjero entre ambos años. La principal conclusión que surge de estas evidencias es que, durante ese período, la fracción que conducía a la oligarquía argentina en su conjunto se desprendió de la propiedad de sus principales inversiones en las empresas de servicios públicos. Las reiteradas ventas de sus tenencias accionarias en la distribución y transporte de gas, en las dos empresas telefónicas, en el servicio de agua y desagües cloacales e, incluso, en la generación, transporte y distribución de electricidad, son hitos que señalan la profundidad que adquirió este proceso.

No obstante, también se aprecia que la retracción de los grupos económicos tuvo diferente intensidad sectorial y entre los distintos integrantes de esta fracción del capital dominante. El predominio tradicional de los grupos económicos en los servicios viales continuó aun en el último año de vigencia de la Convertibilidad, e incluso en la generación, transporte y distribución de electricidad su retirada fue parcial porque, si bien vendieron su participación en el capital de las principales empresas de la actividad, se incorporaron como accionistas de otras, aunque menos relevantes que las anteriores.

Por otra parte, desde el punto de vista de los integrantes de esta fracción del capital, la retirada de sus inversiones en activos fijos —o dicho de otra manera, el retorno a la tenencia financiera del excedente apropiado— también presentó diferentes intensidades. Los grupos económicos Astra y Soldati fueron los que exhibieron una liquidación más acentuada de sus activos fijos en

Cuadro Nº 6.29

Participación accionaria y transferencias de capital realizadas por los principales conglomerados económicos en los distintos sectores privatizados (a)

	Pérez Companc		Techint		Astra		Roggio		CEI		Loma Negra		Macri		Soldati	
	1994	2001	1994	2001	1994	2001	1994	2001	1994	2001	1994	2001	1994	2001	1994	2001
CONCESIONES VIALES																
Nuevas Rutas	░	▓														
Camino del Abra	░	▓														
Caminos del Oeste			░	░												
Covicentro							░	░								
Covinorte							░	▓								
Red Vial Centro							░	░								
Servicios Viales													░	░		
Caminos Australes								░								
Coviares								░								
Covimet								░								
Concanor								░								
Covisur								░								
Autopistas del Sol								░						░		
ELECTRICIDAD																
Central Costanera	░	▓														
Edesur	░	▓														
Transener	░	░													░	▓
Edelap			░	▓												
Edenor					░	▓										
Central Güemes															░	▓
Pichi Picún Leufú				░												
Central Term. Genelba				░												
Urugua-í				░												░
Yacylec				░												░
Litsa																░
GAS																
Metrogas	░	▓			░	▓										
TGS	░	░							░	▓						
TGN			░	░											░	░
Dist. Gas Pampeana									░	▓	░	▓				
Dist. Gas del Sur									░	▓	░	▓				
Dist. Gas del Centro													░	▓		
Dist. Gas Cuyana													░	▓		
Gas Ban															░	▓
Dist. del Litoral				░												
TELECOMUNICACIONES																
Telefónica de Argentina	░	▓	░	▓			░	▓							░	▓
Telecom Argentina	░	▓														
FERROCARRILES (B)																
F. Pampeano			░	░												
TBA							░	▓								
Metrovías							░	░								
Ferrosur Roca											░	░				
Tren de la Costa															░	▓
AGUA Y DESAGÜES																
Aguas Argentinas															░	▓
INDUSTRIA SIDERÚRGICA																
Siderar			░	░												
Aceros Zapla									░	▓						

(a) El gris claro indica la existencia de participaciones accionarias y el gris oscuro la venta de las mismas.

Fuente: Área de Economía y Tecnología de FLACSO sobre la base de información oficial.

general y de sus posiciones en las empresas privatizadas en particular. El primero le transfirió todas las empresas controladas y vinculadas a un solo comprador (Repsol), mientras que el otro se desprendió de sus tenencias accionarias gradualmente, vendiéndolas a diferentes compradores. En el otro extremo, se ubica el conglomerado Techint que si bien vendió la participación en las empresas de electricidad y telefonía, conservó el resto. En una situación intermedia, pero también con diferencias entre ellos, se ubicó el resto de los principales integrantes de esta fracción del capital.

6.4.2.3 Notas sobre las distorsiones regulatorias en los servicios públicos privatizados

El papel de las privatizaciones es definitorio por la magnitud e importancia de los activos fijos transferidos y porque les permitió a los sectores dominantes superar sus propias contradicciones y generar transformaciones decisivas en la estructura económica y social argentina

Así, no es sorprendente que el posterior funcionamiento del sistema institucional haya guardado una notable coherencia con esas condiciones iniciales. De allí que la normativa vigente desde 1990 en adelante haya exhibido —por acción u omisión— sesgos sistemáticos orientados a garantizar la obtención de rentas extraordinarias por parte de los nuevos consorcios privados que prestaban los servicios públicos, los cuales se mantuvieron a pesar de los cambios en la propiedad de los consorcios.[82]

Dentro de estas distorsiones normativas, la metodología seguida para la fijación de las tarifas ocupó un papel de significativa importancia. Cabe recordar que durante la vigencia de la Convertibilidad en la generalidad de los servicios públicos privatizados se aplicó el sistema de regulación tarifaria denominado "precio máximo" (*price cap),*[83] por el cual la tarifa es igual a un precio base, fijado inicialmente considerando los costos de la prestación, y se ajusta en el tiempo mediante algún índice de precios internos al que se le descuenta el "factor de eficiencia", que expresa las ganancias de productividad que deben transferirse a los usuarios y consumidores del servicio mediante una reducción de las tarifas. Éste es el sistema que se aplicó durante las privatizaciones en Inglaterra y se contrapone con el aplicado en

[82] Sobre este aspecto del funcionamiento institucional de la última década, D. Azpiazu (2002) señala: "*Se trata, en síntesis, de un concepto que trasciende la usual referencia [...] a la llamada 'captura del regulador o de la agencia reguladora. En la Argentina lo que ha venido quedando como denominador común al cabo de más de una década, es un concepto mucho más abarcativo 'la captura institucional del Estado en casi todas sus instancias'. En tal sentido, además de la tradicional 'captura' de las agencias reguladoras, en la Argentina esa funcionalidad estatal frente a los privilegios de las privatizadas involucró a todas las instancias del poder del Estado y del poder político*" (p. 10).

[83] Al respecto, véase D. Azpiazu (2001).

los EE. UU., que controla la tasa de ganancia de las empresas prestatarias y se denomina "tasa de retorno" (*cost plus*). El sistema de "precio máximo" exhibe, en principio, las siguientes ventajas:

a) tarifas reales decrecientes en el tiempo;

b) la actualización de las tarifas es independiente de la evolución de los costos o determinados precios que pueden ser manipulados por las empresas reguladas;

c) las prestatarias de los servicios cuentan con incentivos suficientes para incrementar su eficiencia microeconómica porque se los apropian hasta transferirlos vía una disminución de las tarifas, y tiende a establecerse como una preocupación permanente el logro de incrementos de productividad que superen la reducción de tarifas fijado por el "factor de eficiencia";

d) los ajustes de tarifas son relativamente automáticos, sin comprometer costos significativos de información y regulación, lo cual supone, a la vez, la posibilidad cierta de minimizar el riesgo de "cooptación" del organismo de control.

Sin embargo, estas ventajas que brinda teóricamente este sistema se vieron anuladas o erosionadas durante la Convertibilidad, dando como resultado una distorsión en las estructuras de precios y rentabilidades relativas de la economía en favor de, precisamente, las actividades y empresas privatizadas reguladas bajo un sistema que casualmente debía evitarlo.

Una distorsión inicial que incidió en el nivel tarifario fue la fijación de los "precios base" que teóricamente resultó de la evaluación de los costos en el momento de la privatización de los servicios. Se trató de una política destinada a garantizar la obtención de una ingente masa de renta extraordinaria desde el comienzo de la prestación privada de los servicios. Como en tanto otros aspectos, el caso telefónico es paradigmático también en ese sentido,[84] pero lo mismo ocurrió años después con la privatización de Gas de Estado (fines de 1992).[85]

Lo mismo sucedió con la corrección de las tarifas derivadas de la aplicación del "factor de eficiencia", que generalmente no estaba contemplado en

[84] Sobre este caso, D. Azpiazu (2001) afirma: *"Al cabo de los diez meses previos a la transferencia de la empresa, el valor del pulso telefónico se incrementó, medido en dólares estadounidenses, más de siete veces (período en el que los precios mayoristas se incrementaron un 450%, y el tipo de cambio —apenas— un 235%). Así, los precios de partida de la actividad privada superaban holgadamente a los establecidos, incluso, al momento del llamado a licitación pública."* (p. 220).

[85] En este caso, basta comparar los volúmenes comercializados y la facturación de Gas del Estado en 1992 con los correspondientes en 1993 a las ocho distribuidoras en las que se segmentó la última fase de la cadena gasífera. Mientras el volumen consumido de gas natural por redes, entre 1992 y 1993, se incrementa el 5,1%, la facturación agregada de las ocho distribuidoras en 1993 crece un 23,0% respecto de la correspondiente a Gas del Estado en el año anterior, al tiempo que el precio medio resultante se eleva un 17,0 por ciento.

la revisión tarifaria o debía aplicarse luego de varios años de concesión. Fue otra cuestión central, porque el sistema adoptado exigía que, en el momento de la revisión, el organismo regulador contara con toda la información de costos operativos (igual que en el momento inicial) para determinar la tarifa base sobre la cual se aplicarían los sucesivos ajustes tarifarios. Así, por ejemplo. En el caso de los corredores viales se contemplaba la realización de revisiones tarifarias y, en el servicio eléctrico —considerado usualmente como el caso ejemplar— el marco regulatorio sectorial (Ley 24.065) lo fijaba en 5 años pero esa normativa fue corregida sin fundamento alguno por el Decreto reglamentario nº 1.398 de 1992, que extendió tal revisión a 10 años a partir del comienzo de la concesión.

Todos estos sesgos para que los integrantes de las fracciones dominantes locales maximizaran sus rentas extraordinarias, se articularon y potenciaron con la dolarización de las tarifas y su posterior indexación sobre la base de distintas combinaciones de precios norteamericanos, todo lo cual implicó una violación expresa de lo establecido por la Ley de Convertibilidad.[86] Las telecomunicaciones y los corredores viales son los casos de servicios públicos en los que estaba contemplada la indexación antes de la Ley de Convertibilidad pero una vez que se sancionó, en abril de 1991, quedó prohibido todo tipo de indexación (incrementos de costos, etcétera). Sin embargo, a fines de ese año, mediante en Decreto Nº 2585 del Poder Ejecutivo se señaló que la Ley de Convertibilidad se convertía en un "obstáculo insalvable" para indexar y actualizar las tarifas telefónicas, y que, por lo tanto, era "legalmente aceptable" fijar las tarifas en la moneda de un país estable, como los Estados Unidos de América, e indexarlas por las variaciones que se registraran en los índices de precios de dicho país.

En otras palabras, mediante una norma inferior se corrigió un efecto indeseado y se estableció un nuevo mecanismo de indexación que se generalizó e incrementó las rentas extraordinarias percibidas por las concesionarias, ya que desde mediados de la década hubo deflación en el país e inflación en los Estados Unidos.[87] Así, entre el mes de enero de 1995 y diciembre de 2001,

[86] En su Artículo Nº 10, la Ley de Convertibilidad (Nº 23.928) establece que, a partir de su entrada en vigencia quedan derogadas "todas las normas legales o reglamentarias que establecen o autorizan la indexación por precios, actualización monetaria, variación de costos, o cualquier otra forma de repotenciación de las deudas, impuestos, precios o tarifas de los bienes, obras o servicios".

[87] La articulación de esta arbitraria indexación con las restantes distorsiones normativas son analizadas por D. Azpiazu y M. Schorr (diciembre de 2001) a través de los casos específicos de las telecomunicaciones y los peajes. Así, respecto de este último, entre otras cosas, indican que: "*... en el caso de las concesiones de los corredores viales nacionales, originalmente, las tarifas se ajustaban según la evolución de un índice combinado de precios, conformado por un 40% de las variaciones registradas por el índice de precios al por mayor, un 30% del índice de precios al consumidor, y el 30% restante de acuerdo con la evolución del*

en la Argentina, tanto los precios mayoristas como los minoristas registraron una disminución acumulada cercana al 3%. En idéntico período, el índice de precios al consumidor (CPI) de los EE.UU. registró un incremento acumulado de aproximadamente un 18%, al tiempo que los precios mayoristas (PPI) crecieron alrededor de un 7%. La magnitud de la transferencia de recursos a que dio lugar esta peculiar indexación es de primer orden de importancia. Tanto es así que un dictamen de la Procuración del Tesoro estableció la ilegalidad de este procedimiento y el Área de Economía de FLACSO estima que sólo en el caso de telecomunicaciones, electricidad y gas, las prestatarias por este medio se apropiaron indebidamente de 10.000 millones de dólares entre 1991 y 2001.[88]

Sobre ese mismo objetivo confluyó la no aplicación de normas establecidas en los propios contratos de concesión. El caso de la cláusula de "neutralidad tributaria" es paradigmático en este sentido. Cabe recordar que la normativa que regulaba los servicios públicos privatizados establecía que las empresas prestadoras debían trasladar a las tarifas finales abonadas por los usuarios las variaciones de costos originadas en cambios en las normas tributarias, exceptuado el impuesto a las ganancias. Esta figura legal de la "neutralidad tributaria" o "estabilidad impositiva" establecía que toda alteración (incremento o decremento) en las cargas impositivas que afectara a las empresas —respecto de las condiciones vigentes en el momento de la transferencia de los respectivos servicios a manos privadas—, debía ser trasladada a los consumidores y usuarios.

Durante la década de los años noventa, en el marco de una creciente regresividad de la estructura tributaria, se sucedieron diversas disposiciones legales que, en materia impositiva, implicaron reducciones de consideración en la carga fiscal que afectaron al conjunto de las empresas prestatarias de los servicios públicos privatizados (reducción en las cargas patronales, en el impuesto a los se-

---

dólar. En el marco del lanzamiento del Plan de Convertibilidad, se desarrolló la primera renegociación de los contratos. Como resultado de ello, y a pesar de la prohibición explícita de la Ley de Convertibilidad de toda cláusula de indexación de precios, se dispuso que dicho ajuste periódico de tarifas se realizaría anualmente, aplicando el 80% de la tasa internacional Libor, sumada a otro ajuste (durante los tres años subsiguientes) pre-acordado con los concesionarios. Dado que en el marco de esa renegociación se redujo el valor de la tarifa de peaje hasta fijarla en alrededor de un dólar por cada cien kilómetros, se decidió resarcir a los concesionarios eliminando el canon que los mismos debían pagarle al Estado, concediéndoles a cambio un subsidio anual compensatorio de los ingresos que habrían dejado de percibir por la reducción de las tarifas —resolución oficial que, cuando menos, resulta paradójica, en tanto se consideraba, a la vez, que tales tarifas eran "contrarias al interés general", "abusivas" y "desproporcionadas en relación al servicio"—, ampliando el plazo de concesión, y postergando la ejecución de los distintos planes de inversiones comprometidos en los contratos originales. Así, las llamadas compensaciones indemnizatorias (en sus inicios, alrededor de 65 millones de dólares anuales) les permitieron a las empresas concesionarias no ver afectados sus ingresos reales y, a la vez, mantener una cláusula de ajuste periódico —violatoria de la Ley de Convertibilidad— que, sumada al incremento del tránsito vehicular que se verificó durante la década pasada, les permitió obtener altos ingresos y márgenes de rentabilidad". (p. 43).

[88] Al respecto, véase D. Azpiazu y M. Schorr (2003).

llos y a la importación de bienes de capital, etc.). Sin embargo, el seguimiento de la evolución de las tarifas de los servicios, en su relación con las respectivas cláusulas normativas vinculadas a los ajustes periódicos de dichas tarifas, indica la inobservancia empresaria —y la ausencia de un control regulatorio—, de la correspondiente transferencia a los usuarios de las reducciones en las cargas impositivas derivadas de la exención y/o supresión de diversos gravámenes y de las menores alícuotas impositivas y/o bases imponibles de determinados tributos.[89]

Finalmente, los sesgos en favor de las prestatarias se potenciaron con las reiteradas renegociaciones de los contratos originales mediante las cuales se modificaron aspectos fundamentales tales como: el nivel tarifario, las cláusulas de ajuste periódico, los compromisos de inversión de las empresas —convalidando los generalizados incumplimientos en la materia—, las fuentes de financiamiento, los índices de calidad de los servicios que debían satisfacerse y/o los plazos de concesión e, incluso, el propio objeto o alcance de las concesiones originales.

Un rasgo característico de todas estas renegociaciones fue que se entablaron entre funcionarios del Poder Ejecutivo y las empresas concesionarias o licenciatarias. Sus resultados plasmaron en decretos, resoluciones o simples actas-acuerdo que, generalmente, dieron respuesta a las propuestas planteadas por las empresas.

Si bien estas renegociaciones se verifican en el conjunto de los servicios públicos, el caso paradigmático en este sentido se encuentra en la concesión de agua potable y desagües cloacales a la empresa Aguas Argentinas. A los pocos meses de la firma del contrato, la empresa planteó la necesidad de entablar una "revisión extraordinaria" del nivel de tarifas, debido a las pérdidas operativas que debía sobrellevar. A pesar de que el contrato de concesión estipulaba expresamente que quedaba prohibido todo replanteo de la tarifa asociado a disminuir el riesgo empresario, comenzaron las negociaciones con ese fin, dando como resultado una modificación substancial de la tarifa en el año 1994. Tan llamativo como la disposición en sí misma, es que se puso en marcha a partir de una resolución del organismo encargado del control del servicio (ETOSS - Ente Tripartito de Obras y Servicios Sanitarios) pero sin competencia en establecer las normas que lo reglaban.[90]

[89] Véase D. Azpiazu y E. M. Basualdo (1995).

[90] La concesión a la empresa Aguas Argentinas se realizó mediante el Decreto Nº 99/93 del PEN. El principal accionista fue Suez Lyonnaise des Eaux-Dumez de Francia, mientras que el grupo económico Sociedad Comercial del Plata-Soldati tenía la minoría del capital. A fines de abril de 1993 se firmó el consiguiente contrato y la nueva concesionaria tomó posesión de la prestación del servicio el 1º de mayo de mismo año. La adjudicación a Aguas Argentinas S.A. se vio fundamentada en el hecho de haber sido el consorcio que ofreció el mayor coeficiente de descuento —26,9%— respecto de la tarifa vigente en el momento de la transferencia.

Mediante la Resolución Nº 81/94, además de modificar las metas de expansión, se incorporaron algunos proyectos de inversión, se estableció a partir de junio de 1994 un incremento de la tarifa general del 13,5%, mientras que el cargo mínimo de conexión de agua aumentó un 83,7%, y el de cloacas un 42%; al tiempo que los cargos de infraestructura se incrementaron un 38,5 y un 45,7% para los servicios de agua potable y de desagües cloacales, respectivamente. Por cierto, los efectos de esta renegociación se hicieron sentir rápidamente ya que durante su segundo año de gestión, la empresa Aguas Argentinas pasó de una situación deficitaria a una fuertemente superavitaria, facturando casi 350 millones de dólares, con una rentabilidad neta superior a los 50 millones de la misma moneda; al mismo tiempo el ETOSS constataba una amplia gama de incumplimientos empresarios, muy particularmente en cuanto al grado de ejecución de las obras e inversiones que —poco antes— se esgrimían como argumento para avanzar en la "revisión extraordinaria" de las tarifas.

En los años subsiguientes continuaron sucediéndose tanto los injustificados retrasos por parte de Aguas Argentinas SA en la ejecución de las inversiones y las metas comprometidas contractualmente como las crecientes presiones por parte de la empresa para lograr beneficios tales como la dolarización de las tarifas, la aplicación de nuevas formas de resarcimiento ante el alto grado de incobrabilidad de los cargos de infraestructura, la reprogramación del plan de obras y la revisión de diversas cláusulas contractuales.

Estos planteos empresarios nuevamente dieron sus frutos porque en febrero de 1997, el PEN convocó (a través del Decreto Nº 149), a la renegociación del contrato de concesión, con el objetivo de tratar la eliminación del "conflictivo" cargo de infraestructura, la gestión ambiental de Matanza/Riachuelo, los Planes Directores de Aguas y Cloacas, y "toda cuestión que contribuya al mejor cumplimiento de los objetivos del marco regulatorio". Asimismo, el decreto incluyó una novedad: la institución encargada de la negociación era la Secretaría de Recursos Naturales y Desarrollo Sustentable,[91] que adquirió una creciente injerencia en el manejo de la concesión, a punto tal de constituirse en la autoridad responsable de la po-

[90] La concesión a la empresa Aguas Argentinas se realizó mediante el Decreto Nº 99/93 del PEN. El principal accionista fue Suez Lyonnaise des Eaux-Dumez de Francia, mientras que el grupo económico Sociedad Comercial del Plata-Soldati tenía la minoría del capital. A fines de abril de 1993 se firmó el consiguiente contrato y la nueva concesionaria tomó posesión de la prestación del servicio el 1º de mayo de mismo año. La adjudicación a Aguas Argentinas S.A. se vio fundamentada en el hecho de haber sido el consorcio que ofreció el mayor coeficiente de descuento —26,9%— respecto de la tarifa vigente en el momento de la transferencia.

[91] El nuevo papel de esta Secretaría se institucionaliza mediante el Decreto Nº 1.381, de noviembre de 1996, por el que se crea, dependiente de dicha secretaría, la Subsecretaría Hídrica y de Ordenamiento Ambiental, con "competencia en la elaboración de la política hídrica nacional".

lítica tarifaria del sector y de la determinación de buena parte del plan de obras. Finalmente, en noviembre de 1997 se sancionó el Decreto Nº 1.167, por el que se aprobó el Acta-acuerdo firmado en septiembre que, en realidad, por las modificaciones que supuso, constituyó un nuevo contrato de concesión que en poco se asemejaba al resultante de la licitación pública original. En otras palabras, existiendo causales suficientes como para rescindir el contrato —dados los manifiestos incumplimientos de la concesionaria—, se optó por renegociar en función de los intereses de la empresa, alterando las condiciones originales bajo las que se había convocado a una licitación pública internacional.

Con posterioridad a esta revisión del contrato de concesión encarada a mediados de 1997, se sucedieron nuevas renegociaciones que se inscribieron en la misma lógica. Las más relevantes dieron lugar a las Resoluciones de la Secretaría de Recursos Naturales y Desarrollo Sustentable Nº 1.103, de diciembre de 1998, y las 601 y 602 de julio de 1999, mediante las cuales se replanteaban las pautas centrales de la concesión dando lugar a, prácticamente, un nuevo contrato aun más beneficioso para la concesionaria. Así, por ejemplo, mediante las nuevas normas se incrementaron las tarifas, se introdujo la indexación de las tarifas sin dolarizarlas pero tomando como referencia la evolución de los precios norteamericanos, se modificaron los compromisos de inversión y se convalidaron los incumplimientos anteriores de la empresa.

6.4.2.4 Otros efectos estructurales producidos por las privatizaciones y las irregularidades normativas que les sucedieron

La aplicación del programa de privatización de las empresas estatales que llevó a cabo la nueva administración del peronismo, tuvo múltiples y profundas repercusiones en el corto y mediano plazo. Por supuesto, uno de sus principales impactos estuvo referido a su relación con la deuda externa y la fuga de capitales; especialmente cuando, luego del espejismo inicial —con disminución de la deuda y de una tímida repatriación del capital local radicado en el exterior—, su subordinación a la valorización financiera generó efectos deletéreos, impulsando un crecimiento desmesurado del endeudamiento externo y una exacerbación de la fuga de capitales locales al exterior.

Con anterioridad se analizó el efecto positivo de corto plazo que tuvieron sobre las finanzas públicas, y también su insignificancia en relación con la magnitud que exhibió la transferencia de ingresos fiscales genuinos a las fracciones del capital dominante, que se encubrieron bajo la denominación de una "devaluación fiscal" encaminada a paliar la sobrevaluación del signo monetario local.[92] Finalmente se analizó el impacto de las privatizaciones sobre el proceso de centralización del capital en las distintas etapas que recorrió el régimen convertible.

No obstante, hay otros efectos relevantes que se suponen pero no se demuestran en los análisis mencionados. La importancia histórica y actual de esos fenómenos indica la necesidad de analizarlos brevemente. Se trata de los resultados de ese proceso sobre los precios y las rentabilidades relativas en la economía local, la regresividad distributiva y la evolución de la inversión en esas actividades.

Uno de los argumentos centrales para justificar la transferencia de las empresas estatales a las fracciones del capital dominantes se vincula con la caracterización que dichas fracciones intentaron imponer, y en buena medida lograron, porque persiste hasta la actualidad, acerca de la acentuada ineficiencia estatal como fenómeno estructural, casi constitutivo, que distorsiona el funcionamiento del mercado impidiendo la óptima asignación de los recursos. Desde esta perspectiva, las privatizaciones traerían aparejado un salto cualitativo en la organización empresarial de las empresas afectadas y un aumento de la inversión que darían como resultado un crecimiento de la productividad, lo que se trasladaría a las empresas y consumidores a través de una reducción de las tarifas y un incremento de la cobertura regional y social de los servicios. De esta manera, a través de la transferencia de las empresas públicas se lograría avanzar en la integración económica y la redistribución del ingreso, potenciando y consolidando al mismo tiempo la industrialización del país.

A pesar de que en varias de las actividades se logró incrementar la productividad —fundamentalmente por el cambio tecnológico y una sobreexplotación de la mano de obra ocupada—, resulta evidente que sólo redundó en beneficio de los consorcios prestadores de los servicios públicos y nada de lo declamado inicialmente ocurrió en la realidad, sino que el proceso discurrió en la dirección opuesta: desintegración económica, concentración del ingreso y desindustrialización.

Coherente con esta perspectiva, en el Cuadro nº 6.30 se constata que la evolución de las tarifas y de los precios (específicamente el Índice de Precios al por mayor —IPIM—) no muestra, en términos generales, transferencias significativas a los usuarios de los incrementos de productividad logrados por las empresas privatizadas.

[92] Para un análisis detallado de los efectos de las privatizaciones sobre las finanzas públicas véase D. Azpiazu (2002); E. M. Basualdo (1994).

Cuadro nº 6.30
Variación de precios y tarifas seleccionados, marzo 1991 - junio 2001
(en números índices marzo 1991=100)

	ÍNDICE JUNIO 2001
Precios Mayoristas Nivel General	115,8
Corredores viales*	142,7
Telefonía básica (pulso telefónico)	124,4
Gas natural (promedio)	149,0
Residencial	227,0
Pequeñas y medianas empresas	123,8
Gran Usuario Industrial (Interrumpible)	106,3
Gran Usuario Industrial (firme)	111,3
Energía eléctrica	
Residencial de bajo consumo	101,2
Residencial de alto consumo	29,3
Industrial de bajo consumo	75,9
Industrial de alto consumo	57,6

*Abril 1991=100.

Fuente: Área de Economía y Tecnología de FLACSO sobre la base de información oficial.

A esta altura del análisis, es irrefutable que la magnitud absoluta y relativa de las utilidades de las que se apropiaron las empresas privatizadas que integraban la cúpula, no se originó en su comportamiento microeconómico, sino que remiten al contexto operativo y, en especial, normativo en que se desenvolvió la mayoría de estas firmas y que dio como resultado la evolución del cuadro tarifario expuesto en el Cuadro nº 6.30. Específicamente, la trayectoria seguida por las tarifas fue el resultado de los importantes incrementos y reestructuraciones tarifarias efectuadas con anterioridad a la firma de los contratos de transferencia o concesión; las múltiples cláusulas de ajuste tarifario que reconocían los distintos marcos regulatorios; las recurrentes renegociaciones contractuales que siempre tendieron a preservar los privilegios de las empresas privatizadas; la peculiar forma en que se aplicó en el ámbito de los servicios públicos la cláusula de "neutralidad tributaria"; y la no transferencia a usuarios y consumidores de los importantes incrementos en la "eficiencia microeconómica" de las prestatarias.

El otro aspecto sumamente relevante que presenta la evolución tarifaria que se expone en el Cuadro nº 6.30 consiste en el acentuado y sistemático sesgo en perjuicio de los sectores económicamente más débiles, tanto dentro de los usuarios residenciales como de las empresas. Esta característica claramente negativa sobre la distribución del ingreso, estuvo vinculada, en primer término, al tipo de ajuste tarifario que se convalidó durante la vigencia de la Convertibilidad y que en reiteradas oportunidades afectó el cargo fijo, con un mayor impacto relativo sobre los sectores de menores ingresos. Nuevamente, el caso paradigmático en este sentido fue el sector de telecomunicaciones a raíz del denominado "rebalanceo telefónico" que llevó a cabo en 1997. No obstante, lo mismo ocurre en el caso del gas, la electricidad y el agua.

El segundo elemento que provocó que este rasgo sistemático esté directamente relacionado con la eliminación del "sistema de subsidios cruzados" aplicado durante la administración estatal, y su reemplazo por el criterio del costo marginal, cuya aplicación implicó reestructurar el cuadro tarifario de los principales servicios en perjuicio de los sectores más endebles desde el punto de vista económico, es decir, en favor de los de mayores ingresos.

Fue una modificación fundamental en la determinación de las tarifas porque, bajo el argumento de regirse con criterios objetivos, instauró un factor que, de manera sistemática, impulsó la concentración del ingreso y acotó severamente la posibilidad de instrumentar políticas de desarrollo regional o sectorial. Asimismo, el criterio de costo marginal les garantizó a los integrantes de la *oligarquía diversificada* continuar usufructuando los bajos precios relativos de los servicios públicos cuando vendían su participación en las prestatarias de los mismos.

La modificaciones regulatorias indican que con posterioridad a las privatizaciones confluyeron en el sistema tarifario factores que impulsaron un incremento generalizado de tarifas que modificaron los precios relativos y afectaron al conjunto de los usuarios y consumidores, con otros que introdujeron incrementos diferenciales para los sectores económicos más débiles (como la sustitución de los subsidios cruzados por el criterio de costo marginal).[93]

En este contexto, no puede llamar la atención que la prestación de los servicios públicos por los consorcios privados haya tenido un efecto regresivo sumamente acentuado sobre los precios relativos y la distribución del ingreso. El primero, se expresó a través de un incremento en el gasto relativo en los servicios públicos de todos los deciles de ingreso, salvo el decil de ingresos más elevados, donde disminuyó. Por otra parte, la regresividad distributiva se puso de

[93] Curiosamente, el Banco Mundial criticaba el contenido regresivo, desde el punto de vista social, de las privatizaciones sin aludir a que fueron consecuencia de las políticas que ese mismo organismo impulsó.

manifiesto a través de un incremento de la importancia de esos gastos a medida que el ingreso de los hogares disminuía.[94]

La regresividad distributiva que generaron los servicios públicos a través de la importancia diferencial que asumieron en el gasto de los hogares se agudizó por la expulsión de mano de obra que se registró antes y durante la privatización de las empresas estatales. Si bien el factor estructural de mayor relevancia que determinó el salto cualitativo que exhibió la desocupación durante la década de los años noventa fue la desindustrialización, todas las evidencias indican que la privatización de las empresas públicas cumplió un papel para nada desdeñable en el mismo sentido.

Los estudios disponibles indican que se registró una expulsión de trabajadores que en términos absolutos superó las 110 mil personas entre 1990 y 1993, representando más de dos puntos de la tasa de desocupación.[95] No obstante, es preciso destacar que como parte de la estrategia para hacer viable socialmente esta considerable y abrupta expulsión de mano de obra, los *intelectuales orgánicos* de los sectores dominantes recurrieron a la aplicación de programas de retiro voluntario e indemnizaciones financiados con endeudamiento externo. Éstos involucraron entre 1990 y 1993 a más de 85 mil trabajadores y retardaron en el tiempo los resultados sobre la desocupación, que era el efecto buscado por quienes los diseñaron para diluir la conflictividad social.

Desde la óptica de las fracciones dominantes internas y de los organismos internacionales, el aporte de los nuevos consorcios privados que prestaban los servicios públicos constituyó, ante la supuesta impotencia estatal, una pieza clave para garantizar el crecimiento económico. Como era de esperar el discurso se ubicó en las antípodas de lo que ocurría en la realidad, incluso durante la "etapa de oro" de la Convertibilidad.

Tal como se constata en el Cuadro nº 6.31, la importancia relativa de la inversión de estos consorcios respecto del PBI, se ubica claramente por debajo

[94] Al respecto, en uno de los pocos trabajos importantes sobre el tema C. Arza (marzo de 2002) demuestra que: *"Los resultados de la comparación de los datos correspondientes a los períodos 1985-86 y 1996-97 muestran, en primer lugar, que en los once años que separan una medición de la otra se registró, en el conjunto de los hogares, un incremento sustancial en el gasto en servicios públicos calculado como porcentaje del presupuesto total de gastos de las familias. Son los estratos de ingresos bajos y medios quienes incrementaron su volumen de gasto en mucha mayor medida que el resto de los hogares. De hecho, es el decil de mayores ingresos el único que presenta un beneficio neto entre puntas, que se refleja en una reducción de su gasto en el servicio"* (pp. 30-31).

[95] Sobre la expulsión de mano de obra por parte de los nuevos consorcios privados M. Duarte (2002) señala que: *"... en 1985 los empleados de las empresas estatales consideradas eran 243.354, en 1998 las empresas privatizadas seleccionadas ocupan 75.770 empleados en total. En 1985 el empleo de las empresas de servicios públicos explicaba 2,3 puntos de la Población Económicamente Activa (PEA), mientras que hacia 1998 sólo concentraban el 0,1% de la misma. Si bien el porcentaje es reducido en cuanto a su gravitación relativa en la PEA, en términos del mercado de trabajo al que se refiere la variación analizada, el empleo actual es 23 veces inferior al generado a mediados de los ochenta"* (p.79).

de la que exhibe la realizada por las empresas estatales en la década previa a su privatización, a pesar de que esos años configuran una de las peores etapas.

No obstante, hay dos situaciones que vuelven más complejo aún el panorama de la inversión realizada por estos consorcios. La primera es que, en términos absolutos, la inversión de estas empresas durante el período 1990-94 representa solamente el 66% (2,5 miles de millones de dólares) de la realizada entre 1980-89 (3,8 miles de millones de dólares), cuando todas ellas eran de propiedad estatal. La segunda, consiste en que su importancia relativa en términos del PBI describió, más allá de los altibajos anuales, una tendencia decreciente, a pesar de que dicho coeficiente en el año inicial (1990) se ubicó por debajo del de los años anteriores.

Cuadro nº 6.31
Evolución de la Inversión Bruta Fija y de la realizada por las empresas privatizadas, 1980-1994
(en miles de millones de dólares, porcentajes y números índices 1980 =100)

	Inversión Bruta Fija		Inversión de empresas privatizadas (*)		
	Miles de mill. de dólares	% del PBI	Miles de mill. de dólares	1980 = 100	% del PBI
1980	53	25,4	4,2	100,0	7,9
1981	42	22,5	3,9	92,9	9,3
1982	18	21,4	3,5	83,3	19,4
1983	22	21,2	3,6	85,7	16,4
1984	23	19,7	3,4	81,0	14,8
1985	16	18,2	2,7	64,3	16,9
1986	18	17,0	3,2	76,2	17,8
1987	23	19,7	5,9	140,5	25,7
1988	19	18,8	5,1	121,4	26,8
1989	12	15,0	2,3	54,8	19,2
1990	20	14,1	2,2	52,4	11,0
1991	28	14,7	1,5	35,7	5,4
1992	38	16,6	3,5	83,3	9,2
1993(**)	46	17,9	2,7	64,3	5,9
1994(**)	55	18,8	2,6	61,9	4,7

(*) Comprende la inversión en gas, servicio telefónico, ferrocarriles y subterráneos, puertos y saneamiento.
(**) Estimaciones realizadas por el Ministerio de Economía y Obras Públicas de la Nación.

Fuente: Elaborado sobre la base de F.A. de la Balze (compilador), 1993 y Ministerio de Economía y Obras Públicas de la Nación, 1993.

Es insoslayable computar que esta paupérrima evolución de la inversión proveniente de las prestatarias de servicios públicos no incluye al sector petrolero, cuya incidencia en la formación de capital era sumamente significativa. Su importancia se puede apreciar analizando la inversión realizada por las 500 empresas de mayor facturación del país, donde esas inversiones sectoriales llegaron a representar entre el 15 y el 20% del total de la inversión de las 500 empresas de mayor facturación. Es más, una vez privatizada YPF, y siempre considerando el panel de las 500 mayores firmas del país, la formación de capital de las empresas privatizadas generó durante los primeros años de la década de los años noventa alrededor del 60% del total.

Desde esta nueva perspectiva, las evidencias empíricas permiten analizar la evolución e incidencia de estos consorcios en la efectuada por las grandes firmas. Así, en el Cuadro nº 6.32 se constata que el monto absoluto de la inversión realizada por las empresas privatizadas que formaban parte de las 500 empresas de mayor facturación exhibe una tendencia decreciente entre 1993 y 2000, la cual se acentúa aún más cuando se la relaciona con el valor agregado generado por dichas empresas, alcanzando su punto mínimo al final de la serie.

Cuadro nº 6.32

Evolución y composición de la IBIF de las 500 empresas de mayores ventas según su relación con las privatizaciones, 1993-2000

(en millones de dólares, porcentajes y números índices)

	IBIF (millones de dólares)			% de la IBIF en el valor agregado			IBIF/Valor agregado (N.I. 1993=100)		
	500 firmas líderes	Privatizadas	No privatizadas	500 firmas líderes	Privatizadas	No privatizadas	500 firmas líderes	Privatizadas	No privatizadas
1993	9.632,4	6.242,9	3.389,5	31,4	62,7	16,4	100,0	100,0	100,0
1994	12.304,4	6.898,9	5.405,5	36,3	62,6	23,6	115,6	99,8	144,4
1995	12.104,9	7.365,7	4.739,2	34,3	57,5	21,0	109,1	91,7	128,6
1996	11.728,4	5.496,6	6.231,8	31,2	37,2	27,2	99,2	59,4	166,4
1997	12.794,3	6.471,2	6.323,1	30,9	39,9	25,1	98,5	63,6	153,6
1998	13.333,3	6.185,9	7.147,4	31,3	39,5	26,5	99,6	63,0	162,0
1999	11.548,6	5.487,1	6.061,5	27,6	33,4	23,9	88,0	53,2	146,1
2000	9.729,8	4.953,7	4.776,1	22,0	25,9	19,0	70,0	41,2	116,4

Fuente: Elaborado sobre la base de información de la Encuesta Nacional de las Grandes Empresas (INDEC), varios números.

La evolución relativa de la inversión de las firmas privatizadas no solamente difiere de la exhibida por el resto de las grandes firmas, sino que está directamente relacionada con una notoria reducción del excedente que orientan estas empresas a la formación de capital.[96]

Finalmente, es ineludible mencionar que esta situación, de por sí crítica, fue más complicada debido a otras modificaciones que se registraron en las modalidades de la inversión de las empresas públicas cuando pasaron a la órbita privada. Históricamente, la inversión estatal en general y la realizada por las empresas públicas en particular, tiene un notable efecto multiplicador en la formación de capital porque impulsa la realización de inversiones por parte del sector privado. En las circunstancias analizadas, la acentuada propensión de los consorcios privados a realizar inversiones sustentadas en una masiva importación de equipos y partes —seguida por el consiguiente abastecimiento de los insumos demandados por estos nuevos equipos— que sustituyeran la producción local, trajo como consecuencia un severo impacto negativo sobre la producción local, tanto de bienes de capital como de insumos, al desplazar a los proveedores tradicionales de las empresas públicas. Por supuesto, este comportamiento asumido como políticas permanentes por dichos consorcios estuvo directamente relacionado con las omisiones regulatorias en materia de cumplimiento de la normativa del compre y el contrate nacional, el escaso o nulo control de prácticas de *dumping*, la ausencia de todo control oficial por suprimir los precios de transferencia en las compras de bienes de capital e insumos e, incluso, con el sistemático deterioro del tipo de cambio real.

[96] Sobre el particular, es sumamente relevante tener en cuenta lo señalado por D. Azpiazu (2002): *"En realidad, esa decreciente inversión de las empresas privatizadas denota, a la vez, otro importante fenómeno [...] la tasa de inversión (Inversión Bruta Fija respecto de Valor Agregado) de las mismas revela un sesgo decreciente que, incluso, resulta muy notorio a partir de 1995 y alcanza sus niveles extremos en el año 2000, donde sólo han canalizado hacia la formación de capital poco más de la cuarta parte del valor agregado generado en el año (cuando, por ejemplo, en 1993, tal porcentual se aproximaba a casi las dos terceras partes)"* (p. 81).

6.5 El predominio de la oligarquía agropecuaria en la propiedad y la producción agropecuaria pampeana durante la Convertibilidad[97]

Durante la década en que rigió la Convertibilidad, el "propietario rural" fue la figura protagónica de las transformaciones que signaron el comportamiento del sector agropecuario. Si bien durante estos años surgieron nuevas formas de producción —los Fondos de Inversión Agrícola y Pools de Siembra— que operaban sobre la base del arrendamiento de la tierra, las evidencias disponibles indican que, aunque alcanzaron un tamaño medio equivalente al de los grandes terratenientes bonaerenses, su importancia era intrascendente.[98] De tal forma, se puede asumir que durante la Convertibilidad permaneció la situación imperante a fines de la década de 1980, en la que los propietarios explotaban, directa o indirectamente, 25 millones de hectáreas (el 92% de la superficie agropecuaria provincial).[99]

Asimismo, las violentas modificaciones en la propiedad del capital no se expresaron en el sector agropecuario pampeano y específicamente en el agro bonaerense, aunque sí lo hicieron con alguna intensidad en la región extrapampeana. Los estudios realizados al respecto indican que las transferencias netas de tierras vinculadas a los grandes propietarios bonaerenses fueron reducidas, al menos hasta mediados de la década anterior,[100] debido a que la concentración de la propiedad de la tierra ya era sumamente elevada y a que la irrupción de nuevas formas de producción le permitieron al capital financiero, y al extrasectorial en general, apropiarse de la rentabilidad sectorial sin inmovilizar recursos en la adquisición de tierra.

En este contexto, no llama la atención que el grado de concentración de la propiedad de la tierra haya presentado una estabilidad significativa entre fi-

[97] Este acápite fue publicado en la revista *Desarrollo Económico* nº 177 (abril-junio de 2005) bajo el título de "Incidencia y características productivas de los grandes terratenientes bonaerenses durante la vigencia del régimen de la Convertibilidad".

[98] Respecto de las formas de producción que se consolidaron en la década de los años noventa, véase M. Posada y M. Martínez Ibarreta (1998).

[99] De acuerdo con los resultados del Censo Nacional Agropecuario de 1988, correspondientes a la provincia de Buenos Aires, los propietarios explotaban en forma directa 16,8 millones de hectáreas (el 61,5% de la superficie rural provincial) e indirectamente, 8,3 millones de hectáreas (3,0% de la superficie provincial). Es decir que la tierra trabajada mediante formas de tenencia ajenas a la propiedad alcanzaban a solamente 2,2 millones de hectáreas (el 8% de la superficie provincial).

[100] Sobre las compraventas de tierras en el agro bonaerense entre 1989 y 1996, considerando los cambios que se registran en el catastro inmobiliario rural provincial, véase E. M. Basualdo, J. H. Bang y Nicolás Arceo (1999).

nes de la década de los años ochenta y mediados de los noventa. Esto no indica necesariamente que por debajo de ella no se haya registrado un incremento del tamaño medio de los propietarios, lo cual parece una hipótesis plausible ya que distintos elementos indican que durante la década del noventa se potenciaron las economías (internas y externas) de escala.

Las evidencias empíricas sobre la concentración de la propiedad rural entre 1989 y 1996 confirman su estabilidad (Cuadro nº 6.33). Los grandes propietarios siguieron controlando el 32% de la superficie provincial y en su composición sólo se observan pequeñas alteraciones que dan como resultado una leve acentuación en la importancia de los propietarios con mayor superficie de tierra.

Dada la estabilidad en la concentración de la propiedad rural, tampoco puede llamar la atención que la incidencia del capital extranjero no se haya incrementado. Esto determina que la situación sectorial en esta materia presente un marcado contraste con lo ocurrido en otras producciones primarias que generan renta (petróleo, gas, minería en general), en las actividades financieras, en la prestación de servicios públicos, en la producción industrial, etcétera, en las cuales la incidencia del capital extranjero alcanzó niveles extraordinariamente elevados en términos históricos.[101]

Cuadro nº 6.33
Distribución de los propietarios y la superficie de la cúpula según tamaño de los propietarios (1988 y 1996)
(en cantidad, hectáreas y porcentajes)

	1988				1996			
	Propietarios	Superficie		Has./ propietario	Propietarios	Superficie		Has./ propietario
		Hectáreas	%			Hectáreas	%	
2.500 – 4.999	799	2.751.846	31,4	3.444	740	2.559.420	29,3	3.459
5.000 – 7.499	242	1.442.726	16,4	5.962	255	1.533.375	17,6	6.013
7.500 – 9.999	92	791.024	9,0	8.598	94	799.119	9,2	8.501
10.000 – 19.999	108	1.430.625	16,3	13.247	107	1.432.740	16,4	13.390
20.000 y más	53	2.359.810	26,9	44.525	54	2.396.674	27,5	44.383
Total	1.294	8.776.031	100,0	6.782	1.250	8.721.328	100,0	6.977

Fuente: Elaborado sobre la base de la información del Proyecto PIP98 Nº 024 del CONICET ("Características del uso del suelo y la producción agropecuaria en los grandes propietarios rurales de la Provincia de Buenos Aires") del Área de Economía y Tecnología de FLACSO.

[101] Sobre este particular, en el estudio sobre la compraventa de tierras en el agro bonaerense

Disponer de la concentración de la propiedad rural en 1996 permite la determinación empírica y el análisis de una serie de aspectos cruciales para comprender las características estructurales y el comportamiento productivo de los grandes propietarios rurales durante la vigencia de la Convertibilidad, como es el caso del uso del suelo, el valor bruto de producción y la renta diferencial dentro de esta cúpula de propietarios. Estos aspectos también posibilitan avizorar las consecuencias económicas y sociales de las propuestas que jerarquizaron la exportación de productos primarios con ventajas comparativas a el nivel internacional como el eje dinámico de la actividad económica.

Obviamente, es necesario vincular la distribución de la propiedad rural con la producción de los campos pertenecientes a los grandes propietarios. Es decir, se debe superar la restricción para relacionar propiedad y producción, ya que los Censos Agropecuarios tienen como unidad de análisis la explotación agropecuaria y no al propietario rural.[102]

La vinculación de la distribución de la propiedad de los grandes propietarios (aquellos con 2.500 o más hectáreas) determinada sobre la base del catastro inmobiliario rural de la Provincia de Buenos Aires —con su respectivo uso del suelo y producción—, se realiza mediante la utilización de los denominados "Sistemas de Información Geográficos" (SIG o GIS) junto a la lectura satelital basada en imágenes satelitales de alta resolución georreferenciadas (en proyección Gauss-Kruger). Por otra parte, la identificación de la calidad de los suelos de cada uno de los campos de los grandes propietarios rurales, se obtiene mediante la superposición de ambos planos (los tipos de suelos y los cam-

---

(E. M. Basualdo, J. H. Bang y N. Arceo, 1999) se sostiene: *"En términos de las transferencias de tierras durante el período analizado, las adquisiciones por parte de los inversores extranjeros alcanza a 56.657 hectáreas, a partir de las cuales su participación en las compraventas totales arriba al 4,2%, es decir a una cifra similar a la que tenían en la propiedad de la tierra a comienzos del período analizado. En conclusión, estas primeras evidencias sobre el capital extranjero en la propiedad rural, indican que su realmente escasa participación histórica se proyecta hasta la actualidad debido a que durante los últimos años sus compras de tierras son igualmente intranscendentes. Tendencia que no debería llamar la atención si no fuera porque la misma se registra durante el auge de las transferencias de capital en la Argentina, y discrepa con la situación vigente en la periferia pampeana, donde presuntamente un conjunto de inversores extranjeros adquieren algunas de las grandes estancias patagónicas e importantes campos ubicados en el litoral argentino (muchos de los cuales aparentemente están dedicados a la producción de arroz)"* (pp. 428-429).

[102] Los Censos Agropecuarios tienen severas restricciones para captar la fisonomía de la propiedad agropecuaria por varias razones entre las que se cuentan:

a) la definición de la unidad de análisis (explotación agropecuaria) ha cambiado a lo largo de los Censos, lo cual impide realizar una comparación en el tiempo.

b) porque más allá de los cambios que se registran a lo largo del tiempo, las diversas definiciones adoptadas de explotación agropecuaria no captan algunas de las formas de propiedad más relevantes que adoptan los grandes terratenientes. De allí que los grandes propietarios, generalmente, tienen varias explotaciones agropecuarias. La definición de explotación agropecuaria (EAP) puede consultarse en Censo Nacional Agropecuario 1988, Provincia de Buenos Aires, INDEC.

pos de los terratenientes). Específicamente, se trata de relacionar dichos campos —una vez que se localizan geográficamente y se digitalizan sobre la base de las imágenes satelitales— con el mapa de suelos (dominios edáficos) del Instituto Nacional de Tecnología Agropecuaria (INTA).

En términos cuantitativos, la digitalización y la determinación del uso del suelo comprende los casi 1.300 propietarios que integraban la cúpula de los grandes terratenientes en 1996. La extensión de sus tierras digitalizadas ronda los 8,3 millones de hectáreas que subestima en un 5% la superficie de la cúpula (8,7 millones de hectáreas) porque excluye los inmuebles rurales estatales y un conjunto de campos adquiridos por los grandes propietarios entre 1990 y 1996 que no pudieron ser ubicados geográficamente.

Asimismo, la superficie digitalizada comprende 19 mil partidas inmobiliarias (unidad de análisis del catastro inmobiliario rural) que dan lugar a la identificación de 4.130 campos (polígonos, en términos técnicos) dentro de los cuales se encuentran 29.000 potreros (subpolígonos, que en promedio representan 7,1 por polígono) con un uso uniforme del suelo, de acuerdo con la lectura satelital.[103] Por otra parte, la producción física ganadera y agrícola de cada uno de los grandes propietarios se estima mediante modelos que toman en cuenta las capacidades productivas de los diversos tipos de suelo, su uso y la tecnología media empleada en el agro pampeano.[104]

[103] El procesamiento básico se llevó a cabo durante el desarrollo del Proyecto PID Nº 065 ("Sistema de información sobre producción y propiedad de los grandes propietarios bonaerenses") de la SECYT-BID, bajo la responsabilidad del Instituto de Clima y Agua del INTA y del Área de Economía y Tecnología de FLACSO. Una descripción detallada de la metodología utilizada para determinar el uso del suelo, la producción y los suelos de los grandes propietarios rurales bonaerenses se encuentra en INTA-FLACSO, agosto de 1998 (mimeo).

[104] En términos metodológicos, cabe señalar que para estimar los rendimientos posibles de alcanzar en cada dominio edáfico, se consideraron solamente las condiciones modales o de años climáticamente normales y un nivel alto de manejo aplicado a los cultivos, mientras que para la producción de carne se consideró un nivel medio, en tanto uno y otro son los más usuales entre los productores durante la década de los años noventa. Como fuentes de información y cálculo para estimar rendimientos se utilizaron: los "Modelos de Evaluación de Tierras según su Aptitud para Cereales y Oleaginosas", elaborados por el Instituto de Suelos del INTA, informes de la Red de Ensayos Territoriales que realizan diversas Estaciones Experimentales del INTA y de la provincia de Buenos Aires y publicaciones técnicas sobre producción de carne publicados por las Estaciones Experimentales de Pergamino, General Villegas y Balcarce. Los modelos mencionados (sistema experto) permiten estimar rendimientos para diferentes tipos de utilización de la tierra y fueron elaborados siguiendo los criterios de evaluación de tierras para usos específicos propuestos por FAO en 1976 y apoyados en la estructura computacional del programa soporte ALES (Automated Land Evaluation System) versión 4, desarrollado en la Universidad de Cornell, EE. UU., en 1991. En INTA-FLACSO (agosto de 1998, mimeo), se encuentra un análisis más detallado de la metodología utilizada para determinar la producción de los grandes propietarios rurales bonaerenses.

6.5.1 La utilización del suelo por parte de los grandes terratenientes a mediados de la década de 1990

Una primera aproximación a la manera en que los grandes terratenientes utilizaban el suelo en 1996, indica que la ganadería ejercía un claro predominio, ya que destinaban el 69,6% de sus tierras a ese propósito, mientras que el 26,7% lo dedicaban a la producción agrícola y el 3,7% restante a otros usos (instalaciones, montes y en general la tierra desafectada de la producción directa).

La importancia relativa de la ganadería superaba la media provincial por la superficie total dedicada a esta producción y se sustentaba, principalmente, en la utilización de los pastos naturales y, en medida mucho menor, en pasturas artificiales, superficie esta última que se ubicaba por debajo del promedio provincial.

Por el contrario, la superficie relativa dedicada a la producción agrícola era inferior a la del agro provincial (aproximadamente el 30% de la superficie censal). Además, las evidencias empíricas indican que, en dichos agregados, la importancia relativa de cada uno de los cultivos también difería. Si bien en ambos casos la proporción de superficie dedicada a la producción de trigo y maíz era similar, los grandes propietarios destinaron una proporción mayor de sus tierras a la producción de girasol y menor a la producción de soja.

El carácter fuertemente ganadero y extensivo de los terratenientes bonaerenses a mediados de la década pasada no es un hecho peculiar ni sorprendente, porque se inscribe en la matriz estructural que presentaba a principios del siglo XX el sector social fundador del Estado moderno en la Argentina, motivo que dio lugar a que décadas atrás se lo denominara como "oligarquía vacuna". Tanto es así que, sobre el carácter ganadero y extensivo que fundamentaba su existencia, hay pleno consenso entre las diferentes líneas analíticas e interpretativas aunque, por supuesto, mantienen posiciones contrapuestas sobre otros aspectos de esta misma problemática. La permanencia de este rasgo no debe ocultar sin embargo un cambio relevante, la producción de la oligarquía tradicional era la ganadería porque le arrendaba grandes extensiones a los pequeños y medianos productores para la producción agrícola, mientras que en la actualidad sus integrantes desarrollan ambas actividades por su cuenta y riesgo.

A mediados de la década de 1980, los terratenientes implementaron, en distinto grado, una acentuada integración de todo el ciclo ganadero, por tener sus tierras localizadas tanto en la región de cría como de invernada y controlar buena parte de la comercialización de la ganadería vacuna.

A su vez, la integración vertical de la ganadería les permitió incrementar su rentabilidad e incidir decisivamente en diferentes organizaciones sectoriales (no sólo en la Sociedad Rural Argentina) para orientar sus reivindicaciones en pos de la defensa de sus intereses particulares. Lo más probable es que este aspecto tan relevante también haya estado presente en la oligarquía pampeana de principios del siglo pasado, pero se trata únicamente de una hipótesis de trabajo, porque ninguno de los numerosos estudios sobre el agro pampeano lo menciona y, cuando excepcionalmente lo hacen, no se cuantifica ni se evalúan sus consecuencias.[105]

En términos históricos el carácter ganadero no es un rasgo sorprendente, aunque sí llama la atención que permaneciera durante una etapa donde los precios y el acceso relativo a los mercados externos eran favorables para los productos agrícolas. Es innegable la influencia que ejerció en este sentido la significativa superficie total de los campos ubicados en las regiones donde la aptitud del suelo impedía la sustitución de la ganadería por la agricultura ante esta modificación de los precios relativos, característica típica del comportamiento del ciclo ganadero. No obstante, a pesar de que la extensión de los campos en las regiones de cría y lechera era considerable, estaba muy lejos de ser mayoritaria (en ellas se localizaban, aproximadamente, el 35% de la superficie total controlada por los grandes propietarios), lo cual indica la presencia de otros factores que impedían dicha sustitución.

Es apropiado recordar que el mercado interno de carne vacuna, a pesar de la disminución del consumo *per cápita*, tenía una facturación equivalente a la del mercado siderúrgico o farmacéutico (alrededor de 3.600 millones de dólares).[106] Asimismo, a pesar de que la relación ingreso/costo de la producción ganadera durante estos años evolucionó por debajo de la de los principales cultivos agrícolas, es aceptable en la invernada y la lechería (no así en la cría donde no hay alternativas en cuanto al uso del suelo), lo cual sugiere que la rentabilidad de estas actividades se ubicaba en la misma situación o incluso la superaba, si se tiene en cuenta que buena parte de la carga impositiva pasó a formar parte de dicha rentabilidad, debido a la elevada evasión y elusión impositiva.[107] Finalmente, al ser la ganadería una actividad que requiere una inmovilización relativamente baja de capital de trabajo y de inversión en capital fijo, liberaba una significativa parte del capital propio para otros fines.

[105] En efecto, dentro de la bibliografía clásica sobre el tema no hay alusiones a esta característica. La única mención al respecto la realiza J. F. Sábato (1991).

[106] En términos aproximados, a mediados de los años noventa se faenaron alrededor de 12 millones de cabezas de ganado vacuno por año, de las cuales 7 millones se registran en la provincia de Buenos Aires. El peso promedio de las reses faenadas se estima en 210 kilogramos, es decir 1.470.000 toneladas que descontando los cupos de exportación se reducen a 1.200.000 toneladas aproximadamente. Dado que el precio promedio en el comercio minorista se ubica en 3 pesos, la facturación alcanza a los 3.600 millones de pesos que incluye el 21% de IVA (750 millones de pesos).

[107] Al respecto, véase E. M. Basualdo (1995).

En consecuencia, teniendo en cuenta la importancia de la ganancia financiera en esos años, la ganadería resultó una actividad sumamente compatible con la maximización de la valorización financiera del capital en una etapa de altas y fluctuantes tasas de interés, porque allí se canalizó, en muchos casos, el capital propio que dejaba ocioso esta actividad, sobre todo cuando un uso agrícola alternativo no les permitiría obtener, por diferencias de escala, las tasas de rentabilidad de los mayores productores. No obstante, muy probablemente estos últimos también siguieron, en múltiples coyunturas, una estrategia similar de valorización financiera. En otros casos, en cambio, el desaprovechamiento pleno de las aptitudes agrícolas de las propiedades, puede ser imputable a falta del capital necesario para implementar y asumir el mayor riesgo de la actividad agrícola.

La utilización del suelo según las distintas formas de propiedad permite diferenciar, *grosso modo*, el comportamiento adoptado por los estratos sociales que convivían dentro de la cúpula de los terratenientes bonaerenses. Desde esta perspectiva, las evidencias disponibles (Cuadro nº 6.34) indican de una manera indubitable que, a medida que aumentaba la complejidad de las formas de propiedad (de personas físicas y jurídicas a los grupos de sociedades) no sólo disminuyó la incidencia relativa de las tierras no utilizadas productivamente ("otros") sino que aumentó la importancia del uso agrícola. Así, por ejemplo, considerando las situaciones extremas, se constata que los grupos de sociedades exhiben una utilización agrícola del suelo (31% de su superficie total) que supera largamente la significación relativa que alcanza en las tierras que pertenecen a las personas físicas y jurídicas (20,3% de su superficie total).

Este comportamiento diferencial en el uso del suelo de las diversas formas de propiedad tiene su correlato en términos de los grandes estratos sociales que coexistían dentro de la cúpula de los propietarios agropecuarios bonaerenses. La superficie adoptada tradicionalmente para delimitar los grandes propietarios rurales bonaerenses (2.500 o más hectáreas) congrega al menos dos de los estratos sociales que formaban parte de la estructura social agraria bonaerense: parcialmente a los propietarios medianos-grandes y a la totalidad de la oligarquía pampeana.

El primer estrato se expresa con intensidad en las personas físicas y jurídicas que eran las que tenían el promedio de hectáreas por propietario más reducido de la cúpula. Por el contrario, los grupos de sociedades captan el núcleo central de la oligarquía pampeana, convergiendo allí los integrantes más consolidados tanto de la fracción de la *oligarquía diversificada* (grupos económicos) como de la eminentemente agropecuaria (grupos agropecuarios).[108] Fi-

[108] Al respecto, véase E. Basualdo (1996).

nalmente, la naturaleza de las dos formas de propiedad restantes (condominios y formas mixtas) indica que allí confluían tanto integrantes del estrato mediano-grande como de la oligarquía tradicional eminentemente agropecuaria. Sin embargo, todo parece indicar que mientras en los condominios predominaban los propietarios medianos-grandes en las formas mixtas, por el contrario, los integrantes de la oligarquía agropecuaria ejercían una influencia relativa más intensa.

Releyendo el uso del suelo en clave de los sectores sociales, se puede concluir que mientras los eslabones más débiles de la cúpula que, predominantemente controlaban sus tierras en forma individual o mediante diversos tipos de sociedades, eran relativamente menos agrícolas, el núcleo central de la oligarquía agropecuaria se comportó de una manera inversa, es decir, relativamente más agrícola. Por otra parte, las otras dos formas de propiedad (condominios y formas mixtas) se ubican en una situación intermedia porque, presuntamente, el comportamiento de los propietarios medianos-grandes se vio neutralizado por el que asumieron los integrantes de la oligarquía que controlaban sus tierras mediante condominios o formas mixtas de propiedad.

Cuadro n° 6.34
El uso del suelo de los grandes propietarios rurales bonaerenses, 1996
(en miles de hectáreas, hectáreas y porcentajes)

	Superficie		Has. por propietario	Uso del suelo			
	Miles de has.	%		Ganadero	Agrícola	Otros	Total
. Personas físicas y jurídicas	1.482,5	17,9	4.164	69,3	20,3	10,4	100,0
-Personas Físicas	928,7	11,2	4.340	67,1	20,4	12,5	100,0
-Personas Jurídicas	553,8	6,7	3.899	73,0	20,0	6,9	100,0
. Condominios	1.461,0	17,6	4.953	72,1	22,5	5,4	100,0
. Formas Mixtas	1.855,8	22,4	5.491	71,8	27,1	1,1	100,0
. Grupos de Sociedades	3.483,8	42,1	14.456	67,5	31,0	1,5	100,0
-Grupos Agropecuarios	2.849,4	34,4	13.968	67,5	31,3	1,3	100,0
-Grupos Económicos	634,4	7,7	17.146	67,6	29,8	2,6	100,0
Total	8.283,2	100,0	6.734	69,6	26,7	3,7	100,0

Fuente: Elaborado sobre la base de la información del Proyecto PIP98 N° 024 del CONICET ("Características del uso del suelo y la producción agropecuaria en los grandes propietarios rurales de la Provincia de Buenos Aires") del Área de Economía y Tecnología de FLACSO.

Igualmente importante es comprender que ese diferente uso del suelo no se originó solamente en la capacidad productiva de las tierras sino también en la utilización efectiva que realizó cada uno de los estratos sociales. Un primer indicador de que ambos factores influyeron, es que las tierras exclusivamente ganaderas, como las de cría y lechera tuvieron una incidencia relativa variable pero siempre trascendente en las diversas formas de propiedad (fluctúa entre el 29 y el 41% según la que se considere). El segundo es que, a medida que aumentaba la aptitud agrícola de las tierras, los propietarios medianos-grandes (personas físicas y jurídicas) destinaron una proporción significativa de la tierra a la producción ganadera mientras que la oligarquía agropecuaria tendió a maximizar su uso agrícola. Para ejemplificar este comportamiento desigual, en el Gráfico nº 6.6 se observa el uso de la tierra que realizaron ambos estratos sociales (formas de propiedad) a medida que se incrementaba la aptitud agrícola de sus tierras.

Gráfico N° 6.6: Proporción de la superficie dedicada a la agricultura según formas de propiedad y tipos de suelos, 1996 (en porcentajes)

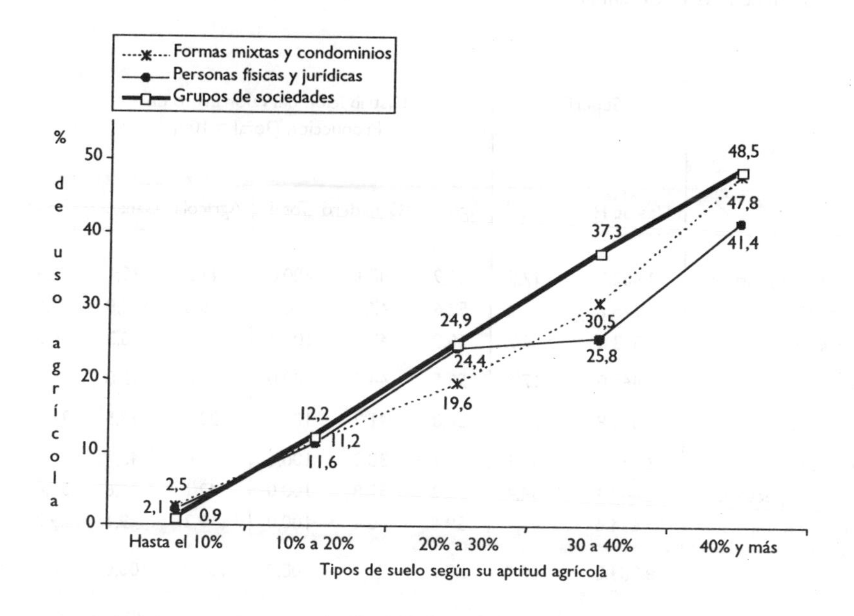

Fuente: Elaboración propia sobre la base de la información del PIP98 N° 024, CONICET-FLACSO.

6.5.2 Distribución del valor bruto de producción de los grandes propietarios

El análisis de la distribución del valor bruto de producción agrícola y ganadera discriminando las diversas formas de propiedad permite avanzar en la temática planteada (Cuadro nº 6.35). Esta distribución se estima a partir de los precios promedio de mercado vigentes para cada uno de los productos pampeanos en el año considerado. Asimismo, debido a las limitaciones del instrumento utilizado (la lectura satelital) se asume el supuesto de que todas las formas de propiedad tenían la misma función de producción para la ganadería y para cada uno de los principales productos agrícolas. Si bien, este último es un supuesto "heroico", que posteriormente se tratará de adecuar a la realidad mediante el análisis de algunas evidencias cuantitativas y cualitativas, los resultados tienen una enorme importancia porque permiten comprobar otro rango de diferencias entre las formas de propiedad y los estratos sociales que integraban la cúpula de los propietarios rurales bonaerenses.

Cuadro N° 6.35

Distribución y composición del valor bruto de producción
de los grandes propietarios rurales bonaerenses según formas de propiedad, 1996
(en miles de hectáreas y porcentajes)

	Superficie		Distribución del Valor Bruto de Producción (Total = 100)					
	Miles de Has.	%	Agrícola	Ganadero	Total	Agrícola	Ganadero	Total
Personas físicas y jurídicas	1.482,5	17,9	51,9	48,1	100,0	11,3	15,1	12,9
-Personas Físicas	928,7	11,2	52,6	47,4	100,0	6,8	8,8	7,6
-Personas Jurídicas	553,8	6,7	50,8	49,2	100,0	4,5	6,3	5,2
Condominios	1.461,0	17,6	55,5	44,5	100,0	13,8	15,8	14,6
Formas Mixtas	1.855,8	22,4	58,8	41,2	100,0	23,5	23,5	23,5
Grupos de Sociedades	3.483,8	42,1	61,7	38,3	100,0	51,4	45,7	49,0
-Grupos Agropecuarios	2.849,4	34,4	62,2	37,8	100,0	42,1	36,6	39,8
-Grupos Económicos	634,4	7,7	59,6	40,4	100,0	9,3	9,1	9,2
Total	8.283,2	100,0	58,9	41,1	100,0	100,0	100,0	100,0

Fuente: Elaborado sobre la base de la información del Proyecto PIP98 N° 024 ("Características del uso del suelo y la producción agropecuaria en los grandes propietarios rurales de la Provincia de Buenos Aires") del CONICET y el Área de Economía y Tecnología de FLACSO.

La composición del valor bruto de producción de los propietarios rurales bonaerenses con 2.500 o más hectáreas indica un claro predominio de los productos agrícolas sobre los ganaderos y, por lo tanto, es contrapuesta a la exhibida por estos mismos propietarios en el uso del suelo. Se trata de una situación prácticamente opuesta, no sólo por el predominio de la agricultura sino porque la participación de cada una tiende a invertirse. Así, la agricultura, que representaba el 26,7% de la superficie de la cúpula de los grandes propietarios, concentra el 58,9% del valor bruto de producción, mientras que la ganadería, que ocupaba el 69,9% de la superficie, representa el 41,1% del valor de producción generado por los grandes propietarios en sus 8,3 millones de hectáreas. Por lo tanto, si bien desde el punto de vista del uso de la tierra los grandes propietarios eran eminentemente ganaderos, en términos del valor de producción eran principalmente agrícolas, debido a los precios relativos vigentes en el agro pampeano.

Igualmente revelador es que ese predominio agrícola en el valor de la producción de la cúpula se replicara en todas las formas de propiedad y, por lo tanto, en los estratos sociales que la componían, pero con diferente intensidad en cada una de ellas. En el valor bruto de producción de las personas físicas y jurídicas, la producción ganadera es la que alcanza su mayor importancia relativa, aunque sigue siendo inferior a la de los productos agrícolas —concentra el 48,1% de su respectivo valor de producción. A la inversa, en los grupos de sociedades se registra la menor incidencia ganadera y, en consecuencia, los registros relativos más elevados de la agricultura en esta cúpula de grandes propietarios rurales (61,7%). Al igual que en el uso del suelo, los condominios y las formas mixtas de propiedad se ubican en una situación intermedia.

Desde el punto de vista de los estratos sociales, resulta evidente que los propietarios mediano-grande (personas físicas y jurídicas) eran relativamente los más ganaderos de la cúpula mientras que la oligarquía pampeana (grupos de sociedades) era la relativamente más agrícola (o menos ganadera). En consecuencia, la situación de la oligarquía pampeana en 1996 discrepa con la visión que la caracterizaba como una "oligarquía vacuna" ya que, considerando el valor de producción, no sólo predominaba la agricultura —rasgo compartido con el resto de los grandes propietarios— sino que, además, era la más asentada en la producción agrícola de toda la cúpula.

Por otra parte, las mismas evidencias empíricas indican otras características disímiles entre los estratos sociales (y las formas de propiedad). El análisis de la importancia de los estratos sociales en el valor de producción total, indica que se replicaba la misma distribución que en el uso del suelo. En un extremo se encuentra el estrato de propietarios medianos-grandes (personas físicas y jurídicas), que concentraban relativamente más tierras (17,9% del total de superficie) que valor de producción (12,9% del total). En el otro extremo, el núcleo central de la oligarquía pampeana (grupos de sociedades) que, por el contrario, concentraba menos tierra (42,1% del total) y más valor de producción (el 49,0% del total). La situación relativa de las formas de propiedad que se ubican entre ambos extremos, responde a su contenido social. El comportamiento de los condominios, donde predominaban los propietarios medianos-grandes, es similar al de las personas físicas y jurídicas, mientras que el de las formas mixtas es asimilable al de los grupos de sociedades, es decir, la oligarquía bonaerense.

Resulta evidente que el fundamento de estas disparidades tan significativas y coherentes con los restantes aspectos analizados, se encuentra en las diferenciales de productividad de las formas de propiedad y, en consecuencia, los estratos sociales. En el Cuadro nº 6.36 se expone una estimación del valor bruto de producción por hectárea como una forma de aproximación a las productividades relativas de las distintas formas de propiedad (estratos sociales), por lo cual se considera como 100 el valor de producción por hectárea de las personas físicas y jurídicas.

Cuadro n° 6.36
Distribución y composición del valor bruto de producción por hectárea de los grandes propietarios rurales bonaerense según formas de propiedad, 1996
(en miles de hectáreas, porcentajes y números índices personas físicas y jurídicas =100)

	Superficie		VBP por hectárea (personas físicas y jurídicas = 100)			
	Hectáreas	%	Agrícola	Ganadero	Total (1)	Total (2)
Personas físicas y jurídicas	1.482.514	17,9	100,0	100,0	100,0	100,0
-Personas Físicas	928.741	11,2	95,1	96,2	96,8	94,5
-Personas Jurídicas	553.773	6,7	108,3	105,9	105,1	109,2
Condominios	1.461.014	17,6	111,1	102,4	109,2	115,2
Formas Mixtas	1.855.825	22,4	123,6	120,4	132,0	145,7
Grupos de Sociedades	3.483.838	42,1	126,4	132,5	147,5	162,2
-Grupos Agropecuarios	2.849.443	34,4	125,3	129,9	146,1	161,0
-Grupos Económicos	634.395	7,7	131,3	144,0	154,1	167,5
Total	8.283.191	100,0	119,9	118,4	129,4	139,1

(1) Excluye la tierra no utilizada para la producción ganadera y agrícola ("Otros" en el uso del suelo).
(2) Incluye la tierra no utilizada para la producción ganadera y agrícola ("Otros" en el uso del suelo)

Fuente: Elaborado sobre la base de la información del Proyecto PIP98 N° 024 ("Características del uso del suelo y la producción agropecuaria en los grandes propietarios rurales de la Provincia de Buenos Aires") del CONICET y el Área de Economía y Tecnología de FLACSO.

Sería redundante señalar las diferencias generales que se observan desde esta perspectiva, pero vale la pena destacar algunos rasgos específicos.

El primero es la acentuada diferencia en la productividad (valor de producción por hectárea) de los grupos de sociedades (oligarquía agropecuaria) y las personas físicas y jurídicas (propietarios medianos-grandes) en el marco de los precios relativos vigentes en 1996 (dicha diferencia oscila entre el 47,5 y el 62,2% según se tomen o no en cuenta las tierras no productivas). Otra característica destacable es que este diferencial de la productividad favorable a los grupos de sociedades (oligarquía agropecuaria) es mayor en la ganadería que en la agricultura, a pesar de que las personas físicas y jurídicas dedicaban a la primera una parte significativa de sus mejores tierras, es decir de las de mayor aptitud agrícola (Gráfico nº 6.6). La última consideración, consiste en recalcar el predominio ejercido por la *oligarquía diversificada* (grupos económicos) en relación con todas las formas de propiedad y, en particular, respecto de la fracción de la oligarquía exclusivamente agropecuaria (grupos agropecuarios), en términos de la productividad, tanto ganadera como agrícola.

6.5.3 El rendimiento potencial de la tierra en los grandes propietarios rurales. Una aproximación a la renta diferencial de la tierra

Las sugerentes características de la distribución del valor bruto de producción son el resultado, debido a la metodología utilizada, de las productividades diferenciales que tenían los campos de las distintas formas de propiedad en el marco de los precios relativos vigentes en 1996. El predominio de la oligarquía pampeana, según el valor de producción, parecería originarse en que era propietaria de las tierras más productivas pertenecientes a los terratenientes bonaerenses y que, probablemente, eran las mejores tierras de toda la provincia de Buenos Aires.

Indudablemente, esta hipótesis remite a una problemática clásica en la economía política: la renta del suelo. Ésta, de acuerdo con los desarrollos originales realizados por David Ricardo, es aquella parte del producto de la tierra que percibe el terrateniente *"por el uso de las energías originarias e indestructibles del suelo"* que, en este caso, se captan diferencialmente (renta diferencial) porque cada porción de superficie tiene cualidades naturales distintas sobre las que el terrateniente ejerce un poder monopólico al ser de su propiedad.[109]

[109] Al respecto, David Ricardo (1994) manifiesta que: *"La renta es aquella parte del producto de la tierra que se paga al terrateniente por el uso de las energías originarias e indestructibles del suelo. Se confunde a menudo con el interés y la utilidad del capital y, en lenguaje popular, dicho término se aplica a cualquier suma anualmente pagada por el agricultor al terrateniente* [...] *Es evidente, sin embargo, que sólo una porción del di-*

Sin embargo, la distribución del valor de producción es meramente un indicador de la renta diferencial de la tierra en los grandes propietarios bonaerenses porque una estimación estricta implica determinar el beneficio por hectárea que obtiene cada terrateniente. Dado que se carece de la estructura de costos de cada cultivo en cada uno de los tipos de suelo, la estimación directa de la renta agropecuaria resulta imposible de cuantificar.[110]

Sin embargo, sí es posible realizar otra aproximación a la renta diferencial de la tierra mediante la determinación de la capacidad productiva potencial de las tierras en las diferentes formas de propiedad. Metodológica y conceptualmente se trata de aproximaciones sucesivas a la misma problemática. La primera se logra mediante la distribución de los suelos según su capacidad potencial que se plasma en cinco segmentos que abarcan respectivamente el 20% de la superficie total, para luego determinar la capacidad productiva potencial de cada forma de propiedad sobre la base de un índice que cuantifica el rendimiento potencial relativo del suelo considerando el de las personas físicas y jurídicas como base para observar su distribución relativa.

La distribución de la tierra según la fertilidad del suelo implicó llevar a cabo diversos procedimientos. Inicialmente se determinó el rendimiento potencial físico medio de cada uno de los dominios edáficos para los cultivos agrícolas y la ganadería sobre la base de la desviación con respecto al rendimiento medio total de cada uno de ellos. Luego se obtuvo un coeficiente único en cada uno de los tipos de suelo mediante el promedio simple de los coeficientes para cada producción agropecuaria determinada anteriormente. Sobre la base de este último coeficiente se obtuvieron los dos resultados que se exponen en el Cuadro nº 6.37. El primero consiste en 5 segmentos que abarcan el 20% de la tierra cada uno de ellos, partiendo de las tierras menos productivas. La elaboración de estos segmentos requirió la utilización de una función aleatoria uniforme que permitiera realizar desempates para crear segmentos exactos. El otro indicador es un índice que le asigna valores a cada unidad de superficie en función del rendimiento potencial del suelo con respecto de la unidad de superficie que exhibe la menor fertilidad para luego, una vez determinado para cada forma de propiedad, tomar como base 100 el valor obtenido para las tierras de las personas físicas y jurídicas.

Los resultados obtenidos indican que todas las formas de propiedad tenían

---

nero anualmente pagado por la hacienda mejorada se daría por las energías originarias e indestructibles del suelo; la otra parte se pagaría por el uso del capital empleado para mejorar la calidad de la tierra, y para erigir los edificios que van necesitando con objeto de obtener y conserva el producto" (p. 51).

[110] Una aproximación anterior a la magnitud de la renta de la tierra en la Argentina, fue realizada por M. Teubal (1975 y 1980) para los años sesenta y setenta, mediante la estimación del monto del excedente financiero sectorial.

tierras en los diferentes tipos de suelo, pero se aprecian variaciones a medida que se incrementa su productividad. Así, considerando las situaciones extremas, las personas físicas y jurídicas concentran la mayor superficie relativa del estrato de menor productividad (31,5%) y su participación supera largamente a la exhibida en la superficie total de la cúpula (17,9%). Los grupos de sociedades se encuentran en una situación inversa porque, a pesar de que sus tierras representan un porcentaje elevado de las menos productivas (29,6%), éste es significativamente más reducido que su participación en la superficie total de la cúpula (42,1%). Desde ese punto inicial en adelante, la tendencia seguida por ambas formas de propiedad es opuesta, disminuyendo la incidencia relativa de las personas físicas y jurídicas y aumentando la de los grupos de sociedades, especialmente en las tierras más productivas (su participación allí alcanza al 57,5% del total de ese estrato). Como ocurre en las variables anteriores, las otras formas de propiedad (condominios y formas mixtas) se encuentran en una situación intermedia, aunque en este caso la similitud de los condominios con las personas físicas y jurídicas y la de las formas mixtas con los grupos de sociedades es más acentuada.

Cuadro n° 6.37

Distribución de los diversos tipos de suelos y de la capacidad productiva potencial según forma de propiedad, 1996
(en miles de hectáreas y porcentajes),

Formas de propiedad	Superficie		Tipos de suelo (de menor a mayor rendimiento)					Capacidad productiva potencial	
	Miles de has.	%	20%	20%	20%	20%	20%	Personas físicas y jurídicas = 100	Diferencia
. Personas físicas y jurídicas	1.482,5	17,9	31,5	19,4	14,4	12,8	11,4	100,0	0,0
-Personas Físicas	928,7	11,2	24,1	10,2	7,4	7,3	7,0	97,3	- 2,7
-Personas Jurídicas	553,8	6,7	7,3	9,2	7,1	5,5	4,4	104,5	+ 4,5
. Condominios	1.461,0	17,6	25,2	20,6	13,9	18,6	9,9	104,0	+ 4,0
. Formas Mixtas	1.855,8	22,4	13,8	25,0	26,8	25,3	21,2	117,3	+ 17,3
. Grupos de Sociedades	3.483,8	42,1	29,6	34,9	44,9	43,4	57,5	124,0	+ 24,0
-Grupos Agropecuarios	2.849,4	34,4	27,6	26,6	36,0	35,3	46,5	123,0	+ 23,0
-Grupos Económicos	634,4	7,7	2,0	8,3	9,0	8,1	11,0	128,4	+ 28,4
Total	8.283,2	100,0	100,0	100,0	100,0	100,0	100,0	114,7	+ 14,7

Fuente: Elaborado sobre la base de la información del Proyecto PIP98 N° 024 ("Características del uso del suelo y la pro ducción agropecuaria en los grandes propietarios rurales de la Provincia de Buenos Aires") del CONICET y el Área de Economía y Tecnología de FLACSO.

El análisis de la capacidad productiva potencial de la tierra no hace sino confirmar lo que preanuncia la distribución de los diferentes tipos de suelo. Tomando como base la situación de las personas físicas y jurídicas, todas las otras formas de propiedad la superan pero de una manera creciente a medida que se transita de los condominios a los grupos de sociedades. Así, la capacidad productiva potencial de la tierra perteneciente a los condominios es levemente superior (4,5%) y se incrementa sensiblemente en las formas mixtas (17,3%), alcanzando sus valores máximos en los grupos de sociedades (24,0%) y, dentro de estos últimos, en los grupos económicos (28,4 por ciento).

Al ser la capacidad productiva potencial un indicador de la renta diferencial del suelo, también pone de manifiesto las discrepancias que mediaban en el valor real de la tierra libre de mejoras, por ser éste una función directa de la importancia que alcanzó la renta de la tierra. El predominio de los grandes propietarios no es nuevo, ya que se expresa a fines de la década anterior, al considerar únicamente la unidad técnica de producción (explotación agropecuaria censal) y mutilar de esa manera la gran propiedad rural. Tal como los analiza un trabajo reciente basado en tabulados especiales del Censo Agropecuario Nacional de 1988, las grandes explotaciones tienen el valor venal de la hectárea más elevado (496 dólares, que es un 6% superior al que le sigue —establecimientos medianos grandes— y un 9% superior al precio promedio total).[111] Es decir que, a pesar de que no expresan —por defecto— cabalmente a los terratenientes, las grandes explotaciones controlaban las mejores tierras provinciales que, por otra parte, constituyen el núcleo central de la pampa húmeda.

En conclusión, las evidencias sugieren que la oligarquía agropecuaria (grupos de sociedades) era propietaria de las tierras más productivas pertenecientes a los grandes terratenientes bonaerenses, en tanto exhibe la mayor capacidad productiva potencial y, por ende, el mayor precio de la hectárea libre de mejoras. No menos trascendente es que la *oligarquía diversificada* superaba también en este aspecto a la fracción eminentemente agropecuaria y, por lo tanto, no sólo tenían el mayor tamaño promedio por propietario y el valor de producción por hectárea más elevado sino que controlaban las mejores tierras de la cúpula de los grandes propietarios rurales de la provincia de Buenos Aires.

[111] Se trata de un interesante estudio realizado por A. R. Pucciarelli (1997). Cabe señalar que el autor, quizá por un exceso de voluntarismo porque se trata de un sagaz investigador de la problemática agropecuaria, extrae de las mismas evidencias empíricas algunas conclusiones que las contradicen: "*A pesar de haber sufrido ese intenso proceso de subdivisión, la superficie promedio controlada por una gran estancia sigue siendo todavía muy alta, asciende a 4.196 has. Que tienen a su vez, un valor territorial promedio de casi 2,1 millones de dólares y un precio de 496 dólares por unidad de superficie. Estos dos últimos datos, confrontados con el valor medio de la tierra y del total de explotaciones en la provincia, nos revela, empero, que las grandes explotaciones poseen actualmente un rasgo particular y en cierto modo inesperado, reúnen mucha superficie pero no se asientan en las mejores tierras*" (p. 236).

6.5.4 La creciente importancia de las economías internas y externas de escala

Desde el punto de vista de la teoría económica, el excedente total del terrateniente-productor se compone de varios elementos entre los que se encuentra la renta del suelo que percibe como terrateniente y la ganancia del capital, que debe coincidir, en el largo plazo, con la tasa de ganancia media en la economía, pero a la cual se le agregan las ganancias extraordinarias derivadas de las economías internas y externas de escala.

Lamentablemente, se trata de una problemática casi inexplorada en el país, sobre la cual hay evidencias empíricas escasas y las disponibles no diferencian su impacto en términos de las formas de propiedad y menos aún entre los estratos sociales. A pesar de esta restricción, vale la pena indagar el tema e incorporar las escasas evidencias disponibles, así como alguna información cualitativa provista por informantes calificados.

En principio, las economías internas de escala aluden a la reducción de los costos que registra una determinada empresa agropecuaria a medida que se incrementa la cantidad producida, lo cual eleva el nivel de ganancias debido a la utilización más eficiente de los recursos. Esa reducción en los costos no deriva —puesto que en el corto plazo los rendimientos medios por hectárea tienden a ser fijos— de una elevación de la producción por hectárea, sino de la explotación de una superficie mayor. Por lo tanto, dada cierta función de producción, las economías de escala surgen a medida que se incrementa la superficie explotada.

En este contexto, es pertinente señalar que en el agro bonaerense se reactivó la inversión luego de la profunda reducción registrada en la década de los años ochenta que llegó, incluso, a generar una reducción del *stock* de capital en términos absolutos en los años previos y durante las crisis hiperinflacionarias de 1989 y 1990. No obstante, es decisivo reparar que esta incorporación de bienes de capital se realizó sobre la base de la adquisición de nuevos equipos cuya potencia superaban largamente la del parque de maquinaria existente. Caben pocas dudas de que este cambio fue impulsado por las nuevas forma de producción adoptadas por los grandes propietarios y la consolidación de las empresas dedicadas específicamente a prestar el servicio de siembra y cosecha con equipos aptos para operar en grandes superficies ("contratismos"). Indudablemente, dichas transformaciones, entre otras, expresaban cambios en la función de producción del agro pampeano en las cuales las economías de escala tenían un papel protagónico.

En términos de las economías internas de escala, la primera verificación que es necesario realizar consiste en determinar si efectivamente las distintas formas de propiedad mantuvieron diferencias significativas en la extensión media dedicada a la ganadería y a la agricultura en 1996 (Cuadro nº 6.38). Los resultados obtenidos no solamente confirman la existencia de disparidades muy pronunciadas sino que éstas siguen el mismo patrón de comportamiento que en las variables analizadas con anterioridad. Es decir, las de menor extensión promedio por propietario son las personas físicas y jurídicas y en el extremo opuesto se encuentran los grupos de sociedades. Las ventajas en favor de estos últimos son notablemente elevadas cualquiera sea la producción considerada. Las mayores desigualdades se registran en la producción de soja, donde la extensión media por propietario de los grupos de sociedades es un 260% más elevada que las de las personas físicas y jurídicas (624 hectáreas contra 174 hectáreas, respectivamente) y las menores diferencias se localizan en la combinación de trigo y soja, en la que llegan al 149 por ciento.

Cuadro n° 6.38
Superficie media explotada por tipo de producción
y según forma de propiedad, 1996
(en hectáreas por propietario y porcentajes)

	Ganadería	Trigo	Trigo-Soja	Soja	Maíz-Girasol	Trigo-Girasol	Otros
Personas físicas y jurídicas	3.085	756	240	174	644	91	1.542
-Personas Físicas	3.178	825	329	200	694	98	1.525
-Personas Jurídicas	2.952	648	155	148	584	82	1.599
Condominios	3.669	821	340	369	666	117	1.098
Formas Mixtas	3.951	796	263	243	808	123	353
Grupos de Sociedades	9.839	1.796	598	629	2.275	239	576
-Grupos Agropecuarios	9.471	1.805	599	615	2.191	258	484
-Grupos Económicos	11.914	1.742	593	692	2.707	135	982
Total	4.819	1.037	400	409	1.112	172	951
Grupos de sociedades / pers. físicas y jurídicas/ (%)	318,9	237,6	249,2	361,3	353,2	262,0	37,4

Fuente: Elaborado sobre la base de la información del Proyecto PIP98 N° 024 ("Características del uso del suelo y la producción agropecuaria en los grandes propietarios rurales de la Provincia de Buenos Aires") del CONICET y el Área de Economía y Tecnología de FLACSO.

La siguiente constatación relevante, consiste en comprobar si las economías internas de escala eran significativas a medida que se incrementaba la superficie explotada. Al respecto, en el Cuadro nº 6.39 se exponen algunas evidencias empíricas que avalan esta hipótesis. Se trata de los resultados de un modelo de comportamiento realizado en la Estación Experimental del INTA de Pergamino sobre la base de estudios de campo, que en una de sus alternativas cuantifica la variación de los costos de los diferentes cultivos de la región por unidad de superficie asumiendo que los rendimientos eran constantes. Es decir, que los productores independientemente de la superficie que explotan tenían rendimientos por hectárea similares.[112]

Cuadro n° 6.39
Costo de cosecha por hectárea según cultivo
y tamaño del establecimiento, cosecha 1995-1996.
(en pesos por hectárea y porcentajes)

Cultivo	Tamaño del establecimiento				
	600 Has.	1.200 Has.	1.800 Has.	2.400 Has.	3.000 Has.
Trigo	82,0	49,9	38,7	33,9	31,5
*Reducción del costo (%)**	*0,0*	*-39,1*	*-52,8*	*-58,7*	*-61,6*
Maíz	153,9	90,9	68,9	59,2	54,0
*Reducción del costo (%)**	*0,0*	*-40,9*	*-55,2*	*-61,5*	*-64,9*
Soja	105,1	63,1	48,3	41,9	38,8
*Reducción del costo (%)**	*0,0*	*-40,0*	*-54,0*	*-60,1*	*-63,1*
Promedio	113,8	67,5	52,3	44,9	41,7
*Reducción del costo (%)**	*0,0*	*-40,7*	*-54,0*	*-60,5*	*-63,4*

* Se trata de la disminución del costo por hectárea respecto al establecimiento de menor dimensión (600 has.).

Fuente Elaboración propia sobre la base de la información del Área de Estudios Económicos y Sociales del INTA de Pergamino.

[112] En términos generales, el estudio del INTA de Pergamino (J. Pizarro y M. Cacciamani, abril de 1996) determina el costo de la cosecha considerando la cosechadora, la plataforma para trigo, soja y maíz, el carro para el transporte del cabezal y además el sistema de transporte de la cosecha. Por otra parte, se consideran como costos fijos la depreciación del equipo, los intereses por la inversión en maquinaria, la cobertura o resguardo, seguros y no fueron incluidos los impuestos. Asimismo, asume que los costos variables comprenden los gastos en reparaciones, combustibles y lubricantes y la remuneración de la mano de obra. Finalmente, se supone un beneficio para el productor equivalente al 20% sobre los costos.

Los resultados son concluyentes y señalan una reducción sistemática y acelerada de los costos por hectárea a medida que se acrecentó la superficie explotada. Tanto es así que al confrontar la superficie mínima (600 has.) y máxima (3.000 has.) consideradas en el estudio, se verifica que la disminución del costo alcanza para el promedio de los cultivos al 63,4% con una dispersión mínima entre ellos.

Una prueba indirecta de la centralidad asumida por las economías de escala radica en el tamaño medio que alcanzaron las nuevas formas de producción mediante las cuales se incorporan al quehacer agropecuario capitales extrasectoriales, es decir los Fondos de Inversión Agrícola y *Pools* de Siembra. Los mismos tendían a explotar extensas superficies de tierras, superiores a las 10 mil hectáreas, para poder obtener las ganancias derivadas de las economías de escala. En otras palabras, imitaban a los grandes terratenientes para apropiarse de la tasa y la masa de ganancias asociadas a la explotación de grandes extensiones de tierra.

La importancia que de por sí alcanzaron las economías internas de escala se potenció aún más por las modalidades que asumieron las nuevas formas de producción consolidadas durante la vigencia de la Convertibilidad. A partir de las evidencias analizadas resulta claro que los propietarios con menor superficie debieron recurrir al contratista para realizar su cosecha, lo cual implicó un incremento aproximado de un 20% de sus costos, porque en el caso de utilizar sus propios equipos incurrían, además de inmovilizar un capital equivalente, en un incremento de sus costos medios operativos derivados de la subutilización de la maquinaria. Los grandes propietarios se encontraban en la situación contraria porque, al utilizar su maquinaria, no enfrentaban el incremento de sus costos medios por la subutilización de los bienes de capital y, en el caso de recurrir a un contratista, el incremento de costo era inferior al del pequeño propietario, debido a su mayor capacidad de negociación por la extensión de la tierra comprometida en la operación.

Como fue señalado, otro de los factores que influyó sobre el nivel de ganancias del terrateniente fueron las economías externas de escala. En muchos casos las propias economías inherentes a una producción en escala fueron acompañadas por otro tipo de economías provenientes de la comercialización (compra o venta) de un caudal mayor de insumos y productos. Dado que los terratenientes no podían ejercer un control monopólico u ologopólico sobre los precios de sus productos, corresponde indagar cómo la adquisición de insumos constituyó un factor relevante que incidió sobre la rentabilidad del sector.[113]

[113] El concepto de economías externas de escala es similar al de economías externas que plantea P. Sraffa (1968). Allí, señala que las economías externas son las *"ventajas que obtienen los productores individuales no del crecimiento de su propia actividad sino la que involucra a la industria en su conjunto"*. También este concepto guarda relación con el de "economías externas pecuniarias" que fue planteado por T. Scitovsky (1963).

Para analizar la influencia de las economías externas es insoslayable traer a colación otra de las transformaciones del agro pampeano que tendió a modificar la función de producción, como es el caso de la incorporación de nuevos insumos. El proceso de cambio iniciado en la década anterior se consolidó durante este período y se generalizó la utilización de las semillas híbridas, herbicidas, plaguicidas, fertilizantes, etcétera, que fue abastecida mediante la importación por la apertura económica de los años noventa. Las empresas importadoras, generalmente extranjeras y productoras en sus países de origen, no operaban con precios de lista fijos sino que éstos variaban en función de la cantidad demandada (a mayor volumen, menor precio por unidad). Es decir que el importador, para impulsar la demanda, le transfería al terrateniente parte de las economías de escala que lograba en la producción y una parte de la reducción de los costos operativos de la comercialización que implicaba abastecer una demanda ampliada. Los resultados de este comportamiento estaban en línea con el generado por las economías de escala, al tender a incrementar la ganancia de los grandes terratenientes, que eran parte de los mayores demandantes.

Por otra parte, algunas de las privatizaciones de las empresas estatales más relevantes generaron efectos similares, dignos de tenerse en cuenta. Cuando YPF pasó a manos de los sectores oligopólicos privados se produjeron modificaciones en las modalidades de comercialización de uno de los principales insumos del agro pampeano: el combustible, específicamente el gasoil. A partir de ese momento, la nueva empresa privada adoptó operatorias comerciales mediante las cuales vendía el combustible demandado por los terratenientes a lo largo del año, mediante el pago en cuotas y con una bonificación significativa (alrededor del 20%), con la posibilidad de que el comprador lo retirara, de acuerdo con sus necesidades, de las estaciones de servicio de su zona. En este caso también funcionó un sesgo que beneficiaba a los terratenientes que operaban con las mayores escalas de producción.

En el mismo sentido, pero con características diferentes, operó la privatización del transporte ferroviario de carga. Los operadores privados de este servicio les otorgaban cupos a los demandantes que aseguraran elevados volúmenes de carga a transportar. Estos últimos eran, obviamente, los exportadores y los terratenientes, dentro de los productores agropecuarios. Los pequeños y medianos propietarios quedaron prácticamente excluidos y tuvieron que recurrir al transporte por camión cuya tarifa era significativamente superior al del ferrocarril. Más aun, cuando los grandes demandantes con cuotas de transporte asegurado registraban falta de carga, vendían esa disponibilidad a precios que estaban por debajo de los del camión pero encima del que le abonaban a la concesionaria ferroviaria.

Finalmente, asumieron especial trascendencia las menores tasas de interés logradas por los grandes terratenientes sobre la base de su mayor patrimonio y volumen de producción que, dados los criterios del sector financiero, les permitían acceder a costos financieros notablemente inferiores que los que enfrentaba el resto de los propietarios. Este factor es relevante por la gran expansión del uso del crédito bancario por parte del sector agropecuario, que pasó de 2.200 millones de dólares en el año 1987 (18% del PBI sectorial) a casi 7.000 millones de dólares en el año 1998 (40% del PBI sectorial).[114]

Las evidencias presentadas parecen indicar que el impacto de las economías internas y externas de escala profundizaron las diferencias en favor de la fracción oligárquica. Así, las economías internas que se generaron por las nuevas formas de producción y tecnologías utilizadas potenciaron la obtención de ganancias extraordinarias por parte de los terratenientes con mayor superficie. Las economías externas de escala produjeron un efecto similar a partir de la privatización de las empresas estatales y la apertura comercial de la economía argentina.

Sobre la base de estas condiciones estructurales en el agro bonaerense, la economía argentina abandonó el régimen convertible, poniendo en marcha una política macroeconómica cuyo rasgo distintivo fue la devaluación del peso más acentuada de la historia argentina y que por lo tanto instaló una redistribución del ingreso en favor de los sectores con ventajas comparativas naturales y en desmedro, fundamentalmente, de los trabajadores.

[114] L. Reca y G. Parrellada (2001).

7. Síntesis de la evolución de la deuda externa argentina y los sectores dominantes desde mediados del siglo XX hasta la actualidad

7.1 El papel del endeudamiento externo durante la sustitución de importaciones (1946-1975)

Durante los primeros gobiernos peronistas (1945-1955) la consolidación de la primera etapa de la sustitución de importaciones no estuvo asociada a una deuda externa significativa (Gráfico nº 7.1). En realidad, en los primeros años de ese período, la expansión industrial y la redistribución del ingreso en favor de los trabajadores convergieron con una situación en la que el Estado argentino era acreedor de Inglaterra pero no podía disponer de esos recursos debido a la inconvertibilidad de la libra en la posguerra europea.

A partir de esa situación excepcional se concretó la nacionalización de los servicios públicos, específicamente de la red ferroviaria, que pertenecía a la corona británica, para la cual la transferencia de esos activos era un problema de Estado desde la década de 1930. Fue un proceso por el cual un país central saldaba sus deudas con la transferencia de activos fijos porque carecía de divisas convertibles. Sin embargo, a diferencia de lo que ocurriría varias décadas después, no se trataba de los servicios públicos de su país sino de los ubicados en el país acreedor.

De esta manera, la industrialización y la expansión productiva en general se consolidaron sobre la base del ahorro interno y de la transferencia de la renta agropecuaria hacia el bloque urbano-industrial. Dentro de esa nueva matriz social, el capital extranjero ejerció un predominio indiscutible pero limitado, por la expansión de la burguesía nacional y también de la fracción de la oligarquía que se había diversificado hacia la industria durante el modelo agroexportador. Así se plasmaron durante esos años los dos bloques sociales que se enfrentaron a lo largo de la segunda etapa de sustitución de importaciones, entre 1958 y 1975.

El endeudamiento externo de ese período comenzó a elevarse cuando, una vez nacionalizados los ferrocarriles, irrumpió la falta de divisas que fue típica de esta etapa de sustitución de importaciones, ya que se trataba de una economía en la que el sector exportador (agropecuario) no era el dinámico y sí lo era el demandante de bienes importados (la producción industrial). Ese endeudamiento externo exhibió características específicas en ambos términos de la relación: el deudor externo fue exclusivamente el Estado nacional a través de acuerdos bilaterales con diferentes países centrales.

Una vez derrocado el peronismo por un golpe de Estado, durante el gobierno "desarrollista" de A. Frondizi se puso en marcha la segunda etapa de sustitución de importaciones, sobre la base de la incorporación de inversiones extranjeras que se localizaron en la actividad industrial, principalmente en la producción automotriz, metalúrgica y química-petroquímica.

Cuando culminó la integración de la "industria pesada" a la estructura económica local (1958-1964), se inició la década que registró el crecimiento industrial más acentuado e ininterrumpido de la historia argentina. Esta expansión invalida un supuesto básico de la teoría del "empate hegemónico", consistente en afirmar que desde la década de 1950 se verificó un agotamiento de las fuerzas productivas y en particular un estancamiento industrial aparentemente irreversible.

Gráfico N° 7.1: Evolución del PBI, la deuda externa y las exportaciones industriales durante la sustitución de importaciones, 1946-1975 (en millones de dólares, números índices 1946 y 1958 = 100)

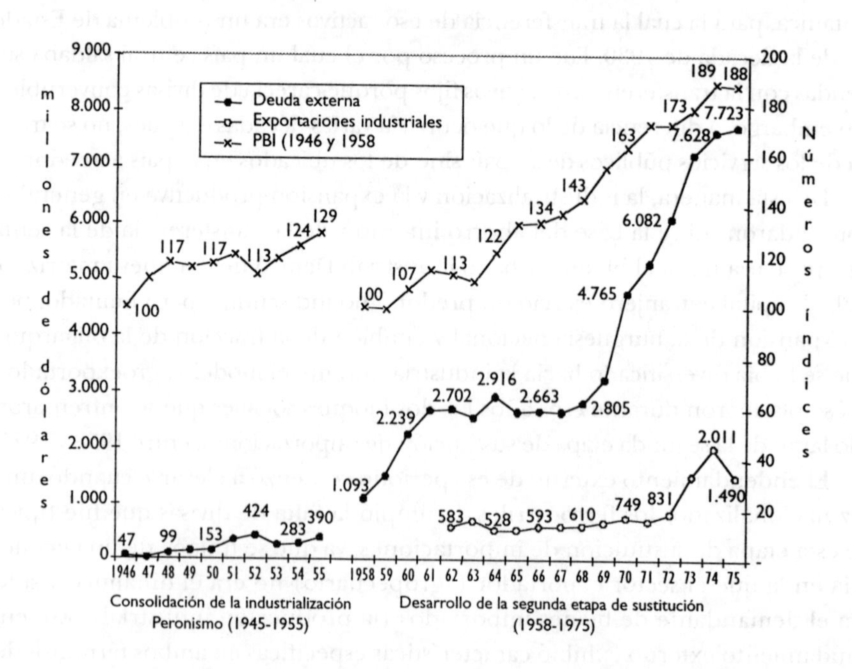

Fuente: Elaboración propia sobre la base de la información de BCRA, CEPAL, Banco Mundial.

Durante estos años hubo una profunda modificación en la naturaleza del ciclo de corto plazo que caracterizó el desarrollo industrial basado en la sustitución de importaciones. Hasta ese momento, las periódicas crisis en la Balanza de Pagos traían aparejado un ajuste económico que provocaba una caída del valor agregado generado anualmente (PBI) en términos absolutos.

La modificación de esta situación durante el funcionamiento pleno de la segunda etapa de sustitución de importaciones (1964-1974) no estuvo basada en la desaparición de la diferencia entre el estancamiento de la producción de bienes exportables y el mayor dinamismo relativo de la demanda de bienes importados por parte del sector industrial. Por el contrario, esta diferencia continuó vigente pero fue acompañada por alteraciones en el comportamiento económico que atenuaron la intensidad y la duración de dichos ciclos, a medida que se consolidaba la expansión industrial. Estos nuevos factores no fueron suficientes para anular las oscilaciones en la generación de valor agregado, pero sí para que éstas no implicaran, en la fase declinante del ciclo, una reducción del PBI en términos absolutos, y por esa razón se logró un crecimiento oscilante pero persistente a lo largo de la década. Tal fue la intensidad del cambio, que durante esos años el PBI se expandió al 5% y el PBI industrial al 6,7 por ciento.

Las exportaciones industriales y la deuda externa fueron las dos variables que permitieron esa modificación en el ciclo corto sustitutivo (Gráfico nº 7.1). Durante esos años de expansión económica las exportaciones de bienes de origen industrial crecieron sensiblemente y, dentro de ellas, las ventas externas de bienes de origen industrial exhibieron una participación que llegó a casi el 20% de las exportaciones totales al final de la década. No se trataba de producciones industriales en las que predominaba la burguesía nacional sino, principalmente, de actividades controladas por el capital extranjero, como la producción de automotores, productos metalúrgicos y maquinaria y material eléctrico. El momento culminante de ese proceso fue durante el gobierno peronista anterior a la dictadura militar que irrumpió en 1976, en el cual se hizo sentir la influencia de los acuerdos gubernamentales con el bloque de países socialistas que implicaron la apertura de los mercados para la venta de esos productos industriales.

Por su parte, la deuda externa creció aceleradamente desde el año 1968 en adelante pero con modificaciones, tanto en relación con los deudores como con los acreedores externos. Si bien la deuda externa estatal fue mayoritaria a lo largo de todo el período, su incidencia relativa fue decreciente, ya que comenzó a expandirse el endeudamiento externo de las grandes firmas industriales oligopólicas extranjeras y de la fracción diversificada de la oligarquía pampeana.

El endeudamiento externo de las firmas oligopólicas industriales constituyó una forma importante para el financiamiento de su expansión industrial, debido a la desmonetización que caracterizó el proceso de industrialización basado en la sustitución de importaciones. La deuda externa privada de esos años estuvo destinada a la adquisición de insumos y/o la compra de maquinaria y equipo para la ampliación de sus actividades productivas.

En términos de los acreedores externos, cabe mencionar que, entre las múltiples y graves consecuencias que produjo el golpe militar que derrocó al peronismo en 1955, se encuentra el abandono del bilateralismo y la adopción del multilateralismo mediante la incorporación de la Argentina al Fondo Monetario Internacional. Desde ese momento en adelante, dicho organismo devino en el principal acreedor externo del país, rasgo que se replicó con diversa intensidad en los restantes países latinoamericanos.

Esta variable se expandió en función del régimen de acumulación imperante, que reconocía la producción industrial como su eje central. No solamente el nivel de la deuda externa guardaba relación con los agregados macroeconómicos que definían el proceso de industrialización, sino también la disociación de otros fenómenos colaterales que irrumpieron luego en el sector externo de la economía y estuvieron relacionados con el endeudamiento externo. Tal el caso de la fuga de capitales locales al exterior que comenzó a manifestarse durante esos años pero vinculada a la subfacturación de exportaciones y no a procesos de valorización financiera de la deuda externa del sector privado.

El comportamiento diferencial del ciclo de corto plazo entre la primera y la segunda etapa de sustitución de importaciones se expresó en el distinto nivel de reservas disponibles en el BCRA. La tendencia seguida por las dos etapas fue opuesta a lo largo del tiempo, ya que fue claramente declinante en la primera etapa e igualmente definida pero creciente en la segunda, especialmente a partir de 1966, cuando se expandieron tanto las exportaciones industriales como la deuda externa.

En este contexto, resulta importante comprender que a mediados de la década de 1970, a pesar de la convulsionada situación política, el proceso de industrialización basado en la sustitución de importaciones exhibía una creciente consolidación por la transformación de las características del ciclo corto a partir de la conjunción de las exportaciones de bienes de origen industrial y el endeudamiento externo. Más aún, la sistemática expansión de esas exportaciones industriales preanunciaba la posibilidad cierta de superar la tradicional capacidad de veto de la oligarquía agropecuaria pampeana al crecimiento industrial.

7.2 La expansión de la deuda externa latinoamericana a partir de los años setenta como expresión de la internacionalización financiera a nivel mundial

El análisis de las modificaciones de la economía internacional superan largamente los objetivos de este trabajo pero resulta insoslayable un brevísima revisión, porque la instauración de un nuevo régimen social de acumulación de capital en la Argentina basado en la valorización financiera, se enclavó en ese orden neoliberal que acabó con la economía mundial surgida de la posguerra y a la que generalmente se considera la "edad de oro" del capitalismo.

Parece haber consenso acerca de que la actual internacionalización financiera en el ámbito internacional —uno de los fundamentos básicos de la denominada globalización— reconoce su origen en el surgimiento durante los años sesenta de un mercado financiero paralelo al de los Estados nacionales que estaba basado en los denominados eurodólares, siendo Londres su plaza principal y los bancos comerciales sus principales operadores.[1]

A comienzos de la década de los años setenta, la disolución del acuerdo suscripto en Bretton Woods (1944) —que desvinculó al dólar del oro— dio lugar a la instauración de los "tipos de cambio flexibles", que inauguraron una etapa de acentuada inestabilidad monetaria y especulación financiera. Sin embargo, la expansión de la internacionalización financiera cobró forma a partir de la desregulación de los mercados de capitales que implementaron los Estados Unidos e Inglaterra a partir de 1979, bajo las administraciones de R. Reagan y de M. Thatcher, respectivamente. De allí en más, se inició un proceso que revolucionó el comportamiento macro y microeconómico de la economía internacional y en el cual los activos financieros se expandieron muy por encima del incremento de los activos fijos, irrumpiendo reiteradas crisis financieras que destruían capital ficticio al disminuir el valor de los activos financieros por la reducción de su precio. De esa manera, el valor de los activos financieros se adecuaba al valor de los activos productivos, relación que no mantenía un valor fijo pero sí un rango imposible de eludir porque la renta financiera se nutría del excedente económico que se generaba en la esfera de la producción.

Estos procesos se expresaron con extraordinaria intensidad en los países latinoamericanos. De acuerdo con las estimaciones realizadas por el Banco Mundial, la deuda externa entre 1970 y 2000 se elevó de 33 mil millones de dólares a casi 750 mil millones de la misma moneda (Gráfico nº 7.2), lo que implica una tasa de crecimiento inusitadamente elevada (11,1% anual acumulativo) que superaba la del PBI y la inversión bruta fija (del 8,3 y 8,1% a precios

[1] Sobre la internacionalización financiera, véase F. Chesnais (2001).

corrientes, respectivamente). Sin embargo, este crecimiento de la deuda externa estuvo asociado a fuertes alteraciones en el financiamiento neto que recibió la región durante esos treinta años. Luego de un crecimiento acelerado e ininterrumpido de la deuda externa entre 1970 y 1981, ésta decreció muy acentuadamente hasta los primeros años de la década del noventa. A partir de la moratoria mexicana de 1982 se inició la denominada "década de la crisis de la deuda externa", caracterizada tanto por la reducción del financiamiento externo a la región como por políticas impulsadas por los acreedores externos a través de sus representantes políticos —los organismos internacionales— y orientadas a cobrar los intereses y el capital adeudado por los países latinoamericanos (Plan Baker).

Gráfico N° 7.2: Evolución de la deuda externa total y los flujos anuales de deuda externa e inversión extranjera directa en América Latina, 1970-2000 (en miles de millones de dólares)

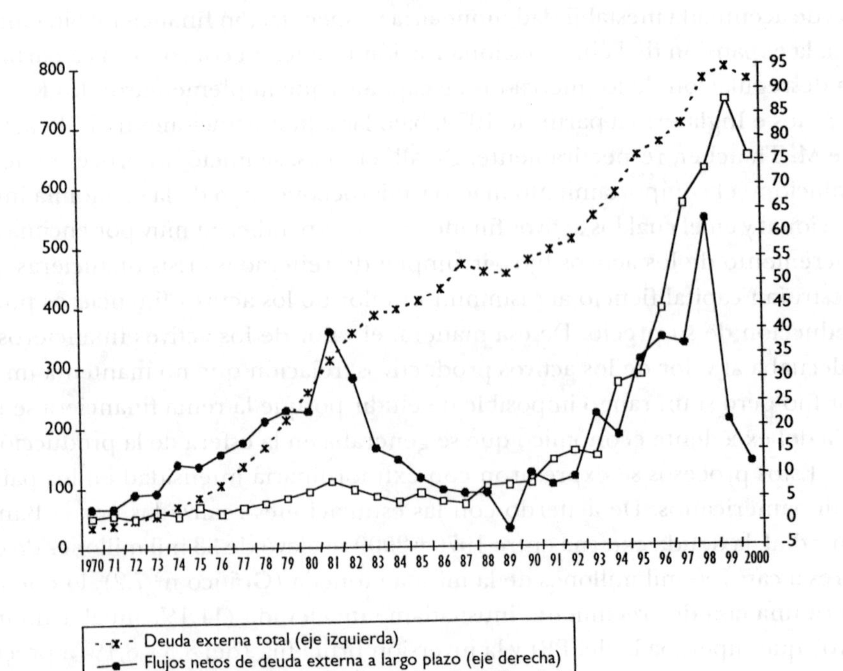

Fuente: Banco Mundial, Global Development Finance, Cd-rom (2000 y 2003).

Finalmente, durante los años noventa se registró una reactivación de los flujos netos de endeudamiento pero con una modificación de los acreedores externos. A partir del Plan Brady, los bancos transnacionales dejan de ser los principales prestamistas de la región, papel que cumplieron ahora los fondos de inversión y los fondos de pensión. De esta manera culminó la política de Estado que los países centrales, y especialmente los EE. UU., habían puesto en marcha para retirar a sus bancos de la primera línea del endeudamiento de América Latina, como forma de preservar sus propios sistemas financieros de las crisis de pagos de la región.

No obstante, es preciso tener en cuenta que desde 1993 en adelante, la variable más dinámica no fueron los flujos vinculados al endeudamiento externo sino los referidos a la inversión extranjera directa, debido tanto a la aplicación de los programas de privatización de las empresas estatales que impulsaron el Plan Baker y el Plan Brady, como a los procesos de desnacionalización de la estructura económica que le sucedieron en el tiempo e involucraron a las empresas privatizadas pocos años antes y a las firmas que actuaban en las restantes actividades económicas.

El debate sobre la deuda externa de los países subdesarrollados —los latinoamericanos en particular— que se desplegó en los países centrales durante esas décadas estuvo estrechamente vinculado a estas alternativas, ya que su mayor intensidad se encontró en la década de 1980, cuando la crisis de la deuda externa en América Latina alcanzó su apogeo, y en los primeros años de los noventa, cuando se llevó a cabo el Plan Brady en la región.

En esta discusión participó un variado conjunto de vertientes analíticas cuya preocupación prioritaria era dilucidar las causas de la crisis económica y financiera de esos años.[2] Las dos explicaciones extremas fueron la visión que abordaba el análisis de la crisis en función de los factores externos (aumento en el precio del petróleo, recesión mundial, incremento de la tasa de interés internacional, etcétera), y aquella que remarcaba el papel decisivo que habían cumplido los problemas internos de los países latinoamericanos (excesivo endeudamiento y escasa inversión productiva de los fondos obtenidos, inadecuadas tasas de cambio, mala administración de los fondos). Dentro de estos últimos, ocupaban un lugar destacado tanto la corrupción como la ineficiencia económica de los países deudores. Otros autores relacionaron la deuda con la presencia de regímenes militares en América Latina, que habrían financiado

[2] Un análisis más exhaustivo de las diferentes perspectivas en el tema de la deuda externa se encuentra en M. Bouchet (1987). El autor distingue cinco corrientes de pensamiento: La visión ortodoxa-monetarista sustentada por los acreedores oficiales; la estructural o funcional; la visión marxista; la teoría dependentista asociada con la CEPAL; y la que esgrimían los bancos transnacionales, donde el principal problema radicaba en la ineficiencia de los países deudores.

con créditos internacionales la importación en gran escala de armamento e infraestructura represiva necesaria para mantenerse en el poder. Si bien, la mayoría de los autores considera que la crisis de la deuda externa fue un producto de ambos tipos de factores, es llamativa la escasez de trabajos que analicen el impacto de la deuda externa sobre la estructura económica y social de los países latinoamericanos.

Estrechamente relacionados con las explicaciones de las causas de la crisis se encuentran los análisis de la responsabilidad de los actores económicos en este proceso. Los tres actores principales analizados son: los países deudores, los bancos acreedores, los organismos internacionales de crédito y, en mucha menor medida, los países centrales. En lo que se refiere a los bancos y organismos acreedores, se señala la responsabilidad de haber otorgado préstamos sin tomar en cuenta los riesgos e impulsados principalmente por el interés de obtener mayores ganancias. Aunque el debate respecto del papel de los organismos internacionales de crédito siguió abierto, predominaron las visiones críticas respecto de su papel en este proceso, así como el de las condicionalidades requeridas para los préstamos y los planes de estabilización y ajuste estructural. Otros autores combinaron la crítica al rol de los organismos de crédito con un cuestionamiento de las políticas de los países deudores. Finalmente, otros intentaron mostrar la relación entre el giro conservador en el gobierno de Estados Unidos —encarnado por la Administración Reagan—, y las políticas de los organismos internacionales de crédito. Aunque existen varios trabajos concentrados específicamente en el análisis de alguno de estos actores, la mayoría intentó una explicación compleja, que tenía en cuenta la actuación de varios de ellos a la vez.[3]

También relacionado con estos dos primeros grandes temas se encontraba un tercer asunto central en el debate: la caracterización de la crisis de la deuda. Algunos autores consideraron necesario estudiar sus diferentes etapas que, en general, eran: el estallido de la burbuja, la ronda de renegociaciones y finalmente el núcleo de la crisis de la deuda.[4] En lo que se refiere al carácter de la

[3] Sobre todos estos enfoques y perspectivas hay una amplia bibliografía. A continuación se mencionan, junto con el tema, cada una de ellas y entre paréntesis algunos de los autores que las analizan: la corrupción y la ineficiencia administrativa (E. Wiesner, mayo 1985, pp. 191-195); el armamentismo de los países endeudados (M. Brzoska, 1983, pp. 271-277), el impacto de la deuda externa sobre la economía interna (S. Maxfield, 1989, Cap. 5). También I. Roxborough (1989, Cap. 6); las políticas y las condicionalidades impuestas a los países endeudados (J. Weeks, 1989). Especialmente ilustrativa la introducción (J. Weeks) y los capítulos 6 y 7 (R. King y M. Robinson); las políticas de los organismos internacionales en conjunción con las políticas internas de los países deudores (S. P. Riley [ed.], 1993); la influencia de las visiones conservadoras en el tema de la deuda externa (S. Corbridge, 1993); la deuda externa como interacción en múltiples actores económicos y políticos (J. Sachs [ed.], 1989).

[4] Esta división en etapas fue propuesta por R. Pastor (1987) en el primer capítulo de su trabajo.

crisis de la deuda, una discusión central se dio en torno al carácter que asumiría (financiera, de liquidez, o constituía un capítulo más en la crisis del desarrollo de América Latina). Por otra parte, en forma contemporánea a la crisis, diversos trabajos exploraron las posibles salidas. Algunos analizaron las propuestas de los sectores implicados, indicando que las soluciones presentadas variaban de acuerdo con los grupos de interés involucrados: mientras que los acreedores demandaban el estricto cumplimiento de las obligaciones por parte de los países deudores éstos, a su vez, se declaraban en la imposibilidad de hacerlo y demandaban una reducción de la deuda.

Más allá de las exigencias de los protagonistas de la crisis, los analistas también presentaron diferentes propuestas. Algunos sostuvieron que no resultaba aconsejable proveer una sola solución para el problema global de la deuda externa latinoamericana, sino que se debería avanzar caso por caso. Otros opinaron lo contrario, pero discreparon entre sí tanto en la amplitud como en las características que debían adoptar las políticas macroeconómicas. Así, mientras Dornbush propuso una combinación entre una moratoria de hecho en la deuda externa y su reemplazo por deuda emitida en moneda local para que los bancos acreedores invirtieran esos recursos en los países deudores, Sunkel sugirió organizar un Fondo Nacional de Desarrollo que se encargaría del pago de los servicios de la deuda externa. Asimismo, Darity impulsó una propuesta sustentada en el perdón de la deuda y la imposición de férreos controles a las operaciones de los bancos internacionales. Finalmente, Claudon entendía que una parte de las pérdidas de los bancos acreedores debía ser absorbida por el sector público de los países acreedores.

7.3 La deuda externa en la Argentina a partir de mediados de la década de 1970: del financiamiento de la industrialización a la obtención de renta financiera

En marzo de 1976 una nueva dictadura militar, introdujo un giro en el funcionamiento económico que implicó un cambio en el régimen social de acumulación. No se trató de la constitución de un nuevo patrón de acumulación de capital que se instauraba por el agotamiento económico del anterior sino de una interrupción forzada por un nuevo bloque dominante cuando la industrialización sustitutiva estaba en los albores de su consolidación.

En tanto la deuda externa era una variable dependiente y la dictadura militar modificó el régimen social de acumulación o patrón de acumulación imperante, no resulta sorprendente que se haya registrado un replanteo igualmente drástico en las características de los deudores y los acreedores externos, así como en el papel que cumplía el endeudamiento externo en la economía argentina

Desde el punto de vista de los deudores externos, junto al endeudamiento del sector público surgió con inusitada intensidad el endeudamiento externo de las grandes empresas oligopólicas que constituían el núcleo central del sector privado. No se trata de que cuantitativamente el endeudamiento externo privado fuese más relevante que el estatal —aunque en varias etapas lo fue en relación con su crecimiento—, sino que el ritmo y modalidades de este último se subordinó a la lógica del endeudamiento externo de las firmas oligopólicas cuyo propósito, a pesar de que se trataba de capitales industriales, ya no estaba en función de la expansión de sus actividades productivas sino de la apropiación de una ingente renta financiera.

Por otra parte, la subordinación del endeudamiento estatal al del sector privado puso de manifiesto un fenómeno más amplio como fue la transferencia desde el Estado a las fracciones del capital dominantes, de la capacidad de fijar las líneas estratégicas del funcionamiento de la economía en su conjunto.

Durante las décadas siguientes, las transformaciones que se operaron en los acreedores externos fueron igualmente relevantes. Ya durante los primeros años de la dictadura los organismos internacionales de crédito dejaron de ser los principales acreedores externos y de la región latinoamericana, ocupando ese lugar los grandes bancos transnacionales de los países centrales. Sin embargo, el peso cuantitativo que perdieron los organismos internacionales de crédito se vio compensado por un cambio cualitativo de sus funciones al transformarse en los representantes políticos de los bancos acreedores y, como tales, en los negociadores "naturales" de las políticas de ajuste con los gobiernos latinoamericanos. Fueron los que impusieron durante la década de los años ochenta la retirada de los bancos comerciales como los principales acreedores externos, a partir primero del Plan Baker y luego del Plan Brady, lugar que fue ocupado por los grandes operadores financieros en el nivel internacional, como es el caso de los "fondos de pensión" y los "fondos de inversión".

El régimen social de acumulación que impuso la dictadura militar constituyó un caso particular, quizás el más profundo y excluyente en América Latina, del nuevo funcionamiento de la economía mundial. Al igual que lo que ocurrió en la economía capitalista, en la sociedad argentina se impuso un planteo en el que la valorización financiera del capital devino el eje ordenador de las relaciones económicas, lo cual, por cierto, no aludía únicamente a la importancia que adquirió el sector financiero en la absorción y asignación del excedente sino a un proceso más abarcativo que revolucionó el comportamiento microeconómico de las grandes firmas oligopólicas, así como el de la economía en su conjunto.

La deuda externa, y específicamente la del sector privado, cumplió un papel decisivo, porque el núcleo central del nuevo patrón de acumulación estuvo basado en la valorización financiera que realizó el capital oligopólico local, constituido por los grupos económicos locales y los intereses extranjeros radicados en el país. Se trató de un proceso en el cual las fracciones del capital dominante contrajeron deuda externa para luego realizar con esos recursos colocaciones en activos financieros en el mercado interno (títulos, bonos, depósitos, etc.) para valorizarlos a partir de la existencia de un diferencial positivo entre la tasa de interés interna e internacional, y posteriormente fugarlos al exterior. De esta manera, a diferencia de lo que ocurría durante la segunda etapa de sustitución de importaciones, la fuga de capitales al exterior estuvo intrínsecamente vinculada al endeudamiento externo porque este último ya no constituyó, en lo fundamental, una forma de financiamiento de la inversión o del capital de trabajo sino un instrumento para obtener renta financiera dado que la tasa de interés interna (a la cual se coloca el dinero) era sistemáticamente superior al costo del endeudamiento externo en el mercado internacional.

Este proceso no hubiera sido factible sin una modificación en la naturaleza del Estado que, desde este punto de vista, se expresó al menos en tres procesos fundamentales. El primero radicó en que gracias al endeudamiento del sector público con el mercado financiero interno —donde es el mayor tomador de crédito en la economía local— la tasa de interés en dicho mercado superó sistemáticamente el costo del endeudamiento en el mercado internacional. El segundo, consistió en que el endeudamiento externo estatal fue el que posibilitó la fuga de capitales locales al exterior, al proveer las divisas necesarias para que ello fuese posible. El tercero y último radicó en que la subordinación estatal a la nueva lógica de la acumulación de capital por parte de las fracciones sociales dominantes posibilitó que se estatizara, en determinadas etapas, la deuda externa privada.

Al dejar ser el endeudamiento externo una forma de financiamiento de la expansión industrial y devenir en un instrumento para la obtención de renta financiera se produjo la escisión del mismo, tal como se verifica en el Gráfico nº 7.3, con respecto de la evolución de la economía real. Ésta no solamente trajo aparejadas recurrentes crisis económicas que desencadenaron, tal como ocurrió en la economía internacional, la destrucción de capital ficticio sino que también provocó al menos dos tipos de restricción al crecimiento económico.

La primera restricción consistió en la salida de divisas al exterior que se generó por el pago de los intereses devengados a los acreedores externos. Ciertamente, la evolución de los intereses pagados que se acumularon entre 1975-2001 fue espectacular ya que se expandió al 16% anual acumulativo, alcanzando al final del período a 117 mil millones de dólares, monto que superaba el nivel del PBI que en 2002, luego de la ruptura del régimen convertible, rondó los 105 mil millones de dólares.

La segunda restricción al crecimiento fue la fuga de capitales locales al exterior, cuya expansión a lo largo de las últimas décadas fue más reducida que el pago de los intereses devengados (13%) pero su monto acumulado al final del período llegó a 138 mil millones de dólares, superando a dichos intereses en un 18% y en un 30% al PBI de 2002. A su vez, el ritmo de expansión de ambas variables superó el del *stock* de deuda externa neta (equivalente a la deuda externa bruta menos amortizaciones) que evolucionó al 12% anual acumulativo y alcanzó a 138 mil millones de dólares en 2001.

Gráfico Nº 7.3: Evolución del PBI, la deuda externa total, los intereses pagados y la fuga de capitales, 1975-2001 (en miles de millones de dólares y números índices 1975=100)

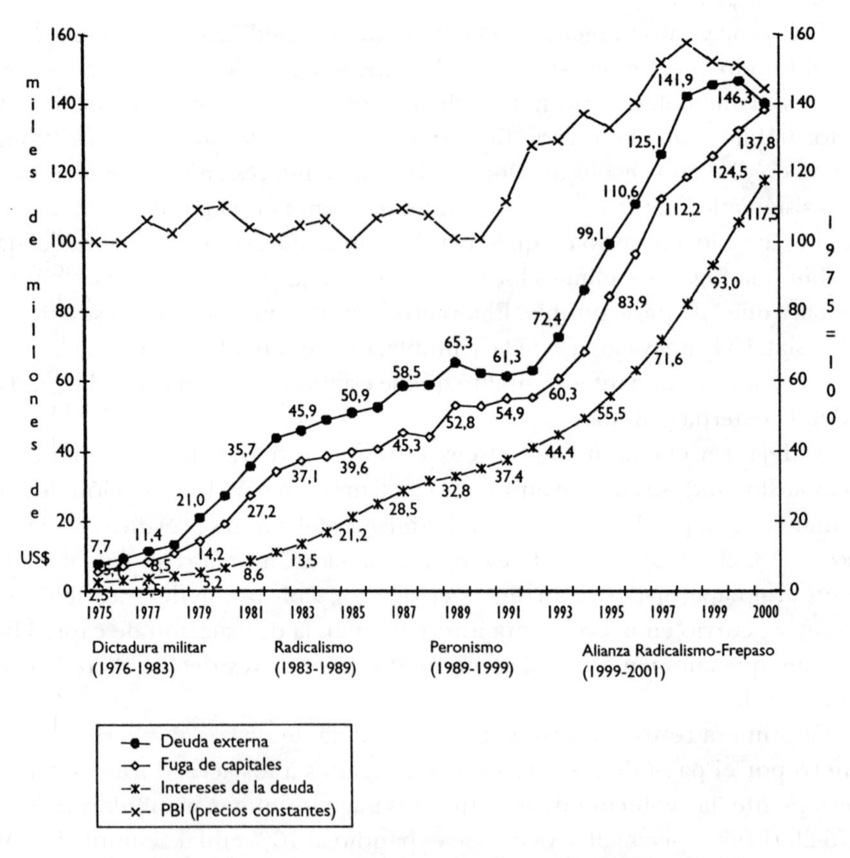

Fuente: Elaboración propia sobre la base de la información del BCRA y el Banco Mundial.

En conjunto, ambas brechas representan prácticamente 2,5 veces el PBI de 2002 y más que duplican el ahorro externo que se incorporó durante el mismo período a la economía local —estimado en 120 mil millones de dólares, incluyendo la capitalización de bonos de la deuda externa utilizado en las privatizaciones—, con el agregado de que esta incorporación de ahorro externo, vía Inversión Extranjera Directa, estuvo primordialmente destinada a la adquisición de empresas instaladas y no a la instalación de nuevos establecimientos productivos.

De esta evaluación está excluida la renta que generaron en el exterior los recursos fugados. Entre 1970 y 2001, el *stock* de esos ingresos percibidos en el exterior superó los 50 mil millones de dólares que, al no ser considerados en las habituales estimaciones de distribución del ingreso, conllevan una marcada subestimación de la regresividad existente.

Es definitorio para aprehender la naturaleza de la deuda externa y del proceso en que se insertó, comprender que ésta no genera renta por sí misma. Por lo tanto, de ella no surgió el excedente transferido a los acreedores externos en concepto del pago de los intereses ni la amortización del capital, ni tampoco los recursos que los deudores externos privados transfirieron al exterior. Para estos últimos, su endeudamiento externo fungió como una inmensa masa de recursos pasible de ser valorizada en el mercado financiero interno, pero no generó la renta que obtuvieron al endeudarse pagando la tasa de interés internacional y percibiendo la tasa de interés interna.

Identificar el origen del excedente y las transferencias de recursos a los acreedores externos es de importancia vital para comprender la revancha social implícita en el nuevo patrón de acumulación de capital. Éste no radicó en la expansión económica, porque el crecimiento de las transferencias de recursos al exterior y de los intereses pagados lo superó largamente. Su origen estuvo en la redistribución del ingreso que, de hecho —tal como se constata en el Gráfico nº 7.4— comenzó con anterioridad a 1979, cuando convergió la Reforma Financiera de 1977 con la apertura discriminada en el mercado de bienes y en el mercado de capitales.

La condición previa que posibilitó la valorización financiera fue la inédita redistribución del ingreso en contra de los asalariados puesta en marcha por la dictadura militar, mediante una caída abrupta del salario real —superior al 40% incluyendo el año 1977— que tuvo como resultado una notable reducción de la participación de los asalariados en el ingreso nacional (descendió del 45 al 30 %, aproximadamente). Desde este punto de vista, la instauración de la valorización financiera les permitió a los sectores dominantes darle un carácter estructural a las dos redistribuciones de ingresos que se sucedieron en el tiempo. La primera, volvió irreversible el nuevo nivel de la participación de los asalariados en el ingreso y la segunda, excluyó como destinatarias de esa redistribución a las fracciones más débiles de la burguesía industrial.

El nivel de la participación de los asalariados en el ingreso fue irreversible, pero con modalidades diferentes a lo largo del tiempo, tal como se observa en el Gráfico nº 7.4. En los primeros años de la dictadura militar, la concentración del ingreso avanzó exclusivamente mediante la brutal caída del salario real promedio, mientras que en la década de los años ochenta comenzó a incidir la desocupación y, más aún, la subocupación de la mano de obra. Finalmente, durante la década de los años noventa, si bien se acentuó la contracción salarial, la principal vía fue el explosivo crecimiento de la desocupación y, en menor medida, pero también significativa, el de la subocupación de la mano de obra.

Gráfico N° 7.4: Evolución del salario medio, la desocupación y la subocupación en el Gran Buenos Aires (GBA), 1964-2001 (en % de la PEA y números índices 1976=100)

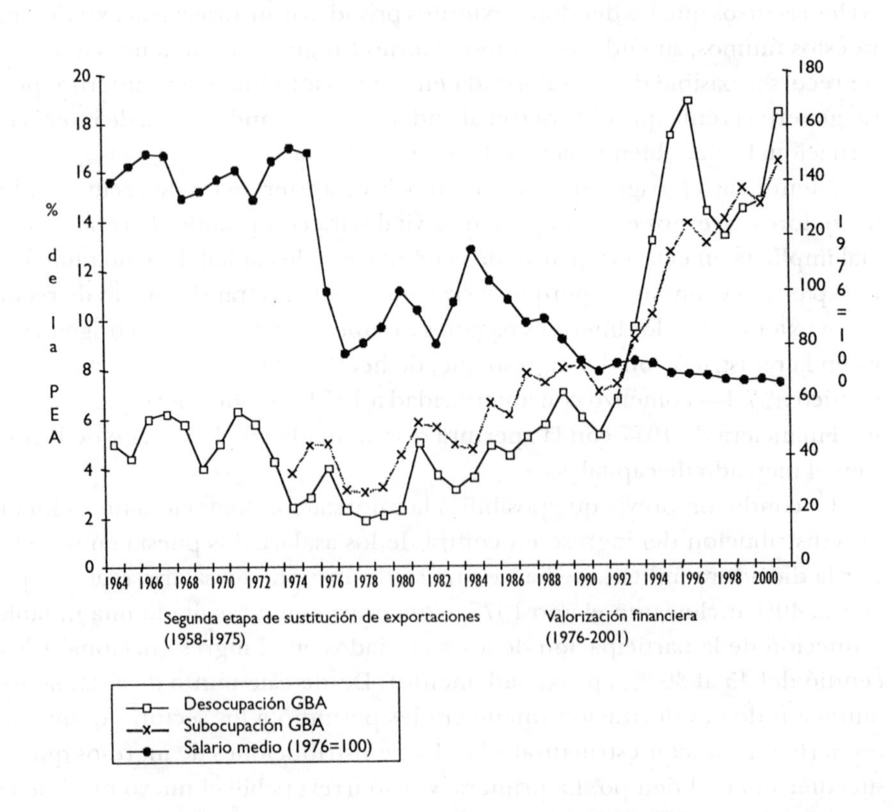

Fuente: Elaboración propia sobre la base de la información del INDEC y FIDE.

Estos fenómenos desencadenaron los inusitados niveles de pobreza extrema que irrumpieron en esos años. Este proceso se expresó, desde la dictadura militar en adelante, en una creciente heterogeneidad de la clase trabajadora que estuvo estrechamente vinculada a la reestructuración industrial de las últimas décadas. Así, los regímenes de promoción industrial aplicados durante las décadas anteriores y que subsidiaban prioritariamente al capital —principalmente a las grandes firmas oligopólicas— y no al trabajo, produjeron una doble fractura en la clase trabajadora industrial. Por un lado, surgió un estrato constituido por los nuevos operarios de las plantas manufactureras radicadas en las regiones promocionadas. Dichos trabajadores tenían un escaso grado de sindicalización y percibían, para igual calificación, salarios más reducidos que los trabajadores de los centros industriales tradicionales.

Por otro lado, como en buena medida las nuevas plantas industriales resultaron del traslado de los establecimientos que estaban radicados en las zonas tradicionales (Gran Buenos Aires, Rosario o Córdoba), estas políticas tendieron a consolidar el proceso de desocupación y marginalidad social en los lugares de origen ya que, si bien se trasladaron las plantas industriales, no ocurrió lo mismo con los trabajadores. Por lo tanto, de ese proceso surgió otro estrato dentro de la clase trabajadora, los desocupados, los cuales mantuvieron obvias diferencias con los anteriores, tanto como las que ambos —desocupados y nuevo proletariado industrial— mantuvieron con los trabajadores industriales tradicionales.

Es indudable que esta situación se agravó durante los años noventa, coincidiendo con una profundización del proceso de desindustrialización y la privatización de las empresas estatales, deviniendo los trabajadores desocupados en uno de los estratos más dinámicos en las luchas sociales que se desplegaron durante los últimos años de la Convertibilidad. Aunque todos los estratos formaban parte de la clase trabajadora, es indudable que la profunda heterogeneidad no sólo volvió más dificultosa la convergencia sobre reivindicaciones comunes sino que, incluso, se comenzaron a esbozar contradicciones entre ellos.

7.4 Las transformaciones de las fracciones del capital dominante durante el predominio de la valorización financiera

Los primeros gobiernos peronistas se caracterizaron por incorporar a la clase trabajadora en términos económicos, sociales y políticos, dando por terminado, al mismo tiempo, el país agroexportador sobre la base de un acelerado crecimiento industrial, lo cual no implicó finalizar con la importancia estructural de los terratenientes, específicamente de la oligarquía pampeana. Durante esos años, la conjunción de esta nueva situación de los trabajadores con la expansión de la producción y el empleo industriales, se plasmó mediante una profundización de la intervención estatal en el proceso económico que permitió concretar una redistribución de la renta agropecuaria. En efecto, el papel estatal fue decisivo para que la renta agropecuaria —que antes era apropiada por la oligarquía terrateniente y el capital extranjero vinculado al planteo agroexportador— se redistribuyera hacia los trabajadores, los empresarios industriales vinculados al abastecimiento del mercado interno y el propio Estado.

Hay pleno consenso acerca del predominio que ejercieron en esa época las empresas extranjeras en la producción industrial, como resultado de la convergencia de las inversiones foráneas de las primeras décadas del siglo XX —vinculadas a la dinámica agroexportadora—, con aquéllas posteriores radicadas en empresas dedicadas a la producción de bienes industriales destinados al abastecimiento del mercado interno. Mientras que la incidencia de las primeras declinó, las de estas últimas fue creciente a lo largo del tiempo, constituyéndose en uno de los factores fundamentales que plasmaron el predominio industrial durante esos primeros gobiernos peronistas.

Junto a las empresas extranjeras se encontraba otra fracción industrial que formaba parte de la oligarquía agropecuaria pampeana pero que durante la etapa agroexportadora diversificó sus inversiones hacia, entre otras, la actividad industrial. Dicha fracción estaba conformada tanto por capitales de origen extranjero que realizaron inversiones y radicaron ramas familiares en el país, como por otros capitales que se integraron durante las décadas anteriores. Su importancia industrial era indudable y a pesar de haber fracasado en un planteo de industrialización alternativo al del peronismo por ser exportador (el Plan Pinedo de 1940), devino como la fracción que condujo a la oligarquía pampeana en su conjunto desde la consolidación de la sustitución de importaciones.

La tercera fracción del empresariado industrial que terminó de constituirse durante estos años, la burguesía nacional, fue en algún sentido una creación del peronismo. No es que durante esos gobiernos hayan aparecido por primera vez las empresas nacionales, sino que el apoyo e incentivos estatales de ese momento fueron decisivos para que se expandieran e irrumpieran como un sector de la producción industrial contrapuesto a las fracciones empresarias predominantes estructuralmente.

Sobre la base de un replanteo en el contenido del Estado, se formó una nueva matriz social que dio lugar a dos bloques que se enfrentarían a lo largo de la segunda etapa de sustitución de importaciones, una vez derrocado el peronismo mediante un golpe de Estado, entre 1958 y 1975. El primero, constituido por la clase trabajadora —cuyo núcleo eran los asalariados industriales— y ese sector del empresariado nacional asentado en la producción de bienes intermedios y bienes salarios demandados por los sectores populares. El otro, conducido por el capital extranjero industrial y esa fracción de la oligarquía pampeana que estaba inserta en la producción industrial y había formado parte del proyecto agroexportador anterior.

En el marco de un creciente conflicto político centrado en la proscripción del peronismo por parte de los sectores dominantes, el predominio estructural que ejercieron las subsidiarias extranjeras en la producción industrial a lo largo de la segunda etapa de sustitución de importaciones fue indiscutible. A la de por sí relevante participación que exhibía durante la primera etapa de sustitución de importaciones se le sumaron las importantes inversiones externas que se registraron entre 1958 y 1964, especialmente en las actividades industriales que fueron, de allí en adelante, las más dinámicas de la producción sectorial. Durante esos años, la participación de las empresas extranjeras en el total del valor de producción industrial rondaba el 30% pero, dentro de las 100 empresas industriales de mayores ventas, concentraban una parte mayoritaria de la facturación. Desde este punto de vista, su mayor influencia se ubicó en el año 1969, es decir, en las postrimerías de la gestión de Krieger Vasena, quien fue expulsado por el estallido del "Cordobazo". Si bien a partir de ese año su influencia sectorial declinó, siguió siendo mayoritaria y asumió un papel protagónico en el incremento de las exportaciones de origen industrial, que fue uno de los factores que modificaron las características del ciclo corto sustitutivo.

En las restantes fracciones del capital industrial, así como en la incidencia sectorial de las empresas estatales, se registraron cambios significativos durante las dos etapas de la sustitución de importaciones. Una de las razones para el fracaso del intento del peronismo por integrar la estructura productiva mediante la incorporación de la "industria pesada" radicó —pese a las reiteradas denuncias acerca del acentuado "estatismo" de esos gobiernos— en la exigua participación que alcanzaron las empresas estatales en esa producción sectorial. Una vez derrocado el peronismo, se registró un incremento sistemático y significativo de la participación de las empresas estatales en la facturación de las grandes firmas de la economía local. Se puso en evidencia entonces que para los sectores dominantes el problema no radicaba en la injerencia estatal sino en el sesgo popular (en términos de la distribución del ingreso) que había asumido el Estado durante el peronismo.

A diferencia de lo que ocurrió con las empresas estatales, las que pertenecían a la burguesía nacional registraron una marcada contracción en su participación en las ventas de las grandes firmas industriales. A raíz de la incorporación de las nuevas actividades dinámicas controladas por el capital extranjero que dieron lugar a la segunda etapa de sustitución de importaciones, las ramas de actividad en las que actuaban las empresas pertenecientes a esta burguesía nacional perdieron importancia. Pero, además, en los años posteriores, una de las vías por las que se fortaleció la influencia estructural de las subsidiarias extranjeras fue la adquisición del capital social de múltiples firmas pertenecientes a esta fracción del capital industrial. Por su parte, la *oligarquía diversificada* registró un escaso crecimiento en su participación en las ventas de las grandes firmas y su incidencia en las exportaciones industriales fue relativamente modesta.

Sobre esta situación estructural irrumpió la dictadura militar en marzo de 1976 y redefinió drásticamente el comportamiento económico, en tanto interrumpió la industrialización basada en la sustitución de importaciones e impuso un nuevo régimen social de acumulación sustentado en la valorización financiera. Cabe entonces preguntarse acerca de las causas estructurales y políticas que provocaron esta modificación en el patrón de acumulación vigente y su reemplazo por otro que necesariamente suponía una catástrofe económica y social.

Resulta poco discutible la influencia que ejercieron las transformaciones en el sistema capitalista mundial, ya que la creciente liquidez internacional —impulsada por el incremento en el precio del petróleo—, les otorgó a los bancos transnacionales una masa de recursos inimaginable pocos años antes. El endeudamiento estatal de esos años estuvo en función de la evolución de la economía real y, más específicamente, de las necesidades de divisas para cerrar las eventuales brechas externas derivadas de los desequilibrios en la balanza comercial. El del sector privado fue más modesto y estaba en directa relación con la expansión de la producción vía un incremento de la inversión en maquinaria y equipo. Bajo esas circunstancias resultaba evidente que la ampliación del giro bancario tenía severas restricciones por el lado de la demanda, que sólo podían removerse si se alteraba drásticamente el tipo de endeudamiento externo, lo cual implicaba, por su carácter dependiente, una modificación del patrón de acumulación vigente.

Las presiones del sistema financiero internacional —específicamente la banca transnacional— para incentivar la expansión de los flujos de capital y el endeudamiento externo de los países dependientes, constituyeron factores básicos que impulsaron la interrupción de la industrialización. Sin embargo, a pesar de su importancia, es insuficiente para explicar la irrupción de un nuevo patrón de acumulación de capital en el país, porque la implementación específica de los cambios la realizaron algunas de las fracciones del capital interno. Por lo tanto, además de tomar nota de la presencia del capital financiero internacional en el nuevo bloque de poder, es necesario indagar las transformaciones y realineamientos de las fracciones del capital internas, así como los factores que los provocaron.

Tal como se mencionó, la instauración de la valorización financiera del capital interrumpió y desplazó un proceso de industrialización que estaba superando su principal restricción en términos del crecimiento económico. La sustentabilidad que había logrado la sustitución de importaciones mediante las exportaciones de productos industriales y la deuda externa, implicaba una modificación en el poder relativo que detentaban las distintas fracciones dominantes. La influencia de la oligarquía agropecuaria pampeana se deterioraba a medida que ese proceso avanzaba, con el agravante de que la fracción social que la conducía, la *oligarquía diversificada,* ocupaba un papel poco significativo en las exportaciones dinámicas, las de bienes de origen industrial.

Por otra parte, ninguno de los proyectos políticos alternativos dentro del peronismo incorporaba a los terratenientes pampeanos como parte central de sus alianzas sociales sino que, por el contrario, se suponía, al menos implícitamente y en el mejor de los casos, su subordinación a la expansión de las otras fracciones empresarias.

La oligarquía pampeana, y específicamente la fracción diversificada, fue la contraparte local del capital financiero internacional y sus "intelectuales orgánicos" fueron los que encabezaron la estrategia reestructuradora que acabó con el planteo industrial vigente hasta ese momento. Dado el predominio estructural del capital extranjero, a partir del control del aparato estatal, éste fracturó a las demás fracciones del capital, asimilando parte de sus integrantes al nuevo bloque social dominante, recreando de esta manera la composición de la propia fracción diversificada de la oligarquía.

Así se abrió un proceso diferente en términos estructurales, en el cual los grupos económicos locales —expresión de la renovada *oligarquía diversificada*— ganaron posiciones en detrimento del capital extranjero y la burguesía nacional. La nueva situación en la economía real se puede apreciar analizando las tendencias de largo plazo en las ventas de las 200 empresas de mayor facturación (Gráfico nº 7.5).

Durante la dictadura militar los grupos económicos locales aumentaron su participación en las ventas de las firmas líderes y, a partir de 1981, superaron —salvo en 1984— a las restantes formas de propiedad dentro del capital privado hasta fines de la década de los noventa a excepción de las asociaciones entre el capital extranjero y los propios grupos económicos. No obstante, esta significativa incidencia de los grupos económicos locales en la economía real refleja sólo parcialmente su expansión económica, porque ellos también fueron centrales en el proceso de valorización financiera que se sustentaba en el endeudamiento externo y culminó con la fuga de capitales locales al exterior.

Tanto la participación de los conglomerados extranjeros como, especialmente, la de las empresas transnacionales en las ventas de las grandes firmas evolucionó en el sentido inverso a la de los grupos económicos locales, es decir que descendió de una manera significativa hasta mediados de la década de los años noventa.

En ambos casos, aunque con diferencias de intensidad, no se trató de una declinación por la pérdida de dinamismo de sus respectivos mercados, sino por modificaciones estructurales asociadas a la repatriación por parte de las casas matrices de sus inversiones industriales radicadas en el país. Cabe recordar que, a partir del cese de las actividades en el país de General Motors en 1980, se registró una sensible repatriación de las inversiones extranjeras en la producción industrial, especialmente de aquellas firmas especializadas, es decir, las consideradas como empresas transnacionales en este trabajo.

Gráfico N° 7.5: Participación en las ventas de las 200 empresas de mayor facturación de las firmas controladas por la oligarquía diversificada, la burguesía nacional, los conglomerados extranjeros y las empresas transnacionales, 1975-2001 (en porcentajes)

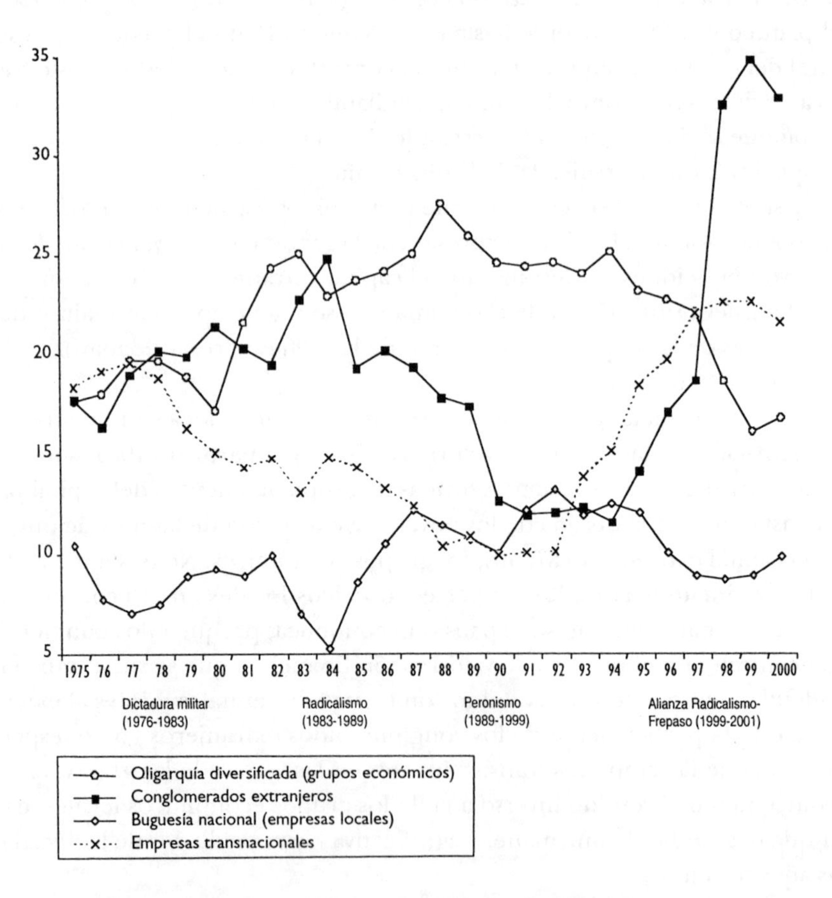

Fuente: Elaboración propia sobre la base de las revistas *Mercado* y *Prensa Económica.*

Finalmente, la participación en las ventas de las grandes empresas de la burguesía nacional manifestó, pese a sus altibajos, una tendencia estable. Sin embargo, dicha estabilidad fue acompañada de transformaciones que indicaban una pérdida de incidencia de este tipo de empresas: a medida que transcurría el tiempo eran cada vez menos industriales y más comerciales.

A mediados de los años noventa se manifestó una profunda alteración en la tendencia seguida hasta ese momento por la participación de todas las formas de propiedad mencionadas. Mientras que la participación de las empresas extranjeras se incrementó abruptamente, la de los grupos económicos locales descendió y fue superada por ambos tipos de firmas extranjeras. El análisis de estas transformaciones que se sucedieron a finales de esa década requiere examinar una de las modificaciones estructurales más relevantes del siglo XX en la economía interna: la privatización de las empresas estatales.

Tal como se observa en el Gráfico nº 7.6, las empresas estatales eran la forma de propiedad más significativa de acuerdo con su participación en las ventas de las grandes firmas de la economía local, superando inclusive a la que exhibían las empresas controladas por la oligarquía diversificada.

Gráfico N° 7.6: Participación de las empresas estatales y las asociaciones en las ventas de las 200 empresas de mayor facturación, 1975-2001 (en porcentajes)

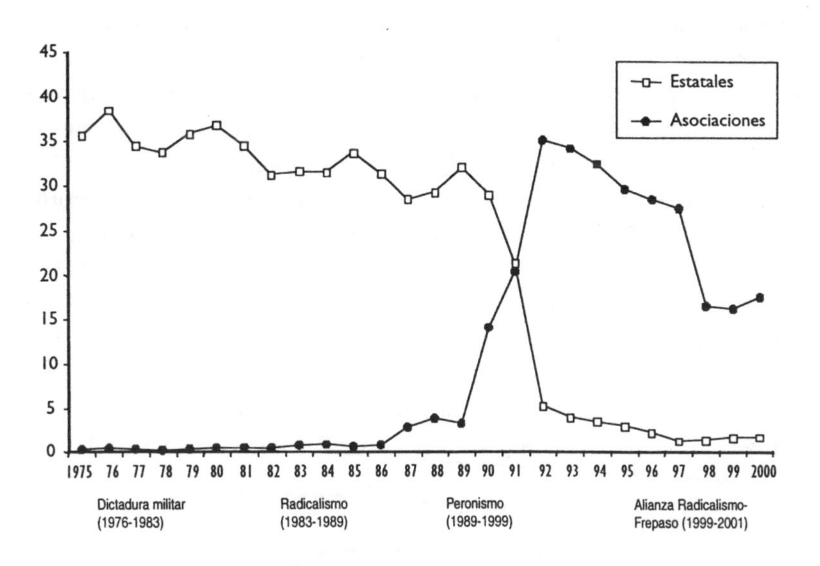

Fuente: Elaboración propia sobre la base de las revistas *Mercado* y *Prensa Económica*.

Sin embargo, a comienzos de la década de los noventa se registró una abrupta declinación en su participación, como consecuencia del vasto y acelerado proceso de transferencia de los activos estatales al capital privado. Dado que los consorcios privados que de allí en más prestaron los servicios públicos estaban controlados por la asociación entre los grupos económicos locales con empresas extranjeras que se incorporaron a la economía argentina, cobró forma una nueva forma de propiedad (asociaciones) que expresaba la formación, por primera vez en el país, de una "comunidad de negocios" entre los capitales locales y extranjeros.

A partir de las privatizaciones, las asociaciones devinieron en la principal forma de propiedad dentro de las grandes firmas. No obstante, a partir de mediados de la década se manifestó una reducción que, hacia el final, se acentuó abruptamente. Nuevamente no se trataba de una declinación relativa de la facturación de los servicios públicos controlados ahora por el capital oligopólico privado tanto local como extranjero, sino de la transferencia de buena parte de los paquetes accionarios de esos consorcios que estaban en manos de los grupos económicos locales. En realidad, se trató de una de las expresiones de un fenómeno de transferencia de capital mucho más vasto, en el cual los vendedores eran los capitales locales y los compradores, firmas extranjeras —que provocaron los monumentales incrementos en la participación de estas empresas en las ventas de la cúpula—, involucrando firmas líderes en la producción industrial e inclusive grupos económicos enteros, como el caso del grupo económico Astra.

Esta nueva fase de "extranjerización" de la economía local presentó características inéditas en términos históricos, ya que no se trataba de la venta de empresas que registraban una situación económica-financiera comprometida sino de las que eran líderes en sus respectivas actividades o, incluso, las de mayor rentabilidad en la economía real, como las empresas de servicios públicos. Efectivamente, todo indica que en este aspecto también hubo una ruptura en términos históricos por la irrupción de un comportamiento que se inscribía en la lógica de la valorización financiera a nivel internacional, en la cual la obtención de "ganancias patrimoniales o de capital" mediante la compra-venta de firmas cumplía un papel fundamental.[5]

En el caso particular de los servicios públicos privatizados, la obtención de esas "ganancias patrimoniales" por parte de los vendedores se originó en la acentuada subvaluación de los activos estatales en el momento de la priva-

[5] Así por ejemplo, trabajos publicados por la propia Reserva Federal de los EE.UU. indican que más de la tercera parte de las empresas adquiridas entre 1984 y 1989 en ese país fueron revendidas dentro de ese mismo período. Al respecto, véase L. E. Crabbe, M. H. Pickering y S. D. Prowse (agosto de 1990).

tización, así como en la creciente rentabilidad de estas actividades por las recurrentes y sesgadas modificaciones en sus marcos regulatorios. Por otra parte, la decisión de adquirir los paquetes accionarios por parte de los capitales extranjeros se debió a sus altas tasas de rentabilidad, que en muchos casos superaban holgadamente las vigentes en términos internacionales. Es insoslayable señalar que mayoritariamente estas "ganancias patrimoniales" fueron remitidas al exterior generando, al converger con la fuga de capitales locales, una exacerbación de la transferencia de recursos locales al exterior.

Este nuevo ciclo de extranjerización de la economía local en el segundo quinquenio de los años noventa, cuyo núcleo central estuvo constituido por las empresas de servicios públicos, trajo aparejada la disolución de la "comunidad de negocios" entre el capital extranjero y los grupos económicos locales (*oligarquía diversificada*) e instaló un conflicto irresoluble en el bloque de poder, dando lugar a la emergencia de dos proyectos alternativos al de la Convertibilidad. Los integrantes del bloque dominante que habían vendido sus activos fijos y mantenían buena parte de sus recursos en inversiones financieras en el exterior, impulsaron la devaluación. Por el contrario, aquellos que habían adquirido empresas o era acreedores externos proponían la "dolarización" de la economía como forma de preservar en dólares el valor de dichas empresas.

7.5 Etapas de la valorización financiera durante los últimos treinta años

En el contexto de la evolución general de la deuda externa y de las fracciones del capital dominantes es imprescindible analizar someramente las diferentes etapas recorridas por la valorización financiera en general y el endeudamiento externo como su variable dependiente. Resulta innegable que éste transitó fases diferentes durante las tres décadas analizadas vinculadas a la evolución de la economía interna e internacional, las cuales determinaron alteraciones significativas en términos cuantitativos en la deuda externa, la fuga de capitales locales al exterior y los intereses pagados a los acreedores externos. Estas diversas alternativas se constatan en el Gráfico nº 7.7, donde constan los promedios anuales de las tres variables en cada período, evaluadas en dólares de 2001.

Al encarar esta breve síntesis, es ineludible insistir en que la Reforma Financiera de 1977 fue el primer paso hacia una modificación drástica de la estructura económico-social resultante de la sustitución de importaciones. Durante los primeros años (1977 y 1978) dicha reforma se articuló con dos sucesivas políticas de corte monetarista que estuvieron orientadas, según la conducción económica, a controlar el proceso inflacionario que implicaron sendos fracasos: la política monetaria ortodoxa (entre junio de 1977 y abril de 1978) sustentada en la contracción de la base monetaria y aquella sustentada en eliminar las expectativas de inflación (entre mayo y diciembre de 1978).

Durante esos primeros años, la inflación expresó la pugna entre las distintas fracciones del capital por apropiarse del excedente que perdieron los asalariados desde el golpe militar. Sin embargo, a partir de 1979 la dictadura militar encontró la clave para orientar hacia su base social la redistribución regresiva del ingreso en contra de los asalariados e introducir modificaciones estructurales que la volvieran irreversible. Entre ese año y, prácticamente, 1981 a través del *enfoque monetario de balanza de pagos* convergieron la Reforma Financiera con una apertura externa discriminada en favor del bloque social dominante en el mercado de bienes y de capitales.

Gráfico N° 7.7: Variación de la deuda externa, la fuga de capitales y los intereses pagados, 1976-2001
(promedio anual en miles de millones de dólares de 2001)

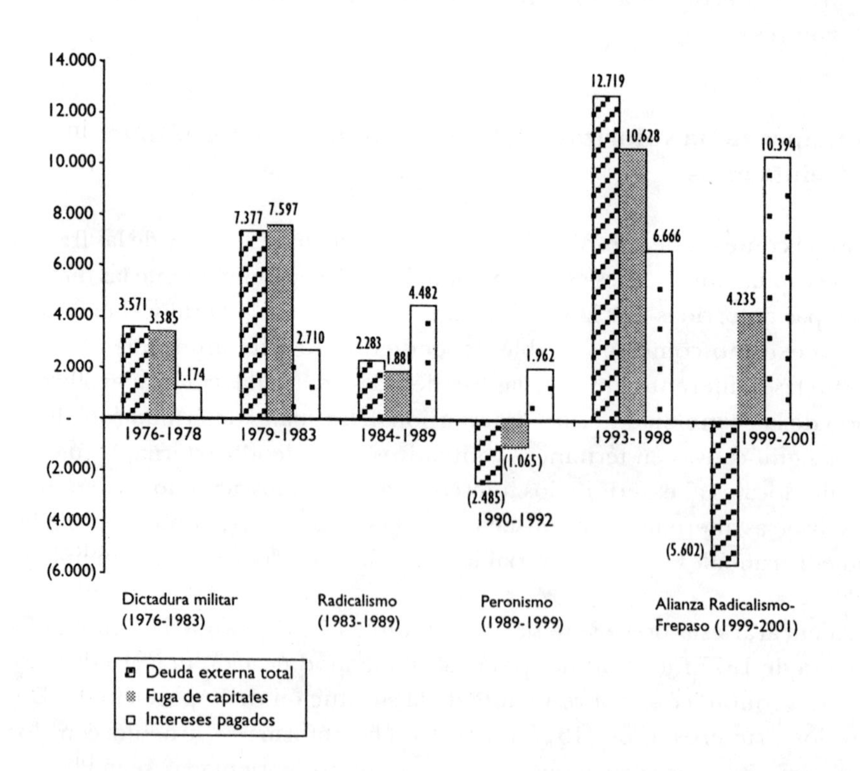

Fuente: Elaboración propia sobre la base de información del FMI.

A partir de allí, se puso en funcionamiento el comportamiento clásico de la valorización financiera, generando resultados en términos de la deuda externa y la fuga de capitales que, por la naturaleza del proceso, estuvieron acompañados por una profunda crisis y reestructuración de la economía real. La peculiaridad radicó en que ese acelerado endeudamiento externo estuvo motorizado por primera vez en muchas décadas por el sector privado. Además, se verificaron otros dos fenómenos igualmente desconocidos hasta ese momento: cada 100 dólares que ingresaron por el endeudamiento externo total se transfirieron 90 dólares al exterior, y el monto de esta fuga de capitales fue equivalente a tres veces el monto de los intereses pagados a los acreedores externos durante esos mismos años.

En 1982 eclosionó la crisis de la deuda externa en América Latina a partir de la moratoria mexicana. Se trató del período de mayor debilidad de la banca acreedora, porque en esos años se conjugaron una manifiesta insolvencia de los países deudores con una notablemente elevada exposición de los bancos transnacionales que, por su magnitud, puso en riesgo la propia sustentabilidad del sistema financiero de los países centrales, especialmente el norteamericano.

Se inició entonces una política de Estado por parte de los EE. UU. destinada a preservar su sistema financiero de un eventual colapso. En consecuencia, su principal objetivo fue que los bancos transnacionales dejaran de ser los principales acreedores de la región. Los organismos internacionales de crédito, en tanto representantes políticos de los acreedores, fueron los que impulsaron las políticas globales para la región en pos de ese objetivo, mientras que los bancos acreedores comenzaron a establecer reservas corporativas para poder enfrentar posibles moratorias de los países endeudados, redujeron el financiamiento externo a la región e intentaron maximizar el cobro de los intereses y la amortización del capital. Tal como se constata en el Gráfico nº 7.7, esta nueva situación se expresó en una drástica reducción del endeudamiento externo así como de la fuga de capitales al exterior, ya que estaba en función de la anterior, siendo ahora superada por los intereses pagados a los acreedores externos.

Debido a estas circunstancias, el aspecto predominante de la evolución de la valorización financiera y el ciclo de la deuda externa ya no consistió en su dinamismo, sino en la transferencia de la deuda externa privada al Estado que llevaron a cabo las fracciones del capital dominantes en la economía interna. La transferencia de la deuda externa privada al Estado a través de los regímenes de seguros de cambio que se aplicaron desde comienzos de 1981, fue uno de los elementos sobre los que se estructuró la *valorización financiera* y cobró forma a partir de las grandes licuaciones de deuda privada con cargo al Estado que puso en marcha la dictadura militar y continuaron durante el gobierno constitucional que la sucedió. Las estimaciones disponibles indican que sólo hasta 1983 dichas transferencias estatales al *establishment económico* endeudado con el exterior en los años previos, superaron largamente los 8 mil millones de dólares.

A comienzos de la década de 1980, ya se percibían cambios en el comportamiento de las grandes firmas oligopólicas industriales. En una etapa de acentuada restricción monetaria, estas firmas tuvieron un exceso de liquidez y compitieron en la asignación del crédito con el sistema financiero mediante la institucionalización de un mercado propio, el "interempresario". Quizá, más importante aun es, que dentro de sus activos totales, sus activos financieros fueron los más dinámicos a pesar del crecimiento de las inversiones productivas realizadas por estas empresas con los subsidios estatales implícitos que se canalizaron mediante los regímenes de promoción industrial. En otras palabras, con sus peculiaridades, en las grandes firmas locales se expresaban las notables modificaciones microeconómicas de las corporaciones transnacionales, indicando el predominio de la valorización financiera.[6] Durante el transcurso de los años ochenta, la convergencia de un incremento de las reservas bancarias para enfrentar eventuales moratorias de los países deudores y el alejamiento de la posibilidad de moratorias masivas de los países latinoamericanos, les permitió a los bancos acreedores superar su crítica situación de principios de la década.

En el contexto de este fortalecimiento de los bancos acreedores, en la asamblea anual del FMI de octubre de 1985, se lanzó el denominado Plan Baker, mediante el cual los acreedores externos agregaron una nueva problemática en la negociación de la deuda externa. Se trataba, nada menos, de la necesidad de comenzar a rescatar el capital adeudado por los países de la región. Nadie podía ignorar que los deudores externos carecían de las divisas necesarias para saldar la totalidad de los servicios devengados por tal endeudamiento e, incluso, proliferaron diversos bonos de la deuda externa como paliativo a dicha carencia. Por esa razón, los acreedores externos les plantearon a sus deudores la necesidad de pagar con activos, específicamente con las empresas públicas, los activos más relevantes de los Estados latinoamericanos, tanto por su valor patrimonial como por sus potencialidades de rentabilidad.

En 1988, al mismo tiempo que culminaba la transferencia de la deuda externa privada al sector público, comenzó una etapa crítica para la sociedad argentina. Todos los rasgos estructurales y coyunturales que exhibía el pro-

[6] Sobre la creciente importancia de los activos financieros en las empresas francesas transnacionales, puede consultarse C. Serafati (2001).

ceso que desembocó en las crisis hiperinflacionaria de 1989 indicaban la existencia de un conflicto entre las fracciones del capital que conforman el bloque dominante. El predominio de los grupos económicos locales sobre los acreedores externos en la apropiación del excedente generado socialmente y en la redistribución del ingreso que habían sufrido los asalariados llegó a su punto culminante a fines de la década, cuando se instauró, en mayo de 1988, una moratoria "de hecho" de la deuda externa. Después de casi cinco años de lanzado el Plan Baker, los bancos acreedores no sólo no lograban avanzar en la privatización de las empresas estatales para apropiarse del capital adeudado sino que, además, no percibían los intereses y ni las amortizaciones de capital.

Lo sorprendente fue que la corrida cambiaria se produjera recién en 1989, lo cual se explica por las pugnas entre los organismos internacionales de crédito para priorizar las políticas de ajuste, en el caso del FMI, o las reformas estructurales —privatización de las empresas públicas—, por parte del Banco Mundial.[7] Las diferencias entre ambos organismos estaban centradas —dejando de lado las pujas institucionales por el poder— en el orden de prelación de las problemáticas que cada organismo asumía y no en concepciones contrapuestas. Mientras que el Departamento del Tesoro y el Banco Mundial sostenían que era necesario que los países deudores avanzaran en la apertura comercial y en la privatización de las empresas estatales —pago del capital adeudado—, el resto del bloque acreedor enfatizaba la necesidad de cumplir con las políticas de ajuste para saldar los servicios devengados por la deuda externa. El recambio presidencial en los EE. UU. a fines de 1988 resolvió ese conflicto en favor del FMI, lo cual resultó letal para el gobierno constitucional de ese momento, porque los bancos acreedores, mediante una corrida cambiaria, provocaron en febrero de 1989 una crisis hiperinflacionaria que obligó a un recambio anticipado de gobierno.

El enfrentamiento dentro del bloque de poder entre las fracciones del capital dominantes y los bancos acreedores fue la manera específica en la que, durante la valorización financiera, se profundizó el predominio del capital sobre el trabajo, porque a partir de su desarrollo los sectores dominantes lograron avanzar en la concentración de la distribución del excedente y de la riqueza acumulada socialmente. Su reiteración en el tiempo indica que se trató de un patrón de comportamiento con una dinámica diferente a la de las disputas entre el capital y el trabajo durante la segunda etapa de sustitución de impor-

[7] A raíz de una política expresa, aunque no escrita, del Tesoro norteamericano, el lanzamiento del Plan Baker jerarquizó la importancia del Banco Mundial que tomaba a su cargo las "reformas estructurales" mientras que el FMI continuaba con su política de ajuste en el corto plazo, apoyado tanto por los acreedores externos como por el "Club de París".

taciones (1958-1975). En dichas circunstancias, la clase trabajadora se encontraba aislada y su resistencia a la dominación social fue meramente defensiva. La vigencia de un conflicto entre el capital y el trabajo, mediado por las contradicciones dentro de los sectores dominantes, fue uno de los elementos que le oscureció las características centrales del proceso a la clase trabajadora y, quizá por eso, la irrupción de las crisis recurrentes —esenciales para la profundización de la valorización financiera— la sorprendieron en una situación tan inerme.

La otra condición que determinó que la valorización financiera se profundizara a través de grandes crisis estuvo relacionada con la diferente posición que ocuparon en ella las fracciones dominantes. No se trató únicamente de que, en términos de la deuda externa, la fracción dominante local fuera la deudora y los bancos transnacionales los acreedores, sino también que esa fracción local detentaba el control sobre el sistema político mediante un régimen específico, que fue el *transformismo argentino,*[8] a pesar de que los bancos extranjeros eran significativamente más poderosos en términos estrictamente económicos. De allí que los acreedores externos, al tener bloqueada la posibilidad de modelar un sistema político a su "imagen y semejanza", recurrieran a su poderío económico, provocando conmociones económicas y sociales para modificar una situación que les era adversa.

Abordando el análisis de las etapas previas a la disolución de la valorización financiera (1990-2001), resulta evidente que inicialmente los sectores dominantes lograron superar la dramática crisis de esos años mediante la convergencia de la desregulación económica y la reforma del Estado —cuyo epicentro fue la privatización de las empresas estatales—, con la apertura comercial asimétrica, la instauración del régimen de Convertibilidad y el Plan Brady.

En términos de la deuda externa, la salida de capitales locales al exterior y los intereses pagados a los acreedores externos durante la Convertibilidad, se sucedieron etapas disímiles e incluso contradictorias, que se originaron en la irrupción de otros factores que sobredeterminaron el funcionamiento clásico de la valorización financiera.

Es pertinente recordar que los sectores dominantes presentaron el programa de privatización de empresas públicas como el cambio estructural que desplazaría la valorización financiera como eje central de la economía argentina, porque crearía las condiciones para retener el ahorro interno, evitando la fuga de excedente al exterior.

[8] Un análisis sobre el peculiar funcionamiento del sistema político bipartidista y la conformación del transformismo argentino, se encuentra en E. M. Basualdo (2001).

En la realidad ocurrió todo lo contrario: las privatizaciones quedaron subordinadas a la valorización financiera, ubicándose junto a la relación entre la tasa de interés interna e internacional como el otro factor determinante de ese proceso. Esta subordinación de las privatizaciones a la lógica financiera se hizo patente en la posterior y masiva transferencia de capital cuyo núcleo central fue la venta de las tenencias accionarias de la fracción dominante local al capital extranjero.

Es así que durante los primeros años (1990-1992), se realizó el grueso de las privatizaciones, generándose una sensible reducción de la deuda externa debido a que en ellas se rescataron bonos de la deuda externa que se aceptaron como parte de pago (programa de capitalización de bonos de la deuda externa). Por otra parte, en ese mismo período y por la misma razón, se registró la repatriación de capitales locales invertidos en el exterior, debido a que los capitales oligopólicos locales se constituyeron en accionistas relevantes de los consorcios privados que tomaron a su cargo la prestación de los servicios públicos. Finalmente, el pago de intereses a los acreedores externos fue positivo pero modesto, debido a que durante la negociación del Plan Brady se realizaron aportes fijos y reducidos que estaban acordes con la escasez de reservas de divisas (Gráfico nº 7.7).

Es preciso tener en cuenta que el *modus operandi* definido por los sectores dominantes en el programa de privatizaciones consistió en conformar una *comunidad de negocios* entre la *oligarquía diversificada*, las empresas extranjeras y los bancos transnacionales, a través de su participación en la propiedad de los consorcios privados que tomaron a su cargo la prestación de los diversos servicios públicos. Por lo tanto, la disminución o el eventual retorno de los capitales locales invertidos en el exterior era la contrapartida de las múltiples participaciones accionarias en los nuevos consorcios. Su incidencia en la fuga de capitales al exterior había sido tan importante que ésta se revirtió y pasó a ser repatriación de capital cuando destinaron ese excedente a la compra de activos públicos. Esto ocurrió a pesar de que 1992 la relación entre la tasa de interés interna *versus* la internacional llegó los niveles más elevados del período —exceptuando 2001—, en un contexto de gran liquidez internacional y cuando el riesgo de una devaluación era mínimo porque se estaba firmando el acuerdo del Plan Brady y expandiendo la economía interna sobre la base del esquema de la Convertibilidad. De esta manera, durante los primeros años, el impacto de las privatizaciones fue definitorio en la reducción de la fuga de capitales y de la deuda externa, neutralizando el efecto de la elevada relación entre las tasas de interés interna e internacional, que operaban en el sentido contrario sobre ambas variables.

En los años posteriores (1993-1998), la evolución del proceso fue diferente porque los dos factores (las transferencias de capital y el diferencial de las tasas de interés) que definían el comportamiento de la valorización financiera ejercieron su influencia en el mismo sentido. De allí que durante estos años se haya registrado el récord histórico en las variables consideradas, con niveles de endeudamiento externo, salida de capitales locales e intereses pagados superiores a los registrados durante la dictadura militar (Gráfico nº 7.7).

Así como los primeros años de esta etapa se desarrollaron sobre la base de la conformación de una "comunidad de negocios" entre las fracciones del capital dominantes, los años posteriores (1995-1998) se caracterizaron por lo contrario, es decir por la disolución de la asociación y un auge generalizado de las transferencias de la propiedad de las grandes empresas oligopólicas al capital extranjero, por parte de los capitales locales en general y de los grupos económicos locales en particular. Esta última fracción del capital, al tiempo que disminuyó su importancia en la economía real por la venta de sus activos fijos, acentuó su inserción estructural en la producción de bienes exportables con escasa demanda de insumos importados, lo cual la ubicó como la que obtuvo el mayor superávit en su balanza comercial. La convergencia de la generalizada realización de ganancias patrimoniales mediante la venta de empresas y participaciones accionarias, con la diferencial entre la tasa de interés interna e internacional determinaron un auge inédito en el endeudamiento externo y la fuga de capitales locales al exterior.

Desde el punto de vista del capital en su conjunto (financiero y productivo), resulta poco discutible que durante ambas etapas los grupos económicos modificaron su composición, incrementando inicialmente la participación del capital fijo dentro del capital total en detrimento de su tenencia de activos financieros, especialmente en el exterior. Durante los años posteriores implementaron el movimiento contrario pero ampliado, porque medió el proceso de valorización financiera y de ganancias patrimoniales y, al mismo tiempo, intensificaron su inserción en la economía real en aquellas producciones que exhibían un superávit particularmente elevado en el comercio exterior.

Por lo tanto, cuando se inició la crisis del régimen convertible (1998), el capital de esta fracción de los sectores dominantes estaba concentrado en activos financieros dolarizados y radicados en el exterior, y sus ingresos provenientes de las firmas controladas en el país igualmente dolarizados, debido a su importancia en la producción de bienes exportables. Es decir, tenían una elevada dolarización tanto de su *stock* de capital como de sus flujos de ingresos. Por su parte, el capital extranjero se ubicaba en una situación opuesta, ya que a lo largo de las dos etapas su posicionamiento sobre activos fijos fue creciente, debido a su participación en las privatizaciones, primero, y la adquisición de empresas productivas y prestadoras de servicios públicos, después.

Esta diferente inserción estructural asumió una gran incidencia, tanto para definir el agotamiento definitivo del régimen convertible como las modalidades de su crisis e, incluso, su forma de resolución. Cabe señalar que el peculiar comportamiento de los sectores dominantes junto al abundante financiamiento externo fueron los factores que hicieron posible que este régimen haya perdurado más allá de lo previsible.

Salta a la vista, y se corrobora por la experiencia posterior, que este tipo de política económica generaba los efectos contrarios a la anterior propuesta, infligiéndoles pérdidas patrimoniales al capital extranjero y potenciando en la moneda local el poder económico de los grupos económicos locales, ya que sus recursos invertidos en el exterior y los ingresos corrientes de su saldo comercial estaban dolarizados. Sin embargo, la potencia de esta propuesta, que fue la que prevaleció como alternativa a la Convertibilidad, radicaba en que no se sustentaba únicamente en los intereses particulares de la fracción del capital que la impulsó, sino también en la consolidación que registró el *transformismo argentino* a partir del Pacto de Olivos, suscripto entre los dos partidos políticos mayoritarios a mediados de los años noventa.

Los efectos macroeconómicos de la alternativa devaluacionista tuvieron una notable importancia, porque las pérdidas patrimoniales que implicaban sobre el capital extranjero operaron sobre un *stock* de inversiones que rondaba los 120 mil millones de dólares, mientras que las eventuales ganancias de los grupos económicos locales en particular estaban vinculadas al *stock* de los capitales invertidos en el exterior por residentes locales que alcanzaban, aproximadamente, a 140 mil millones de dólares, así como a los ingresos corrientes derivados del saldo comercial. Asimismo, sus efectos sobre los sectores populares eran obvios y, dada la experiencia reciente, huelgan los comentarios.

Durante los últimos años de la Convertibilidad, a partir de esta condensación de los intereses contrapuestos dentro de los sectores dominantes en el sector externo de la economía, se desplegó un conjunto de contradicciones acerca de los ejes centrales de la sociedad argentina: el formato institucional, la inserción internacional, el papel y la jerarquía de las instituciones intermedias, etcétera. En efecto, del análisis de los elementos que fueron integrando las propuestas enfrentadas se puede percibir que se trató de planteos que no se agotaban en la reivindicación de intereses económicos inmediatos sino que tenían un horizonte de largo plazo que, mediante la constitución de alianzas sociales alternativas, buscaban detentar la hegemonía en la sociedad.

Para lograrlo, cada alianza integró alguna de las reivindicaciones que sostenían los sectores populares, pero vaciadas y reprocesadas en función de los intereses de la fracción dominante que las impulsaba. Así, la vertiente que propugnaba la dolarización reivindicaba la necesidad de replantear el *transformis-*

mo argentino y la lucha contra la pobreza para incrementar la incidencia política de los sectores que la sustentaban y asegurar la viabilidad de la dominación. Por su parte, los sectores que impulsaban la devaluación enarbolaron la necesidad de reactivar la producción y desconocer la deuda externa, consolidando el *transformismo* para poder ampliar su esfera de influencia en la economía real, bajo el argumento de que constituían la burguesía nacional agredida por el capital extranjero.

En diciembre de 2001 no solamente se abandonó la Convertibilidad sino que se agotó de manera irreversible el régimen social de acumulación que había puesto en marcha la dictadura militar un cuarto de siglo antes. Por cierto, no puede dejar de llamar la atención que esta trascendente alteración no se sustentó en la propuesta de los integrantes más poderosos de la alianza de poder sino en los de menor entidad económica, la remozada *oligarquía diversificada* y los intereses extranjeros vinculados a la exportación y el mercado interno. Esta resolución resulta incomprensible desde el punto de vista del poder económico relativo detentado por las fracciones del capital que se enfrentaban en esas circunstancias. Sin embargo, es comprensible si se tiene en cuenta que la ventaja relativa decisiva que ostentaba la *oligarquía diversificada* radicaba en ser la que definía el comportamiento de ese sistema político que sustenta el *transformismo argentino.*

En este contexto, el conflictivo *fin de época* que se puso en marcha en diciembre de 2001 reconoció la movilización social como un elemento constitutivo e insoslayable de mencionar. Por primera vez desde la dictadura militar, los sectores populares fueron un factor trascendente en la crisis definitiva de la valorización financiera y, a pesar de que no pudieron evitar ser los principales perjudicados, condicionaron su resolución forzando cambios en el escenario político y social del país.

Agradecimientos

Mi profundo agradecimiento por la generosa colaboración en tareas áridas y tediosas que les restaron tiempo y atención a sus propios trabajos, a: Victoria Basualdo, María Cecilia Nahón, Verónica Weiss, Nicolás Arceo, Matías Kulfas, Juan Santarcángelo y Martín Schorr. Igualmente importantes fueron los comentarios y las observaciones realizados por Enrique Arceo y Daniel Azpiazu, destacados intelectuales a quienes les agradezco su amistad. Mi gratitud a los compañeros de Siglo XXI Editores por su entusiasmo y profesionalidad. Igualmente, a Javiera Gutiérrez por la atinada revisión y las sugerencias a la versión original de este trabajo y a Carlos Borro por sus consejos en el mismo sentido. Finalmente, también quiero expresarle mi reconocimiento a la John Simon Guggenheim Memorial Foundation por haberme otorgado la beca que hizo posible tanto la realización como la publicación de este libro que, al mismo tiempo, constituyó el núcleo central de mi tesis, dirigida por Miguel Teubal, en el doctorado de Historia de la Facultad de Filosofía y Letras de la UBA.

Bibliografía

Abeles, M., Forcinito, K. y Schorr, M., "Conformación y consolidación del oligopolio de las telecomunicaciones en la Argentina", *Realidad Económica,* nº 155, Buenos Aires, 1998.

Abeles, M., "La privatización de ENTEL", Abeles, M., Forcinito, K. y Schorr, M., *El oligopolio telefónico argentino frente a la liberalización del mercado,* Buenos Aires, UNQ-FLACSO-IDEP, 2001.

Acevedo, M., Basualdo, E. M. y Khavisse, M., *¿Quién es quién? Los dueños del poder económico (Argentina 1973-1987),* Buenos Aires, Editora/12-Pensamiento Jurídico, 1991.

Acuña, C. y Golbert, L., "Empresarios y política (parte II). Los empresarios y sus organizaciones: ¿Qué pasó con el Plan Austral?", *Boletín Informativo Techint,* nº 263, Buenos Aires, 1990.

Acuña, M. L., *Alfonsín y el poder económico. El fracaso de la concertación y los pactos corporativos entre 1983 y 1989,* Buenos Aires, Corregidor, 1995.

Alende, O., *Los que mueven las palancas,* Buenos Aires, Peña Lilo, 1973.

Altimir, O., Santamaría, H. y Sourrouille, J. V., "Los instrumentos de promoción industrial en la postguerra", en *Desarrollo Económico* nº 22/23, Buenos Aires, IDES, 1966.

Amsden, A. H., *Corea, un proceso exitoso de industrialización tardía,* Bogotá, Grupo Editorial Norma, 1992.

———, *The rise of the rest. Challenges to the West form Late-industrializing economies,* Nueva York, Oxford University Press, 2001.

Arceo, E. y Basualdo, E. M., "El impuesto inmobiliario rural en la provincia de Buenos Aires: del modelo agroexportador a la valorización financiera", *Realidad Económica,* nº 149, Buenos Aires, IADE, 1997.

Arceo, E., "Análisis de las nuevas medidas del gobierno nacional. Subsidios a los sectores dominantes, ajuste para los sectores populares", Buenos Aires, IDEF, noviembre de 2001.

———, *ALCA. Neoliberalismo y Nuevo Pacto Colonial,* Secretaría de Relaciones Internacionales e Instituto de Estudios y Formación de la CTA, noviembre de 2002.

———, *Argentina en la Periferia próspera. Renta internacional, dominación oligárquica y modo de acumulación*, Buenos Aires, UNQ-FLACSO-IDEP, 2003.

Arza, C., "El impacto social de las privatizaciones. El caso de los servicios públicos domiciliarios", Buenos Aires, Área de Economía y Tecnología de FLACSO, marzo de 2002.

Auditoría General de la Nación, "Análisis del balance de pagos de la Argentina: los cambios metodológicos recientes y el desempeño observado en 1998", Buenos Aires, 1999.

Azpiazu, D., "Las empresas transnacionales de una economía en transición: la experiencia argentina en los años ochenta", *Estudios e informes de la CEPAL*, nº 91, Santiago de Chile, 1995.

Azpiazu, D. y Basualdo, E. M., "Las privatizaciones en la Argentina. Concentración del poder económico e imperfecciones de mercado", *Oikos*, Buenos Aires, Facultad de Ciencias Económicas de la Universidad Nacional de Buenos Aires, año III, nº 8, 1995.

———, "Las privatizaciones en la Argentina. Concentración del poder económico e imperfecciones del mercado", *La privatización en América Latina y el Caribe: Algunas experiencias nacionales y sectoriales*, Reunión de Altos Funcionarios Encargados de los Procesos de Privatizaciones en América Latina y el Caribe, Caracas, SELA, 1995.

Azpiazu, D. y Forcinito, K., "Historia de un fracaso: la privatización del sistema de agua y saneamiento en el Área Metropolitana de Buenos Aires", Buenos Aires, Área de Economía y Tecnología de FLACSO, abril de 2003, (mimeo).

Azpiazu, D. y otros, *El proceso de privatización en Argentina. La renegociación con las empresas privatizadas*, Buenos Aires, *Página 12*-UNQ-IDEP, 2002.

Azpiazu, D. y Schorr M., "Privatizaciones, rentas de privilegio, subordinación estatal y acumulación de capital en la Argentina contemporánea", Buenos Aires, IDEF de la CTA, 2001.

Azpiazu, D. y Basualdo, E. M., "Concentración económica y regulación de los servicios públicos", *Revista Enoikos*, año IX, nº 15, Buenos Aires, 2001.

Azpiazu, D. y Khavisse, M., "La estructura de los mercados y la desindustrialización en la Argentina: 1976-1981", México, CET-UNAM-CEESTEM, 1983.

Azpiazu, D. y Kosacoff, B., "Las empresas transnacionales en la Argentina", Buenos Aires, CEPAL, Documento de Trabajo nº 16, 1985.

Azpiazu, D. y Schorr M., "Privatizaciones, rentas de privilegio, subordinación estatal y acumulación del capital en la Argentina contemporánea, Buenos Aires, IDEF de la CTA, diciembre de 2001.

———, "Desnaturalización de la regulación pública y ganancias extraordinarias", *Realidad Económica*, Buenos Aires, 2001.

———, "Las traumáticas privatizaciones argentinas Rentas de privilegio en detrimento de la competitividad de la economía y la equidad distributiva", *Matériaux pour l'historie de notre temps*, Francia, mayo de 2004.

Azpiazu, D., Basualdo, E. M. y Schorr, M., "La reestructuración y el redimensionamiento de la producción industrial argentina durante las últimas décadas", Buenos Aires, Instituto de Estudios y Formación de la CTA, agosto de 2002.

Azpiazu, D., Basualdo, E. M. y Khavisse, M., *El nuevo poder económico en la Argentina de los ochenta*, Buenos Aires, Legasa, 1986.

Azpiazu, D., Basualdo, E. M. y Nochteff, H. J., *La revolución tecnológica y las políticas hegemónicas. El complejo electrónico en la Argentina*, Buenos Aires, Legasa, 1988.

Azpiazu, D., Bonvecchi, C., Khavisse M. y Turkieh, M., "Acerca del desarrollo industrial argentino. Un comentario crítico", *Desarrollo Económico*, nº 60, Buenos Aires, IDES, 1976.

Azpiazu, D., "La captura institucional y los privilegios de las empresas privatizadas:¿premura inicial o una constante en los noventa?, Azpiazu, D. (comp.), *Privatizaciones y poder económico. La consolidación de una sociedad excluyente*, Buenos Aires, UNQ-FLACSO-IDEP, 2001.

———, "La industria argentina ante la privatización, la desregulación y la apertura asimétricas de la economía. La creciente polarización del poder económico", en Nochteff, H. J. y Azpiazu, D., *El desarrollo ausente. Restricciones al desarrollo, neoconservadorismo y elite económica en la Argentina. Ensayos de Economía política*, Buenos Aires, FLACSO/Tesis Norma, 1995.

———, "La inversión en la industria argentina. El comportamiento heterogéneo de las principales empresas en una etapa de incertidumbre macroeconómica (1983-1988)", Buenos Aires, CEPAL, Documento nº 49, 1993.

———, "La promoción a la inversión industrial en la Argentina. Efectos sobre la estructura industrial, 1974-1987", Buenos Aires, CEPAL, nº 27, 1988.

———, "Privatizaciones en la Argentina. La captura institucional del Estado", *Realidad Económica*, nº 189, 2002.

———, *La concentración en la industria argentina a mediados de los años noventa*, Buenos Aires, EUDEBA/FLACSO, 1998.

———, *Las privatizaciones en la Argentina. Diagnósticos y propuestas para una mayor competitividad y equidad social*, Buenos Aires, CIEPP-OSDE, 2002.

BCRA, "Memorias", 1956/1974, 1976/83, 1990/2000, Buenos Aires.

———, "Resultados preliminares de una investigación del sector público argentino", Buenos Aires, 1976.

———, "Suplementos al Boletín Estadístico", enero de 1960 y junio de 1962.

Banco Mundial, "Global Development Finance", Edición en CD-Rom, Washington DC, 2001.

———, "World Debt Tables", 1976 y 1977.

———, "Economic Memorandum on Argentina", Report Nº 4979-AR, 22 de junio, Washington, 1984.

Banco Provincia de Buenos Aires, Síntesis Informativa Económica y Financiera, Buenos Aires, mayo-agosto de 1992.

Barbeito, A., "El blindaje que no fue. O la decisión de gestionar la fase agónica del modelo económico", *Realidad Económica,* nº 178, Buenos Aires, febrero-marzo de 2001.

Barsky, O., Lattuada, M. y Llovet, I.; "Las grandes empresas agropecuarias de la región pampeana (estudio preliminar)", Buenos Aires, Secretaría de Agricultura, Ganadería y Pesca de la Nación, 1987 (mimeo).

Baschetti, R., *De la guerrilla peronista al gobierno popular. Documentos (1970-1973),* Buenos Aires, De la Campana, 1993.

Baschetti, R., *Documentos de la resistencia peronista, 1955-1970,* Buenos Aires, Puntosur, 1990.

Basualdo, E. M. y Bang, J. H., *Los grupos de sociedades en el sector agropecuario pampeano. Metodología y criterios para su determinación y análisis,* Buenos Aires, FLACSO/INTA, 1998.

Basualdo, E. M. y Khavisse, M., "El comportamiento exportador de las grandes empresas nacionales y extranjeras en la Argentina: 1976-1983", Buenos Aires, Centro de Economía Transnacional, D/95/e, 1986.

———, "La gran propiedad rural en la provincia de Buenos Aires", *Revista Desarrollo Económico,* nº 134, Buenos Aires, IDES, 1994.

———, *El nuevo poder terrateniente, Investigación sobre los nuevos y viejos propietarios de tierras de la Provincia de Buenos Aires,* Buenos Aires, Planeta, 1993.

Basualdo, E. M.; "El nuevo poder terrateniente: una respuesta", *Realidad Económica,* nº 132, Buenos Aires, 1995.

Basualdo, E. M. y Kulfas, M., "Fuga de capitales y endeudamiento externo en la Argentina", *Realidad Económica,* nº 173, Buenos Aires, 2000.

Basualdo, E. M., Bang J. H. y Arceo N., "Las compraventas de tierras en la Provincia de Buenos Aires durante el auge de las transferencias de capital en la Argentina", *Desarrollo Económico,* nº 155, Buenos Aires, 1999.

Basualdo, E. M., Lisfchitz, E. y Roca, E., "Las empresas multinacionales en la ocupación industrial en la Argentina, 1973-1983", OIT, Documento de Trabajo nº 51, Ginebra, 1988.

Basualdo, E. M., "Acerca de la naturaleza de la deuda externa y la definición de una estrategia política", Buenos Aires, FLACSO/UNQ/*Página 12,* 2000.

———, "El impacto económico y social de las privatizaciones", *Realidad Económica,* nº 123, Buenos Aires, 1994.

———, "El nuevo poder terrateniente: una respuesta", *Realidad Económica*, nº 132, Buenos Aires, IADE, 1995.

———, "La concentración de la propiedad rural en la provincia de Buenos Aires: situación actual y evolución reciente", en Nochteff, H. J. (ed.) *La economía argentina a fin de siglo. Fragmentación presente y desarrollo ausente*, Buenos Aires, EUDEBA/FLACSO, 1998.

Basualdo, E. M., "La estructura de propiedad del capital extranjero en la Argentina, 1974", CET/IPAL, D/80/e, Buenos Aires, 1984.

Basualdo, E. M., "La integración y diversificación empresarial, rasgo predominante del poder transnacional en la Argentina", Buenos Aires, Centro de Economía Transnacional (CET), 1984.

———, "Los desafíos de la política industrial", E. Giai y J. C. Amigo, "En vez del modelo, ideas para una estrategia de desarrollo nacional", Buenos Aires, Instituto Movilizador de Fondos Cooperativos (IMFC)/Instituto Argentino para el Desarrollo Económico (IADE), 2001.

———, "Los grupos de sociedades en el agro pampeano", *Desarrollo Económico*, nº 143, Buenos Aires, 1996.

———, "Notas sobre la burguesía nacional, el capital extranjero y la oligarquía pampeana", *Realidad Económica*, nº 201, Buenos Aires, 2004.

———, "Notas sobre la evolución de los grupos económicos en la Argentina", Buenos Aires, IDEP (Instituto de Estudios sobre Estado y Participación), Cuaderno nº 49, 1997.

———, *Concentración y centralización del capital en la Argentina durante la década de los noventa. Una aproximación a través de la reestructuración económica y el comportamiento de los grupos económicos y los capitales extranjeros*, Buenos Aires, FLACSO/UNQ/IDEP, 2000.

———, *Deuda Externa y poder económico en la Argentina*, Buenos Aires, Nueva América, 1987.

———, *Sistema Político y modelo de acumulación en la Argentina*, Buenos Aires, UNQ-FLACSO-IDEP, 2001.

Basualdo, V., "La Distribución de la propiedad de la tierra en la Provincia de Buenos Aires en la década de 1920", Tesis de licenciatura de la Carrera de Historia, Facultad de Filosofía y Letras, Universidad de Buenos Aires, 2001.

Beccaria L. y Gallin, P., *Regulaciones laborales en Argentina. Evaluación y propuestas*, Buenos Aires, CIEPP-OSDE, 2002.

Beccaria, L., "Distribución del ingreso en la Argentina: Explorando lo sucedido desde mediados de los setenta", *Desarrollo Económico*, nº 123, Buenos Aires, IDES, 1991.

———, "Los movimientos de corto plazo en el mercado de trabajo urbano en la Argentina", *Desarrollo Económico*, nº 74, Buenos Aires, IDES, 1980.

Bekerman, M., "El impacto fiscal del pago de la deuda externa. La experiencia argentina, 1980-1986", *Desarrollo Económico*, nº 116, Buenos Aires, IDES, 1990.

Berlinsky, J., "Protección arancelaria de la industria manufacturera argentina", Buenos Aires, Ministerio de Economía, septiembre de 1977.

Billard, J. y otros, "Análisis económico de los sistemas de recolección de maíz (la juntada mecánica)", Buenos Aires, Ministerio de Agricultura y Ganadería de la Nación, 1991.

Birle, P., *Los empresarios y la democracia en la Argentina. Conflictos y coincidencias*, Buenos Aires, Editorial de Belgrano, 1997.

Blaquier, C. P., *La empresa agraria argentina*, Buenos Aires, Cen, 1967.

Bonasso, M., *Don Alfredo*, Buenos Aires, Planeta, 1999.

Botzman, M. y Tussie, D., "Argentina y el ocaso del Plan Baker. Las negociaciones con el Banco Mundial", *Boletín Informativo Techint*, Buenos Aires, enero-marzo de 1991.

Bouchet, M., *The Political Economy of International Debt: What, Who, How much and Why?*, Nueva York, Quorum Books, 1987.

Bouzas, R. y Keifman, S., "Deuda externa y negociaciones financieras en la década de los ochenta: una evaluación de la experiencia argentina", FLACSO, Documentos e Informes de Investigación nº 98, 1990.

———, "El 'menú de opciones' y el programa de capitalización de la deuda externa argentina", *Revista Desarrollo Económico*, nº 116, Buenos Aires, IDES, 1990.

Boyer, R., "La teoría de la regulación. Un análisis crítico", SECYT, CONICET, CNRS, Buenos Aires, Humanitas, 1989.

Bozzo, R. y Mendoza H., "Grupo Roberts", *Realidad Económica*, nº 18, Buenos Aires, 1974.

Bozzo, R. y Mendoza, H. J., "Radiografía de un monopolio. Las arterias de Bunge y Born", *Revista Realidad Económica* Nº 15, Buenos Aires, IADE, 1974.

Braun, O. y Joy, L., "Un modelo de estancamiento económico. Estudio de caso sobre la economía argentina", *Revista Desarrollo Económico*, nº 80, Buenos Aires, IDES, 1981.

Braun, O., "Desarrollo del capital monopolista en la Argentina", *El capitalismo argentino en crisis*, O. Braun (compilador), Buenos Aires, Siglo XXI, 1970.

Brennan, J. P., *El Cordobazo. Las guerras obreras en Córdoba, 1955-1976*, Buenos Aires, Sudamericana, 1996.

———, "Industrialists and bolicheros", J. P. Brennan, *Peronism and Argentina*, Wilmington, Delaware, Scholarly Resources, 1998.

Brodersohn, M., "Financiamiento de empresas privadas y mercado de capital", Programa Latinoamericano para el Desarrollo del Mercado de Capital, Buenos Aires, 1972.

Brodersohn, M., "Estrategias de estabilización y expansión en la Argentina:1959-67"; *Los planes de estabilización en la Argentina*, A. Ferrer y otros, Buenos Aires, Paidós, 1969.

———, "Política económica de corto plazo, crecimiento e inflación en la Argentina, 1950-1972", *Problemas económicos argentinos*, Buenos Aires, Macchi, 1973.

Brzoska, M., "The Military Related External Debt of Third World Countries", *Journal of Peace Research*, nº 3, vol. 20, septiembre de 1983.

Cafiero, A., *De la economía social-justicialista al régimen liberal-capitalista*, Buenos Aires, EUDEBA, 1974.

Calcagno, E., "Los bancos transnacionales y el endeudamiento externo en la Argentina", Santiago de Chile, Cuadernos de la CEPAL, nº 56, 1987.

Canitrot, A., "La macroeconomía de la inestabilidad", *Boletín Informativo Techint*, Buenos Aires, octubre-diciembre de 1992.

———, "Orden social y monetarismo", Cuadernos CEDES, nº 7, Buenos Aires, 1983.

———, "La macroeconomía de la inestabilidad", *Boletín Informativo Techint*, octubre-diciembre de 1992.

———, "Teoría y práctica del liberalismo. Política antiinflacionaria y apertura económica en la Argentina, 1976-1981", Estudios CEDES, nº 10, Buenos Aires, 1980.

———, "La disciplina como objetivo de la política económica. Un ensayo sobre el programa económico del gobierno argentino desde 1976", *Desarrollo Económico*, Buenos Aires, IDES, 1980.

Carchofi, R., "La desarticulación del pacto fiscal. Una interpretación sobre la evolución del sector público argentino en las dos últimas décadas", CEPAL, Documento de trabajo nº 36, Buenos Aires, 1990.

Cardoso, F. H. y Faletto, E., *Dependencia y desarrollo en América Latina*, México DF, Siglo XXI, 1969.

Cardoso, F. H., "Las contradicciones del desarrollo asociado", *Desarrollo Económico*, nº 53, Buenos Aires, IDES, 1974.

Castellani, A., "La gestión estatal durante los regímenes políticos burocrático-autoritarios. El caso argentino entre 1967 y 1969", *Revista Sociohistórica*, nº 11, La Plata, diciembre de 2002.

Catastro inmobiliario rural, La Plata, Provincia de Buenos Aires, diciembre de 1988.

Celulosa Argentina SA, "Memoria y Balance", Buenos Aires, 31 de mayo de 1987.

Central de los Trabajadores Argentinos (CTA), "Denuncia ante el Juzgado número cinco de la Audiencia Nacional de Madrid", España, 1993 (mimeo).

Centro de Estudios de la Producción, "Evolución del stock de capital en Argentina", nº 1, Buenos Aires, Ministerio de Economía de la Nación, Secretaría de Industria, Comercio y Minería, 1997.

Centro de Estudios de la Producción, "Inversiones", Síntesis de la Economía Real, nº 33, Buenos Aires, Secretaría de Industria. Comercio y Minería, 2000.

CEPAL, *El desarrollo económico de la Argentina*, tomo V, México, 1959.

———, "Estadísticas de corto plazo de la Argentina. Sector externo y condiciones económicas internacionales", Documento de Trabajo nº 20, Buenos Aires, 1986.

———, "Exportación de manufacturas y desarrollo industrial. Dos estudios sobre el caso argentino (1973-1984)", Documento de Trabajo nº 22, Buenos Aires, 1986.

———, "Las empresas públicas en la Argentina. Su magnitud y origen", Documento de Trabajo, nº 3, Oficina en Buenos Aires, 1983.

Chesnais, F., "Introducción general", Chesnais F. (compilador), *La mundialización financiera. Génesis, costos y desafíos*, Buenos Aires, Losada, 2001.

Cimillo E. y otros, "Un proceso de sustitución de importaciones con inversiones extranjeras: el caso argentino", CONADE, *El desarrollo industrial en la Argentina: sustitución de importaciones, concentración económica y capital extranjero (1950-1970)*, Buenos Aires, CONADE, 1972.

Cline, W. R., "International debt and the stability of the world economy", Washington DC, Institute for international economics, 1983.

Cohen, E., "Modificaciones provocadas por la microelectrónica en el rol de las empresas transnacionales electrónicas en los países en vías de desarrollo. Análisis de dos casos en el área de máquinas de oficina", Buenos Aires, 1981 (mimeo).

Comisión Especial de la Cámara de Diputados, "Fuga de Divisas en la Argentina. Informe final", Buenos Aires, Siglo XXI-FLACSO, 2005.

Comisión Especial sobre fuga de divisas en el 2001, "La fuga de divisas de la Argentina en 2001", Informe final, Honorable Cámara de Diputados de la Nación, Buenos Aires, 2003.

Conesa E., "Fuga de capitales, política económica argentina y latinoamericana. Un análisis comparativo", Buenos Aires, Instituto de Política Económica y Social, 1986.

Consejo Empresario Argentino, "Crecimiento y bienestar", Buenos Aires, 1999.

Cooke, J. W., *Peronismo y revolución. El peronismo y el golpe de Estado. Informe a las bases*, Buenos Aires, Parlamento, 1985.

Cortés R. y Marshall A., "La reforma social de los noventa", *Desarrollo Económico*, nº 154, Buenos Aires, 1999.

———, "Estrategias económicas, intervención social del Estado y regulación de la fuerza de trabajo. Argentina 1890-1990", Estudios del Trabajo nº 1, Buenos Aires, ASET, 1991.

Coscia, A., "La desocupación y el éxodo en el medio rural", Buenos Aires, INTA-Pergamino, 1978.

Crabbe, L. E., Pickering, M. H. y Prowse, S. D., "Recent developments in corporate finance", Washington DC, Federal Reserve Bulletin, agosto de 1990.

Cuccia L. y otros, "Tendencias y fluctuaciones del sector agropecuario pampeano", CEPAL, Documento de Trabajo nº 29, Buenos Aires, 1988.

Cumby, R. y Levich, R., "On the definition and magnitud of recent capital flight", D. Lessard y J. Williamson, *Capital flight an third world debt,* Washington DC, Institute for International Economics, 1987.

Dal Din, C. y López Isnardi, N., "La deuda pública argentina, 1990-1997", FIEL, Documento de Trabajo nº 56, Buenos Aires, junio de 1998.

Dal Din, C., "La apertura financiera argentina de los '90. Una visión complementaria de la balanza de pagos", FIEL, junio de 2000.

Damill, M. y Fanelli, J. M., "Decisiones de cartera y transferencias de riqueza en un período de inestabilidad macroeconómica", Documento CEDES nº 12, Buenos Aires, 1988.

Damill, M. y Frenkel, R., *"Restauración democrática y política económica")*, "La política económica en la transición a la democracia", Morales, J. y McHahon, G. (editores), CIEPLAN, 1983.

Damill, M., "El balance de pagos y la deuda externa pública bajo la convertibilidad" Buenos Aires, Cedes, 2000.

De Pablo, J. C., "Precios relativos, distribución del ingreso y planes de estabilización: la experiencia de la Argentina durante 1957-70", *Revista Desarrollo Económico,* nº 57, Buenos Aires, IDES, 1975.

Diamand, M., *"El péndulo argentino:¿Empate político o fracaso económico?", Pensar la República,* Fundación Piñero Pacheco, Buenos Aires, Editorial Persona a Persona, 1977.

Díaz, Alejandro, C. F., *Ensayos sobre historia económica argentina,* Buenos Aires, Amorrortu, 1975.

Dooley, M., "Country-specific risk premium, capital flight and net investment income payments in selected developing countries", FMI, Washington DC, 1986.

Dorfman, A., *Evolución industrial argentina,* Buenos Aires, Losada, 1942.

———, *Cincuenta años de industrialización en la Argentina, 1930-1980,* Buenos Aires, Solar, 1983.

Duarte, M., "Los impactos de las privatizaciones sobre el mercado de trabajo: Desocupación y creciente precarización laboral", *Privatizaciones y poder económico,* D. Azpiazu (compilador), Buenos Aires, UNQ-FLACSO-IDEP, 2002.

El Accionista (diario jurídico y comercial), *Guía El accionista de sociedades anónimas,* Buenos Aires, 1955.

Esahg, E. y Thorp, R., "Las políticas económicas ortodoxas de Perón a Guido (1953-1963). Consecuencias económicas y sociales", Ferrer, A. y otros, *Los planes de estabilización en la Argentina,* Buenos Aires, Paidós,1969.

Fanelli, J. M. y Frenkel, R., *Políticas de estabilización e hiperinflación en Argentina,* Buenos Aires, Tesis, 1990.

Feldman, E. y Sommer, J., "Crisis financiera y endeudamiento externo en la Argentina", Buenos Aires, CEAL-CET, 1986.

Feldman, J., Golbert, L. e Isuani, A., "Maduración y crisis del Sistema Previsional Argentino", *Boletín Techint*, nº 240, Buenos Aires, 1986.

Feletti, R. y Lozano, C., "La etapa Menem. Cambio estructural, crisis recurrentes y destino político", Buenos Aires, IDEP, 1991.

Fernández, R. B., "Comentarios sobre el proyecto oficial de reforma de la carta orgánica del Banco Central de la República Argentina", presentado en la Convención de ADEBA (Asociación de Bancos Argentinos), Buenos Aires, 1990.

———, "La crisis financiera argentina: 1980-1982", *Revista Desarrollo Económico*, nº 89, Buenos Aires, IDES, 1983.

Ferrer, A., *La economía argentina*, Buenos Aires, Fondo de cultura Económica, 1970.

FIDE, "Los roles de la deuda externa en la Convertibilidad", Coyuntura y Desarrollo, nº 258, Buenos Aires, abril de 2000.

FIEL, "Una política económica para la década", Reunión Anual de la Asociación de Bancos de la Argentina (ABA), Buenos Aires, 2001.

———, *Educación y mercado de trabajo en Argentina*, Buenos Aires, 1994.

Fodor J. y O'Connell, A., "La Argentina y la economía atlántica en la primera mitad del siglo XX", *Desarrollo Económico*, nº 49, Buenos Aires, IDES, 1973.

Fondo Monetario Internacional y Banco Mundial, "Direction of Trade", Washington DC, 1962, 1970, 1973 y 1975.

Fondo Monetario Internacional, "Balance of Payments Compilation Guide", Washington DC, 1995.

———, "Balances of payments manual", fifth edition, Washington DC, 1993.

———, "International Financial Statistics", Washington DC, 1980 y 1985.

———, "Argentina. Incentivos fiscales para el fomento del desarrollo", Washington DC, 1986.

Foster, V., "Impacto social de la crisis argentina en los sectores de infraestructura: ¿en qué medida existe una política social?", Oficina del Banco Mundial para Argentina, Chile, Paraguay y Uruguay, Documento de Trabajo nº 5, abril de 2003.

Frenkel, R. y González Rozada, M., "Apertura, productividad y empleo. Argentina en los años 90", Documentos de Economía nº 9, Universidad de Palermo-CEDES, Buenos Aires, 1998.

Frenkel, R., Fanelli, R. y Rozenwurcel, G., "Crítica al Consenso de Washington", Fondad, Documento de Trabajo nº 1, Buenos Aires, 1992.

Frenkel, R., "El desarrollo reciente del mercado de capitales en la Argentina", *Revista Desarrollo Económico*, Buenos Aires, IDES, 1980.

Fritz Gerald, V., "Cooperación tributaria internacional y movilidad del capital", Revista de la CEPAL, nº 77, Santiago de Chile, agosto de 2002.

Fuerzas Armadas Revolucionarias, "Aporte al proceso de confrontación de posiciones y polémica pública que abordamos con el ERP", *Revista Militancia Peronista*, nº4, Buenos Aires, 1974.

Fundación Banco de Boston, *Argentina. Evolución económica, 1915-1976*, Buenos Aires, 1978.

García Lupo, R., *Contra la ocupación extranjera*, Buenos Aires, 1972.

García, A. y Junco, S., "Banco Mundial y Plan Baker. Análisis del caso argentino", *Boletín Informativo Techint*, Buenos Aires, enero-febrero de 1989.

———, "Historia de la renegociación de la deuda externa argentina", *Boletín Informativo Techint*, nº 245, Buenos Aires, 1987.

Gatto, F., Gutman, G. y Yoguel, G., "Reestructuración industrial en la Argentina y sus efectos regionales", 1973-1984, Buenos Aires, CFI-CEPAL, 1988.

Gerchunoff, P. y Llach, J. J., "Capitalismo industrial, desarrollo asociado y distribución del ingreso entre los dos gobiernos peronistas: 1950-1972", *Desarrollo Económico*, nº 57, Buenos Aires, IDES, 1975.

Gerchunoff, P. y Vicens, M., "Gasto público, recursos públicos y financiamiento en una economía en crisis. El caso argentino", Buenos Aires, Instituto Torcuato Di Tella, 1989.

Gerchunoff, P., Greco E. y Bondorevsky, D., "Comienzos diversos, distintas trayectorias y final abierto: más de una década de privatizaciones en Argentina, 1990-2002", Santiago de Chile, CEPAL-ILPES, 2003.

Gigliani, G. "La economía política de Alfonsín ¿Ajuste o modernización?", *Cuadernos del Sur*, Buenos Aires, 1989.

Gilbert, J., "Empresarios y empresas en la Argentina moderna. El grupo Tornquist, 1983-1930", Buenos Aires, Universidad de San Andrés, Departamento de Humanidades, Documento de trabajo, nº 27, 2002.

Girbal-Blancha, N., "El Estado benefactor, dirigista y planificador. Continuidad y cambio en la economía y la sociedad argentinas", Girbal-Blancha, N. (coordinadora), *Estado, sociedad y economía en la Argentina* (1930-1997), UNQ, 2002.

Goldberg, S. y Ianchilovici, B., "El stock de capital en la Argentina. Medición y problemas conceptuales", Buenos Aires, Secretaría de Planificación, Presidencia de la Nación, octubre de 1986.

Goldberg, S., Ianchilovici, B., Kreser, M., Zaltzman, A., Buchner, L. y Tavilla, P., "Stock de capital y productividad", Buenos Aires, Secretaría de Planificación, Presidencia de la Nación, Septiembre 1991.

Green, R. y Laurent, T., *El poder de Bunge y Born*, Buenos Aires, Legasa, 1988.

Grinspun, B., *La evolución de la economía argentina desde diciembre de 1983 a septiembre de 1989*, Buenos Aires, Ediciones Judiciales, 1989.

Guía de Sociedades Anónimas (varios números), Buenos Aires.

Guzmán, J. y Alvarez, J., "Las fugas de capital en México. Un análisis crítico de planteamientos recientes", México DF, Banco de México, 1987.

Halliburton, E., Bianco, J. M. y Villalba, C.A., "Deuda externa privada. El destino de una investigación", *Realidad Económica*, nº 87, Buenos Aires, IADE, 1989.

Halperín Donghi, T., *La larga agonía de la Argentina peronista*, Buenos Aires, Ariel, 1994.

Herrero, F., *Aspectos legales de la promoción industrial en la Argentina*, Buenos Aires, Instituto Torcuato Di Tella, 1966.

Horowicz, A., *Los cuatro peronismos. Historia de una metamorfosis trágica*, Buenos Aires, Planeta, 1990.

Host-Matzen, P., "Cuál es la magnitud de la fuga de capitales de los países en desarrollo", *Finanzas y Desarrollo*, Washington DC, enero de 1965.

IDEF, "Megacanje y política económica", Buenos Aires, Mesa de Coyuntura del Instituto de Formación (IDEF) de la CTA, julio de 2001.

———, "Redistribución, autonomía, democratización y deuda externa. Peligros y oportunidades", Buenos Aires, Instituto de Formación (IDEF) de la CTA, octubre de 2002 (mimeo).

———, "Shock distributivo, autonomía nacional y democratización. Aportes para superar la crisis de la sociedad argentina", Buenos Aires, Página/12 - Instituto de Formación (IDEF) de la CTA, noviembre 2002.

IDEP, "Consideraciones acerca del Plan Austral", Buenos Aires, Instituto de Estudios y Participación de la Asociación de Trabajadores del Estado, 1985.

———, "La era postbrady. Balance de la etapa 90/92", Informe de Coyuntura, Buenos Aires, febrero de 1993.

IEFE, "Implicancias del blindaje financiero", Informe nº 110, La Plata, febrero de 2001.

INDEC, "Anuarios del Comercio Exterior", 1962, 1966, 1970, 1974 y 1979.

———, "Censo Nacional Económico",1974.

———, "Censos Industriales", 1973, 1984 y 1995, Buenos Aires.

———, "Encuesta industrial", varios números, Buenos Aires.

———, "Grandes empresas en la Argentina", Buenos Aires,1998.

———, "Las grandes empresas en la Argentina, 1993-1997", Buenos Aires, 1999.

INTA-FLACSO, Informe final del proyecto "Sistema de información sobre producción y propiedad de los grandes propietarios bonaerenses", agosto de 1998 (mimeo).

Jorge, E., *Industria y concentración económica (desde principios de siglo hasta el peronismo)*, Buenos Aires, Siglo XXI, 1971.

Junta de Planificación Económica de la Provincia de Buenos Aires, "La distribución de la propiedad agraria en la provincia de Buenos Aires", *Desarrollo Económico*, nº 1, Buenos Aires, IDES, 1958.

Kalecki, M., "La lucha de clases y la distribución del ingreso nacional", Kalecki, M., *Teoría de la dinámica económica. Ensayos escogidos sobre dinámica de la economía capitalista,* México, Fondo de Cultura Económica, 1977.

Keifman, S., "Argentina bajo el Plan Baker", *América Latina Internacional,* Buenos Aires, FLACSO, abril-junio de 1988.

Khavisse M. y Azpiazu D., "La concentración en la industria argentina en 1974", Buenos Aires, Centro de Economía Transnacional, Instituto para América Latina (CET), D/72/e, 1983.

Khavisse, M. y Piotrkowski, J., "La consolidación hegemónica de los factores extranacionales: El caso de las cien empresas industriales más grandes", Buenos Aires, CONADE, 1973.

Kosacoff, B. y Azpiazu, D., "La industria argentina. Desarrollo y cambios estructurales", Buenos Aires, CEPAL-CEAL, 1989.

Kosacoff, B., "El proceso de industrialización en la Argentina en el período 1976/1983", Buenos Aires, CEPAL, Documento de Trabajo nº 13, julio de 1984.

Kulfas, M., "El impacto del proceso de fusiones y adquisiciones en la Argentina sobre el mapa de grandes empresas", Santiago de Chile, CEPAL, 2001.

Latuada, M., "Una lectura sobre el nuevo poder terrateniente y su significado en la Argentina actual", *Realidad Económica,* nº 132, Buenos Aires, IADE, 1995.

Leontieff, W., *Análisis económicos input-output,* España, Orbis, 1985.

Levit, C. y Ortiz, R., *La hiperinflación argentina: prehistoria de los años noventa, Revista época,* nº 1, Buenos Aires, diciembre de 1999.

Lifschitz, E., "Eslabonamientos productivos: enfoque metodológico y presentación de las matrices sectoriales", Estudios para el diseño de políticas públicas, vol. 9, Buenos Aires, Gobierno Argentino-PNUD-BIRF, 1992.

Lindenboim, J., "El empresariado industrial argentino y sus organizaciones gremiales entre 1930 y 1946", *Desarrollo Económico,* nº 62, Buenos Aires, IDES, 1976.

———, "Dependencia, procesos sociales y control del Estado en la década del treinta", *Desarrollo Económico,* nº 45, Buenos Aires, IDES, 1972.

Llach, J. J., "El Plan Pinedo de 1940, su significado histórico y los orígenes de la economía política del peronismo", *Desarrollo Económico,* nº 47, Buenos Aires, IDES, 1972.

———, *Otro siglo, otra Argentina. Una estrategia para el desarrollo económico y social nacida de la convertibilidad y de su historia,* Buenos Aires, Ariel, 1997.

Londero, E. y Teitel, S., "Dotación de recursos, industrialización y contenido de insumos primarios de las exportaciones de manufacturas, *Comercio Exterior,* 46 (11), México, 1996.

Lozano, C., "El verdadero costo del megacanje", Buenos Aires, IDEF, julio de 2001.

Machinea, J. L. y Sommer, J., "El manejo de la deuda externa en condiciones de crisis de balanza de pagos: la moratoria 1988-89", Buenos Aires, CEDES, 1990.

Maia, J. L., "El ingreso argentino al Plan Brady", *Boletín Informativo Techint*, nº 274, Buenos Aries, abril-junio de 1993.

Majul, L., *Por qué cayó Alfonsín. El nuevo terrorismo económico*, Buenos Aires, Sudamericana, 1990.

Mallon, R. y Sourrouille, J. V., *La política económica en una sociedad conflictiva. El caso argentino*, Buenos Aires, Amorrortu, 1973.

Martín, J. P., *El movimiento de sacerdotes para el tercer mundo. Un debate argentino*, Buenos Aires, Castañeda y Guadalupe, 1992.

Martínez, O., "El escenario febrero-julio de 1989. Terrorismo económico y desestabilización política", Martínez, O., *El Menemato. Radiografía de dos años de gobierno de Carlos Menem*, Buenos Aires, Letra Buena, 1991.

Marx, C., *El Capital. Crítica de la Economía Política*, México, Fondo de Cultura Económica, tomo I, 1971.

———, *Las luchas de clases en Francia*, Buenos Aires, Claridad, 1968.

Maxfield, S., "Empresarios Nacionales, Crecimiento Ligado a la Deuda y Transición Política en América Latina", B. Stallings y R. Kaufman, *Debt and Democracy in Latin America*, Londres, Westview Press, 1989.

Medina, J. J., "Evaluación del plan de apertura de la economía argentina, 1979-1984, Buenos Aires, junio de 1990.

Melconián, C. y Santángelo, R., "El endeudamiento del sector público argentino en el período 1989-1995", Programa de las Naciones Unidas para el Desarrollo, Proyecto Arg/91/R03, 1996.

Mendoza H. y otros, "El grupo Braun-Menéndez Behety", *Realidad Económica*, nº 22, Buenos Aires, 1975.

Mignone, E. F., *Iglesia y dictadura. El papel de la Iglesia a la luz de sus relaciones con el régimen militar*, Buenos Aires, UNQ - *Página /12*, 1999.

Ministerio de Economía de la Nación, "Boletín Semanal", Buenos Aires, Secretaría de Estado de Programación y Coordinación Económica, noviembre de 1976.

———, "Estimaciones trimestrales del balance de pagos y de activos y pasivos externos", Buenos Aires, varios números.

———, "Metodología de estimación del balance de pagos", Buenos Aires, Dirección Nacional de Cuentas Internacionales, 1999 (a).

———, "Presentación de la actualización metodológica del Balance de Pagos", Buenos Aires, Dirección Nacional de Cuentas Internacionales, 1999 (b).

———, "La posición de inversión internacional de Argentina a fines del año 2000", Buenos Aires, Dirección de Cuentas Internacionales, 2002.

———, Informe Económico. Tercer trimestre de 1995, nº 15, Buenos Aires, Secretaría de Programación Económica, diciembre de 1995.

———, "Informe sobre avales otorgados por el Tesoro Nacional al sector privado, 1976-88", Buenos Aires, Secretaría de Hacienda, noviembre de 1988.

Ministerio de Economía de la Provincia de Buenos Aires, "Distribución de la propiedad rural en la Provincia de Buenos Aires", Serie de Estudios Fiscales nº 7, Buenos Aires, Dirección de Recursos de la Subsecretaría de Finanzas, 1973.

Ministerio de Economía y Obras y Servicios Públicos,"Argentina, un país para invertir y crecer", Buenos Aires, 1993.

Ministerio de Hacienda, "El plan de reactivación económica ante el honorable Senado", Buenos Aires, 1940.

Montoya, S., "Mercados de trabajo y política económica", *El desafío del empleo a finales del siglo XX*, Lindemboim, J. (compilador), Buenos Aires, UBA, 1998.

Murillo, M. V., "La adaptación del sindicalismo argentino a las reformas de mercado en la primera presidencia de Menem", *Desarrollo Económico*, nº 147, Buenos Aires, 1997.

Murmis, M. y Portantiero, J. C., *Estudios sobre los orígenes del peronismo*, Buenos Aires, Siglo XXI, 1971.

Napoleoni, C., "Renta de escasez", *Diccionario de Economía Política*, Madrid, Ediciones Castillas, 1962.

Nochteff, H. J., Lozano, C. y Schorr, M., "Estado nacional, gasto público y deuda externa", Buenos Aires, IDEF-CTA, julio de 1991.

Nochteff, H. J. y Abeles, M., "Economic shocks without vision. Neoliberalism in the transition of socio-economic systems. Lessons from the argentine case", Cuaderno nº 51, Institut fur Iberoamerika-Kunde, Frankfurt, Vervuert, 2000.

Nochteff, H. J., "La política económica en la Argentina de los noventa. Una mirada de conjunto", *Revista Época*, nº 1, Buenos Aires, diciembre de 1999.

———, "Los senderos perdidos del desarrollo. Elite económica y restricciones al desarrollo en la Argentina", Nochteff, H. J. y Azpiazu, D., *El desarrollo ausente. Restricciones al desarrollo, neoconservadorismo y elite económica en la Argentina. Ensayos de Economía política*, Buenos Aires, FLACSO/Tesis Norma, 1995.

———, "Reestructuración industrial en la Argentina", *Desarrollo Económico*, nº 123, Buenos Aires, IDES, 1991.

———, *Desindustrialización y retroceso tecnológico en la Argentina, 1976-1982. La industria electrónica de consumo*, Buenos Aires, FLACSO-Grupo Editor Latinoamericano, 1984.

Nun J., "La teoría política y la transición democrática"; *Ensayos sobre la transición democrática en la Argentina*, J. Nun y J. C. Portantiero (compiladores), Buenos Aires, Puntosur, 1987.

———, "Vaivenes de un régimen social de acumulación en decadencia", *Ensayos sobre la transición democrática en la Argentina*, Nun, J. y Portantiero, J. C. (compiladores), Buenos Aires, Puntosur, 1987.

———, *Marginalidad y exclusión social*, Buenos Aires, FCE, 2001.

O'Donnell, G., "Burguesía local, capital transnacional y aparato estatal: notas para su estudio", México, ILET, DE/D/22, julio de 1978.

———, "Estado y alianzas en la Argentina, 1956-1976", *Desarrollo Económico*, nº 64, Buenos Aires, IDES, 1977.

———, *Autoritarismo y modernización*, Buenos Aires, Paidós, 1972.

———, *El Estado burocrático autoritario: 1966-1973*, Buenos Aires, Editorial de Belgrano, 1982.

———, "Apuntes para una teoría del Estado", *Teoría de la burocracia estatal*, Oszlak, O. (compilador), Buenos Aires, Paidós, 1984.

Olivera, J. H. G., "Aspectos dinámicos de la inflación estructural", *Desarrollo Económico*, nº 27, Buenos Aires, IDES, 1967.

———, "La teoría no monetaria de la inflación", *El Trimestre Económico*, nº 108, México, 1960.

Ostiguy, P., *Los capitanes de la industria. Grandes empresarios, política y economía en la Argentina de los años 80*, Buenos Aires, Legasa, 1990.

Padilla del Bosque, R., "Estimación de la fuga de capitales bajo diversas metodologías para los casos de Argentina, Brasil, México y Venezuela. Análisis de sus posibles causas y efectos", Buenos Aires, Instituto Torcuato Di Tella, Centro de Investigaciones Económicas, 1991.

Palermo, V. y Novaro, M., *Política y poder en el gobierno de Menem*, Buenos Aires, Norma, 1996.

Pastor, R., *Latin America's Debt Crisis. Adjusting to the Past or Planning for the Future?*, Boulder y London, Lynne Rienner Publishers, 1987.

———, "El grupo Bunge y Born en la economía nacional", *Argumentos* nº 4 y 6, Buenos Aires, febrero y abril de 1939.

Peña, M., "La evolución industrial y la clase empresaria argentina", *Fichas*, nº 1, Buenos Aires, 1964.

Pessino, C., "La anatomía del desempleo", *Desarrollo Económico*, número especial, Buenos Aires, verano de 1996.

Pinedo, F., *En tiempos de la República*, tomo V, Buenos Aires, Mundo Forense, 1948.

Pistonesi, H., "Desempeño de las industrias de electricidad y gas natural después de las reformas: el caso de Argentina", Santiago de Chile, ILPES-CEPAL, diciembre de 2001.

Pizarro, J. y Cacciamani, M., "Costo de Cosecha, Campaña Agrícola 1995/96", Área de Estudios Económicos y Sociales, Carpeta de Economía Agrícola, nº 70, Estación Experimental del INTA-Pergamino, abril de 1996.

Poder Ejecutivo Nacional, Decreto nº 9.997 de 1947, en "9 de abril de 1948: se retira la personería jurídica del grupo Bemberg", *Realidad Económica*, nº 14, Buenos Aires, 1973.

Poder Ejecutivo Nacional, Proyecto de Ley de Presupuesto General de la Administración Pública Nacional, mensaje para al Poder Legislativo, ejercicio 1988.

Portantiero, J. C., "Economía y política en la crisis argentina: 1958-1973", *Revista Mexicana de Sociología*, nº 2, México, 1977.

———, "Clases dominantes y crisis política", *Pasado y Presente*, nº 1, Buenos Aires, 1973.

Posada, M. y Martínez Ibarreta, M., "Capital financiero y producción agrícola: los pools de siembra en la región pampeana", *Realidad Económica*, nº 153, Buenos Aires, 1998.

Potash, R., *El ejército y la política en la Argentina, 1928-1945. De Irigoyen a Perón*, Buenos Aires, Sudamericana, 1984.

———, *El ejército y la política en la Argentina, 1945-1962. De Perón a Frondizi*, Buenos Aires, Sudamericana, 1981.

Poulantzas, N., *Poder político y clases sociales en el Estado capitalista*, México, Siglo XXI, 1970.

Pucciarelli, A. R., "Estructura agraria de la pampa bonaerense. Los tipos de explotaciones predominantes en la provincia de Buenos Aires", *El agro pampeano. Fin de un período*, O. Barsky y A. R. Pucciarelli (compiladores), FLACSO-CBC Universidad de Buenos Aires, 1997.

Rapoport, M. y otros, *Historia económica, política y social de la Argentina (1880-2000)*, Buenos Aires, Macchi, 2000.

Ras, N. y Levis, R., "El precio de la tierra. Su evolución entre los años 1916 y 1978", Buenos Aires, Sociedad Rural Argentina, 1980.

Rauber, I., *La discusión social y sindical en el fin de siglo. Una historia silenciada*, Buenos Aires, Pensamiento Jurídico Editora, 1998.

———, *Tiempo de herejías. Nuevas construcciones, debates y búsqueda de la Central de los Trabajadores Argentinos*, Buenos Aires, CTA, 1999.

Reca L. y Parrellada, G., "El sector agropecuario argentino. Aspectos de su evolución, razones de su crecimiento reciente y posibilidades futuras", Buenos Aires, Facultad de Agronomía de la UBA, 2001.

Renault Argentina, "Memoria y Balance", Buenos Aires, 1986.

Revistas, *El Periodista*, nº 42, 4 de julio de 1985, *Mercado* (varios números), *Panorama de la Economía Argentina* (varios números), *Prensa Económica* (varios números).

Ricardo, D., *Principios de Economía Política y Tributación*, México, Fondo de Cultura Económica, 1994.

Riley, S. P. (editor), *The Politics of Global Debt*, Londres, The Macmillan Press, 1993.

Rodríguez, C., "La deuda externa argentina", La Plata, Económica, vol. XXXII, nº 2, julio-diciembre de 1986.

Romero, L. A., *Breve historia contemporánea de América Latina*, Buenos Aires, Fondo de Cultura Económica, 1994.

Rougier, M., "La política crediticia del Banco Industrial durante el primer peronismo", Buenos Aires, CEEED, Instituto de Investigaciones Económicas de la Facultad de Ciencias Económicas, UBA, 2001.

Roxborough, I., "Organizaciones de Trabajadores: Una Víctima Central de la Crisis de la Deuda," B. Stallings and R. Kaufman, *Debt and Democracy in Latin America*, Londres Westview Press, 1989.

Ruini, C., "Renta de la tierra", Napoleoni, C., *Diccionario de Economía Política*, Madrid, Castillas, 1962.

SIGEP, "Producto Bruto Interno de Empresas Públicas Argentinas, 1950-74", Buenos Aires, 1982.

Sábato, J., *La clase dominante en la Argentina moderna. Formación y características*, Buenos Aires, Cisea-Ediciones Imago Mundi, 1991.

Sachs, J. (editor), *Developing Country Debt and Economic Performance*, The University of Chicago Press, 1989.

Sánchez, C., Ferrero F. y Schulthess, W., "Empleo, desempleo y tamaño de la fuerza laboral en el mercado de trabajo urbano de la Argentina", *Desarrollo Económico*, nº 73, Buenos Aires, IDES, 1979.

Santángelo, J. y Schorr, M., "Desempleo y precariedad laboral en la Argentina durante la década de los noventa", Estudios del Trabajo nº 20, Buenos Aires, ASET, 2000.

Sartelli, E., "El enigma de Proteo. A propósito de Jorge F. Sábato, Larry Sawers y el estancamiento de la economía argentina", *Ciclos*, nº10, primer semestre de 1996.

Scalabrini Ortiz, R., *Historia de los ferrocarriles argentinos*, Buenos Aires, Plus Ultra, 7ma. edición, 1975.

Schorr M. y Kulfas M., *La deuda externa argentina. Diagnóstico y lineamientos para su reestructuración*, CIEPP-Fundación OSDE, 2003.

Schorr, M., "La centralización del capital: consolidación del oligopolio telefónico y grupos multimedia", *El oligopolio telefónico argentino frente a la liberalización del mercado*, Abeles, M., Forcinito, K. y Schorr M., Buenos Aires, UNQ-FLACSO-IDEP, 2001.

Schvarzer, J., "Estrategia industrial y grandes empresas: el caso argentino", *Desarrollo Económico*, nº 71, Buenos Aires, IDES, 1978.

Schvarzer, J., "Promoción industrial en la Argentina. Características, evolución y resultados", Buenos Aires, CISEA, Documento nº 90, 1987.

———, *Bunge y Born, crecimiento y diversificación de un grupo económico*, Buenos Aires, CISEA-Grupo Editor Latinoamericano, 1987.

Scitovsky, T., "Dos conceptos de las economías externas", A. N. Agarwala y S. P. Singh, *La economía del subdesarrollo*, Madrid, Tecnos, 1963.

Secretaría de Planificación de la Presidencia de la Nación, "Lineamientos de una estrategia de crecimiento económico, 1985-1989", Buenos Aires, 1985.

Seoane, M., *El burgués maldito*, Buenos Aires, Planeta, 1998.

Serafati, C., "El papel activo de los grupos predominantemente industriales en la financiarización de la economía", *La mundialización financiera. Génesis, costo y desafíos,* Chesnais F. (compilador), Buenos Aires, Losada, 2001.

Skupch, P. R., "Concentración industrial en la Argentina, 1956/1966", Buenos Aires, Instituto de Investigación Económica de la Universidad de Buenos Aires (UBA), 1970.

———, "Nacionalización, libras bloqueadas y sustitución de importaciones", *Desarrollo Económico,* nº 47, Buenos Aires, IDES, 1972.

Sourrouille, J. V. y Lucángeli, J., "Apuntes sobre la historia reciente de la industria argentina", *Boletín Informativo Techint,* nº 219, julio/agosto/septiembre, Buenos Aires, 1980.

Sourrouille, J. V., "El impacto de las empresas transnacionales sobre el empleo y los ingresos", *El caso argentino,* Ginebra, OIT, 1976.

———, "Política Económica y procesos de desarrollo. La experiencia argentina entre 1976 y 1981", Estudios e informes de la CEPAL, nº 27, Buenos Aires, 1983.

Sraffa, P., "Las leyes de los rendimientos en régimen de competencia", G. J. Sigler y K. E. Boulding (compiladores), *Ensayos sobre la teoría de los precios,* México, Aguilar, 1968.

Szretter, H., "Argentina: Costo laboral y ventajas competitivas de la industria, 1983-1995", *Costos laborales y competitividad en América Latina,* Ginebra, OIT, 1997.

Teijeiro, M., "Una vez más, la política fiscal...", Buenos Aires, Centro de Estudios Públicos, 2001.

Teubal, M., "Estimaciones del excedente financiero del sector agropecuario argentino", *Desarrollo Económico,* nº 56, Buenos Aires, 1975.

———, "Acerca de la importancia del 'excedente financiero' del sector agropecuario argentino. Respuesta a un comentario y nueva reflexión", *Desarrollo Económico,* nº 76, Buenos Aires, 1980.

Tort M. T. y Mendizábal, N., "La fuerza de tracción en la agricultura argentina: maquinaria agrícola y estructura agraria. El caso de las zonas cerealeras pampeanas", Documento nº 8, Buenos Aires, CEIL, 1980.

Trajtenberg R. y Vigorito, R., "Economía y política en la fase transnacional. Reflexiones preliminares", *Comercio Exterior,* nº 7, México, julio de 1982.

UADE, "Estudio de Coyuntura. Niveles de remuneraciones y mercado de trabajo", nº 149, Buenos Aires, 1999.

Verbitsky, H., *La educación presidencial. De la derrota del setenta al desguace del Estado,* Buenos Aires, Editora 12 y Puntosur, 1990.

———, *Malvinas. La última batalla de la tercera guerra mundial,* Buenos Aires, Sudamericana, 2002.

———, *Robo para la Corona. Los frutos prohibidos del árbol de la corrupción,* Buenos Aires, Planeta, 1991.

Villanueva, J. y Geretto, A. J., "Observaciones sobre el empleo y la productividad en el corto plazo", Jornadas de Economía, Facultad de Economía de la Universidad Nacional de La Plata (UNLP), 1973.

Villanueva, J., "El origen de la industrialización argentina", *Desarrollo Económico*, nº 47, Buenos Aires, IDES, 1972.

Vispo, A., "Reservas de mercado, cuasi rentas de privilegio y deficiencias regulatorias: el régimen automotriz argentino", Azpiazu, D. (compilador), *La desregulación de los mercados. Paradigmas e inequidades de las políticas del neoliberalismo*, Buenos Aires, Grupo Editorial Norma/FLACSO, 1999.

Vitelli, G., *Los dos siglos de la Argentina. Historia Económica Comparada*, Buenos Aires, Prendergast, 1999.

Wade, R., *Governing the market. Economic Theory and the role of Government in East Asia Industrialization*, Princenton University Press, 1990.

Waldmann, P., *El peronismo, 1943-1955*, Buenos Aires, Hyspamérica, 1986.

Weber, M., *Economía y sociedad*, México, Fondo de Cultura Económica, 1996.

Weeks, J., *Debt Disaster? Banks, Governments and Multilaterals Confront the Crisis*, Nueva York University Press, 1989.

Wiesner, E., "Latin American Debt: Lessons and Pending Issues," *The American Economic Review*, vol. 75, nº 2, Papers and Proceedings of the Ninety-Seventh Annual Meeting of the American Economic Association, mayo de 1985.

World Bank, "Argentina. From insolvency to growth", Washington DC, 1993.

Zanatta, L., *Del Estado Liberal a la Nación Católica. Iglesia y Ejército en los orígenes del peronismo*, Buenos Aires, UNQ, 1996.